Oscar bestsell
GW00392452

Dello stesso autore

nella collezione Oscar

L'amante senza fissa dimora
Il cretino in sintesi
La donna della domenica
Enigma in luogo di mare
Il nuovo libro dei nomi di battesimo
Il palio delle contrade morte

CARLO FRUTTERO
FRANCO LUCENTINI

A CHE PUNTO
È LA NOTTE

OSCAR MONDADORI

© 1979 Arnoldo Mondadori Editore S.p.A., Milano

I edizione Omnibus ottobre 1979
I edizione Oscar narrativa agosto 1981
I edizione Oscar bestsellers ottobre 1987

ISBN 88-04-30300-X

Questo volume è stato stampato
presso Mondadori Printing S.p.A.
Stabilimento NSM - Cles (TN)
Stampato in Italia. Printed in Italy

Ristampe:

12   13   14   15   16   17   18   19

2005   2006   2007   2008   2009

www.librimondadori.it

A CHE PUNTO È LA NOTTE

a
Maria Pia e Simona

Ogni coincidenza con fatti reali e persone fisiche o giuridiche realmente esistenti, o con enti, società, organizzazioni, gerarchie sia naturali che soprannaturali, è da ritenersi puramente casuale.

I
LA VECCHIA VOLKSWAGEN COLOR CREMA

1.

La vecchia Volkswagen color crema del venditore di matite era parcheggiata a metà di via dei Rododendri. Fittamente incollati sugli sportelli, sui parafanghi, sui vetri dei finestrini posteriori, striscioni, etichette e bandierine dicevano: "Jucca, la matita superminata", oppure "Provate a consumarmi!" e anche "Jucca, la matita con la parrucca". Sopra quest'ultimo slogan si vedeva una matita con appesa in cima una parrucca gialla, rossa e verde.

Il sedile posteriore della Volkswagen era pieno fino al soffitto di scatoloni di matite Jucca e anche accanto al posto di guida ce n'erano quattro uno sull'altro, legati da un grosso spago, sopra i quali stava appoggiato un megafono con la scritta trasversale "Jucca, la matita giovane".

Chiuso fra quelle cataste di scatole, il venditore quasi scompariva: era un uomo di statura piuttosto bassa, con un giaccone di finta pelle rossiccio, una camicia a grosse righe bianche e celesti, un berrettino a quadri e una penna a sfera infilata dietro l'orecchio. Teneva sulle ginocchia un blocco di copiacommissioni e in mano una matita copiativa Jucca. Ma non stava scrivendo, stava guardando davanti a sé con aria tra meditativa e svagata, come se non vedesse quel poco che succedeva nella via.

In via dei Rododendri non c'era nessun rododendro. Vent'anni prima, dopo molti viaggi-studio nei paesi scandinavi e in Inghilterra, un gruppo di architetti e urbanisti aveva deciso di costruire all'estrema periferia di Torino un quartiere modello, dove due o tremila cittadini fra i meno abbienti potessero vivere, per una somma alla portata dei loro guadagni, in mezzo alla natura. Per questo esperimento era stata prescelta la zona di una vecchia cascina (subito demolita) denominata "Il Brussone", e su quei

campi e prati e orti tra la Dora e la Stura erano sorte case "a
misura d'uomo", ossia a tre piani, di mattoni e calcestruzzo a
vista, senza ascensori e con terrazzetti chiusi da alte grate di
cemento, dietro le quali gli inquilini avrebbero dovuto stendere
ad asciugare la biancheria, come facevano i loro omologhi fla-
gellati dai venti artici.

I gruppi di case non erano disposti secondo linee parallele e
perpendicolari, ma a semicerchi che s'intersecavano, si sfioravano
dorso a dorso, si toccavano per le punte, si fronteggiavano di
lontano, creando un discorde gioco di parentesi aperte e chiuse,
di viali indecisi, di problematici sentieri e passaggi, di piazze e
piazzette variamente e ingannevolmente concatenate. A ognuno
di questi spazi disuguali fra le case del Brussone, era stato imposto un nome gentile e promettente, cui però il clima di Torino,
o l'incuria del Comune, o l'ineducazione degli abitanti avevano
tolto nel giro di pochi anni ogni credibilità. Cinquanta metri
oltre la Volkswagen, via dei Rododendri formava un angolo di
centoventi gradi con il viale degli Ontani; ma nel viale degli Ontani non c'era nessun ontano, come non c'era nessun ranuncolo in
via dei Ranuncoli, che s'inarcava poco più in là verso sinistra.
E tutte le volte che il venditore di matite guardava dietro di sé
nello specchietto fissato fuori del finestrino, vedeva l'ampia mezzaluna di via delle Fuchsie, dove non c'era nessuna fuchsia.

Ciuffi d'erba giallastra, calve radure, informi gibbosità e tu-
muli di aiuole sconfitte erano tutto ciò che restava delle zone
verdi e fiorite immaginate dai pianificatori. Coppie di bambini
con le mani in tasca passavano adagio nella nebbia crescente del
pomeriggio, calciando via pigramente barattoli vuoti o frammenti
di mattoni bucherellati; una torma di cani bastardi allargò in
silenzio il centesimo varco fra gli stecchi nudi di una siepe, e
scomparve. Una donna incinta uscì da uno dei portoncini legan-
dosi un fazzoletto sotto il mento e si allontanò greve e infagottata. Dall'ultima casa di via delle Fuchsie, il numero 18, non
usciva nessuno da un'ora, e in quella stessa ora nessuno era
entrato. Il venditore di matite sospirò, accese una sigaretta e il
motore. Non per andarsene, ma perché ricominciava a sentire
freddo e voleva scaldarsi un po'.

Sentì bussare ai vetri del finestrino di destra e vide, oltre la

pila di scatoloni che aveva a fianco, un piccolo pugno e la faccia
di una bambina che scrutava dentro la macchina.

— Cosa vuoi? — gridò il venditore facendo anche il gesto corrispondente con le dita unite.

La bambina fece il gesto di scrivere, e il venditore alzò le
spalle e tornò a guardare davanti a sé. Poco dopo vide la bambina passare davanti alla macchina e venire dalla sua parte;
dietro di lei c'erano altre due bambine molto più piccole, perfettamente uguali. Il venditore abbassò il vetro.

— Cosa vuoi? — disse soffiando fuori una nuvoletta di fumo
e vapore.

— Ci dai una matita? — disse la bambina più alta senza sorridere.

Anche dalla sua bocca, in cui mancava un dente, uscì una
nuvoletta grigia, come disegnata sull'aria ferma e fredda. Non
uno dei suoi capelli castani, raccolti strettamente sulla nuca, a
coda di cavallo, era fuori posto, ma ogni sua capacità d'ordine
e cura personale doveva averla esaurita lì. La faccia, le mani,
le ginocchia erano sporche di terra fresca e di altre più antiche
e eterogenee sedimentazioni.

Il venditore, anche lui senza sorridere, aprì il cassettino del
cruscotto, tirò fuori un grosso astuccio pieno di matite Jucca,
ne prese una arancione e l'allungò alla bambina. La bambina
l'accettò, ma indicò col mento le due gemelle, che guardavano in
su con occhi nerissimi, dietro una cortina di capelli nerissimi e
molto arruffati. Il venditore prese altre due matite Jucca e le
passò alla bambina più grande, che a sua volta le passò alle
gemelle. Una di queste mormorò "grazie" senza guardare il venditore, poi tutte e tre se ne andarono a testa bassa; solo dopo una
decina di metri cominciarono a ridere, strillare e saltare agitando
in aria le matite, e infine corsero via nella nebbia.

Il venditore di matite, come se l'incontro con le tre bambine
fosse stato l'avvenimento, o il segnale, che aspettava, buttò dal
finestrino il mozzicone della sigaretta, ingranò con esperta prepotenza la marcia indietro, e cominciò a retrocedere sul fondo
dissestato di via dei Rododendri. Andava a sbalzi veloci ma brevissimi, fermandosi ogni pochi metri a controllare la rotta perché

gli scatoloni dietro di lui gli ostruivano la vista e lo specchietto esterno era appena sufficiente per mantenere più o meno la direzione di via delle Fuchsie. Giunto all'incrocio partì deciso in avanti, senza più guardare il numero 18.

La Volkswagen svoltò in via delle Saggine, esitò all'incrocio con via dei Lecci, prese a destra, poi a sinistra, poi ancora a destra, guardinga e traballante fra le arene deserte e gli anfiteatri mutilati del quartiere modello. Emerse infine in una vasta distesa asfaltata che conteneva i servizi principali: un basso porticato con una fila di rivendite, un bar pentagonale, una scuola arrampicata su pilastri come per salvarsi da una palude di bucce d'arancia, brandelli di giornali, bottiglie di plastica, pacchetti di sigarette scoloriti e fangosi, l'inservibile guancia di un pallone di gomma squarciato. Tre tigli potati fino al tronco (il quarto era morto) e due panchine di pietra segnalavano il capolinea dell'autobus per la città. Nessuna pensilina o riparo era stata costruita, e l'autobus rosso, a due piani, sembrava anche lui un grosso giocattolo abbandonato lì a arrugginire. L'autista, che non s'era mosso dal suo posto di guida, leggeva o rileggeva una lettera; e il bigliettario era sceso a fumare, col tacco contro l'alta ruota e quell'aria alacre, applicata, che nei momenti d'ozio trasforma gli uomini rassegnati da tempo a monotoni orizzonti di lavoro.

La Volkswagen gli passò vicino e continuò verso la chiesa, un edificio di grandi pannelli quadrati, sorretti da tubi di ferro nero che poi, da un lato, salivano a traliccio formando una specie di scheletrico campanile. Il venditore fermò l'auto accanto al campanile, scese, individuò quasi subito uno sghembo interstizio tra due pannelli, si tolse il berretto e s'infilò rapido nella chiesa.

2.

La ricerca di una vecchia chiesa tra le stradette di un vecchio quartiere, soprattutto in un livido pomeriggio di febbraio, può indurre in molte persone un certo senso di intimità, di calore, qualunque sia il motivo della ricerca. Ma in un uomo che, come Mon-

guzzi, soffriva tra le altre cose di una forma caratterizzata di claustrofobia, l'antico centro della città non poteva suscitare altro
che sentimenti di confusione e di allarme.

Monguzzi si era trasferito a Torino da Valenza Po quindici
anni prima, ma conosceva appena, e non vedeva motivo di conoscere meglio, quel tetro labirinto di stretti budelli, vicoli ciechi,
piazzette indegne del nome, facciate cadenti se non già cadute,
in mezzo al quale, da qualche parte, c'era la chiesa di Santa
Liberata.

— Ah, — mormorò davanti a lui il suo collega Rossignolo, fermandosi a un nuovo crocicchio, — ah, ecco... già...

Monguzzi, che da venti minuti gli andava dietro a testa bassa,
come un cane, lo guardò ora attentamente, e dal sorriso compiaciuto dell'altro, dalla sua aria di sapiente giocatore che raccoglie
infine il frutto di una serie di mosse infallibili, tac, tac, tac e
tac, comprese che nemmeno Rossignolo aveva la più pallida idea
di dove si trovasse Santa Liberata. Si erano, insomma, perduti.

Ellamiseria, pensò Monguzzi, sentendo la sua inquietudine spiccare il solito saltello qualitativo per tramutarsi in angoscia, ellamadosca... Rabbrividendo nel suo giubbone grigioverde misurò
in un istante tutta la gravità della situazione. Uscendo dalla casa
editrice dove entrambi lavoravano come redattori, Rossignolo
aveva detto paternamente "so io, so io," e s'era avviato senza
esitare verso il vecchio centro; neppure la ghigliottina, adesso,
avrebbe potuto fargli ammettere di non sapere in realtà un cristo
di niente, neppure la mannaia avrebbe potuto indurlo a chiedere
indicazioni. Era fatto così, aveva una specie di nevrosi dell'onni-
scienza, avrebbe continuato a girovagare a caso per altri venti
o quaranta minuti, sempre con la faccia di uno che sa perfettamente dove sta andando; e il peggio era che, siccome soffriva
di una leggera forma di agorafobia, quel quartiere soffocante,
schiacciante, gli stava benissimo, a lui, gli doveva dare un senso
di sicurezza, di calda protezione. Stiamo freschi, pensò Monguzzi,
calcandosi macchinalmente il berretto basco fin quasi alle sopracciglia, stiamo freschi...

— Cosa c'è, Monga, non ti senti bene? — disse l'altro, pian-
tandogli addosso, più con riprovazione che con sollecitudine, i
suoi occhi grigi, gelidi, da analista viennese.

— Ma no, — mentì Monguzzi, — ho solo un po' freddo.

— Freddo? Dici che fa freddo?

Non potevano esserci più di due gradi sopra zero, ma Rossignolo pretendeva di essere indifferente al clima, freddo o caldo che fosse, e non portava mai altro che completi di fustagno con leggeri maglioncini a collo arrotolato, di tutti i colori. Con questo, notò Monguzzi, aveva la punta del naso viola e le mani ben ficcate nelle tasche.

— Dài, vieni, Monga, che ti offro un vin brûlé, — disse Rossignolo togliendosi le mani di tasca e soffiandosi teatralmente sulle dita.

— No, grazie, — disse Monguzzi. — Io, sai, con la mia colite... Ma se tu ci tieni, un'osteria la troviamo.

Avrebbe pagato lui in ogni modo, perché l'altro, che si diceva afflitto da una prodigalità principesca, suicida, usciva sempre senza una lira. Ma al banco, almeno, avrebbe potuto chiedere un bicchiere d'acqua per mandar giù la sua capsula di Tabrium, che sennò non gli passava per la gola.

Rossignolo, seccato, alzò le spalle e prese a camminare in fretta per via Bellezia.

Inverno, piemonte, vecchio centro, fumosa osteria, cesare pavese, vin brûlé, non era difficile capire come ci fosse arrivato, rifletté Monguzzi seguendolo tra le auto in sosta che ostruivano quasi completamente il passaggio. Rossignolo, come non tollerava di commettere e ammettere errori di sorta, così era persuaso che, in qualsiasi circostanza, ci fosse una cosa "giusta" da fare o da dire e che lo scopo della vita consistesse nella identificazione, di volta in volta, di quell'ideale comportamento perfetto. È ancora giovane, pensò Monguzzi contornando un furgone carico di televisori, lasciamogli le sue illusioni. Lui aveva trentaquattro anni, uno di più di Rossignolo, ma se ne sentiva sulle spalle ottanta, di cui settantacinque passati ad apprendere cose come l'inutilità di cercare del "vin brûlé" nelle fosche, degradate osterie di un simile quartiere, dove la bevanda era ormai senza dubbio ignota, o peggio, un intruglio velenoso, preparato da tavernieri incompetenti, incuranti. A meno che...

Monguzzi alzò di scatto la testa, ma non vide più il suo collega, scomparso dietro un camion che manovrava penosamente per infilarsi in un portone. Manovrò anche lui, appiattendosi contro il muro. A meno che il vin brülé non fosse stato un pretesto, un mezzo tortuoso per permettere a lui, Monguzzi, di informarsi su Santa Liberata dall'oste o da qualche avventore. A pensarci, anzi, non poteva essere che così, e questo spiegava l'alzata di spalle, la faccia rabbuiata di Rossignolo al suo rifiuto.

Sarò ancora in tempo a rimediare? si chiese mordendosi col pensiero le mani guantate di marrone. No, troppo tardi: l'altro adesso avrebbe capito che lui aveva capito, e si sarebbe offeso per almeno due giorni. L'occasione, l'offerta, avrebbe dovuto coglierla d'istinto, senza per così dire accorgersene, lasciandosi docilmente, irriflessivamente manovrare. Era il minimo che uno come Rossignolo potesse pretendere dagli amici.

Quando il camion fu entrato con immenso strepito sotto l'androne, Monguzzi vide il collega fermo davanti alla vetrina di una bottega, pochi metri più avanti. Stava fischiettando un motivo complicato.

— Vivaldi?

— Salieri. Guarda qua.

Era la bottega di un cordaio, con la piccola vetrina piena di rotoli, ciambelle, matasse, palle e sinuose circonvoluzioni di funi, spaghi e cordicelle di ogni grossezza e sfumatura, dal quasi bianco all'avana, al grigio, al quasi bruno. La porta aperta lasciava uscire un odore dimenticato ma subito familiare, e nell'interno si scorgeva una più grande confusione di cordami attorcigliati sul pavimento, appesi a ganci, gettati alla rinfusa su alti scaffali. In un angolo c'era perfino un fascio di fruste da carrettiere, tenute lì per figura, perché di cavalli da tiro, a Torino e dintorni, non ce n'erano più da almeno vent'anni.

— Eeeh, — ammirò con un sospiro Monguzzi, pensando di far bene, — che bella cosa la corda!

— Sarà magari bella, — disse Rossignolo, — ma non certo per chi la lavora, ti pare?

Ellascalogna, pensò Monguzzi. Aveva creduto che la sequenza fosse: buon odore di corda, infanzia in provincia, vita semplice e genuina, artigianato in declino, freddezza e odiosità della plastica e dei nastri adesivi, schifo della civiltà consumistica. E invece era: mani arrossate, scoliosi e allergie dei lavoratori della

corda, salari di fame e sfruttamento dei minori, corda come simbolo di recinzione classista, di oppressione e impiccagione dei
nemici della società borghese. Ellafregatura.

— Ma adesso, — tentò con poche speranze, — ci saranno delle
macchine per fabbricare questa roba, no?

Rossignolo non rispose. Il suo profilo secco, il suo cranio dai
radi e cortissimi capelli biondi, ricordavano più che mai un antico monaco, un asceta assorto in sovrumane meditazioni. In
quel momento il cordaio apparve sulla soglia accompagnando
un cliente e Monguzzi capì in un lampo che questo era stato il
vero scopo della sosta davanti alla vetrina, che questa era una
seconda *chance* che gli veniva offerta. L'afferrò.

— Scusi, — disse con un colpevole impaccio destinato a Rossignolo, — sa mica dov'è Santa Liberata? È lontana?

Il cordaio glielo spiegò, a destra, poi a sinistra, poi la seconda
a destra, e intanto Rossignolo sorrideva con l'infinita pazienza
di Cristo verso Tommaso.

— Sai com'è, — si giustificò Monguzzi mentre s'incamminavano.
— Io ho sempre paura di perdermi.

— Lo so, Monga, lo so che sei nevrotico, — disse l'altro bat-
tendogli affettuosamente sulla spalla. — Ma sei un buono, e per
questo ti sopportiamo tutti.

3.

Dopo dieci minuti che sfogliava il dossier, il commissario Santamaria si rese conto che il vero oggetto della sua piccola indagine era Dio.

Signore, pensò allarmato, non sono degno... La questione non
lo interessava da trent'anni, ma la sua colpa, d'indolenza più
che d'orgoglio, era di essere scivolato a poco a poco nella convinzione che anche agli altri Dio facesse lo stesso effetto che
faceva a lui, l'effetto cioè di uno sport marginale e impratica-
bile, come il decatlon o il pattinaggio a rotelle, di cui egli aveva
dimenticato le regole, i segreti, le pur spasmodiche passioni.
Messo alle strette, sapeva che avrebbe risposto press'a poco nei
termini di chi si sente chiedere se sia molto scomodo abitare in

una casa senza ascensore, no, no, si tira avanti benissimo, è solo
questione di abitudine, dopo un po' non ci si fa più caso, e poi
anzi dicono che sia un ottimo esercizio per la circolazione.

Solo che Dio, e non c'era da meravigliarsene, era sopravvis-
suto alla sua indifferenza, aveva tirato avanti altrettanto bene, in
quel frattempo. Un sacco di gente non lo considerava affatto marginale, continuava a interessarsi vivamente a Lui, nei più diversi
modi, come stavano a dimostrare i rapporti, gli opuscoli, i vo-
lantini, i bollettini ciclostilati, le lettere e i ritagli di giornale
raccolti nella cartellina color tabacco.

Già, pensò il commissario con un senso di disagio, un principio di stizza, già: Dio. Come molte persone non religiose, vedeva Dio con occhio ortodosso, senza ombre né sfumature, se Lo
rappresentava (e perché no, dato che non ci credeva?) alla maniera tradizionale, con la barba bianca e il dito alzato, circon-
dato da angeli e nuvolette. E i credenti erano tutti uguali, come
i giapponesi.

Invece no, naturalmente. Sarebbe stato troppo bello. Il commissario tirò su dal tavolo un numero del giornaletto mensile
"Appartenere", e considerò una fotografia al centro dell'ultima
pagina.

Un gruppo di persone dalla faccia seria stava attorno a un
autocarro pieno di immondizie: in maggioranza si trattava di
ragazze in jeans e ragazzi coi capelli lunghi e la barba, ma c'era
anche un uomo di mezza età, con gli occhiali, un vecchio flac-
cido a torso nudo, due bambini curvi su una loro piccola car-
riola. Tutti erano armati di pale, vanghe, secchi, scope. Sull'autocarro, piantato in cima al cumulo di immondizie, un uomo con
un forcone nella sinistra stava bevendo da una bottiglietta di
birra. Portava stivaloni di gomma alla coscia, da pescatore, nei
quali aveva infilato una salopette di tela; e sotto, una maglietta
bianca che gli lasciava scoperti i pelosi avambracci e il collo
corto e massiccio. Data la posizione della testa rovesciata all'indietro, e l'atteggiamento innaturale del volto — occhi socchiusi,
gote incavate, labbra sporte attorno al collo della bottiglietta
— era impossibile farsi un'idea precisa della sua fisionomia, che
aveva però l'aria di essere alle dipendenze di un naso prominente

e carnoso, messo in bella evidenza dall'angolazione della fotografia.

Era lui "quel prete della madonna" di cui la Squadra Mobile, la Buoncostume e la Digos (l'ex Ufficio Politico, ribattezzato Direzione Informazioni Generali Organizzazione Sicurezza), stentavano a decidere se e in che misura fosse un problema di polizia. Don Alfonso Pezza, parroco di Santa Liberata, una modesta chiesa nel vecchio centro della città, nella quale da un paio d'anni si registravano "vitali fermenti".

4.

La chiesa, gentilmente barocca, era di quelle a cui uno si accorgeva un giorno di esser passato davanti chissà quante volte senza vederle. Un esiguo sagrato pavimentato a ciottoli, due logori gradini, uno stretto e screpolato portone dipinto di verde... La solita bacheca ospitava i soliti annunci parrocchiali e diocesani, festività, novene, pellegrinaggi, gite e convegni vari; ma Monguzzi, che aveva incontrato una volta il parroco e se lo ricordava come un prete del tipo dinamico e dimostrativo, cercò con gli occhi manifesti, striscioni, slogan di maggior richiamo. Niente.

L'unghia di Rossignolo, lieve e condiscendente, batté su un foglietto ciclostilato, di poche righe, appuntato dimessamente in disparte.

— Ah, — disse Monguzzi chinandosi a leggere. — I Nostri Venerdì, — cominciò a compitare con ironica solennità, — Febbraio: Venerdì 4, *Geremia* 31,35. Venerdì 11, *Ecclesiaste* 3,15. Venerdì 18, *Ezechiele* 7,2. Venerdì 25, *Apocalisse* 6,12.

L'annuncio non annunciava altro.

— Tutto qui? — disse Monguzzi, deluso come davanti al menù, inspiegabilmente misero, di un ristorante noto per le sue specialità.

— Perché, che t'aspettavi?

— Non so, ma dato che è uno di quei preti che fanno casino...

— Lo farà dentro invece che fuori.

— Ah, per questo, — ridacchiò Monguzzi, — pensa che una volta ha dato qui un "Concerto per Sega e Carrucole".

— Davvero? — disse Rossignolo, interessato. — È anche compositore? Tu l'hai sentito?

— Per carità, — disse Monguzzi accennando a turarsi le orecchie con le mani. — Ma quando è venuto a portare i nastri l'anno scorso, m'ha lasciato la sua bibliografia completa. E c'era anche il programmino di un "Concerto per Sega e Carrucole" —. Ridacchiò di nuovo. — Ormai sarà passato alle sinfonie per stantuffi e martelli.

Un ragazzo intelligente, rifletté Rossignolo, o quantomeno non stupido. Eppure non capiva niente delle inquietudini, delle pulsioni, delle drammatiche scelte tra cui si dibattevano sacerdoti come questo Pezza. Fermo a un anticlericalismo vecchio stile, Monga non vedeva, dove c'erano di mezzo i preti, che la truffa o la pagliacciata.

— Non hai capito niente, — ·disse con un sospiro.

— Che c'è da capire, scusa. Questo tizio non...

— Il punto è molto semplice: questo tizio, come molti altri preti, cerca spazio liturgico. O meglio, tenta di sfruttare in tutte le direzioni il nuovo spazio liturgico che gli è stato concesso.

— Ma mica possono fare tutti i cavoli che vogliono, no?

— Il presidente dispone di una notevole latitudine, oggi come oggi.

— Che presidente, cosa dici?

— Il presidente dell'assemblea. È il nome tecnico del prete che celebra la messa.

— E l'amministratore delegato non c'è?

Rossignolo rispose con un sorriso squisito.

— Senti Monga, se la mettiamo sul piano della battuta facile, tanto vale che ce ne torniamo in ufficio e amen.

Magari, pensò Monguzzi con una stretta al cuore, magari. I minuti passavano, le settimane passavano, le stagioni passavano inesorabili, e il carteggio Crispi-Oderici non era mai pronto per la stampa. Da anni, le 942 pagine del dattiloscritto giacevano sulla sua scrivania come un monumento alla volubilità umana, prese, abbandonate, riprese, riabbandonate per opere più indifferibili, gli inediti di William Cabezon, il Kafka del Venezuela, le poesie-inchiesta di Abu Letiroir, il Milton del Ghana, uno studio sulla gallina nell'economia siciliana del Duecento... E poi lettere, riunioni, telefonate, altre riunioni, visite di collaboratori, scocciatori, questuanti, come questo Pezza che più di un anno fa era venuto a offrire tutta una serie di nastri magnetici in cassette: registrazioni delle sue messe del venerdì sera, o piuttosto dei "polidialoghi", come li chiamava lui, e delle altre manifestazioni sonore che si svolgevano sotto le sue presidenze. Più di un anno fa, accidenti...

Alcune donne entrarono nella chiesa e dalla porta trapelò per un momento, come un segreto mal custodito, un intenso odore di cera.

— Entriamo, va', — disse Rossignolo, aprendo anche lui il battente. Monguzzi intravide qualche fiammella dentro una cavità nera, pensò al *Libro di Giona*, pensò a *Pinocchio*, pensò alla sua claustrofobia, e gli venne un moto di ribellione.

— Ma porco cane, ma chi se ne frega di questo Pezza, ma senti, diciamo a Calamassi che non l'abbiamo trovato e che gli mandi due righe lui!

Rossignolo lo guardò come se gli avesse proposto di dirottare un jet pieno di plasma per i bambini del Terzo Mondo.

— Non sarebbe corretto, — disse dopo una bella pausa, — né verso Calamassi né verso l'autore.

Ma quale autore, quale correttezza, pensò risentito Monguzzi. A suo tempo, quando s'era presentato in casa editrice con una lettera del professor Piodi e con la sua borsa piena di nastri, nessuno l'aveva voluto ricevere, l'autore Pezza. Né Rossignolo, né la Zonca, né Lomagno, né tantomeno l'editore. Fugone generale. Era toccato a Monguzzi, come al solito, rimettere l'elastico al carteggio Crispi-Oderici e far accomodare l'ospite, offrirgli la sigaretta, lasciargli premettere, illustrare, puntualizzare, caldeggiare. Non che l'individuo fosse peggio di tanti altri, anzi, era a suo modo divertente; ma Monguzzi odiava i registratori, macchine infami che avevano creato una nuova sottospecie di autori dilettanti, maestre elementari, sindacalisti, cassiere di bar, infermieri, assistenti sociali, accompagnatori turistici, che registravano le loro e le altrui chiacchiere e venivano a sottoporle alle case editrici come ghiotti "documenti di vita". C'era stato una volta uno (un dentista di Venezia) che aveva portato i nastri dei suoi litigi con la moglie. Gente pigra e ottusa, che avrebbe dovuto essere cacciata con una di quelle fruste del cordaio. "Ecco qua, il più è fatto, sta in questa scatoletta", dicevano i loro sguardi astuti e fatui; al resto, all'amoroso, esasperante passaggio dalla parola parlata a quella scritta, dovevano badare i meri esecutori come lui, Monguzzi. Cosa ne sapevano, questi scansafatiche, della tremenda tirannia della carta stampata, dell'opera minuziosa, rompischiena, contadinesca, che c'era dietro ogni libro? Cosa gl'importava, a questi approssimativi, che una lettera dell'Oderici, datata 12 gennaio 1887, alludesse a un episodio accaduto in realtà il 14, cioè due giorni dopo?

— Dài, su, — disse Rossignolo, — non stiamo a perdere altro tempo.

Il tempo, l'angoscioso tempo dalla mole di pachiderma, dagli scatti felini...

Con l'improvvisa determinazione dei timidi, Monguzzi ridiscese senza una parola sul sagrato ed era già alla cancellata quando Rossignolo lo richiamò:

— Che fai? Dove vai?

— A cercare un bar! Tu entra pure!

Ma vide che Rossignolo gli veniva dietro, scuotendo la testa. Scuotesse, scuotesse pure. Che cos'erano cinque minuti di più o di meno? Si tirava avanti schiacciati fra enormi ritardi, all'ombra di ciclopiche dilazioni, setacciando acqua. Il prete ritardava il carteggio Crispi-Oderici, ma le sue cassette registrate restavano a loro volta per mesi a impolverarsi su uno scaffale; poi qualcuno ne parlava a Calamassi, che da tre anni andava scrivendo, tra rinvii e slittamenti continui, un saggio su *Le decisioni non delegate, Storia e Testi*; dopo mesi, Calamassi telefonava per farsi mandare le cassette, darci un'occhiata. Altri mesi di polvere, di cassette nel cassetto, di silenzio. Infine Calamassi ritelefonava che i nastri gli potevano effettivamente servire, ne avrebbe forse utilizzata una parte nell'ultimo capitolo del suo libro. Chi, che cosa, come? Nessuno ricordava più niente. Bisognava risalire, con altre pause, altre soste di ufficio in ufficio, fino a Monguzzi: era lui l'uomo, il responsabile, quello che sapeva tutto. Andasse dunque lui, dall'autore, a informarlo, riprendere contatto, vedere e sentire un po'...

E Monguzzi, pensò Monguzzi, aveva tutti i diritti di andare fino a quel bar laggiù, ordinare un'acqua minerale e prendersi il suo tabrium contro l'affanno che quello scuro quartiere, quei vicoli neri e decrepiti, gli avevano messo addosso.

5.

Mentre andava per le viuzze del vecchio centro portando il suo prezioso pacco all'inevitabile Celestini — l'unico a Torino che sapesse riattaccare come si deve il manico rotto di un'anfora Impero — la signora Guidi sentì all'improvviso un acuto odore di cera e vide, in una modesta rientranza fra neri e sfogliati palazzi, la facciata di una chiesa. Dal portone erano appena emerse due donne di mezza età, che ora stavano riponendo i veli nelle borsette. Peru, Pietro, s'informava intanto una in dialetto, s'era poi ripreso, era migliorato? Pà vaire, mica tanto, rispondeva l'altra crollando il capo.

La signora Guidi esitò. Era saltuariamente devota, faceva la sua visita in chiesa ogni tanto, e poiché qui si trovava più o meno nel quartiere della Consolata, pensò per un momento di andarsi a sedere cinque minuti in quel solenne e scintillante santuario, al cui fascino era sempre stata sensibile. Ma avrebbe dovuto allungare la strada, sia pure di non molto, e dopo, oltre a Celestini, le restavano ancora varie commissioni.

Le due donne si allontanarono in direzioni opposte, e la signora Guidi, reggendo il pacco con entrambe le mani e usando la spalla per spingere il battente, entrò nella chiesa, che le era ignota, e si trovò di colpo in una oscurità gelida e profonda, puntuata dalle fiammelle di innumerevoli candele. Un po' stupita da quel forte contrasto d'ombre e di fuoco, ma pensando vagamente che dipendesse da un guasto all'impianto elettrico o dalla necessità di risparmiare energia, la signora avanzò nella navata centrale e si sedette a caso in un banco sulla destra.

La chiesa era quasi deserta, freddissima, spoglia, e laggiù, vicino all'altare, si distingueva una confusa struttura d'assi e di tubi, un'impalcatura che si perdeva nelle alte tenebre del soffitto. Ecco, vedi, un cantiere, pensò la signora Guidi, stanno riparando o rifacendo qualcosa.

Era sul punto di posare il pacco accanto a sé e inginocchiarsi per una breve preghiera, quando sentì una grossa mano posarsi rudemente sulla sua spalla e una voce maschile, non alta ma molto sicura, autoritaria, che diceva non senza un'inflessione minacciosa:

— Cosa fai tu qui?

La signora si voltò e vide vicinissima, incombente, una testa mozzata. La sorpresa, lo spavento, l'assoluta irrealtà dell'apparizione, durarono un attimo; poi il cuore tornò a battere, il mondo tornò solido, la testa aveva un suo supporto bianco, un collare da prete, sotto c'era la tonaca, invisibile contro lo sfondo buio, e infine, cosa più rassicurante d'ogni altra, la sagoma scura emanava un odore fin troppo naturale, terreno, di corpo infrequentemente lavato.

Seguì quello che la signora Guidi, raccontandolo, avrebbe in seguito definito un dialogo del tutto insano.

— Pregavo, — si giustificò lei, col respiro ancora un po' corto e nessuna disinvoltura, — ero entrata a pregare...

— Prega, donna, prega! — comandò il prete. — Ma va' al tuo posto, ognuno deve stare al suo posto, o vogliamo che il grande bordello ci travolga tutti?

Senza aspettare la risposta, infilò la mano sotto l'ascella della signora, la quale si trovò in pochi secondi sollevata, sospinta, trascinata verso i banchi di sinistra da una presa di ferro.

— Da questa parte le donne, — disse il prete, — da quella gli uomini! Se Dio avesse voluto confonderli li avrebbe fatti uguali! Giù, al tuo posto!

E con un'ultima, energica pressione, la fece risedere come avrebbe abbassato un coperchio riottoso.

Esterrefatta, la signora non reagì né si sognò di protestare.

— Non lo sapevo, — balbettò paralizzata.

La spiegazione le venne in un lampo di terrore. Solo a me, pensò istericamente, solo a me poteva capitare una cosa simile, entrare in una chiesa mai vista nel preciso momento in cui il parroco ha una crisi di follia. Si guardò intorno in cerca di

aiuto. Forse era un pazzo travestito da prete, e se lei si metteva
a urlare il parroco vero sarebbe... Il suo pacco, rimasto sull'altro
banco, la salvò da una scena ancora più assurda.

— Il mio pacco! — gridò puntando il dito, più per aggrapparsi
a qualcosa di comprensibile e familiare che per distogliere l'attenzione del mentecatto.

Il prete si girò a guardare, poi la sua faccia si torse in una
specie di ammicco, la sua mano impartì una strizzatina amichevole alla spalla della signora, la sua indistinta sagoma frusciò via.
Un momento dopo era di nuovo lì, alto, nero, incredibile.

— Non aver paura, — disse porgendole il pacco, — la Casa di
Dio è il rifugio più sicuro.

— Grazie mille, — si sentì rispondere la signora Guidi.

— Sei nuova? — disse il prete, l'occhio alla pelliccia di breit-
schwanz con risvolti di lontra. — Non ti ho mai vista.

— Sono di un'altra parrocchia, — si sentì dire la signora
Guidi come uno straniero sotto la mira dello sceriffo in un film
western.

— Sei entrata senza segnarti con l'acqua benedetta, — disse
il prete. — Ti ho vista.

— È che avevo il pacco, — si sentì spiegare la signora Guidi,
nel puro delirio della situazione.

— Vai a bagnarti le dita, — disse severamente il prete. — La
carne, non i guanti!

La signora Guidi, completamente smarrita, gli rimise in mano
il pacco e trovò chissà come la forza di alzarsi in piedi e di
camminare un passo dopo l'altro fino all'acquasantiera. Si sfilò
remissiva il guanto e solo allora si rese conto che a tre metri da
lei c'era l'uscita, la strada, la ragione. Ma non ne fece niente.

Il suo angelo custode, come raccontò più tardi, le venne in
soccorso con un incongruo ricordo turistico, col volto rozzo e
la voce aggressiva di un padrone di ristorante parigino, Jean o
Jules o François, che anni prima aveva avuto uno strepitoso
successo mettendosi a bistrattare, svillaneggiare e insultare i suoi
gongolanti clienti. Ecco cos'era questo prete!

Tutte le paure di quei pochi minuti da fine del mondo si sciol-
sero in un moto quasi di simpatia. Un prete di campagna abbaian-
te e tonante, sempre pronto allo scopone, al mezzo litro, allo

scherzo ruvido e un po' troppo prolungato con le spose e le ragazze del natìo borgo. Lo stile era quello, anche se lei dubitava che potesse funzionare in città, specialmente oggi. Ma magari, con certi tipi di persone...

La signora Guidi scoprì a quel punto che con la lucidità le era tornata l'indignazione. Furibonda, e felice di esserlo, marciò verso l'inaudito cafone, che infatti aveva avuto nel frattempo la faccia tosta di aprire il pacco per curiosarci dentro.

— Ma cosa fa! — gli soffiò, e aggiunse velenosamente: — Non si vergogna? Ha già bevuto a quest'ora?

Ma il prete non sorrise, non si difese, non disse che era stato tutto uno scherzo. Estrasse dal pacco l'anfora dorata d'oro zecchino, la rigirò calmissimo tra le mani poderose.

— Oro, — mormorò.

Poi guardò fisso la signora Guidi e le disse:

— Sei ricca, ma sarai povera.

Ricacciò il vaso nella carta, lo riconsegnò alla proprietaria e se ne andò tra i cavernosi blocchi di buio.

La signora Guidi uscì dimenticando di farsi il segno di croce, con o senza acqua santa, e poco dopo si sfogava, già però divertita dalla cosa, col Celestini. Tra le migliaia di cocci che da anni e anni aspettavano di essere riattaccati, il Celestini ne aveva scelti due, e ci stava lavorando nel suo camice di tutti i colori. Tenendo la testa china, la schiena curva, e dicendo una parola ogni cinque minuti, le spiegò che la chiesa si chiamava Santa Liberata e che il parroco, un certo don Pezza, era effettivamente un po' strano.

6.

Il commissario Santamaria fece scorrere dall'ultima alla prima pagina il giornaletto "Appartenere". Non aveva voglia di appurare esattamente a quale concetto quel verbo si riferisse, se era Dio che apparteneva ai fedeli o viceversa, se erano i cristiani che appartenevano alla società o la società ai cristiani, se l'appartenenza riguardava la chiesa, la città, il tram, o non piuttosto l'universo intero. Probabilmente un po' di tutto questo, certe

parole erano diventate come i magazzini Upim, ci si trovava
dentro qualsiasi cosa, dalle grattuge ai tappeti persiani. Ma in
ogni caso, la nutrita presenza nei titoli e nei sommari degli arti-
coli, dell'espressione "presa di coscienza", mostrava che il foglio
doveva essere anche lui pieno zeppo di "vitali fermenti", tra i
quali quelli del Pezza non sembravano certo i più singolari.

L'uomo del forcone e della birra non s'era tuttavia limitato a
ripulire con una squadra di volontari i giardini pubblici di un
rione periferico di Torino. Quell'impresa ecologica, ripetuta per
tre sabati e poi abbandonata in seguito alle proteste ufficiose
del sindacato netturbini (il dossier conteneva le fotocopie del
relativo carteggio), era stata una delle prime iniziative del parroco di Santa Liberata, un uomo a quanto pareva in continua
evoluzione, dotato di un numero stupefacente di coscienze da
prendere.

Discoteca in uno scantinato di via Bonelli (rapporto dei pom-
pieri che l'avevano fatta chiudere dopo quindici giorni) dove si
ascoltavano esclusivamente musiche religiose; volantinaggio e
corteo (autorizzato) in favore di un sacerdote irlandese in casa
del quale, a Belfast, erano stati trovati 114 chilogrammi di tritolo; organizzazione di una "tavola rotonda bipolare" fra "non
vedenti" (ciechi) e "impediti dell'udito" (sordomuti) per lo studio di una "comune strategia"; richiesta (respinta dalla direzione
dell'ex ospedale psichiatrico di Collegno) di portare in una breve
tournée in Piemonte un Presepio Animato impersonato da schi-
zofrenici; e non mancava un volumetto di versi (*Il fratello ignorato* di Alfonso Pezza, Edizioni della Ghianda, Como) che qualche zelante brigadiere aveva aggiunto (non si sapeva mai!) agli
altri documenti.

> Tu, diseredato fratello, che levi
> gli occhi stanchi,

lesse il commissario, levando poi subito i propri occhi dal libretto
e richiudendolo.

La polizia non aveva mai dovuto occuparsi di queste multi-
formi attività, che si potevano interpretare come l'inquieta ricerca
di un'anima battagliera o come il brancolante attivismo di un
ambizioso, ma che erano in ogni caso innocue. Se il Pezza si

fosse fermato lì, nessuno in Questura avrebbe mai aperto un dossier su di lui.

Ma il Pezza non s'era fermato lì. C'erano state altre prese di coscienza, altre evoluzioni. A un certo punto erano arrivate le "messe speciali" del venerdì sera.

Il commissario si spostò avanti e indietro due o tre volte sulla sua poltrona nuova, munita di docili sfere d'acciaio; poi andò alla finestra, un ritaglio che sembrava esser stato portato lì con il resto della mobilia da ufficio, immutabile e indescrivibile per il troppo grigiore. Alberi spogli e neri, spente facciate di case, cielo coperto, nebbioso. Che cos'è veramente Dio? si chiese Santamaria senza falsa modestia.

Da un punto di vista professionale, una sola analogia sembrava adattarsi abbastanza bene al difficile caso. Remoto, enigmatico, inaccessibile, il Grande Mafioso non era mai stato visto a volto scoperto; ma il Suo immenso potere si manifestava fulmineamente ovunque, e tutti erano consapevoli di non poter muovere un passo, fare un gesto, senza che Egli lo venisse subito a sapere. Anche altri attributi corrispondevano: la smisurata ferocia, le dure lezioni impartite a nemici e traditori, temperate tuttavia da tenerissime indulgenze, da subitanei, quasi capricciosi slanci di generosità nei confronti di vedove, anime semplici, bambini.

Si dava per certa l'esistenza di un Suo occulto piano, così sottile, meticoloso e complesso che nessuno pensava di poterne mai indagare seriamente il fine ultimo. Ma molti affermavano di averne scoperto certe fasi parziali, certi nessi e dettagli, certi moventi limitati, e altri — millantatori, profittatori, esaltati, pazzi — tentavano continuamente di inserirsi nel "giro" proclamandosi esecutori diretti dei Suoi ordini, interpreti della Sua vera volontà; mentre alcuni beneinformati facevano correre ambigue voci circa la Sua triste, solitaria vecchiaia, la Sua inarrestabile emarginazione, addirittura la Sua morte.

Una situazione confusa, rifletté il commissario tornando lentamente al suo posto dietro la scrivania e al dossier; e anche senza voler esprimere un giudizio definitivo (un colpo di scena, una rentrée spettacolare, una fantastica dimostrazione di forza erano pur sempre possibili), tuttavia, così a occhio e croce, guardando

le cose da una certa distanza, sembrava proprio che il Grande
Boss non fosse più quello di una volta. Altrimenti non si sarebbe
spiegato perché Alfonso Pezza e altri personaggi come lui si
azzardassero a fare di testa loro, a prendersi delle libertà un
tempo impensabili, a venir meno all'antica regola secondo la
quale gli affari del Supremo Mandante dovevano essere curati
in modo da attirare il meno possibile l'attenzione della polizia.

Le messe che due o tre anni prima don Pezza aveva cominciato a celebrare ogni venerdì sera nella sua chiesa, erano dedicate di volta in volta a una diversa categoria di infelici. "Per i
nostri fratelli emigrati all'estero", diceva uno dei foglietti tirati
al ciclostile. "Per i nostri fratelli andicappati", diceva un altro
sopprimendo realisticamente l'"h". Il tema del "fratello", sebbene non originalissimo, doveva essere particolarmente caro al
poeta-sacerdote, che comunque al principio non era andato al di
là del seminato. "Per i nostri fratelli disoccupati", lesse ancora
il commissario. "Per i nostri fratelli carcerati". Ordinaria amministrazione, niente ancora che richiedesse un servizio d'ordine o
anche solo un paio di agenti in borghese discretamente piazzati
vicino all'acquasantiera.

Ma ecco che, in seguito evidentemente a una nuova svolta, una
nuova evoluzione, il Pezza se n'era venuto fuori con qualcosa,
nei suoi limiti, di originale. "Messa per i nostri fratelli miliardari.", lesse il commissario con un sorriso. Ricordava di averne
già sorriso l'altr'anno, all'epoca del cosiddetto "scandalo dei
topi", quando il cammino del parroco aveva infine incrociato
quello della Questura.

L'idea dei miliardari aveva fatto un certo rumore, il prete
aveva rilasciato dichiarazioni (ritagli allegati) a vari giornalisti
cattolici e laici, e "Panorama" aveva pubblicato una sua piccola
foto con la didascalia *Pietà per Epulone*. Ma dietro le pie banalità evangelico-marxiste formulate da don Alfonso ("Dobbiamo
avercela non con i ricchi, ma con la Ricchezza", "Cristo pre-
contesta l'accumulazione capitalistica"), dietro le domande che
inquietavano la polizia ("Ma questo Pezza, che cavolo vuole?
È un fanatico? È un ciarlatano? È in buona o mala fede?"),
dietro le ambiguità e perplessità, le sfide e le evoluzioni, si ripro-
poneva il problema di Dio.

In un mondo instabile e folle, gli uni volevano che almeno Lui stesse ben fermo dov'era; gli altri, che si muovesse invece coi tempi. Ma il mondo, in tutte le età, era sempre apparso instabile e folle a chi ci viveva dentro, e così la questione si perdeva in realtà tra i dilemmi insolubili, tra gli eterni soprassalti della vita. Non c'era né buona né mala fede, nessuno aveva ragione, nessuno aveva torto. Pezza faceva la sua parte rifiutando il Dio degli ex voto, dei rosari, delle immaginette, e organizzando le sue movimentate messe speciali, basate su certi "polidialoghi" con l'assemblea dentro una "cappella operativa" di sua invenzione. Gli altri, facendo anch'essi la loro parte, giudicavano questo Dio buffonesco, pubblicitario e ciattrone, e protestavano contro le messe "per i nostri fratelli scippatori", "le nostre sorelle puttane", "i nostri fratelli travestiti". C'erano state, per questi ultimi, grida di "Che schifo!", "Vergognatevi!", durante il rito, e ignoti provocatori (o burloni?, avevano immesso nella chiesa un numero imprecisato di topi. Ne erano seguiti tafferugli, qualche pugno, e i travestiti (secondo un testimone) avevano colto l'occasione per strillare più forte di tutti e salire terrorizzati, o fingendosi terrorizzati, sui vecchi banchi di Santa Liberata.

Lo scandalo era parso enorme soprattutto allo stesso parroco, che aveva parlato di oscure manovre, di campagna infamante, di bastoni tra le ruote e di volontà persecutoria. "Continuerò per la mia strada", aveva, prevedibilmente, affermato.

E invece no.

Dopo la faccenda dei topi, che aveva dato luogo a blande e ovviamente vane indagini da parte della polizia, non era successo più niente per un bel po' di mesi.

Il commissario Santamaria controllò incuriosito le date. Lo scandalo era del marzo precedente, e poco dopo le "messe speciali" s'erano interrotte. Poi i "venerdì" erano stati ripresi, ma senza più niente di "speciale": via i fratelli, via i polidialoghi, via la cappella operativa. Per quasi un anno — da aprile a febbraio — il Pezza non aveva più fatto parlare di sé.

Il commissario considerò perplesso uno degli ultimi ciclostilati, con la data di febbraio. Un elenco di riferimenti biblici: *Geremia* 31,35, *Ecclesiaste* 3,15, *Ezechiele* 7,2, *Apocalisse* 6,12. Molto asciutto. Molto tradizionale. Una serie di normali prediche tenute al venerdì sera. Doveva esserci stato un energico intervento della Curia, l'irrequieto sacerdote doveva essere rientrato nell'ordine.

Ma allora perché, tutt'a un tratto, s'era riaperta la grana? Che significavano il nuovo tafferuglio, il nuovo scandalo, le contusioni e abrasioni che il Pezza, venerdì scorso, s'era buscato ad opera di ignoti?

Lo scarno rapporto dei Vigili Urbani di via Garibaldi, che "avvertiti a mezzo della voce pubblica" erano tardivamente accorsi sul posto, non permetteva di concludere nulla in proposito.

7.

I fantasmi privati del povero Monguzzi, pensò Rossignolo mentre tornavano finalmente verso la chiesa, erano diventati incontrollabili. Faceva pena vedere un collega ridursi in quello stato, ma era un fatto obbiettivo che la casa editrice ne soffriva. Non si potevano affidare contatti con autori e collaboratori a un uomo che considerava un nemico personale chiunque si frapponesse tra lui e il carteggio Crispi-Oderici. Menomale che, rimandando varie lettere e telefonate, aveva pensato di accompagnarlo nella missione Pezza.

— Stai tranquillo, ci parlo io, — lo rassicurò per la terza volta.

— Hai voglia, parlerà solo lui, — disse tetro Monguzzi. — Quando venne da noi, non riuscivo più a mandarlo via.

— Ma qui siamo noi, in visita, — gli fece presente Rossignolo. — Ce ne possiamo andare appena la cosa è definita.

— Se la prenderà con me perché lo abbiamo fatto aspettare tutto questo tempo. Come se la colpa...

— Dopo un anno, non si ricorda più nemmeno della tua faccia, stai sicuro.

— Speriamo bene.

— Su, coraggio, vieni che non succede niente.

L'interno era buio e banale, ma Rossignolo non se ne stupì. Aveva già capito che questo Pezza conduceva la sua azione di rinnovamento con intelligenza e anche eleganza, senza cadere in eccessi chiassosi e superficiali. Niente pubblicità all'esterno (quel foglietto ciclostilato era un capolavoro di *understatement*), niente rivoluzioni stilistiche all'interno. Chiese simili, del resto, erano irredimibili, o le demolivi da cima a fondo o te le tenevi tali e quali, con le tre navate, le cappelle a destra e a sinistra, le statue del più puro Saint-Sulpice, i quadri carichi di gigli e aureole, la gessosa Via Crucis, il soffitto... Il soffitto non si vedeva, faceva troppo scuro.

— Togliti il basco, Monguzzi, — disse al collega, che nel suo provinciale giacobinismo l'aveva tenuto (o dimenticato?) in testa.

L'altro eseguì, ma non lo imitò quando lui, che non era credente, proprio per questo infilò due dita nell'acqua benedetta e gelata e si fece un preciso segno di croce. In casa d'altri ci voleva un minimo di cortesia, e inoltre l'acquasantiera, i ceri, i confessionali, il pulpito, ora che avevano perduto l'autorevolezza di un tempo, si presentavano con una loro cosa, un loro *charme*, come i pezzi di una mastodontica, commovente macchina a vapore in disuso. Mancava l'odore d'incenso, ormai abolito anche qui, ma di ceri e candele, in compenso, ce n'era una quantità. Anzi non c'era altro che ceri e candele, un po' dovunque. La luce elettrica mancava completamente.

Un caso, si chiese Rossignolo, o un'intenzione?

Si avviò tra le due file di banchi verso il fondo della chiesa, mentre Monga, camminando inconsciamente in punta di piedi, si defilava nella navata di sinistra, tenendosi a portata delle grosse colonne e voltando la testa di qua e di là, come un ladro di suppellettili sacre.

Là in fondo, davanti all'abside della cappella maggiore, c'era una doppia impalcatura che occupava quasi tutto lo spazio ai due lati dell'altare, e sulla quale si muovevano incerte ombre e lampade portatili. Dei restauri erano in corso, anche se non si vedeva cosa valesse la pena di restaurare. Probabilmente c'era da riparare il soffitto; sulla destra, piattaforma su piattaforma, l'impalcatura saliva fino a perdersi vertiginosamente nel buio.

— Pssst! Pssst!

Questo sibilo perfettamente mimetico, da sagrestano o vecchietta, non poteva essere che di Monguzzi, e infatti Rossignolo lo scorse più avanti, che dal braccio sinistro del transetto, in un tremolio di candele, gli faceva segno di avvicinarsi.

— Guarda! — bisbigliò la pseudo beghina indicandogli una delle cappelle.

La cancellata era stata rimossa, e così l'altare, i quadri, ogni decorazione. Sul vano, rivestito di rozzi mattoni, scendeva obliquamente una grande cappa di lamiera.

— Ma che è?

— Un camino, direi.

— E a che diavolo serve? Sarà mica questa, la cappella operativa?

— Boh... Forse è solo per scaldare la chiesa.

Santa Liberata era freddissima, aveva già notato Rossignolo, né si vedeva traccia di quelle grate a gas liquido che in molte chiese rimediavano, disseminate qua e là, alla mancanza di un impianto centrale.

— Non dev'essere per quello. Non basterebbe.

— La legna c'è.

Ai lati dell'ex cappella erano ammucchiati tronchi, ciocchi, fascine, e il vano era sparso di cenere, i mattoni anneriti dal fumo.

— Magari ci faranno la sonata per molle e attizzatoio, — biascicò Monguzzi.

Ma al di là di ogni facile ironia, ragionò Rossignolo, doveva esserci un disegno, una motivazione simbolica precisa. La chiesa come focolare? La chiesa come sola fonte di calore e di luce nelle tenebre? Ma allora anche tutti quei ceri, e forse la stessa impalcatura...

Seguìto a qualche passo da Monguzzi, Rossignolo tornò in fretta verso la cappella maggiore e salì i due gradini del presbiterio.

Sì, certo, non si trattava affatto di un ponte mobile per imbiancare le pareti o riparare il soffitto, ma di una struttura permanente con evidenti funzioni scenografiche e allegoriche. La chiesa operaia, la chiesa come perpetuo cantiere d'anime? Il lumino rosso del Santissimo era una lanterna da lavori in corso appesa a un traliccio di tubi; e l'altar maggiore, tra le due torri disuguali dell'impalcatura, appariva incorporato, incasellato, in una specie di garitta di assi inchiodate alla meglio. Da una parte, sopra una plancia trasversale, era posato uno scatolone di ferro, qualcosa tra le vecchie cassette militari e le vecchie cassette da lattoniere; ma da una croce — due rozze pennellate bianche — dipinta sul davanti, Rossignolo dedusse che si trattava del tabernacolo.

— Cristo! — disse Monguzzi vicino a lui. — E che roba è?

Rossignolo non fece in tempo a rispondere. Un raggio di luce bianchissima centrò in pieno il suo collega, e una voce possente, imperiosa, risuonò sopra le loro teste:

— Monguzzi! Perché pronunci invano il nome di Dio?

Monguzzi fece un balzo all'indietro e il basco gli cadde di mano come un uccello fulminato.

— Ellaputtana, — disse, e restò lì a bocca aperta.

Una delle figure che si aggiravano sul primo ripiano della torre di destra, tra una foresta di travi, funi, passerelle, scale a pioli, teneva puntata verso il basso una torcia elettrica, inchiodandoli al loro posto. Era Pezza.

Rossignolo, che sapeva come ci si dovesse comportare in ogni occasione, si trovò momentaneamente in imbarazzo. Che si poteva dire in una circostanza simile? Si preparò a un leggero cenno con annesso sorriso, mentre il prete, sceso velocemente per il traliccio, già veniva verso di loro e si chinava a raccogliere il basco, lo porgeva a Monguzzi.

— Il Signore sente tutto, — dichiarò, — e ricorda tutto.

Monguzzi rispose con un balbettio, e poiché non era evidentemente in grado di fare le presentazioni, Rossignolo si presentò da sé.

— Bene, — disse don Pezza, posandogli una mano sulla spalla e squadrandolo a braccio teso, come un generale con un veterano coperto di medaglie, — benone, benone.

Quell'approvazione senza senso lusingò senza motivo Rossignolo. L'uomo aveva indubbiamente una sua cosa, un suo rozzo magnetismo, era molto diverso dall'intellettuale teso e affilato che ci si poteva aspettare. Corporatura poderosa messa in risalto dalla tonaca, faccia larga e dai tratti pesanti, capelli corti, duri...

Nella sua acrobatica discesa dall'impalcatura, il prete aveva messo in mostra uno spesso cuscinetto di garze e cerotti appiccicato sulla nuca, e bruscamente prese ora a grattarsi con l'indice attorno a quella medicazione.

— Incidente sul lavoro, — spiegò notando lo sguardo di Rossignolo. — Tre punti. Cose che succedono.

E tutta la sua larga faccia contadinesca si ruppe intorno a un sorriso straordinariamente vivace e simpatico.

Rossignolo, che negli anni in cui era stato iscritto al partito comunista, prima dei fatti di Praga, aveva conosciuto alcuni operai autentici, assunse l'espressione di doloroso sbigottimento dovuta alle dure esperienze dei compagni proletari.

— Eh, già, lo credo, — mormorò con aria partecipe, alzando imprudentemente gli occhi ai palchi precipitosi e sovrapposti dell'altissima torre di destra.

Fiero o della ferita o della torre stessa, don Pezza non aspettava evidentemente che questo.

— Venite a vedere, — ordinò allargando le braccia e sospingendoli nelle labirintiche fondamenta dell'impalcatura, dove al raggio della torcia elettrica, sotto un basso soffitto di tavole, le file di tubi e pali di sostegno si diramavano come le gallerie di una miniera. — Avanti, avanti... ecco... lì c'è la scala.

Con qualche ritardo, Monguzzi si rese conto e recuperò improvvisamente la parola.

— Ma io non posso, io non salgo, io soffro di vertigini! — protestò con voce strozzata, girandosi per tornare indietro e arrestandosi, sconcertato, davanti al muro di fitta oscurità che avevano ormai tutt'intorno.

Don Pezza fece una risatina sommessa.

— *Camminate,* — citò, avanzando ancora di qualche passo, — *camminate mentre avete la luce, acciocché le tenebre non vi colgano!*

Poi, di colpo, spense la torcia.

8.

Il commissario schiacciò la sigaretta, accese la lampada sulla scrivania, e si rilesse coscienziosamente il verbale dei Vigili sui fatti (ma quali fatti? dov'erano, in realtà, i fatti?) dell'ultimo venerdì.

CITTÀ DI TORINO
CORPO DEI VIGILI URBANI

Sezione I "Garibaldi"

Noi sottoscritti VV.UU. Traversa Ivano e Berutti Angelo, entrambi appartenenti alla Sezione I suddetta, rapportiamo alla competente autorità, per la parte che ad ognuno riguarda, quanto segue:

Verso le ore 22,45 di oggi 18 corrente, trovandoci in zona di nostra competenza intenti a spiccare foglio di contravvenzione nei confronti di diverse auto ivi irregolarmente parcheggiate, fummo avvertiti a mezzo della voce pubblica che nella vicina chiesa cattolica parrocchiale di S. Liberata, elementi estranei alla parrocchia erano trascorsi a vie di fatto contro il titolare della medesima Pezza sac. Alfonso, nato a Bra il 14.12.1930 e domiciliato a Torino, con abitazione nella chiesa stessa in vicolo S. Liberata senza numero.

Recatici prontamente sul posto, vi trovammo diversi parrocchiani e collaboratori del sac. Pezza i quali erano già intervenuti ponendo in fuga i responsabili, senza per altro aver potuto impedire che il nominato Pezza riportasse lesioni di non grave entità, come pure tale Priotti Giuseppe ivi facente funzione di sagrestano, colpito da forte calcio dei responsabili all'inguine.

Circa l'identità degli aggressori in numero a quanto sembra di tre o quattro nessuna indicazione ha potuto essere raccolta, essendosi i fatti svolti nell'oscurità allorché il Pezza, al termine delle funzioni serali che hanno luogo nella chiesa predetta al venerdì sera, si accingeva a chiudere la porta laterale della medesima la quale manca di illuminazione elettrica.

Accompagnato pertanto il sac. Pezza all'Astanteria Martini Antica Sede (v. Cigna), giacché...

Il commissario s'interruppe, tornò indietro di due righe e rilesse incredulo: "*la quale manca di illuminazione elettrica*". Durante la prima e affrettata scorsa che aveva dato al verbale, quel sorprendente particolare gli era sfuggito; aveva pensato, probabilmente, che "la quale" si riferisse alla porta e al punto in cui era avvenuta l'aggressione. Stando però alla lettera — sia pure non

chiarissima — del documento, a mancare di illuminazione elettrica
era l'intera chiesa.

Ma com'è possibile? pensò; e chiamò il centralino con l'intenzione di farsi passare la Sezione I dei Vigili. Poi, cambiata bruscamente idea, chiese invece che gli cercassero il numero di Santa
Liberata. Una chiesa parrocchiale in pieno centro di Torino doveva bene avere il telefono, anche se non aveva la luce?

9.

— *V'era,* — tuonò don Pezza nel buio, — *una lampada accesa e
lucente; e voi volentieri, per breve tempo, gioiste dei suoi raggi.*

Fece una lunga pausa, in cui Monguzzi cominciò a spaventarsi
sul serio e che anche a Rossignolo parve di pessimo gusto, poi riprese sfregando un fiammifero: — *Ma io ho una lampada maggiore di quella.*

La fiammella rischiarò i gradini e la balaustra di una scaletta
di legno, che sembrava quella di un pulpito, e il prete l'accostò
a un grosso cero da processione, con manico a fiori, poggiato di
sghembo contro il pilastrino.

— *Se alcuno cammina nelle tenebre, s'intoppa, perciocché egli
non ha luce,* — citò ancora, mentre il lucignolo s'accendeva sfrigolando. — *Ma chi mi segue non camminerà nelle tenebre.*

E impugnato il cero s'avviò per i gradini, senza lasciare ai suoi
ospiti altra scelta che di seguirlo o di restare nel cieco labirinto
di sotto.

— Ecco. Che dite voi ora? — chiese col tono di chi ha fatto
un simpatico scherzo, quando gli altri l'ebbero raggiunto.

La scaletta era effettivamente quella del pulpito, incluso nella
struttura di travi e tubi in modo da servire di accesso alla prima
piattaforma. L'impalcatura, da questa parte, si estendeva con
propaggini e contrafforti fin quasi a metà del transetto.

— Ingegnoso, — disse Rossignolo, notando con sollievo che sul
vasto ripiano non erano soli. Due uomini erano inginocchiati un
po' più in là e armeggiavano con una lampada da campeggio. Un
terzo, con una lanterna, stava scendendo dal ripiano superiore
per una rampa ripida e traballante.

— Io dico che sono scherzi da prete! — si mise a ridere sguaiatamente Monguzzi, ancora più sollevato. — Ma più su, niente da fare, non ci vengo!

— Coraggio, ti sosterrò io, — disse benevolo il prete, che con stupore di Rossignolo non s'era minimamente offeso per la frase grossolana del collega. — Che faresti dunque se udissi anche tu, alle tue spalle, quella gran voce che ordinò "*Sali qua!*" all'evangelista Giovanni?

— Io non sono Giovanni, — disse Monguzzi, gettandosi involontariamente un'occhiata alle spalle, — e non sono nemmeno Tarzan... No, no, grazie tante, lassù non ci vengo... Non voglio mica farmi venire una gnocca come la sua!

Don Pezza sorrise con indulgenza, e poggiato il cero a una traversa s'accostò ai due uomini inginocchiati, ai quali adesso s'era aggiunto il terzo con la lanterna. Monguzzi ne approfittò per battersi significativamente la tempia con un dito.

Rossignolo gli rispose aggrottando la fronte. No, troppo semplicistico considerare il prete un esaltato o un maniaco, anche se si trattava certamente di una personalità non comune, complessa...

Il gruppetto parlava a voce bassa ma concitatamente, lasciando emergere parole come "sforzo", "resiste", "non resiste", "spacca tutto"; e Rossignolo, quando si fu avvicinato, vide che i due in ginocchio avevano legato insieme delle grosse tavole per agganciarle a una carrucola che pendeva dall'alto. Ma mentre il parroco li incitava a continuare, l'uomo dalla lanterna — un bassotto in grembiule scuro, attempato ma robusto, con una corona di capelli giallastri intorno al cranio lucido — scuoteva la testa e guardava dubbioso ora le tavole, ora la carrucola, ora le buie sommità da cui pendeva la corda.

— La corda a pôl co tène... Ma carià parei, a finiss ca s'ciancuma l'arganìn, — disse alla fine voltandosi a don Pezza. E prendendo a testimoni anche i visitatori, ripeté: — La corda potrà anche reggere. Ma con dei carichi così, qui finisce che spacchiamo l'arganetto!

Il parroco si strinse spazientito nelle spalle.

— E va bene, Priotti, dividiamo il carico, tiriamole anche su una per volta: basta che per questa sera abbiamo finito!... Perché

domani, — spiegò a Rossignolo, — la Parola dovrà scendere da
ancora più alto.

— Capisco, — disse Rossignolo, chiedendosi in realtà se aveva
capito bene. Molti parroci, anche tra i meno avanzati, avevano
ormai abolito il pulpito e parlavano dalla balaustra, o meglio
ancora scendevano tra i banchi, così da cancellare il vecchio
solco tra i fedeli e il clero officiante, tra la navata e il presbiterio... mentre questo qui, a quanto pareva, saliva a predicare addirittura da una torre.

— Allora, io torno su, — disse Priotti.

— Sì, bravo, e poi non dire che non te le do sempre vinte, —
sorrise don Pezza. E rivolto a Rossignolo e Monguzzi aggiunse:
— Priotti è un cocciuto di prim'ordine, ma è una colonna di Santa
Liberata: chierico, assistente, guardiano, campanaro...

— ...portinaio, facchino, manovale, fattorino, — concluse Priotti, rialzando la sua lanterna e andandosene con una strizzatina
d'occhio.

— Bravo tipo. Un pensionato, ex operaio specializzato, che preferisce la chiesa all'osteria, — commentò il parroco. Poi si rivolse
ai due uomini inginocchiati, che non avevano ancora cominciato
a slegare le tavole e lo stavano guardando di sotto in su, a
bocca aperta.

— Avanti, avanti, che dovete finire, — comandò. — C'è un tempo
per perdere tempo e un altro per lavorare... Questi bravi operai
del Signore, — aggiunse, — sono anche fratelli carnali...

Mise le mani sulle due teste, come si fosse trattato di cani.

— Bortolon Piero e Bortolon Paolo, — disse. E con un'altra
delle sue risatine, spinse energicamente le due teste l'una contro
l'altra. Poi se ne andò senza voltarsi.

I due fratelli non reagirono in nessun modo, forse abituati a
quel genere di rudi scherzi; ma Rossignolo sentì crescere la sua
perplessità. Era vero cameratismo ecclesiale, o non per caso un
gesto essenzialmente paternalistico?

— Questo qua, — gli sussurrò all'orecchio Monguzzi, — ci sta
prendendo tutti per il sedere.

Una tesi semplicistica, come al solito. Pure, il contegno del
parroco aveva qualcosa di indefinibile, di sconcertante. Dov'era
quel senso nuovo dell'azione pastorale, concepita come paritario

interscambio, di cui pareva testimoniassero i polidialoghi registrati a Santa Liberata? Possibile che uno storico, uno studioso del calibro di Calamassi, si fosse grossolanamente ingannato nella sua positiva valutazione di quei nastri? Era tempo in ogni modo che lui, Rossignolo, prendesse in mano la faccenda, visto che Monguzzi non era capace neanche di entrare in argomento.

— Vieni, che adesso ci parlo un po' io, — disse al collega incantatosi a guardare i due torvi e irsuti Bortolon, i quali adesso, stentando a disfare i nodi del carico, sembravano presi da una specie di cieca furia e digrignavano orribilmente i denti, con smorfie e mugolii che avevano tutta l'aria di feroci bestemmie rientrate.

Don Pezza aveva ripreso il suo cero e li aspettava alla rampa per la seconda piattaforma.

— *Anche se pesti lo stolto nel mortaio, col pestello, non però la sua stoltezza si dipartirà da lui,* — scherzò accennando ai Bortolon.

— Sono due minorati? — chiese brutalmente Monguzzi.

— No, no, era solo un'immagine. Sono due cari figlioli, pieni di buona volontà, non si tirano indietro davanti a niente. Preziosissimi per la nostra piccola comunità, che cerca di fare tutto, o quasi tutto, da sola. Li ho con me da molto tempo.

— Dal tempo dei concerti per sega e della cappella operativa?

— Appunto, appunto...   sorvolò in fretta il prete, col tono di chi liquida un passato ormai senza interesse. — E adesso m'aiutano a edificare la nuova chiesa: una chiesa di ferro, — disse battendo una manata su un tubo dell'incastellatura, — per un'età di ferro. Turrita come una cattedrale, munita come una fortezza, e nello stesso tempo...

— Ma la cappella che fine ha fatto? — lo interruppe senza riguardi Monguzzi. — È mica quella dove adesso c'è il camino?

Don Pezza annuì lentamente, gli occhi all'improvviso lontani.

— La Parola è Logos, e il Logos è fuoco, — disse oscuramente. — Non c'è contraddizione. La cappella operativa è stata solo un gradino, un passaggio. Nella nuova chiesa...

— Ma allora, — ripartì Monguzzi, — quei nastri? Quei polidialoghi?

— Niente, potete tenerli, è una fase superata. Necessaria, ma

superata. Nella nuova chiesa dovrà udirsi soltanto la Parola che
scende dall'alto, perché...

— Scusi, — tentò di intervenire Rossignolo, — ma...

— Perché, — continuò l'altro senza badargli, — solo ciò che
è dall'alto riconduce all'alto: come la *spintera* o scintilla divina,
come il santo *pneuma* che scese in guisa di fiamma sul capo degli apostoli.

— Col pneuma o senza, io resto in basso, — ghignò Monguzzi.

Con soddisfazione di Rossignolo, contrario alla parola dall'alto,
ma ancor più alle rozze scipitaggini del collega, questa volta il
prete si risentì.

— Tu ridi, Monguzzi, e il tuo cuore è pieno di scherno... Tu
pensi ciò che pensarono di Paolo i beffardi ateniesi!

— Ma io, — protestò Monguzzi, — sono di Valenza Po!

Don Pezza lo fissò in silenzio per qualche momento.

— Ah, bella cittadina. Io sono di Bra.

— Lo so, me l'ha già detto l'altra volta.

Rimasero a guardarsi, tutti e due con l'ombra di un sorriso, e
Rossignolo si ritrovò a non capire; aveva l'impressione di essere
entrato nel cinema sbagliato, qualcosa non corrispondeva al programma, la deplorevole rozzezza, la crescente villania di Monguzzi continuavano a non offendere il parroco, che anzi sembrava
aver trovato d'istinto un tono, un modo per trattare con lui.
Cos'era, una sfida? O un riconoscimento, un'ironica intesa di
cui gli sfuggiva il senso? Il prete s'era messo per la pericolosa
rampa, intanto, ed ecco che il dannato Monga lo seguiva come
niente fosse, tranquillo e sicuro come a casa sua, dimenticando
le proprie vertigini e soprattutto le sue, di Rossignolo, che non
essendo nato a Valenza Po, ma ad Acqui, da distinta famiglia di
professionisti, non aveva alle spalle le stesse generazioni di or-
tolani, braccianti, o rustici muratori.

10.

— Non lo so, ma aspetti, le chiamo il viceparroco, — aveva detto
l'uomo al telefono. E col tono, o così parve al commissario, di

chi ci tiene a declinare ogni altra responsabilità, aveva aggiunto in fretta: — Io mi occupo solo dei ragazzi dell'oratorio...

C'era poi stato il rumore del ricevitore posato sul tavolo, il suono dei passi che s'allontanavano, e all'improvviso un tonfo sordo accompagnato da un tintinnio di vetri, su un fondo di urla lontane... I ragazzi dell'oratorio che giocavano a pallone in cortile, capì Santamaria dopo un istante di allarme. Ma... al buio? a lume di candela? si chiese guardando il cielo ormai scuro e i lampioni accesi di corso Vinzaglio.

— Pronto? Mi dica.

Colto alla sprovvista — non s'erano uditi altri passi, il ricevitore era stato ripreso senza rumore — il commissario non pensò a chiedere come mai l'annunciato viceparroco avesse una voce di donna.

— Qui azienda elettrica, servizio guasti, — ripeté automaticamente. — È per la revisione dell'impianto. Avete chiesto...

— Quale impianto?

La voce era secca, sbrigativa, senza neanche un minimo di quell'ossequio un po' apprensivo che qualsiasi impiegato, anche falso, di qualsiasi servizio guasti, sarebbe stato in diritto di aspettarsi dall'utente.

— Senta, — disse brusco anche lui, — qui abbiamo una vostra richiesta di revisione dell'impianto, con eventuale sostituzione del contatore. Se lei non è al corrente mi faccia parlare con...

— Il parroco è occupato. Questa richiesta di quando sarebbe, in ogni modo? Se è nostra, dovrebbe essere vecchia addirittura di mesi.

— È possibile. Qui purtroppo siamo un po' indietro con...

— Fatti vostri! — si mise a ridere improvvisamente la donna. — A noi la vostra luce non serve più. Abbiamo il fuoco, il logos, la scintilla divina... cosa vuole che c'interessi l'azienda elettrica? Buonasera.

— Ma un momento! Se devo annullare la richiesta... Insomma con chi parlo, scusi?

— Caldani. Professoressa Emilia Caldani.

Clic.

Una matta. Una gabbia di matti. E matto lui stesso a occuparsi del caso Pezza, pensò incollerito il commissario. Tutta la faccenda di Santa Liberata, in realtà, avrebbe dovuto riguardare unicamente la Curia. Senonché...

Si accorse di avere ancora in mano il ricevitore, lo rimise giù e riprese il rapporto dei Vigili dal punto in cui l'aveva lasciato.

Accompagnato pertanto il sac. Pezza all'Astanteria Martini Antica Sede (v. Cigna), giacché il nominato Priotti e i fratelli Bortolon Piero e Paolo anch'essi lievemente contusi e residenti entrambi in fraz. La Roggia (Nichelino) dichiaravano di poter rientrare con mezzi propri, il sanitario dott. Rattoli Mario gli riscontrava una ferita al capo interessante solo i tessuti molli e non superante i giorni dieci oltre i quali il reato è perseguibile d'ufficio (v. referto allegato), mentre il sacerdote dichiarava di rinunciare da parte sua all'esercizio del diritto di querela.

Fatto, letto e chiuso in data e luogo di cui sopra, ci sottoscriviamo

V.U. Traversa Ivano
V.U. Berutti Angelo

NOTA AGGIUNTIVA. *In relazione ai fatti specificati, si riapre il precedente verbale per segnalare che secondo voci raccolte:*

1) in precedenti occasioni, le funzioni serali del sac. Pezza sarebbero state turbate da lancio di grida ostili e oggetti, quali uova, in contravvenzione all'art. 405 Cod. Pen. circa le turbative o tentate turbative del culto;

2) lo stesso sac. Pezza e i suoi collaboratori, quali i nominati Priotti e Bortolon fratelli, nonché tale Serralunga Domenico, di professione materassaio, avrebbero proceduto di persona alla forzosa estromissione dei perturbatori i quali, secondo le stesse voci, sarebbero da ricercarsi tra i numerosi elementi equivoci quali prostitute, travestiti, attivisti di varia colorazione politica e pregiudicati per reati comuni che, in passato, il sac. Pezza era solito accogliere alle predette funzioni a scopo di redenzione religiosa e sociale.

Avvertito per altro dell'opportunità di rivolgersi alle competenti autorità di P.S. per eventuale servizio d'ordine nella chiesa o nelle sue immediate adiacenze, il Sacerdote obbiettava le vi-

genti norme che subordinano tale servizio all'approvazione della
Curia Arcivescovile, e dicendosi da parte sua personalmente con-
trario per inderogabili ragioni di principio.

Era stata questa "nota aggiuntiva", con le diverse possibilità
di incidenti e soprattutto di grane che lasciava intravedere, a
richiamare l'attenzione sia della Mobile (commissario De Palma)
che della Buoncostume (commissario Rappa) e della Digos (commissario Cuoco). Pareva che il Pezza avesse voluto dare un taglio
al passato e che il passato — sotto forma dei "numerosi elementi
equivoci" elencati nel documento — gli si fosse rivoltato contro.
Ma perché soltanto adesso, dopo quasi un anno di relativa calma?
Certo, l'aggressione poteva dipendere dal nuovo uso del parroco di estromettere con le spicce i dissenzienti, senza più starci
a dialogare tanto. Eppure questa spiegazione, almeno da sola, non
convinceva il commissario, come non lo convincevano le altre
ipotesi di Cuoco, Rappa o De Palma: strascico del vecchio affare dei topi o recidivismo marxiano del prete, riaccensione improvvisa dei vitali fermenti... No, se il commissario conosceva
il suo Pezza, in quei mesi di calma apparente e di vita nell'ombra
("la vostra luce non ci serve più...") doveva esserci stata un'altra
presa di coscienza, un'ennesima evoluzione, una "svolta" ancora
più radicale e battagliera delle precedenti.
"Che facciamo domani sera? Dobbiamo mettergli il servizio
d'ordine, a lui e alla sua dannata chiesa?" volevano sapere da
Santamaria i tre imbarazzati colleghi. Ma la domanda, pensò
Santamaria, andava posta diversamente: che razza di Dio ("abbiamo il fuoco, il logos, la scintilla divina...") serviva adesso don
Alfonso Pezza, parroco di Santa Liberata?

11.

— Allora, Monguzzi, non vuoi proprio salire di più? — venne
dal basso la voce di padre Alfonso.
Il materassaio, che alla luce d'una lanterna a petrolio, seduto
su un'asse del ripiano superiore, stava cucendo insieme dei vecchi
sacchi, girò bruscamente la testa e rimase in ascolto, con le can-

dide sopracciglia aggrottate sugli occhi scurissimi e lucidi. Monguzzi, pensò frugando nella memoria, Monguzzi... che cosa gli ricordava, questo nome?

Accanto a lui, la moglie dell'erborista stirava i sacchi con un pesante ferro a carbone e glieli passava man mano da cucire.

— Che c'è? — chiese.

Monguzzi era il nome di un malvagio, rifletté il materassaio, e forse quello di un dèmone. O addirittura uno dei mille nomi di Achamoth, l'arconte delle tenebre, l'arcinemico di Cristo e degli uomini pneumatici?... Nello sforzo di ricordare e nel suo odio per l'arcinemico, corrugò ancora di più la bassa fronte, stringendo il lungo e robusto ago che teneva in mano finché le nocche non gli diventarono bianche come i capelli.

— Domenico, che c'è? — chiese ancora la moglie dell'erborista. Poi alzò le spalle e si rimise a stirare. Da quando il Maestro, venerdì scorso, era stato sorpreso e battuto da uomini carnali, Domenico vedeva dappertutto il Leone Nero. E anche suo marito, anche Priotti e i Bortolon, perfino l'ingegnere e tota Caldani, avevano paura che quello arrivasse e saltasse dentro, distruggesse tutto, prima che la fortezza di Cristo fosse finita...

Scosse la testa, vedendo il materassaio alzarsi silenzioso e andare a spiare cautamente in basso, dove padre Alfonso stava parlando con qualcuno. Fede, pensò, bisognava avere più fede nel Santo Pneuma, senza le paure di Domenico né i dubbi di suo marito... Sentì stridere l'argano e si rallegrò, guardando due grosse tavole che salivano oscillando, al pensiero che domani la Parola sarebbe scesa da ancora più in alto.

— Santo Pneuma, proteggimi, — mormorò. — Santo Pneuma, riempi di più mio marito.

Poi vuotò il ferro della cenere, lo riempì di brace da uno scaldino e ricominciò a stirare di lena, perché anche questo lavoro doveva essere finito per domani.

Il materassaio non si mosse. Sorvegliando i due che discutevano col Maestro, aveva ben visto un'ombra sbucare dalla scaletta del pulpito, passare dietro i Bortolon affaccendati con il loro carico, e sparire di nuovo nel buio. Ma aveva subito riconosciuto l'ingegner Vicini, per via dell'andatura zoppicante, e indovinò che anche lui era lì per sorvegliare.

Bene, approvò. L'ingegnere, che peccava (ma senza macchiarsi: perché chi è da Dio non si macchia) con i ragazzi dell'oratorio, aveva occhio e sapeva riconoscere il Male. Don Alfonso invece non peccava abbastanza, si fidava troppo; e i Bortolon, benché fossero pneumatici anche loro, sapevano solo menare le mani: non avevano idea di che astuzie fossero capaci gli spiriti neri, i figli delle tenebre come questo Monguzzi e il suo accolito.

— No, no, più su non vengo, — ripeteva questo Monguzzi.

— E del resto s'è fatto tardi, — diceva l'accolito, — dobbiamo tornare in ufficio.

Ma era solo un'astuzia. Facevano finta di volersene andare, per meglio carpire la fiducia del Maestro.

— Come volete. Eppure questa torre, la mia predicazione da questa torre, dovrebbe interessarvi più di quei vecchi nastri...

Che nastri? Dal seguito della conversazione il materassaio capì che si trattava di un'altra astuzia di Monguzzi, di un pretesto per venire a spiare: perché in quei nastri che l'ingegner Vicini, una volta, faceva girare nel suo apparecchio, non c'era niente che potesse interessare il Leone Nero; don Alfonso non aveva ancora avuto la visione, a quei tempi, e la cappella del fuoco, la torre dai sette piani, ancora non c'erano.

— I dialoghi potete stamparli o buttarli via. Ormai per me, ve l'ho detto, conta solo ciò che scende dall'alto. E dall'alto di questi sette piani...

Ma non doveva dirglielo, maledizione, dei sette piani! Non lo capiva, che a loro interessava solo quello? Adesso magari gli avrebbe detto anche il segreto del Piero... del Plero... insomma dei trentasei leoni...

— Le due torri, come avrete notato, sono disuguali. E lo resteranno: perché la nostra chiesa è come una cattedrale del medioevo, sempre incompiuta e sempre in costruzione. Ma i sette piani della torre di destra saranno come le Sette Chiese d'Oriente, che Giovanni illuminò per ordine dell'Angelo!

Menomale. Se gli diceva che i sette piani erano le sette chiese, era segno che non si fidava neanche lui. Solo che allora, invece di star lì a discutere, avrebbe fatto molto meglio a cacciarli via subito, maledicendoli con le stesse parole di Giovanni: *Fuori i...*

Stringendo convulsamente l'ago, il materassaio si sentì riempire di santo pneuma e non poté trattenere più a lungo la sua collera.

— Fuori i cani! — urlò con quanto fiato aveva, sporgendosi minaccioso dalla piattaforma. — Fuori i mafiosi, e i fornicatori, e gli omicidi, e...

— Buono, Domenico, — disse il Maestro senza alzare la testa. — Buono, o chiamo tota Caldani.

12.

— La fede religiosa può definirsi un'illogica fiducia nel verificarsi dell'improbabile, — annunciò il commissario De Palma entrando.

Santamaria, che stava telefonando al 214 per farsi mandare un caffè, restò col dito infilato nel 4.

— Cos'è, ti sei dato alla teologia anche tu?

— Non io, — disse De Palma sedendosi. — Picco. È una massima di Picco.

— Ahi.

Il vicequestore Picco aveva raccolto e memorizzato, nel corso della sua vita, un gran numero di massime, sentenze, detti più o meno celebri, di cui ornava felicemente la propria conversazione. Ma gli succedeva anche di trovare in queste massime utili indicazioni, precisi suggerimenti per qualche affare in corso, e in questo caso i risultati potevano essere meno felici.

— Ahi, — ripeté Santamaria, — e che cosa... Pronto? un caffè... cioè... lo vuoi anche tu?... allora due caffè, grazie... E che cosa ne ha dedotto?

— Niente, ma si preoccupa per quel prete e vuole sapere che cosa abbiamo deciso per domani sera. Teme il verificarsi dell'improbabile.

— Chi?

— Picco, naturalmente.

— Ma secondo la massima, se ho capito bene, dovrebbe temerlo il prete.

— No, secondo la massima il prete ha fiducia, è per questo che rifiuta di essere protetto. Ha dichiarato ai Vigili...

— Sì, ho visto. Ho finito adesso di guardarmi la pratica.

— E allora?

— Non lo so. Da una parte, se per la Curia questi venerdì vanno bene, non vedo perché dovremmo occuparcene noi. Gli estremi per vietare l'assemblea non ci sono.

De Palma lo guardò sorpreso.

— Quale assemblea? Io avevo capito che dopo lo scandalo dell'anno scorso, tutto si riducesse a delle messe con predica.

— Il che, — disse Santamaria scuotendo la testa, — dimostra quanto sei ignorante. La messa è innanzitutto un'assemblea, un rito comunitario. E quanto alla predica, — spiegò ripescando il giornaletto "Appartenere", — la parola giusta è omelì... anzi no, ecco qua: *omilìa*. Fa molto meno predica, in questo modo. Poi c'è la *didaché*, che sarebbe quella che una volta si chiamava la dottrina, non so se ti ricordi.

— Vagamente.

— E inoltre abbiamo la *kéruxis*, che...

— Ma credevo che il latino l'avessero abolito?

— Appunto, adesso parlano greco, così capiamo meglio tutti quanti. Poco fa il viceparroco, che tra parentesi è una donna, m'ha spiegato che a Santa Liberata non usano più la luce elettrica perché ormai hanno il pneuma.

— E che è?

— E chi lo sa? Qui purtroppo, — Santamaria batté col dito sul dossier, — l'ultima fase del pensiero del Pezza è stata trascurata.

— Ci vorrebbe un supplemento d'inchiesta, — ghignò De Palma. Poi vide che il collega non rideva e s'indignò. — No, senti, non mi dirai che dobbiamo perderci altro tempo? Con tutto quello che succede, e con gli organici ridotti a...

S'interruppe. Il discorso su tutto quello che succedeva da una parte, e sugli organici inadeguati dall'altra, era diventato in polizia un disco fisso, ormai così logoro, inutilmente risaputo, da non servire nemmeno più come sfogo. La situazione era quella che era, stava a te di sbrogliartela. O ti trovavi un altro mestiere, oppure andavi avanti come potevi, alla giornata, cercando di stare ugualmente appresso a tutto e rischiando magari, quando non ci riuscivi, una bella denuncia per "omissione di atti d'ufficio".

— E in più, con l'afgana, — concluse alludendo all'influenza di quell'anno, ormai in regressione tra i civili, ma che in questura, soprattutto fra lo stremato personale della Mobile e della Digos, faceva risentire adesso i suoi strascichi. – Chi me li rimpiazza gli uomini a casa con l'afgana? Io, questa settimana, lo sai quante ore avrò dormito?

Santamaria, quella stessa settimana, aveva dovuto mandare avanti il lavoro di altri due commissari oltre al proprio. Dovette riconoscere che i fatti di Santa Liberata non giustificavano altre indagini, né sacre né profane, e neppure, malgrado la massima del vicequestore, un vero e proprio servizio d'ordine. L'importante, finì per convenire, era che lo stesso Pezza o i suoi aiutanti non provocassero nuove ritorsioni. Il solo rischio era quello.

– Per cui in definitiva, direi che mezza squadra dovrebbe bastare, – concluse De Palma mentre beveva il suo caffè. – Due o tre in borghese, all'interno della chiesa, e gli altri fuori di rinforzo. Se vuoi ci penso io, tu domani sei di riposo, no?

Santamaria annuì imbarazzato. Ormai, anche senza l'influenza "afgana", le trentasei (o quarantotto?) ore di vacanza alla settimana erano diventate un ricordo d'anteguerra, una lontana favola da *belle époque*; adesso era molto se un complicato e fragile sistema di rimpiazzi permetteva di riposarsi un giorno su dieci. Eppure, quando il giorno arrivava, si aveva sempre l'impressione di disertare, di imboscarsi, di abbandonare il fronte e i compagni alla vigilia dell'offensiva nemica.

– Già... Mi dirai sabato, allora, se si sarà verificato niente di improbabile, – scherzò andando a riporre il dossier nell'armadio metallico accanto alla finestra.

Richiuse l'armadio e restò un momento a guardare fuori, l'oscurità nebbiosa dietro i vetri.

– In fondo, – disse, – quello che mi secca di più, è di non sapere che cos'è questo pneuma.

13.

Se non ci fosse stata, in ultimo, la scena con l'ingegner Vicini, Rossignolo sarebbe uscito da Santa Liberata sotto un'impressione di pura follia: l'energumeno che continuava a urlare dall'alto, una specie di suora o dama di San Vincenzo, nera e occhialuta, che accorreva minacciandolo con un righello, e i Bortolon che ridevano cavernosi mentre il parroco, affidato a Monguzzi il cero da processione, si congedava con un'altra delle sue citazioni bibliche.

Ma erano poi veramente bibliche? Rossignolo, che da un punto di vista letterario ammirava le Sacre Scritture ma non le leggeva mai, non avrebbe saputo dire. In ogni modo, pensò seguendo il collega giù per la scaletta, bisognava avvertire Calamassi di andarci piano con quei polidialoghi. Il Pezza era un instabile e uno squilibrato (ecco il perché della simpatia col nevropatico Monguzzi) intorno al quale altri folli s'erano raccolti spontaneamente, ma al di fuori di ogni valida, consapevole sintassi assembleare. Questo, se utilizzava i nastri, Calamassi avrebbe dovuto dirlo ben chiaro. La casa editrice non poteva...

— Questo dove lo lasciamo? — disse Monguzzi spegnendo il cero.

Dalle sostruzioni della torre erano passati direttamente nel transetto e di lì nella navata di sinistra, con la sua fila di cappelle rischiarate da candele.

— Ma non lo so, lascialo lì... o lì... dove ti pare... — disse Rossignolo con impazienza. Poi si fermò. Dei colpetti di tosse, il rumore d'un passo strascicato e zoppicante lo fecero voltare.

— Dottor Rossignolo? Dottor Monguzzi? Mi permettano.

Un uomo biondiccio e con gli occhiali, sulla quarantina, in maglione e scarpe da tennis, li raggiunse sorridente e un po' affannato, con la mano tesa, appoggiandosi con l'altra a un bastone dal puntale di gomma.

— Ingegner Vicini, — si presentò con calore. — Ho appena saputo!... Io non ero al corrente di niente, si figurino... Non sapevo nemmeno che don Alfonso avesse dato... avesse sottoposto quei nastri al loro giudizio... e in ogni modo non avrei mai osato sperare... Ma permetta, dia pure a me, — sorrise ossequioso a Monguzzi sbarazzandolo del cero. — Mai osato sperare, dicevo, che un editore del calibro... dell'importanza culturale... E non lo dico per complimento, mi credano, ma perché ne seguo... ne ho sempre seguito con interesse vivissimo...

Rossignolo s'irrigidì. Questo non era solo un altro folle, capì in un lampo, ma la peste, la maledizione, il flagello delle case editrici: il classico sub-intellettuale e mortale rompicoglioni che... Vide Monguzzi indietreggiare a passettini e voltarsi con aria casuale verso l'uscita, mentre l'altro, dall'umile incensamento, già passava alle proposte di "fattiva, concreta collaborazione". Aveva partecipato anche lui ai polidialoghi (cercando, precisò, di dare "il meglio di sé") e anzi aveva avuto lui stesso l'idea di registrarli. Per cui adesso, in vista della pubblicazione...

— Cioè non adesso, naturalmente! — scherzò un po' sul verde, guardando Monguzzi che filava senza riguardi verso la porta. — Loro adesso hanno fretta e io stesso, qui, ho il mio da fare con i ragazzi dell'oratorio. Ma uno di questi giorni... anche domani, se lei è d'accordo... potrei passare in casa editrice per... esaminare... concordare meglio...

L'idea di quel mortifero tizio che gli arrivava in ufficio fece accapponare la pelle a Rossignolo.

— Sì, ma guardi... No, scusi se l'interrompo, — disse alzando la voce, — ma innanzitutto la pubblicazione non è affatto decisa. E in ogni caso si tratterebbe di brevissimi estratti, la cui scelta...

— Ma io dicevo appunto...

— La cui scelta, mi lasci parlare, dipenderebbe esclusivamente dall'editore.

Profittò dell'effetto di gelo e salutò prima che l'altro potesse riaversi, se ne andò in tutta fretta per la navata. Fatto, chiuso, finito. Quei dannati nastri, come disse a Monguzzi raggiungendolo in strada, si potevano tranquillamente buttare via. E che nessuno venisse mai più a parlargli di Santa Liberata.

Monguzzi annuì distratto. Col basco calato fino agli occhi e pestando i piedi per il freddo, stava scrutando a destra e a sinistra la viuzza buia, tagliata a rari intervalli dai trapezi luminosi delle vetrine.

— Cosa c'è? Cosa guardi?

— Niente... — disse Monguzzi battendo i denti. — Ma adesso come usciamo di qui?... Tu, — chiese guardando Rossignolo negli occhi, — la strada la sai?

L'editore, quando s'affacciarono al suo ufficio, stava parlando al telefono. Sedeva col busto tutto rovesciato all'indietro, come per prendere beatamente il sole, e da quello sfoggio di indolenza Monguzzi comprese al volo che l'argomento della conversazione doveva essere il denaro. Sospinto da Rossignolo varcò la soglia dell'ufficio, e tutti e due andarono a sedersi davanti alla scrivania. Restava solo da appurare se il capo fosse impegnato a chiedere soldi o a negarne.

— Non è il caso che lo ricordi proprio a te, — disse l'editore con la sua vocina infastidita, — ma noi siamo una casa editrice di punta, su base pluralistica e cooperativa...

La frase era di quelle utilizzate di norma per dilazionare, e Monguzzi si chiese chi fosse stavolta il disgraziato. Il capo, senza essere tecnicamente avaro, considerava tuttavia il fatto di lavorare per lui un privilegio così intrinsecamente meraviglioso da rendere superflua ogni retribuzione.

— No, lunedì no, — si schermì l'editore, ormai quasi orizzontale sulla sua poltrona. — Ho una riunione a Roma... Poi farò un salto a Milano, e giovedì... giovedì sono a Parigi, dobbiamo vederci con Claude... Ecco, sì, diciamo la prossima settimana, in linea di massima... Sì, certo, vedrò cosa si può fare... Sì, ciao... sta' tranquillo, sta' tranquillo... ciao.

Mise giù il telefono e dall'azzurro cielo di Ischia o Positano il suo sguardo ridiscese grado a grado su Monguzzi e Rossignolo.

— È incredibile... — masticò raddrizzandosi, — quel figlio di...

Per quanto la ragione gli dicesse che la gente non poteva vivere d'aria, la sua reazione istintiva, quando qualcuno gli presentava il conto, era sempre di indignato stupore.

— E voi due? — disse acido, — com'è che arrivate adesso?

Tirò fuori la cipolla dal panciotto e guardò l'ora.

— Siamo stati in quella chiesa, a parlare con quel prete, — cominciò cautamente Rossignolo.

Ma Monguzzi capì che era inutile, e un infinito scoraggiamento lo prese.

— Quale prete, quale chiesa? — disse l'editore strascicando annoiato la voce.

Aveva dimenticato ogni cosa, perduto ogni interesse. Era stata solo "un'idea così", come tante altre volte.

— Sei stato tu a mandarci, — tentò ancora Rossignolo, che non sopportava di esserci di nuovo cascato. — Era per quei nastri che Calamassi voleva includere...

— Ma quali nastri? Qui c'era riunione, qui siamo stati tutto il pomeriggio a lavorare, a programmare!

— Quale riunione, scusa? — ribatté Rossignolo impallidendo. — Quando ci hai mandato a Santa Liberata non c'era in programma nessuna riunione.

— Riunione "selvaggia", — disse l'editore con un sorriso crudele. — Abbiamo fatto il punto sulla situazione delle novità di giugno... e altre cosette.

C'erano riunioni ristrette e riunioni allargate, riunioni volanti e riunioni tecniche, riunioni informali e riunioni plenarie; mancarne anche una sola era per Rossignolo come una mutilazione senza anestesia.

— Ah, — balbettò, — sì?

La gola gli si riempì di nere supposizioni: oscure trame erano state ordite alle sue spalle, vanghe misteriose gli avevano senza dubbio scavato la terra sotto i piedi.

— Una grappa? — disse l'editore con perfida cordialità.

Sospeso tra una pila di libri d'arte e una *Storia sociale della geografia* in sei volumi, c'era un vassoio con bicchieri e una bottiglia piena a metà di un liquido incolore, la grappa speciale che un contadino delle Langhe distillava apposta per l'editore. Genuina, pensò Monguzzi, ma cattivissima. Il contadino non ci sapeva fare.

— No, grazie, io no, — disse alzandosi faticosamente.

Forse adesso avrebbe potuto lavorare un po', il carteggio Crispi-Oderici avrebbe potuto avanzare di qualche cartella.

— Ma il carteggio, — domandò, — l'avete mica rimandato? L'avete mica fatto slittare?

— Dio ne guardi! — sogghignò l'editore. — Non ti faremmo mai uno scherzo simile!

Mandò giù la sua grappa d'un fiato e si leccò le labbra. Nonostante la vocetta stridula era un omone grande e grosso, con una vasta barba messianica che gli scendeva sul petto come un ruvido panciotto di tweed. Monguzzi ebbe voglia, per un momento, di vedere che cosa sarebbe successo se gliel'avesse tirata con tutte e due le mani.

— Bene, — sospirò, — allora io...

Fece un passo verso la porta, poi un altro, col timore di essere richiamato. Ma non ci fu nessun richiamo.

Tempo perduto, tempo liquefatto, irrecuperabile, pensò incamminandosi curvo per il corridoio. La chiesa, il Pezza, la torre, la strana comunità di Santa Liberata l'avevano affaticato e frastornato; ma soprattutto gli avevano ingombrato la mente di parole e immagini difficili da scacciare.

Entrato nel suo ufficio e chiusa a ogni buon conto la porta a chiave, la vista del familiare carteggio squadernato sul tavolo lo rasserenò. Dopotutto, constatò sedendosi e riordinando il suo piccolo arsenale di penne, matite, gomme diverse, il suo tempo d'oggi non era andato interamente sprecato. Tra stamattina e il primo pomeriggio gli era riuscito di revisionare a fondo la trascrizione di ben tre lettere dell'Oderici da Firenze, il che poi, per un colpo di fortuna, gli aveva permesso di datarne correttamente un'altra del Crispi da Neuilly. Aveva anche aggiunto diverse note importanti, lasciando in sospeso la sola questione del presunto viaggio dell'Oderici ad Asti. Per cui adesso...

Qualcosa, però, continuava a inquietarlo. Era come se tra le parole e le immagini ormai ricacciate, una, non sapeva quale, gli avesse insinuato nel cervello un oscuro sospetto, un dubbio ancora vago e senza nome, che tuttavia gli pareva urgente risolvere. Lo stesso enigma di Asti sembrava perdere ogni importanza, in confronto. Ma perché?

Un altro scherzo dei suoi nervi, pensò, versandosi automaticamente mezzo bicchier d'acqua e aprendo il primo cassetto della scrivania, in alto a sinistra, dove teneva il tabrium in gocce.

14.

Nella nebbia che infittiva di momento in momento, la vecchia Volkswagen color crema rallentò ancora e si fermò del tutto sul ciglio della strada, col faro di destra a pochi centimetri da un paracarro. Il venditore di matite si sporse dal finestrino aperto e scrutò attentamente dietro di sé. Non c'erano luci di altre macchine in vista, la strada sembrava deserta per un buon tratto, ma il venditore saltò giù in fretta, richiuse in fretta lo sportello, e con pochi passi rapidi si tolse dalla carreggiata per andare a chinarsi sul paracarro. Il blocco di pietra grigia era tutto pencolante verso il fosso e seminascosto dai rovi. L'uomo li scostò col piede e scoprì, incisa nella pietra e ormai quasi illeggibile, la scritta: "Volpiano Km. 2".

Aveva sbagliato strada.

I fari della Volkswagen illuminavano un breve tratto di asfalto e il motore girava al minimo dentro un silenzio da aperta campagna. Ma non significava niente: a cinquanta metri poteva esserci, invisibile nella nebbia, una fabbrica di profilati o un ristorante con dancing, un intero quartiere di case popolari o una raffineria di petrolio. Tra Leinì e Volpiano, tra Pianezza, Venaria, Alpignano, Orbassano, None, fra tutti gli antichi paesi della cintura, la città, scoppiando, aveva piantato le sue schegge e disseminato i suoi brandelli. Sentieri da pascolo in terra battuta correvano accanto a superstrade a quattro corsie, tortuose carreggiate comunali e provinciali si dilatavano in grandi arterie di circonvallazione, levigatissimi asfalti incrociavano bubbonici strati di bitume rappezzati alla meglio da cantonieri in bicicletta. In quella aggrovigliata trama di snodi e raccordi, di bivî, quadrivî, sopravvie, diramazioni, ponti a schiena d'asino e campate d'acciaio e di cemento, orientarsi era diventato un problema anche di giorno e senza nebbia.

Il venditore risalì in macchina, pensò per un momento di voltare a U, poi decise di continuare fino a Volpiano e riprendere la sua direzione di lì. L'orologio del cruscotto segnava le sette. A Volpiano, forse, la chiesa era ancora aperta.

1.

Alle 4,20 del mattino, il telefono svegliò il commissario De Palma, che ormai da tempo dormiva in soggiorno per evitare che le chiamate svegliassero anche sua moglie, una donna nervosissima. Istantaneamente lucido, De Palma pensò all'ultima cosa a cui aveva pensato prima di addormentarsi, e cioè alla chiesa di Santa Liberata. Ma durò solo un attimo, e poi la giornata prese, per lui, tutta un'altra direzione. Bestemmiando sottovoce allungò la mano nel fioco alone verde della piccola *veilleuse*, tenuta sempre vicino al divano-letto per rendere visibile il telefono.

— Dottore, — disse la voce del brigadiere Urru.

— Forza.

In via Frejus, mezz'ora fa, un metronotte s'era avvicinato come un cretino a un gruppo d'uomini che risalivano su un furgone con delle grosse valige, e aveva ovviamente rimediato due proiettili in testa. Ma questo era nelle regole. Meno regolari erano la morte di un tranviere e il ferimento grave di un altro, nella sparatoria tra i banditi in fuga e un'autopattuglia che li aveva presi in caccia. Adesso altri equipaggi erano partiti alla ricerca del furgone, un "Transit/benzina" con targa di Vercelli, la Scientifica era sul posto, e il giudice stava arrivando per gli accertamenti del caso. Poteva Urru mandare a prendere il dottore?

Il paralume della *veilleuse* era un disco verde, di plastica, con un Paperino disegnato sopra. In origine stava nella camera dei bambini, quando erano piccoli e avevano paura del buio.

— Va bene, scendo, — disse De Palma.

Si vestì in fretta, sempre imprecando e bestemmiando sottovoce contro nessuno in particolare e contro tutti. Sembrava anche a lui ogni giorno di più d'essere in guerra, tra lui e i suoi colleghi s'era propagato il fangoso, perpetuo turpiloquio della prima linea, la barba (se la toccò, rinunciò a radersi) era perennemente lunga, l'occhio perennemente cisposo, la stanchezza era cronica, mortale. Sbadigliò, pensò a Santamaria che oggi aveva un giorno di riposo nelle retrovie, beato lui. Perché le notti, come al fronte, erano relativamente più tranquille, il vero ballo cominciava all'alba e poteva continuare, in crescendo, per tutta la giornata...

Davanti al portone c'era la macchina, col brigadiere Pastorello seduto dietro. De Palma salì accanto a lui.

— Non potrebbero essere stati quelli di Biella, dottore?

— Ma non lo so, che ne so?

Pastorello capì che il suo capo non era ancora entrato nello spirito della battaglia e se ne stette in silenzio, mentre la radio, tanto per intrattenere la truppa, segnalava l'aggressione a un tassista in viale Thovez e una saracinesca strappata in corso Traiano.

L'auto correva veloce per la città deserta, senza sirena. De Palma fece uno sbadiglio lungo due o trecento metri pensando che, come ogni guerra italiana, anche questa sembrava del tipo che non si poteva vincere. Ma tutte le polizie del mondo erano nei guai, si consolò, tutte, per una ragione o per l'altra, "ballavano".

— Perché dici che potrebbero essere stati quelli di Biella?

Pastorello cominciò a spiegare la sua idea, e De Palma, la testa infine sgombra da ogni considerazione generale, s'attaccò quasi con sollievo al suo compito immediato di fante.

Anche il commissario Santamaria, quando aprì gli occhi tre ore dopo nel suo letto di scapolo, pensò per prima cosa al sac. Pezza. Anche lui si sentiva in guerra, e come in guerra gli pareva, svegliandosi, di aver dormito sì e no un minuto. Ma i minuti erano stati molti di più e il sac. Pezza aveva avuto modo nel frattempo di allontanarsi notevolmente, come quei compagni di scompartimento che, dopo ore di faccia a faccia, riacquistano tutta la loro estraneità non appena il treno rallenta per

entrare in stazione. Ora il prete scompariva tra la folla, e Santamaria rinunciò a seguirlo; non bisognava esagerare, si disse accendendo lo scaldabagno a gas, l'uomo non era più interessante
o più misterioso di tanti altri.

Lo stato di emergenza s'era portato dietro una torma crescente
di personaggi in varia misura indecifrabili, credenti increduli,
scettici fanatizzati, timidi dinamitardi, miliardari ascetici, vescovi materialisti, disperati che insegnavano la felicità nelle scuole medie. In mezzo a quei brandelli e cenci e stracci di ogni
dottrina e ideologia, camminava anche il Pezza con la sua valigetta di stramberie e contraddizioni, diretto verso chissà quali
uscite. Lasciamolo perdere, lui quei suoi venerdì e quel suo pneuma, pensò il commissario, veniamo alle cose più urgenti.

Ma oggi – ricordò sotto i fumi caldi della doccia – non c'erano
cose urgenti che lo aspettassero, se non le minute, malinconiche
incombenze dei soldati a riposo dietro il fronte, scrivere lettere,
ritirare il vaglia, cucire bottoni, acquistare biancheria. E eventualmente una donna.

Il commissario considerò senza piacere queste prospettive.
Sapeva che si sarebbe sentito sfasato, a disagio, fino all'indomani,
perché la guerra aveva anche questo di brutto, che rendeva gli
intervalli di calma irreali, non veramente godibili. A quest'ora
De Palma doveva già essere impegnato nelle prime azioni di pattuglia, nei primi attacchi o contrattacchi della giornata, e Santamaria quasi lo invidiò.

Che faccio, vado a vedere questa Santa Liberata *en touriste*?
si chiese cominciando a radersi. Ma subito si rimproverò quel
vago impulso che forse, in un altro momento, avrebbe considerato
una specie di intuizione, il sintomo di una sua significativa curiosità. Sto diventando, pensò con ironia, uno schiavo del lavoro,
della routine, non posso più farne a meno, mi sono ridotto come
un qualsiasi dirigente d'azienda.

Si vestì di cattivo umore. Lo innervosiva la constatazione che
potendo, una mattina tanto, restarsene comodamente in casa,
aveva invece una gran fretta di andarsene fuori. Fuori dove?

Fuori prima di tutto nel bar-torrefazione Benotto, a prendere
il primo caffè, scorrere i titoli del giornale in dotazione alla cassa
("ha visto, dottore? qui andiamo tutti a ramengo!..."); e poi

fuori fino a via Pietro Micca, ancora impigliata nella foschia, i tram col pallido occhio anteriore ancora acceso, gli impiegati che ne scendevano a grappoli neri, sparpagliandosi insonnoliti per i mille uffici del quartiere; e poi fuori oziosamente su (o giù) per via XX Settembre, per via Roma (o magari Lagrange) tra le prime saracinesche che si alzavano di schianto, le commesse e i primi fattorini che pulivano le vetrine con spugne imbevute di gelida schiuma; e poi fuori fino alla camiciaia di via Po (scala B, ammezzato) che non aveva di certo finito le camicie, con ricambi, ordinate il mese prima; e fuori fino a un caffè di piazza Castello, per il cappuccino con briosce; e di nuovo fuori, le vetrine finalmente pronte, a cercare senza speranza un paio di scarpe decenti non indecentemente care; e volendo, fuori fino all'ospedale dove il collega D'Amato se ne stava con la sua gamba appesa al soffitto, rotta in un incidente idiota; e fuori, inevitabilmente, in banca, a controllare il saldo e ritirare un nuovo blocchetto di assegni.

Fuori, sì, fuori perché non c'era scopo a restare. Ma niente di più. Perché che gusto c'era a uscire?

Uscendo in strada alla solita ora, il venditore di matite alzò gli occhi a controllare il grigio pacco del cielo e constatò che da ieri non s'era mosso. Gli parve soltanto che il freddo fosse più intenso e che lo strato di brina sui tetti rivolti a nord fosse più fitto. S'avviò in fretta verso la pensilina, mettendosi a correre quando sentì alle sue spalle il fruscìo del filobus che arrivava. Salì, scese dopo tre sole fermate e, tornato indietro di un centinaio di metri, infilò una stradetta laterale.

Forse oggi avrebbe nevicato, pensò, chinandosi con un certo sforzo per aprire il lucchetto e alzare la saracinesca arrugginita, dietro la quale lo aspettava la vecchia Volkswagen con i suoi scatoloni di matite Jucca.

Ebbe qualche difficoltà a mettere in moto, ma la scintilla finì per scoccare, la macchina cominciò a sussultare, e il venditore — portata fuori l'auto, richiusa la saracinesca — restò ancora qualche momento con le mani guantate sul volante ad aspettare che il motore si scaldasse. Infine ingranò la prima e partì per il suo giro.

2.

La prima messa era finita e le poche donnette presenti se ne stavano andando; erano rimasti soltanto un giovane e una ragazza che, usciti lui da un banco di destra e lei da uno di sinistra, venivano ora verso la balaustra tenendosi per mano.

Don Pezza, già avviato col ciborio verso la sacrestia, li vide con la coda dell'occhio e si girò bruscamente.

— Fidanzati? — li interpellò con voce che non prometteva nulla di buono.

I due si fermarono intimiditi, accennando di sì con la testa.

— Fidanzati e analfabeti! — gridò il parroco. — Perché c'è scritto là fuori grosso così, che io i fidanzati li ricevo il mercoledì e il sabato. Mer-co-le-dì e sa-ba-to, — ripeté sillabando. — Capito?

Ma vedendoli così contriti, confusi, cambiò tono.

— O avevate una ragione speciale, una fretta speciale, per venire oggi?

I due si scambiarono un'occhiata e fecero cenno di no.

— Bravi, — disse don Pezza muovendo impaziente avanti e indietro il ciborio, che gli impediva di gesticolare. — E allora tornate, eh, ma tornate nei giorni giusti, siamo intesi? Il parroco è carico di lavoro, è pieno di impegni fin qui, e deve seguire certi orari anche lui, non è vero? dico bene? Bravi. E adesso andate, il Signore sia con voi e tante belle cose.

Voltò le spalle e andò a riporre ciborio e paramenti in sacrestia, se ne tornò in canonica.

— Fidanzati, — mugugnò sedendosi al tavolo di cucina. Se c'era una cosa che gli rompeva tremendamente i tubi, anche più del catechismo ai fanciulli, erano gli incontri bisettimanali coi fidanzati. Quanto prima avrebbe rifilato anche quelli alla Caldani, decise. Lui doveva concentrarsi sulla predicazione, battere e battere e ribattere su...

Ma che cosa aveva adesso questa baracca? Ieri sera funzionava benissimo, e adesso invece la lucetta non si accendeva nemmeno. Già le pile scariche? Ah, no, ecco, si ricordò avvicinando il registratore, ecco: bisognava schiacciare prima qui, poi qui, e poi aspettare che tutto il nastro si fosse riarrotolato da questa parte. Si tagliò un triangolo di formaggio, mentre aspettava, e l'infilò a viva forza in un grosso pezzo di pane.

Lui, pensò masticando, doveva parlare a tutti e nell'unica lingua che capissero tutti: la paura. Altro che colloqui e polidialoghi, altro che collettivi e tavole rotonde per un più umano questo e per un più giusto quello; in quei casini lì nessuno ci credeva più sul serio, l'infatuazione era caduta, la grande sbronza di parole stava passando, era passata. Gli ultimi ubriachi ancora cantavano a squarciagola, ma solo per farsi coraggio, perché ormai era la fifa che se li mangiava tutti. Stavano tutti col culo stretto che non ci passava un ago.

Il nastro smise di frusciare e si arrestò con un *clic*. Don Pezza schiacciò il tasto di ascolto.

— Ed ecco, — partì l'apparecchio a tutto volume, — si fece un gran tremoto, e il sole divenne nero come sacco di pelo, e la luna divenne tutta come sangue.

— Mmmm... — approvò a bocca piena il parroco, compiaciuto sia del testo (*Apoc.* 6,12) sia del tono della propria voce registrata.

— E i re della terra, — continuò la voce in minaccioso, rimbombante crescendo, — e i grandi, e i capitani, e i ricchi, e i possenti, e ogni servo, e ogni franco, si nascosero nelle spelonche e nelle rocce dei monti!...

Sì. Un buon inizio. Una partenza eccellente. Non c'era niente come la vecchia Apocalisse, per cominciare a ragionare.

3.

Il camioncino OM "Lupetto" — che Romilda, la cognata dei fratelli Bortolon, chiamava l'Upetto, — era pronto col suo carico di lastre di vetro, sotto la tettoia a fianco della casetta a un solo piano. Romilda sistemò sotto il sedile la borsona con le due pietanziere e le due pagnotte, le due bottiglie per il pasto di mezzogiorno, poi rientrò di corsa, livida per il freddo, stringendosi lo spelacchiato cappotto sul corpo magro e appena vestito.

In cucina i due fratelli stavano finendo la loro zuppa di caffellatte e tra un minuto, mandata giù anche la loro grappa, sarebbero usciti. La borsa avrebbero potuto portarsela fuori da sé, pensò Romilda. Ma no: volevano essere serviti in tutto e per tutto, di giorno e di notte...

Riappese il cappotto e andò a sedersi accanto alla finestra, accavallando le cosce ossute. Accese una sigaretta. Di giorno e di notte, pensò. Bella religione. Bella carità verso la vedova di un fratello.

Alzò le spalle. Restò a guardarsi il négligé turchese, di pizzo di nailon, che i cognati le avevano regalato a Natale insieme alle pantofole col tacco alto e i lustrini. Mah. Il fratello, dopotutto, non le aveva regalato mai niente. E poi questi almeno lavoravano, sgobbavano dalla mattina alla sera...

— Mah, — disse addolcita, gentile, — che tempo!

Accennò fuori con la sigaretta.

— Dite che nevicherà?

I due non la sentirono nemmeno.

— Romilda... — disse uno.

— ...la grappa, — finì l'altro.

Lei si alzò automaticamente e fece due passi verso la credenza. Poi si girò rapida, con uno svolazzo del négligé, e uscì invece in corridoio.

— Ma andate in mona! — gridò strozzata, senza voltarsi.

Continuò difilata fino al bagno.

— In mona! — strillò richiudendo la porta.

Dallo stanzone che, diviso da una tenda, serviva da abitazione e da laboratorio, la moglie dell'erborista uscì sul ballatoio del primo piano e andò a bussare alla porta del gabinetto.

— Camillo? — disse. — Lascia stare, che prendi solo freddo. Provi più tardi.

Rientrò scuotendo la testa.

Il marito la raggiunse, scuro in faccia, mentre lei era seduta sul letto a mettersi le calze elastiche. Staccò da un rampino accanto alla scala a chiocciola il suo grembiule nero, e si preparò a scendere nella sottostante botteguccia. Ma poi si fermò più scuro che mai a guardare la moglie, che adesso, messe da parte le pantofole di feltro, stava prendendo di sotto il letto le scarpe.

— A me, — disse lei ignorando l'occhiata, — oggi mi fanno tribolare i calli. Tzzzz... — sibilò, cominciando la dolorosa manovra per infilare i piedi nelle calzature bernoccolute. — Vedrai che nevica.

— Esci già?

Lei scantonò ancora.

— Ma per la cosa tua, — disse, — ascoltami a me, non c'è che le prugne cotte. La prugna cotta è la regina dell'intestino!

— Dove vai?

Con un ultimo sibilo di sofferenza, la signora Celeste dette la spinta finale ai talloni e si alzò.

— Io lo so che cosa pensi, — disse, — lo so che hai quel chiodo. Ma perché? Allora è segno che non credi. Dimmi la verità: non credi più?

L'erborista si aggiustò intorno al magro collo la sciarpa di lana nocciola. Era un ometto angoloso, incavato, dagli occhi indistinti e fumosi dietro le lenti bifocali.

— Io credo quello che credo, — disse fissando il logoro pavimento di mattoni. Annuì tetramente, due o tre volte, e ripeté con una specie di cupa soddisfazione: — Io credo quello che credo.

— Prima, — sospirò la moglie, — non facevi così. Prima eri d'accordo.

— Prima era prima.

— E adesso cosa c'è di cambiato? Non siamo tutti fratelli pneumatici? Non dobbiamo edificare la fortezza di Dio?

L'ometto rialzò gli occhi con una smorfia improvvisamente aggressiva, feroce.

— Edifica, edifica, — fischiò velenoso tra i denti. — Dacci dentro a edificare, col fratello Domenico.

La moglie non disse niente per un momento.

— Sei ingiusto, — mormorò poi con tristezza. — Perché dici così? Ieri siamo stati sempre a lavorare, con Domenico. Io a stirare e lui...

— Ieri. E le altre volte?

— Cosa c'entra, le altre volte era al servizio di Dio, lo sai anche tu. L'anima che pecca in Dio, non pecca.

— Ma troia è, e troia rimane! — urlò l'erborista. — Troia è, ripeté con voce terribile, — e troia rimane!

La signora Celeste si risedette scoraggiata.

In sella alla sua fedele Gilera 250, il Priotti imboccò il tortuoso sentiero che scendeva agli orti ammucchiati tra la riva del Sangone e le ultime, terrose propaggini della borgata La Roggia.

Gli orti – piccoli appezzamenti irregolari, divisi da steccati e reti metalliche, che operai e pensionati coltivavano in quella terra di nessuno – avevano ciascuno il suo *ciabott*, o casotto per gli attrezzi.

"Gennaio zappatore, febbraio potatore," pensò Priotti aprendo il suo. Ma poi, con la roncola già in mano, decise che il pesco e i due mandorli potevano aspettare ancora. Meglio seminare le cipolle, per il caso di neve: "San Mattia, neve per la via".

Solo che il terreno era gelato di nuovo, dopo l'ultima vangatura, e inoltre bisognava procurarsi il letame. O allora riparare lo steccato, di cui diverse tavole erano marcite e s'andavano schiodando? Risistemare le lamiere del tetto?

La verità era che oggi non aveva voglia di occuparsene, del suo ciabott, benché fin verso le dieci o le dieci e mezzo – quando di solito raggiungeva i Bortolon sul lavoro o si ritrovava, con loro e la sua banda di pensionati, al circolo ricreativo "La Penna Nera" – non avesse altro da fare. Neanche a Santa Liberata, fino a stasera, aveva altro da fare: l'impalcatura era finita e il suo rivestimento non lo riguardava, i sacchi li stava cucendo il fratello Domenico con la sorella Celeste. A meno che, con la scusa dei sacchi...

Però con Celeste ci voleva un bello stomaco, si disse mentre richiudeva il ciabott. Risalì sulla Gilera senza ancora aver deciso che fare. A lui non sarebbe dispiaciuta la cognata dei Bortolon, come sorella, anche se non era pneumatica... Ma al posto di Domenico, pensò con un ghigno divertito, avviando il motore, avrebbe ancora preferito tota Caldani, che magari era vergine.

Sul marmo del tavolino da notte, tra un bicchiere vuoto e una fotografia incorniciata d'argento, indistinguibile nella penombra, la grossa sveglia della professoressa Caldani sferragliava verso

le nove. La lancetta delle ore aveva scavalcato da un pezzo quella
della suoneria, scatenando nel piccolo alloggio un fragore da
giorno del giudizio; ma l'anziana signorina, stesa bocconi sul
letto non disfatto, in vestaglia, con un braccio penzoloni dalla
sponda, non aveva aperto gli occhi né s'era mossa di un millimetro. Più tardi il telefono aveva suonato due volte, con rabbiosa
insistenza, e alle nove squillò ancora, ma brevemente: come se chi
chiamava, o richiamava, non si fosse veramente aspettato una
risposta.

4.

Don Pezza rimise giù il telefono.

E va be'. Sulla Caldani, per stamattina, tanto valeva farci una
croce. Ma visto che l'ufficio parrocchiale non poteva restare senza
nessuno, l'unica era di andarsi a prendere il registratore e cercare di lavorare qui, sperando che non venissero troppi altri a
rompergli le scatole.

— Ah, già, ma che testa, — disse alla dama di San Vincenzo
seduta davanti a lui. — La signorina Caldani stamattina è in
Curia, e non verrà certo prima di mezzogiorno.

— È per le bende dei lebbrosi? — s'informò vivacemente la
dama. — O ricomincia la bega dei panettoni? Non vorranno mica
ritirarsi indietro, adesso?

— Come?... No, no, — disse impaziente il parroco.

Se c'era una cosa che gli rompeva gloriosamente i tubi, anche
più degli incontri coi fidanzati, era l'attività delle varie associazioni caritative e assistenziali collegate con la parrocchia. Liquidò la vincenza più presto che poté, ma ormai aveva i nervi,
e quando si rimise a sentire l'abbozzo di predica registrato la
sera prima, lo trovò assai meno soddisfacente.

— Prepariamoci al peggio, fratelli! È questa l'istanza di fondo
del discorso giovannèo, che non ci invita a salire sul comodo tran-
vai delle illusioni, non apre sul nostro capo il parapioggia delle
facili speranze, ma ci prende e ci sbatte, senza tanti complimenti,
sotto la gelida doccia del terrore. Doccia...

Fece segno di no con l'indice sinistro, e premette col destro il tasto di arresto: *clic*.

No, no: efficace magari come immagini, ma quel "discorso", quella "istanza di fondo", erano un passo indietro, un ritorno al superato linguaggio dei vecchi nastri, senza dire che "giovannèo" poteva prestarsi a equivoci con Giovanni XXIII. E poi, aveva sentito male, o aveva veramente detto...

Tornò indietro:

— Prepariamoci al peggio, fratelli! È questa l'i...

Clic.

Un lapsus, una semplice svista, ma doveva starci più attento. I veri "fratelli" potevano aversela a male. E quanto agli altri, al grosso dei fedeli, era da un pezzo che li chiamava fedeli e basta; doveva continuare a chiamarli così, se voleva che quel grosso ingrossasse ancora.

Gregge, pensò, mentre annotava su un foglio i punti da correggere, gregge erano sempre stati, e gregge erano ben contenti di ridiventare. Volevano autorità, regole, disciplina: bastava vedere il successo della separazione tra uomini e donne sui banchi della sua chiesa... Come i dialoghi, gli spontanei confronti, le libere aperture e altri casini, la fratellanza indiscriminata non rendeva più, non portava da nessuna parte, era un'altra di quelle zuppe che ormai avevano stufato tutti.

Fece scorrere il nastro in avanti e riprese l'ascolto:

— Doccia benefica, terrore santo, fedeli!... Tremare, ecco il comandamento di Giovanni!... E non venite a dirmi che già tremate: perché io e l'Evangelista non vi crederemo. No! Io e l'Evangelista, da quassù, vogliamo vedervi barcollare sui ginocchi che fanno giacomogiacomo!... Vogliamo udire da quassù i vostri denti che battono le nacchere!... Vogliamo percepire, fin da quassù, il lezzo delle vostre sbigottite diarree!...

Fiacco. Generico. Ci voleva più realismo, più grinta. E soprattutto ci volevano degli esempi concreti, dei precisi richiami alla loro vita di pecore spaventate...

Ma ora non si sentiva più nulla, salvo il monotono mugolìo, specie di elettronica cantilena, del nastro che continuava a scorrere. Cos'era, un guasto? o s'era di nuovo sbagliato lui? L'idea di ritirar fuori il registratore gliel'avevano data quei due di

ieri, Monguzzi e quell'altro, ma lui non era mai stato molto
pratico; le registrazioni, al tempo dei polidialoghi e della cappella operativa, le aveva sempre fatte Vicini.
 — Tac... crac... shhhhh... ciac ciac...
 Piccoli rumori, vagamente familiari, emergevano adesso dal
mugolìo di fondo, accompagnati da occasionali borbottii e gru-
gniti nei quali il parroco finì per riconoscere se stesso, ieri sera
al lavandino, mentre trafficava per cambiarsi la medicazione.
Aveva lasciato il registratore acceso, evidentemente.
 — Zic zic zic...
 Si riconosceva perfino il rumore delle forbici, mentre prepa-
rava garze e cerotto.
 — Pop.
 Questa doveva essere la bottiglietta dell'alcol, quando l'aveva
stappata per versarsela direttamente sulla testa.
 — Uh... uh... uuuuuuuuuh!
 Il grido, in pauroso crescendo, fu seguìto da una bestemmia
così tonante e nello stesso tempo complessa, minuziosamente ar-
ticolata, che lo stesso sacerdote ne rimase sorpreso.
 Diocristo d'una madonna, pensò, premendo troppo tardi il tasto
d'arresto, ma qui devo stare *veramente* più attento!...
 S'alzò in fretta e passò in sacrestia, poi in chiesa, per controllare se qualcuno potesse aver sentito.

5.

Lei entrava alla Rinascente e aveva la piacevole sorpresa di trovarla deserta, a parte alcune mucche ben strigliate, lucenti, che
si aggiravano tra i banchi di profumeria. Erano pezzate e pro-
venivano logicamente dalle stalle del reparto arredamento, dove
le tenevano per scuoiarle via via e vendere quelle loro pelli bian-
comarrone che a lei proprio non dicevano niente, nemmeno per
le camere mansardate della casa di Sansicario, molto meglio le
stuoie indonesiane pur disastrose com'erano se gli ospiti avessero
metti caso voluto far l'amore sul pavimento. Anche le scale mobili erano deserte, e questo già le piaceva meno, le avevano sempre dato un certo affanno, se non c'era gente; ma poi anzi la

salita era rapidissima, bellissima, quasi un volo, un delicato rim-
balzo, che la portava al piano del cimitero delle automobili, al
piano dei cuscini, migliaia e migliaia di cuscini fino al soffitto,
e di lì al piano dove lei voleva andare. Ma a quale piano voleva
andare? Che cosa doveva comprare? Cercava nella borsetta, forse
l'aveva scritto da qualche parte, ma nella borsetta trovava solo
un uovo di marmo e una fotografia di Thea bambina strappata
in quattro pezzi. Rialzava gli occhi e vedeva un manichino che
indossava una camicia da notte verdegiada, con ricami d'oro
e un grande spacco centrale, assolutamente stupenda, e lei si avvicinava, l'accarezzava, guardava il prezzo, che era, incredibil-
mente, di sole 5490 lire. Non c'erano commesse, non c'era anima
viva, e lei allora, seccata, spogliava il manichino e se ne andava
in una cabina di prova che però logicamente era anche una cabina d'ascensore, e si misurava la camicia senza infilarla ma poi
invece se l'era infilata e le stava benissimo, di un effetto favoloso
sebbene alquanto squillo, alquanto diciamo pure film porno. Se
la sfilava e controllava l'etichetta che diceva "made in Singapore,
tessuto 100% politicizzato, lavare a secco", e tutt'a un tratto la
cabina, che era di velluto, sprofondava con lei dentro completamente nuda, e lei non aveva nemmeno paura, pensava ma guarda,
è di un freudiano da matti, solo che alla fine della lunga caduta
il posto logicamente era buio, era il sotterraneo della sua banca,
e lei con la chiave in mano andava verso la sua cassetta di sicurezza per prendere gli smeraldi, il numero era 2424, lo stesso
logicamente del suo telefono, ma lì c'era una figura china che le
faceva saltare il cuore in gola, un uomo mascherato che si girava
verso di lei e le veniva incontro, e lei indietreggiava, e lui veniva,
e lei indietro, e lui avanti, un passo dopo l'altro nel più assoluto
silenzio, finché gli cadeva la maschera ed era logicamente il prete
di ieri, il prete pazzo, con la fiamma ossidrica in pugno che si
avvicinava, si avvicinava...

   La signora Guidi si svegliò gridando e si trovò nel suo letto
in un bagno di sudore, la camicia da notte attorcigliata fin sotto
le ascelle. Accidenti, disse a voce alta, ripassando i tempi, le
scenografie del sogno, e i suoi successivi stati d'animo. Ma soprattutto la turbavano l'orrenda camicia verdegiada, un colore
che le stava da cani, e il prete di Santa Liberata.

Per disperdere quell'impressione di invadenza e di minaccia si tirò giù la camicia fino alle caviglie e suonò per farsi portare il tè. La Piera era di là che passava l'aspiratore, non era ancora uscita per la spesa. Sua figlia Thea, che faceva l'università ma non ci andava mai, chissà dov'era, certe volte se ne andava a spasso per la città alle sette del mattino. E suo marito, che faceva la spola tra Torino e i suoi cantieri in Medio Oriente, chissà dov'era anche lui. Purché quell'incubo, si disse la signora Guidi, non fosse stato una specie di avvertimento telepatico? Lei a queste cose non ci credeva, ma ormai si finiva per vivere di impressioni, di presentimenti...

Ricordò che nel sogno c'erano stati il cartellino del prezzo e il numero della cassetta di sicurezza; ma le cifre, nettissime, indelebili un momento fa, già le si erano staccate dalla memoria. Vero che un sogno così, la Piera se lo sarebbe giocato al lotto in ogni caso, donna nuda 56 o che altro, chiave 15, gioielli 72. E il prete? Che numero si giocava per un prete?

— Ho sognato un prete, — disse.

— Curato 43, — disse senza esitazione la Piera. — Storie di corna in famiglia.

— Ma pensa.

— Vuole che glielo giochi?

— No, grazie, era solo per sapere.

Bevve il tè, rinunciò alla prima sigaretta (passati i quaranta tutto contava), poi si dedicò con impegno ai suoi esercizi di ginnastica. A ogni movimento il sogno si diradava, si sfrangiava, e alla fine dei quindici minuti le era rimasta soltanto la curiosità di rivedere quel prete stralunato, impressionante, che glielo aveva bene o male suscitato. Pareva che anche le sue prediche fossero singolari, la gente ci veniva da altre parrocchie per sentirle, le aveva detto Celestini, e lei aveva detto a Thea perché non ci andiamo, magari è divertente...

Solo che Thea, cos'era che la divertiva, che le piaceva? Tutto, diceva lei. Ma "tutto" non era lo stesso di niente?

A parte l'ombelico forse troppo largo, troppo in mostra sotto il velo dorato e variamente sparso dei capelli, la Santa (che il catalogo definiva con brutalità "ignuda fino alla cintola") era bellissima, elegantissima nel suo *through look* alla Paco Rabanne, ma soprattutto ineguagliabile nel distacco tra celestiale e svagato con cui – un gomito appoggiato alla nuda roccia, la mano sollevata e un po' aperta a sostenere la nuca, perfettamente a suo agio in un deserto che s'indovinava spinoso, fitto di scorpioni, scolopendre, serpenti – andava voltando le pagine del suo esile libretto rosso. Thea, dopo cinque minuti che la guardava, decise che le sarebbe piaciuto essere in tutto come lei.

Solo che a differenza della Santa peccatrice e pentita (*La Maddalena penitente*, precisava il catalogo attribuendo la tavola a Giampietrino), lei, Thea, non aveva ancora niente di cui pentirsi in modo particolare. O sì? A diciannove anni era difficile dire. Avrebbe aspettato di averne almeno venticinque, quanti ne dimostrava l'incantevole creatura del quadro, per decidere se sì o no e ritirarsi eventualmente nel deserto.

Restò ancora in contemplazione qualche momento, nella grande sala a pianterreno del Museo Civico, dove veniva a guardarsi con diligenza tre o quattro cose per volta. Uscendo, ripassò davanti a una Santa Margherita anche lei bellissima e con un libro, ma che non le diceva niente, e a un interno di chiesa con la SS. Trinità, del "Maestro della Trinità di Torino", che le ricordò la mezza promessa fatta a sua madre di accompagnarla alla predica di quel prete.

"Se naturalmente," aveva detto un po' acidina la mamma, "domani sera non hai di meglio da fare."

Ma Thea non sapeva mai se il giorno dopo, o la sera stessa, o magari tra un'ora soltanto, non avrebbe avuto di meglio da fare.

"Una signorina è oggi molto più libera, molto più padrona di sé che nel passato", lesse il commissario Santamaria. "Essa ha più numerosi mezzi a disposizione per estendere la propria cultura."

E non soltanto quella. Una signorina che lui stesso aveva acciuffato giorni fa in connessione con un sequestro, aveva a disposizione una Luger e una Beretta cal. 9, mentre un'altra, di colorazione politica non ancora accertata, disponeva nel proprio alloggio di un bazooka. L'argomento era comunque attualissimo, e il commissario – che s'era fermato alle bancarelle di libri, sotto i portici di via Po, col vago proposito di trovare qualcosa sul pneuma – seguitò a sfogliare l'interessante pubblicazione.

I tempi erano molto cambiati – constatava l'autrice – ma non sempre in meglio. Ormai anche delle madri di famiglia tendevano a "disertare la casa per correre in cerca di distrazioni, di emozioni più intense", e ciò per un complesso di ragioni tra cui non ultima la crisi delle donne di servizio: "Oggi bisogna studiare la frase per fare un'osservazione, per dare un ordine, altrimenti si rischia di farsi rispondere in malo modo! E la crisi non accenna a risolversi, anzi si fa ogni giorno più grave...".

Il problema della servitù non assillava il commissario, grazie a un'eccellente portinaia che saliva tutti i giorni a riordinargli la casa; né, essendo scapolo, lo preoccupava l'idea di una signora Santamaria che per correre in cerca di emozioni sbolognasse i bambini più piccoli in un giardino d'infanzia ("provvidenziale, lodevolissima istituzione per i figli del popolo, ma che per un complesso di ragioni non dovrebbero essere frequentati dai nostri fanciulli... Dunque, care amiche, niente giardini d'infanzia, a meno che non siano d'ordine superiore e riservati"). Ma l'educazione delle ragazze più grandi tornò ad avvincerlo irresistibilmente. Molte madri infatti...

Cioè, la scrittrice escludeva che potesse esserci "una mamma così poco avveduta da dare alla propria figliola giovinetta un maestro giovane, anche se le lezioni saranno prese sotto la direzione di lei"; ma assicurava di conoscere "molte madri, ingenue o imprudenti, le quali affidano le loro figliole di sedici o diciassette anni a maestri non più giovani ma ancora in piena virilità". Ahi, ahi! Queste madri dimenticavano che "la fanciulla è facilissima a subire le impressioni e le influenze del sesso opposto"; esse ignoravano che "una gradevole voce d'uomo, un lampeggiar d'occhi, l'aroma di una sigaretta, un bel sorriso, la distinzione della persona, i modi insinuanti, possono rendere pericolosa ad una giovinetta la vicinanza quotidiana di un uomo anche maturo".

Santamaria si sentì arrossire. Sessualmente, il suo interesse per le minorenni era nullo; da molti anni i suoi occhi avevano smesso di lampeggiare, se non di professionale esasperazione, in presenza di giovinette. Eppure, tranne i modi insinuanti (cui aveva sempre

preferito quelli diretti, sia come uomo che come poliziotto), non
poteva negare di essersi riconosciuto con piacere in quel poten-
ziale seduttore dalle tempie grige. Si guardò intorno quasi furtivamente, come se ad attirarlo fosse stato qualche pornolibro o
rivista oscena, invece della copertina delicatamente floreale di
*Eva Regina: Il Libro delle Signore, consigli e norme di vita fem-
minile contemporanea*, Milano 1906. Ma tra le numerosissime
fanciulle da dodicenni in su, che in compagnia di barbuti giovani
già spesseggiavano verso piazza Vittorio e il forzoso, affliggente
bailamme delle sue cosiddette "giostre di carnevale", non ne
vide per fortuna nessuna che potesse tentarlo neanche da lontanissimo.

I tempi, l'autrice aveva ragione, erano cambiati.

Fino a che punto, però? Con chi s'illudeva che l'età potesse
mai costituire un freno, una difesa efficace "contro gli istinti naturali e le sorprese del sentimento", Jolanda (pseudonimo dell'A.
sulla copertina) era d'un cinismo sferzante, brutale addirittura;
per cui il commissario, a scanso di pericolosi contrattempi, decise
di anticipare all'una e mezzo o le due una telefonata che aveva
in mente di fare nel pomeriggio. L'interessata sarebbe stata sveglia o quasi sveglia, verso quell'ora, e l'incontro (come si capiva
dal capitolo "Oltre il mistero") si sarebbe svolto se non con
l'approvazione almeno con un benevolo *ignoramus* da parte di
Jolanda, che in certe cose si dimostrava abbastanza di manica
larga.

"Eh, care mie, persuadiamoci che l'uomo è per sua natura biso-
gnoso e avido di libertà... I vostri mariti sono stati, vanno e an-
dranno in tanti luoghi in cui a voi non sarebbe possibile seguirli!"

L'allusione era precisata in uno scottante capitoletto sui *cafés
chantants*, dove si descrivevano "le acconciature capricciose, le
canzonette birichine, le mosse procaci delle divette", e si lasciavano chiaramente intendere le ragioni per cui "lo sciame di
quelle sfacciatelle viene di continuo rinnovellato con nuovi elementi, esotici per la massima parte..." Zac! Settantatré anni esattamente prima, con un intuito che aveva dello sbalorditivo, Jolanda
aveva identificato in un'australiana spogliarellista di night la
giovane donna a cui il commissario si proponeva di telefonare
oggi.

Dunque (il commissario si asciugò metaforicamente la fronte) attenzione! I tempi non erano poi così cambiati, come dimostrava anche il capitolo "Davanti al mistero". Qui la scrittrice affrontava "un punto delicato" (si doveva o non si doveva rivelare il mistero alle giovinette?) con un coraggio, una libertà, una spregiudicatezza da fare invidia ai pedagogisti di qualsiasi canale TV, e lo risolveva con un deciso "sì" alla rivelazione fin dagli anni della pubertà (c'erano tanti modi di informare senza turbare! Jolanda sapeva di una fanciulla, per esempio, "che apprese il processo della fecondazione studiando la botanica").

Prima della pubertà però no. Sotto una certa età, per via dei possibili traumi, anche la botanica poteva essere dannosa. "Fuori perciò dalla portata dei bambini, quei libri che potrebbero stuzzicare in essi malsane curiosità, eccitare fantasie morbose. Non si lascino tra le loro mani trattati d'anatomia o di storia naturale destinati agli studiosi, e s'abbia occhio anche ai dizionari, alle enciclopedie..."

Rimproverandosi la sua malsana curiosità, il commissario lasciò *Eva Regina* e passato alla bancarella seguente, che esponeva libri nuovi, consultò il secondo volume (L - Z) di una diffusa enciclopedia tascabile. Trovò "pneumatico", naturalmente, e "pneumococco", "pneumogastrico", "pneumotorace". Ma di "pneuma" non c'era traccia. Forse una cautela dell'editore? I due volumi, come avvertiva il sottotitolo, erano *per tutti*.

6.

Come faceva ogni mattina alle 10, appena seduto dietro la sua scrivania, l'editore infilò la mano sotto la barba e si slacciò il primo bottone della camicia. Ma poi, invece di attirare a sé i due cestelli della posta in arrivo e delle questioni urgenti, se ne stette a fissare il vuoto con un'espressione perplessa, combattuta. Da qualche giorno si trovava di fronte a un serio dilemma.

Nel 1970, su precise istruzioni della sua sensibilità, si era lasciato crescere quella vasta barba messianica; ora, da qualche giorno, la stessa sensibilità aveva cominciato a suggerirgli di metter mano alle forbici, e l'editore, che si era nel frattempo affezionato all'imponente pelo, non sapeva decidersi all'esecuzione. Ma ne provava disagio e una colpevole, crescente inquietudine.

Della sua sensibilità tutti parlavano come se fosse qualcosa di staccato da lui, un'amante capricciosa o una moglie tirannica da vezzeggiare, maledire, sopportare, cui d'altra parte, per generale ammissione, si dovevano non pochi dei più brillanti successi della casa editrice. E lui stesso la considerava una specie di visitatrice sibillina e intermittente che tuttavia andava obbedita senza discussioni, come le "voci" di Giovanna d'Arco. E invece, ecco che questa volta lui non obbediva, tergiversava, pretendeva di capire le ragioni del sacrificio. Non così, si rimproverò, non così si era comportato il possessore di un'altra maestosa barba, il patriarca Abramo, quando gli era stato ordinato di metter mano al coltello. C'era il rischio di pagarle care, certe procrastinazioni, certe tepidezze di fede.

Tagliare avrebbe tagliato, si disse accarezzando con amore la sua fluente compagna, ma certo, se avesse almeno potuto intuire il perché di quel drastico invito... Era semplicemente una raccomandazione estetica, un consiglio legato alla mutevolezza delle mode e dei gusti, o c'era dietro una premonizione di carattere politico, filosofico, socio-economico?

L'editore si appoggiò allo schienale della poltrona cercando ancora una volta di mettersi in uno stato d'animo passivo, ricettivo. Ma non ricevette nessun messaggio e dopo qualche minuto si alzò sbuffando, girò attorno alla scrivania di quercia e andò a piazzarsi davanti allo specchio, un'alta sagoma neoplastica che un favoloso vetraio di via Vanchiglia, noto soltanto a lui, gli aveva eseguito in esemplare unico su un raro disegno di Van Doesburg. L'immagine riflessa era quella di un uomo corpulento, vistosamente panciuto, con le braccia corte e i piedi divaricati, piatti, chiusi nelle scarpe di vernice, vestito di un completo blu scuro a righine bianche.

I suoi completi a righine — un ironico abbigliamento da capitalista, che includeva panciotto e orologio da tasca con pesante catena d'oro — avrebbero probabilmente dovuto andarsene insieme alla barba. E così pure i lunghi sigari che il suo amico Ramón, un viceministro cubano, gli spediva una volta all'anno dall'isola. Ma anche queste rinunce erano poca cosa, in fondo; avrebbe sempre potuto escogitare qualche altra estrosa civetteria, qualche immaginoso contropiede estetico, per distinguersi dialetticamente sia dal sistema, dalla grigia collettività imprenditoriale e manageriale, sia dai piccoli e medî intellettuali a cui dava lavoro.

Un largo sorriso illuminava la faccia di Monguzzi, che, risolto l'enigma del preteso viaggio dell'Oderici ad Asti, si rileggeva con gusto quest'inizio di lettera del Crispi:

"Caro amico, quanto aveste a scrivermi circa il vostro viaggio ad Asti non mi meraviglia punto. Tra le nostre province non ve n'è di più bigotte, né tra i collegi elettorali di più codini. Ma lasciamo di ciò. Fui l'altr'ieri dal Vecchioni, a Meudon, e mi disse..."

Ora, a parte che la cittadina piemontese non meritava un giudizio simile, da nessuna lettera dell'Oderici risultava che questi si fosse spinto fin lassù, dove non aveva interessi elettorali di sorta. Il suo giro in vista delle elezioni di giugno s'era limitato alla Toscana, e in particolare — precisava la sua ultima lettera — al lucchese e al grossetano. Che diavolo c'entravano, dunque, Asti e l'ast...

Era stato a questo punto che Monguzzi, mezz'ora fa, aveva visto la luce e chiarito di colpo l'equivoco.

In una lettera precedente l'Oderici aveva parlato d'una "rustica casuccia" di proprietà di sua moglie, nei pressi di Signa, e del suo progetto di andarcisi a riposare dopo le elezioni. Solo che la casuccia necessitava di urgenti riparazioni, per cui tutto dipendeva dall'unico muratore e lattoniere del luogo, certo Stefanini; il quale — come spiegava angustiato e prolisso lo scrivente — moltiplicava le promesse, protestava la sua buona volontà, e intanto rimandava di settimana in settimana, impegnandosi in sempre nuovi lavori per una (non meglio precisata) famiglia Preti.

Ma tutto questo era spiegato, appunto, in una lettera precedente, che il Crispi doveva aver dimenticato (seppure l'aveva mai letta fino in fondo); mentre, nella lettera sul viaggio elettorale, l'Oderici si limitava a scrivere:

"Feci il mio giro nel lucchese e nel grossetano, con buon succes-

so a quanto stimo. Que' seggi mi paiono assicurati fin d'ora.
Dispero invece di quel benedetto artigiano! Mi vi recai giorni
addietro e adoprai ogni blandizia, tentai ogni lusinga, dispiegai ogni mia arte oratoria. Ma ci sprecai il viaggio. È troppo
impegnato coi Preti."

Il sorriso di Monguzzi s'allargò fino alle orecchie. Nel curioso
abbaglio dello statista siciliano – in quell'artigiano restìo subito
scambiato per il retrivo astigiano, in quei Preti arraffoni subito
presi faziosamente per preti – c'era si può dire tutto il Crispi:
la sua proverbiale distrazione come il suo innato egocentrismo, la
sua insulare irruenza come il suo anticlericalismo e antipiemontesismo di fondo...

Automaticamente, Monguzzi mise un asterisco dopo la parola
"codini" e inserì nel dattiloscritto un foglio bianco, preparandosi
a scrivere in bella calligrafia la sua nota redazionale. N.d.R.,
l'avrebbe poi contrassegnata tra parentesi, per distinguerla dalle
note di cui lo stesso Crispi costellava le sue lettere.

Ma chi era R.?

Il curatore ufficiale del carteggio, che s'era limitato, peraltro,
a darne una trascrizione pietosa e a premettervi un'introduzione da
sussiegoso deficiente, era Garbarino, un "precario" semianalfabeta a cui il lavoro era stato affidato contro il parere di Monguzzi.
R. dunque, ufficialmente, era lui. Tutto il merito sarebbe andato
a lui. E Monguzzi, che pure non s'era mai lamentato delle sue
fatiche anonime e subalterne, questa volta ebbe un impeto di
ribellione. Non che ci tenesse minimamente a firmare questo o
qualsiasi altro libro; vedere il proprio nome stampato gli dava
anzi fastidio, era una delle sue fobie; ma l'idea di regalare questa
nuova preziosa nota a uno come Garbarino, che se ne sarebbe
giovato per la sua repugnante carriera, lo riempì di malinconia.

Pazienza, sospirò prendendo la biro, in fondo avrebbe potuto
capitargli di peggio: per esempio (rabbrividì) di dover trascrivere
per Calamassi i polidialoghi del Pezza, se l'editore, dopo averlo
spedito con Rossignolo a Santa Liberata, non se ne fosse felicemente scordato.

Scappucciò la biro, mise sul foglio bianco un asterisco col
rinvio di pagina, e cominciò a scrivere: "A parte che la cittadina
piemontese..."

Ma non s'era dimenticato di qualche cosa lui stesso, la sera prima? Di qualcosa che continuava a sembrargli strana e nello stesso tempo importante? Era sicuro di sì, e gli pareva anche che fosse stato il ricordo del Pezza, adesso, a risuscitargli quell'impressione. Però il Pezza non doveva entrarci direttamente. La cosa pareva piuttosto legata alla scena di ieri con l'editore, al fatto che l'editore avesse completamente dimenticato, ieri sera, di averlo mandato dal Pezza. Il che d'altra parte non era affatto una cosa strana, anche se era stata una fortuna per il carteggio...

Il pensiero del carteggio riprese qui il sopravvento (che cosa poteva esserci di più importante?) e Monguzzi continuò di lena la sua nota: "A parte che la cittadina piemontese non meritava un simile giudizio, da nessuna lettera dell'Oderici risulta..."

7.

Visto da fuori, seduto alla scrivania del suo ufficio al quinto piano di corso Marconi, l'ingegner Sergio Vicini sembrava un normale dirigente Fiat. Uno dei circa duemila dirigenti o procuratori Fiat.

Era arrivato normalmente come gli altri, a bordo di una normale Mirafiori S. quadriporte; e dopo aver normalmente parcheggiato, s'era mischiato con naturalezza alla frotta dei colleghi che scalpicciavano verso gli ascensori; aveva scambiato qualche modesta facezia con l'uno, salutato l'altro ("Ohilà, egregio!") con la debita giovialità, e con la debita deferenza s'era mezzo inchinato al dottor Musumanno incrociandolo in corridoio. Anche stamattina insomma, come ogni giorno da quattordici anni, tutto il suo comportamento era apparso improntato alla massima normalità. Nulla era trapelato né trapelava all'esterno.

Si danno a volte, in effetti, di questi esseri eccezionali che preferiscono occultarsi sotto le apparenze del più tranquillo grigiore, del più trito e squallido anonimato.

Tale "normalità" del Vicini non era peraltro del tutto simulata. Di vecchia famiglia torinese che aveva già dato all'Azienda dei funzionari di valore, Sergio Vicini s'era inserito senza sforzo nell'ingranaggio burocratico, interessandosi via via sinceramente — benché quasi dall'esterno, da divertito e indulgente spettatore —

alle rituali tappe di una carriera che l'aveva portato al suo discreto grado attuale. E nei suoi sentimenti per gli altri, per la massa dei *veri* dipendenti Fiat, non c'era, malgrado l'immenso distacco, ombra di superiorità. Lui stesso, in certi momenti, si vedeva come uno di loro.

Non c'è dunque da meravigliarsi che dall'ultimo fattorino (che lo vedeva come l'occupante della stanza 528) al dottor Musumanno (che non lo vedeva nemmeno), nessuno in corso Marconi sospettasse chi era in realtà l'ingegner Vicini.

Soltanto la signorina Quaglia, la segretaria che Sergio condivideva con i colleghi delle stanze 526 e 530, e che andava e veniva per i tre uffici senza mai bussare, l'aveva guardato una volta con sbalordimento, conservando poi sempre in sua presenza una traccia di fluttuante disagio. Ma anche lei, in quell'uomo sorpreso a masturbarsi in piedi davanti alla finestra, non aveva visto senza dubbio che il mero onanista; ignorando la presenza dei due piccioni sul davanzale, non aveva colto il carattere sperimentale, tendenzialmente esibizionistico dell'atto, e tantomeno aveva potuto intravedere il resto...

No, signorina Quaglia. Questo oscuro e zoppicante ingegnere, oscuramente addetto alla Direzione Coordinamento Stoccaggi (e in seno ad essa agli oscuri, trascurati Stoccaggi C), non sai neanche tu neppure lontanamente chi sia. Ma vuoi saperlo in due parole? È semplice.

Egli è un genio del male. Un mostro in forma umana.

Giunto a questa soddisfacente conclusione l'ingegner Vicini fu ripreso come sempre da dubbi, ricominciò come sempre a tormentarsi. Perché all'atto pratico...

Uno sbatacchiante piccione venne a posarsi sul davanzale, e il mostro della stanza 528 ebbe un sorriso forzato. Come no, come no, con gli animali s'era dato da fare; con piccioni, gatti, mosche, lucertole, trote vive, aveva dato fondo a tutte le crudeltà infantiloidi di cui era capace, per non parlare di quell'esperimento di necrofilia con una tacchina scongelata. E anche con gli uomini, con i colleghi in particolare, non aveva mica scherzato; di male ne aveva fatto, niente da dire. Dalla semplice carognata alla

ributtante infamia, dalla porcaccionata occasionale alla turpitudine curata in ogni particolare, aveva accumulato negli anni un
curriculum di tutto rispetto. Non c'era praticamente vizio che
gli fosse estraneo, bassezza davanti alla quale avesse indietreg-
giato, fango in cui non si fosse scrupolosamente rivoltolato, tabù
che non avesse infranto. Come no, come no...

E tuttavia (qui stava il vecchio tormento, l'ombra mai completamente cancellata) e tuttavia a ciascuno di quegli episodi era
mancato, all'atto pratico, qualcosa.

Il piccione frullò via verso i piani più alti, se non verso il
terrazzo dove stamattina, come ogni venerdì, il dottor Musumanno sarebbe salito alle 11,30 precise.

Perché sto a tormentarmi così, si disse il mostro della stanza
528. Perché non penso piuttosto a Musumanno, a don Pezza, a
Santa Liberata, a questa parte meno insondabile della mia vita?

Ma tutto si legava inestricabilmente, inesorabilmente. Il tormento, il piacere del tormento, faceva parte della sua personalità,
no? Scavare senza requie in se stesso, analizzare spietatamente i
propri impulsi, le proprie azioni, era per lui una morbosa necessità, no?

E del resto i suoi rapporti (o meglio, non-rapporti) con Musumanno gli procuravano fior di umiliazioni, e solo ieri, a Santa
Liberata, era stato trattato a pesci in faccia da quei due della casa
editrice, due poveri, ingenui impiegati che non avevano visto
in lui...

No, dottor Rossignolo. Questo appiccicoso e zoppicante uomo
di chiesa, questo strisciante scocciatore, questo aspirante autore
che vuol pubblicare le sue confessioni su nastro e minaccia di
farti oggi stesso una sgraditissima visita, ebbene tu, onesto Rossignolo, sei a mille miglia dal sospettarne i veri moventi, il segreto
disegno. Tanto per cominciare, egli non è affatto un uomo di
chiesa, non si occupa affatto dei ragazzi dell'oratorio. O per
meglio dire...

Il mostro della stanza 528 tentennò di nuovo, davanti all'immagine del piccolo Annunziato, il calabresino che aveva corrotto tre
settimane fa. Anche prima (come no, come no?) s'era dedicato
tra quei fanciulli a un torbido gioco di sguardi, allusioni, sfiora-
menti, ambigue carezze. Finché, col piccolo Annunziato, quando

s'era accorto di averlo portato al giusto punto di turbamento...

L'ingegnere rabbrividì suo malgrado. Perché all'atto pratico, sebbene le componenti ottimali ci fossero tutte, il buio, fetido angolo di cortile, la fretta spasmodica, il sogghignante ragazzino sottoproletario non lavato e col fiato carico d'aglio, pure, all'atto pratico, le intime sensazioni del mostro della stanza 528 erano state, inutile negarlo, di intensissimo schifo. Laddove con Marina (una ragazza assolutamente ordinaria, ben fatta, carina, elegantina, ma irrimediabilmente qualsiasi), laddove con le cosce affusolate e i fianchi a clessidra di Marina, l'ingegnere si divertiva, inutile negarlo, molto ma molto di più. E sebbene in questo fatto singolare si potesse vedere una suprema forma di perversione, il coronamento di una stortura così, come dire, storta, da essere ridiventata, come dire, dritta, tuttavia l'ingegner Vicini era colto ogni tanto dal dubbio, dal torturante, devastante sospetto che in realtà, all'atto pratico...

Basta, pensò guardando l'orologio e disponendosi, come un funzionario qualsiasi, a occuparsi per un paio d'ore di tabelle e di cifre. Basta, anche oggi la sua agenda privata gli avrebbe permesso di fare le sue prove, carica com'era di vergogne e abbiezioni: dall'umiliante cerimonia delle 11,30 con Musumanno, alla questua in casa editrice per i nastri, e alla sua solita, militante partecipazione ai venerdì sera di don Alfonso Pezza.

8.

— Io non lo so, — disse la signora Guidi, — ma con te va sempre a finire che si parla della vita.

Si guardò intorno con l'espressione di una capitata per sbaglio nelle toilettes maschili, poi riabbassò gli occhi su Thea, che seduta sul tappeto stava riattaccando un bottone a un suo vecchio cappotto a quadri.

— Sei tu che ne parli, non io, — disse Thea, facendole uno di quei composti, misteriosi, esasperanti sorrisi. — Io però non ho niente in contrario.

— Insomma, — disse sua madre, — non divaghiamo. Stamattina ho riguardato un po' di conti e mi sono accorta che... Guarda, —

accusò sventolando un quadernetto dalla copertina arancione, —
l'ultima volta che hai avuto bisogno di soldi, lo sai quando è
stato?

— Non ho idea, — disse Thea.

— No, certo. E neanche di quanto t'ho dato, non è vero?

— No. Cioè, è vero, non ho idea.

La signora Guidi sospirò, rinunciò a sgombrare il divano dal
suo carico eterogeneo — una sciarpa, un piatto con una mela, una
borsa da scuola e una da passeggio, libri, scatole di biscotti, e un
grammofono degli anni '30, a manovella — e si sedette anche
lei sul tappeto, col quaderno sulle ginocchia.

— Be', — disse ricontrollando data e cifra, — lasciati dire che
ci sono rimasta veramente... di princisbecco.

Thea girò il filo e ripassò l'ago sotto il bottone, fece il nodo.

— E il princisbecco cos'è? — chiese, strappando il filo coi denti.

Sua madre la guardò sorpresa.

— Ma non lo so, non lo so, che ne so? È una di quelle vecchie
espressioni...

— Ma la parola avrà pure un significato, no? Aspetta, vado a
vedere.

Si alzò.

— Eeco! — gridò sua madre. — Sei pedante, sei noiosa, sei...
Fèrmati, vieni qui, non mi diverto niente!

Ma la ragazza era già uscita, e la signora Guidi, chiudendo
scoraggiata il suo quaderno dei conti, pensò: è come lo zio Nichi,
farà la fine dello zio Nichi.

Lo zio Nichi, a dire la verità, non aveva fatto una fine che si
potesse onestamente definire tragica, ma da una giovinezza tra-
sognata era scivolato in una maturità distratta, tiepida, e adesso,
dopo aver chiuso il suo studio d'avvocato a Torino, viveva di rape
e castagne in un villaggio dell'Alta Provenza dov'era andato per
anni in villeggiatura. Non dipingeva, non scriveva, e la donna
che divideva quell'eccitante esistenza con lui, era una qualsiasi
casalinga francese, di nome... che nome?

— Come si chiama quella che sta con lo zio Nichi? — chiese
a Thea che rientrava con un volume d'enciclopedia.

— Eh? Ah. Louise.

– Farai la fine dello zio Nichi, questo stavo pensando. Sei identica a lui.

– Oddìo, – rifletté Thea, il dito nel volume socchiuso, – lo zio Nichi è simpatico...

– Nemmeno più, non esiste più. L'ultima volta che è stato qui sorrideva tutto il tempo. Una cosa impressionante.

– No, – disse Thea, che era arrivata a una conclusione, – non credo che siamo uguali. Anzi, certamente no.

– Sorridi tanto anche tu, e con una dolcezza che mette i brividi nella schiena. E avete lo stesso atteggiamento verso i soldi. Va bene non dargli troppa importanza eccetera, ma fare come se fossero... non so...

– Numeri?... Merda?...

– Thea!

– Ti suggerivo.

– Carta straccia, allora.

– Ma in fondo lo sono, no? Di carta, voglio dire.

La signora Guidi si alzò con calma, sgombrò un angolo del divano, e si risedette accavallando le gambe.

– Vedi, Thea, – disse serenamente, – sono queste le cose che mi fanno impazzire. Come posso spiegarti? Se tu le dicessi per smontarmi, prendermi in giro, farmi perdere il filo, cosa non certo difficile, be', io sarei assolutamente tranquilla, non mi preoccuperei assolutamente per te. E ti dirò di più...

S'interruppe. La frase le suonava male, come l'introduzione a una predica.

– Guarda che non ti sto affatto facendo la predica, ti voglio solo dire obbiettivamente le mie impressioni, quello che penso, senza considerare il fatto che sei mia figlia, questo lo crederai, spero?

– Certo, mamma.

– Insomma, io ho sempre detestato il genere "finta tonta", non ho mai potuto soffrire quelle che trovano spiritoso pretendere di non capire mai niente, sapere mai niente, cadere ogni volta dalle nuvole. C'è la Lucilla Brosio, che è così: piove, e lei rotea gli occhi e grida, oh, ma che saranno mai tutte queste belle goccioline? Garrula e ingenua. Se fossi suo marito, l'avrei già strangolata da un pezzo. Eppure, ti dico la verità...

S'interruppe di nuovo, come se tutt'a un tratto la verità le facesse paura.

— Ecco, quasi preferirei che fossi anche tu così, che mi facessi la finta tonta. Perché certe volte dai l'impressione di essere, non so, una *vera* tonta, mi spiego?

Fortunatamente, o disgraziatamente, non c'era il più lontano pericolo che un dubbio del genere potesse sfiorare sua figlia, metterla in crisi, procurarle un complesso d'inferiorità. E non perché fosse già complessata in senso opposto, di superiorità e sufficienza... No, la cosa terribile di Thea era quel suo modesto, dolce, celestiale distacco, che alla signora Guidi, forse per associazione con Santa Liberata, ricordò tutt'a un tratto le suore del Cottolengo, perennemente lievi e serene tra i loro deficienti, i loro catatonici, i loro matti... Il che però, — scrutò il viso sereno che le sorrideva, e si sentì profondamente offesa, — il che però, allora, voleva dire che secondo sua figlia...

— Naturalmente, tu sei libera di pensare che sono cretina io, — disse asciutta.

— No, hai ragione, c'è effettivamente una quantità di cose che non capisco, — disse docile Thea. — E poi mi trovo di un'ignoranza...

— Ma no, non è questo, anch'io sono ignorante, anch'io non capisco interi camion di cose. Ma è... *il modo* di non capire...

— Non capisco.

La signora Guidi chinò la testa e restò un momento in contemplazione del suo quaderno dei conti, pensando di riprendere di lì. Ma le cose s'erano già troppo complicate, come sempre con Thea. Bisognava fare tutto un giro, ormai, per tornare all'allarmante faccenda dei soldi.

— Dicevo, — disse, — che c'è modo e modo di non capire. Per esempio... Ecco, per esempio, io non capisco niente di elettricità. Va bene?

Aspettò un cenno di consenso e riprese.

— Bene. Ma con questo io l'accetto, l'elettricità, pago la bolletta, so che qualcuno fa andare avanti certe macchine o turbine o centrali o cosa diavolo sono, e non ci penso più. È una cosa che c'è, che tutti usano, e quindi la uso anch'io con la massima naturalezza.

In via dimostrativa allungò il braccio e schiacciò l'interruttore di una lampada a piede, accanto al divano. La lampada si accese.

— Ora tu invece, davanti a questa presa, a questo filo, a questa lampadina, che cosa fai?

— Che cosa faccio?

— Ti comporti come la figlia della giungla, vuoi sapere se c'è sotto una grande magia, devi risalire a Franklin e a Edison, discutere vantaggi e svantaggi dell'illuminazione a gas, a candele, a fiaccole, a petrolio, e poi finalmente ti decidi (se ti decidi) a accendere la luce. Mi sono spiegata?

Spense la lampada e attese, col timore che Thea tirasse fuori qualcosa che non c'entrava per niente, che tutto ricadesse nel vago, nel non detto, nell'inestricabile.

— Vuoi dire che sono pedante? — riassunse Thea.

— Pedante e faticosa, questo è certo. E a diciannove anni, non direi che sia un grande vantaggio. Tra l'altro, mi sembra super-fluo avere i difetti tipici delle ragazze brutte, per una che al contrario...

Fece una pausa lusinghiera, benché con sua figlia certe lusinghe fossero del tutto sprecate: sia che, come sembrava a volte, non le importasse di essere straordinariamente graziosa e ben fatta, sia che lo sapesse già fin troppo bene per conto suo.

Thea infatti non raccolse.

— Non sono convinta, — disse. — La pedanteria è una cosa completamente diversa. La mia è piuttosto curiosità, se vuoi.

— Curiosità! — gridò sua madre, che tenendoci non poco, quanto a sé, a essere piacentissima e corteggiatissima, non perdo-nava a Thea certi disinteressi. — Ma tu, tanto per dire, m'hai chiesto mai niente sul mio famoso flirt di quest'estate a Cortina, che ha scandalizzato perfino tuo padre?

— Ma io...

— Lo so, sei la discrezione in persona. Ma allora, per dirne un'altra: hai mai voluto sapere cos'è successo precisamente tra i Bianchi di Balme e quelli di Rueglio? O perché, anzi per chi, Marialivia Bo pianta marito e figli e va a vivere in Sudafrica? O a quanto i Campi hanno venduto la loro villa in collina? Queste sono vere curiosità, e tu non ne hai mai avuta nemmeno una!

— Le mie sono curiosità diverse, per altre...

— Le tue sono curiosità morbose.

— L'elettricità non è morbosa, mamma. È una cosa abbastanza strana, se ci rifletti un momento, ma...

— No, no e no! Nego che l'elettricità sia strana, perché allora anche l'acqua calda è strana, e l'ombrello è addirittura stranissimo! Cosa vuoi fare, inventare l'ombrello, e domani le maniglie delle porte, e dopodomani le sigarette col filtro? Se ti metti a guardarle come se non le avessi mai viste, ne trovi a milioni, a miliardi, di cose strane. Nella vita...

Dal sorrisetto di Thea si rese conto di esserci ricascata.

— E va bene, ma è colpa tua. Voglio dire che si perde un tempo enorme, infinito a fare come fai tu. Al teorema di Pitagora c'è già arrivato brillantemente Pitagora. Generazioni di esquimesi hanno già dimostrato che una pelliccia tiene più caldo di una camicetta di Saint-Laurent. Basta, chiuso, è inutile tornarci sopra. Che poi, ti ripeto, a non accettare l'esperienza degli altri, a ripartire sempre da zero, tu magari ti divertirai, ma per il tuo prossimo è molto stancante.

— Papà non ha mai detto che con me si stanca.

— Per forza, visto che non c'è quasi mai! Inoltre è tuo padre, e ti vede ancora e ti vedrà sempre come una bambina di sette anni, non illuderti. Quando ti parla, sembra che si rivolga a una minorata.

— Mamma, per favore!

— Sì, sì, una minorata, un'andicappata! Lui ci si entusiasma, lui ci vede la freschezza di una giovane mente che si apre alla vita. Ma a diciannove anni non è più freschezza, è ritardo mentale, scusa! E poi dov'è questa vita che si apre? Io non la vedo. Io guardo qui, invece, e che cosa scopro?

Batté col dito sul quaderno e lo cacciò drammaticamente sotto gli occhi di Thea.

— Scopro, — disse articolando le sillabe, — che l'ultima volta che t'ho dato dei soldi è stato a Natale, per comprarti il vestito che hai addosso. Poi non m'hai più chiesto un centesimo! Non hai più speso niente! Che succede? Hai fatto un voto? Sei avara? Non sarai mica diventata avara?

— Ma no, è che non ho più avuto bisogno di niente. Giusto gli
spiccioli per la benzina e le sigarette...

— Per forza! — gridò la signora Guidi, consapevole di essere
ormai in piena predica, ma decisa a restarci. — Per forza! Con
una filosofia come la tua, non ci può essere bisogno di niente, mai!
I vestiti? Pezzi di stoffa colorata cuciti insieme. Le borse? Pelli
di animali morti. I gioielli? Schegge di minerali. I ragazzi ti
annoiano, di amiche non ne hai, sport non ne fai più, non sei
innamorata perché me ne sarei accorta, non viaggi, non spendi.
Studi un po' e te ne vai un po' a spasso, ma è tutto lì. Che vita
è? Tanto vale che ti chiuda in un monastero, a questo punto.

Le tornò in mente il Cottolengo e rabbrividì.

— O magari hai davvero una crisi mistica? Di', non hai mica
una crisi mistica, per caso?

— Cioè?

— Ma non so, la rinuncia al mondo, la contemplazione pura,
il rapporto con Dio, le solite cose...

— No, mamma, non è questo, è che...

— O hai perso la fede, non credi più a niente? Sarebbe un
guaio anche questo, perché bene o male...

— No, è una cosa più complicata, — disse Thea. — Anzi, non è
affatto complicata, per me. Non è nemmeno quella che tu chiami
una crisi, mistica o non mistica. Io sto benissimo, sono contentissi-
ma, tutto si complica solo se lo devo spiegare a qualcuno. E perciò adesso, — aggiunse con un sorriso fermo, — io ti leggo che
cosa vuol dire princisbecco, e dopo tu mi racconti com'è andata
quest'estate a Cortina, d'accordo?

Aprì il dizionario e lesse: "PRINCISBECCO, *s.m.* lega di rame,
zinco e stagno, di aspetto simile all'oro. In senso figurato si usa
per..."

Pedante, pensò sua madre, pedante e ostinata.

9.

Tutti i venerdì alle 11,30 precise un fattorino percorreva il lungo
corridoio al settimo piano di corso Marconi, si fermava davanti
alla terz'ultima porta e bussava con discrezione. Una voce dal-

l'interno diceva "Avanti!", ma il fattorino, aperta la porta, non entrava: restava lì ad aspettare, reggendo nella mano sinistra un sacchetto di carta bianca e leggera.

Da dietro la scrivania, il dottor Musumanno diceva: "Ah, bravo", e qualsiasi cosa stesse facendo, la interrompeva, si alzava lentamente in tutto il suo metro e ottantotto di statura, e si avviava seguìto dal fattorino per il corridoio.

Da alcune porte già socchiuse sbucavano, subito dopo il suo passaggio, tre o quattro funzionari che cominciavano a seguirlo a rispettosa distanza. Altri, saliti dai piani inferiori, lo aspettavano in un gruppetto silenzioso davanti all'ascensore.

Musumanno non salutava nessuno, non vedeva nessuno. Insieme al solo fattorino, entrava nella cabina, emergeva all'ottavo piano, e di qui passava sul terrazzo bituminato iniziando una breve, assorta, solitaria passeggiata.

Questo suo isolamento era del tutto ideale, giacché nel frattempo, prendendo le scale o altri ascensori, tutti l'avevano seguìto e non perdevano di vista uno solo dei suoi movimenti. In origine, è vero, la solitudine del dottor Musumanno sul tetto era stata reale. Ma prima uno, poi due, poi via via tutta una catena di collaboratori più o meno stretti, di sottoposti più o meno diretti, erano venuti a sapere ciò che l'alto personaggio, in forma riservatissima, faceva il venerdì mattina alle 11,30, e con spontaneità contagiosa avevano preso l'abitudine di radunarsi per assistere alla piccola e gentile cerimonia.

Nel gruppo, raccolto a una estremità della terrazza per non disturbare, era presente come sempre l'ingegner Sergio Vicini, Sezione C della Direzione Coordinamento Stoccaggi, che ora, sbirciando tra la testa di un usciere e quella di un vicedirettore, vide Musumanno fermarsi come al solito al centro esatto della nera spianata e poi, alzata una mano, piegare l'indice due o tre volte in un gesto di richiamo.

Il fattorino si precipitò a porgere il sacchetto bianco. Musumanno lo aprì e ne tirò fuori una manciatella di briciole, che·si portò alla bocca.

— Cos'è? — chiese dopo un lento e riflessivo assaggio.

— Briosce, dottore, più pane integrale e qualche grissino.

Musumanno inclinò la testa con approvazione.

– Bravo, – disse.

Il fattorino, che aveva l'incarico di variare le miscele e inventarne ogni tanto di nuove, si ritirò contento.

Musumanno guardò il cielo in alto e all'ingiro; poi il suo braccio si allargò nel gesto semplice e solenne del seminatore, e le briciole si sparsero attorno a lui sul bitume. Quasi subito arrivarono i passeri.

Nel gruppo degli spettatori, irrigiditi nella posizione dell'attenti, tutti trattenevano il fiato, ogni sussurro e bisbiglio s'era spento, sebbene il superiore, isolato in un raccoglimento che nulla avrebbe potuto incrinare, continuasse a spargere sorridendo manciate di briciole come se al mondo non esistessero che lui e i suoi piccoli amici becchettanti. Quando il sacchetto fu vuoto, lo appallottolò e lo gettò lontano.

Dal gruppo un uomo (il vecchio Delmastro) scattò a raccoglierlo, secondo una consuetudine fissa; il dottor Musumanno non aveva mai detto una parola né fatto un cenno di compiacimento o disapprovazione al riguardo, ma si poteva presumere che il suo noto orrore per il disordine fosse operante anche lassù. Così come si poteva presumere che non gli piacessero l'invadenza e l'avidità dei piccioni, che ora cominciavano a farsi sotto. L'ingegner Vicini era stato il primo a pensarci, e quel compito era suo di diritto. Si staccò dagli altri e prese a contornare prima in un senso e poi nell'altro l'ampio cerchio costellato di briciole. Col bastone levato, minacciava e allontanava i grigi e grassi invasori, badando però a non spaventare gli uccelli più piccoli. Era un lavoro delicato.

Fermo al centro del cerchio, il dottor Musumanno aveva frattanto tirato fuori le sue sigarette russe, cui s'era convertito dopo un soggiorno a Togliattigrad. Il giovane Radici (questa parte toccava a lui) accorse con l'accendino in pugno; ma, come sempre, il superiore era stato più svelto di lui, e il giovane se ne tornò scornato al suo posto, strusciando le suole sul bitume per liberarle dalle briciole.

Musumanno fumava tranquillo, tutta la mano chiusa attorno al lunghissimo bocchino di cartone come se portasse gli enormi guantoni impellicciati dell'inverno russo. Solo in quei pochi minuti di tranquilla contemplazione sembrava un comune mortale,

eppure, stranamente, era anche il momento in cui gli spettatori più
lo sentivano distante, sopraelevato, marmoreo.

L'ingegner Vicini trinciava selvaggiamente l'aria col suo bastone, suscitando tra i piccioni convulsi mutamenti di rotta, scro-
scianti decolli. Non bisognava dar tregua alle bestiacce, che s'andavano ad appollaiare sul parapetto del terrazzo, o sulla breve
tettoia di plastica fatta installare da Musumanno per i giorni di
pioggia, ma che poco dopo tornavano all'assalto con l'ostinazione
sfrontata di un branco di avvoltoi. Era la giungla, pensò Vicini.
In tutti i sensi, era la giungla.

La sigaretta era consumata. Musumanno gettò verso sinistra il
mozzicone dal lungo bocchino di cartone, che rotolò, come
sempre, fino all'orlo del terrazzo e cadde nel canaletto di scolo.

Gli spettatori lo videro sorridere un'ultima volta ai passeri,
guardare un'ultima volta il cielo, poi girare sui tacchi e rientrare,
passando in mezzo a loro, senza dare il minimo segno di essersi
accorto della loro presenza. Dopo un intervallo di qualche secondo, tutti lo seguirono.

L'ingegner Vicini rimase solo sul terrazzo e andò ad appog-
giarsi tetro al parapetto, lasciando che i maledetti uccelli se la
sbrigassero tra loro. All'atto pratico aveva preso freddo, perché
Musumanno non giudicava che valesse la pena di mettere il cappotto per quel breve *break*, e nessuno ci teneva ad aver l'aria,
mettendoselo, di dargli torto.

Una scena abbietta, pensò Vicini gettando in terra il bastone,
una farsa rivoltante, umiliante. E benché, certo, lo spirito con
cui lui vi presenziava e se ne faceva complice non fosse quello
del comune funzionario, del misero dipendente spinto solo da
piaggeria e basso interesse... benché il suo interesse fosse ben
altro e l'umiliazione perfettamente prevista, calcolata, voluta...
tuttavia non sempre, all'atto pratico, la differenza era facile da
stabilire.

La ragnatela di finzioni, artifici, simulazioni, macchinazioni
dentro la quale il mostro viveva (o credeva di vivere?) gli sembrava in questi momenti non tanto inestricabile quanto inesistente, essa stessa un abbaglio, una onirica costrizione sotto la
quale egli chinava senza ragione le spalle. Briciole, in realtà. Uno
sbriciolamento senza fine...

Intorno a lui, i tetti ingrati della città si estendevano fino alle colline incolori, e più oltre c'era il vasto mondo multinazionale, con la sua propria, sterminata ragnatela di filiali, di consociate, di aggregate, di finanziarie, che copriva coi suoi filamenti gli oceani, i continenti, la terra intera. Ma lui chi era, si chiese l'ingegner Vicini con una stretta al cuore? Chi era, veramente, quest'uomo immobile e solitario sul tetto della Fiat?

III

L'OCCHIO SINISTRO DELLA SIGNORINA CALDANI

1.

L'occhio sinistro della signorina Caldani, fisso e spalancato, lucci-cava ora nella penombra, riflettendo un angolo della stanza e gli oggetti sul piano del tavolino da notte. Dalle imposte malchiuse e dalla porta del soggiorno, rimasta aperta, la grigia luce di febbraio era cresciuta a poco a poco, fino a rischiarare vagamente anche l'angolo del comò e la seggiola con la borsa, i guanti, il vestito di lanetta nera che la professoressa aveva portato ieri. Ma nient'altro era cambiato nel piccolo alloggio. La sveglia aveva continuato a ticchettare nel silenzio, il corpo sul letto non s'era mosso, l'occhio destro era sempre chiuso e premuto contro il cuscino. Il sinistro, fisso sul piano di marmo, girò impercettibil-mente dal bicchiere alla sveglia, che segnava l'una passata, e alla sbiadita fotografia in cornice d'argento, dov'era adesso distin-guibile una vecchia coppia in piazza San Pietro a Roma. Le labbra, impercettibilmente, si mossero. Signore, pensò l'anziana signorina, abbi pietà.

Un altro occhio — sembrava un occhio — si aprì verso quell'ora su Torino, altissimo, perlaceo e non privo di una transitoria terribilità. Nel quartiere-modello del Brussone, le piccole gemelle che erano appena uscite correndo di casa con tracce di pomodoro attorno alla bocca e sui dorsi delle mani, lo riconobbero subito per l'Occhio di un mostro, di un gigante, di una qualche creatura di fiaba o di fumetto, indiscutibilmente soprannaturale, e restarono per un po' a fissarlo, attonite ma niente affatto spaventate. D'istin-to sapevano che l'Occhio non poteva avercela proprio con loro, e se Rossignolo fosse stato presente (sedeva invece al banco di

uno snack-bar vicino alla stazione di Porta Nuova e stava man-
giando del risotto allo zafferano), se Rossignolo fosse stato informato di quella loro infantile, realistica umiltà, non avrebbe mancato di ricordare il filosofo Spinoza, secondo il quale Dio guarda
alle cose del mondo senza odio né amore per nessuno.

Un'osservazione culturale altrettanto appropriata, sebbene di
livello inferiore, la fece un giovane disoccupato abitante al numero 18 di via delle Fuchsie, terzo piano, alloggio 7: aveva visto
alla televisione un vecchio film intitolato *Moby Dick* (dell'omonimo libro ignorava l'esistenza) e guardando fuori della finestra
gli venne in mente l'occhio della balena bianca, ammiccante e
maligno nel mare di nubi. Poi riprese a sbraitare contro sua madre, incurante di ciò che potevano pensare gli altri inquilini dello
stabile. Il quale del resto — salvo le feste e i giorni di sciopero —
era mezzo vuoto a quell'ora. Nessuno dei suoi abitanti in età di
lavoro rientrava per pranzo, tranne qualche altro disoccupato e
l'inquilino dell'alloggio 4, che usciva solo per andare in chiesa.

Il venditore di matite, che variava ogni giorno il suo giro,
non era ancora dalle parti del Brussone, si trovava, anzi, al lato
opposto della cintura torinese. Raggiunto il Po sotto Vinovo, aveva invertito la marcia e stava ripercorrendo con frequenti soste
l'amplissimo semicerchio attorno alla città, che l'avrebbe ricon-
dotto al fiume una trentina di chilometri a valle, all'altezza di
Chivasso. Tutto ciò che vide dell'Occhio mentre guidava, fu un
bagliore sullo specchietto esterno della sua Volkswagen.

Romilda Bortolon stava portando erba di fossi e flosce foglie
d'insalata ai conigli che teneva dietro la casetta, quando la grande
palpebra grigia si sollevò davanti a lei verso est. Ma l'iride ceru-
lea, fissa, minacciosamente offuscata agli angoli, non era visibile
in quella prospettiva, e al suo abbagliante ventaglio di raggi Romilda oppose semplicemente lo schermo della propria mano arros-
sata e screpolata dai lavori di casa. Ecco, lei l'aveva ben detto, il
tempo cambiava, pensò continuando verso le gabbie dei conigli.

Il vento, in realtà, che per tutta la mattina aveva soffiato fiac-
camente dalla valle di Susa, gonfiando appena, e solo a tratti, le
maniche d'aria bianche e rosse dell'aeroporto di Caselle, era riuscito a smuovere un poco gli strati sovrapposti di nebbia e nuvole
che pesavano sul perimetro urbano; e dal lento gioco di quelle

masse scorrevoli — ora di nuovo quasi ferme — era nato l'Occhio che sovrastava la città.

Sebbene il fenomeno fosse osservabile, da angoli diversi, sia in periferia che al centro, e sebbene la finestra di una banca di via Arsenale lo esponesse addirittura come un quadro in cornice, il commissario Santamaria, che a quella finestra dava le spalle, non ne fu minimamente influenzato. Col modulo per la richiesta di assegni davanti a sé sul banco di marmo, pensava è vero all'Occhio di Dio, ma l'associazione gli era venuta da una delle piccole telecamere piazzate all'interno del salone con lo scopo di scoraggiare le rapine. Quei testimoni elettronici non servivano in sostanza a niente, rifletté; era semmai l'Occhio di Dio che ci sarebbe voluto, nelle banche e fuori. Ma Dio non faceva l'informatore, le Sue aggiornatissime schede, il Suo ineguagliabile, universale casellario, li teneva strettamente per Sé e non li avrebbe mai messi a disposizione della polizia. Il commissario firmò il modulo e lo fece scivolare verso l'impiegato, mentre l'occhio della telecamera ricominciava la sua inutile rotazione e quello celeste usciva gradatamente dalla cornice d'acciaio della finestra.

Neppure a Santa Liberata e nelle immediate adiacenze della chiesa, la sua (o Sua) presenza, data in un certo senso per scontata, venne materialmente rilevata da nessuno. Fu un mero caso che la signora Celeste, a cui il marito aveva proibito di uscire anche soltanto per la spesa, scegliesse proprio quel momento per invocare una testimonianza suprema, decisiva, sulla purezza delle sue intenzioni.

— Dio mi vede! — disse alzandosi per sparecchiare la tavola, dopo il magro pasto combinato con gli avanzi di ieri. — Dio mi vede, Camillo! — ripeté con uno sguardo ispirato al soffitto e un altro, vagamente speranzoso, al marito.

L'erborista scosse appena la testa, increspò appena le labbra, dietro le lenti s'indovinava il cinico, gelato sorriso di chi ha dalla sua parte una logica inoppugnabile. Dio poteva anche vederla. Ma se lei, essendo già Eletta, poteva fare e permettersi tutto, Lui che bisogno aveva di starla a guardare?

Questo aspetto del problema della predestinazione non preoccupava don Pezza, benché già due volte, da stamattina, il materassaio fosse venuto a rompergli l'anima con la storia di Celeste

e del marito che non la voleva più condividere. "In queste cose,
Dio si fa i fatti suoi e voi fatevi i vostri", gli aveva spiegato con
pazienza la prima volta. "Non siete Eletti, non avete la scintilla,
non avete il Santo Pneuma? Pensate a quelli che non ce l'hanno,
che per un solo atto impuro finiscono all'inferno." La seconda
volta l'aveva cacciato con degli urlacci. Se Celeste non veniva a
stirare i sacchi, tanto peggio, la scala della torre sarebbe rimasta
senza tappeto. Cosa voleva, l'imbecille, che glieli stirasse lui? O
allora si facesse aiutare da Priotti o dai Bortolon, se venivano in
tempo... Il materassaio s'era rassegnato a stirarsi i sacchi da sé
e adesso, seduto sulla seconda piattaforma, s'era rimesso a cucirli
febbrilmente, piantando e ripiantando nella juta il grosso ago
ricurvo, ogni punto accompagnato da una specie di ringhio sommesso, di esalazione compiaciuta e fanatica, come se la punta
d'acciaio ripenetrasse ogni volta, con atroce esattezza, nell'occhio
di un nemico lungamente odiato. Le tenebre non avrebbero vinto.
Il Leone Nero non avrebbe trionfato. Ma chi era e dov'era, sotto
che maschera si nascondeva, il Leone Nero?

No, per don Pezza, che era ormai a buon punto con la sua
predica, la difficoltà non stava tanto nell'occhio di Dio, quanto,
semmai, in quello della Curia e dell'Arcivescovo. Non era questo
il momento di attirarsi delle grane, decise guardando il cortile
deserto dell'oratorio, dietro la finestra dai vetri fulligginosi. Il suo
pubblico, certo, si era già molto allargato, l'interesse per Santa
Liberata e il suo parroco andava crescendo di settimana in settimana, ma lui non era ancora, neppure lontanamente, in una posizione di forza che gli permettesse di spingersi molto più in là
della rivelazione di Giovanni e delle parole segrete udite dal
"conoscente di Paolo" nell'epistola ai Corinzi... degli Arconti e
della sapienza nascosta dello stesso Paolo, con relativa tripar-
tizione dell'anima in pneumatica, psichica e carnale... della di-
visione dei fedeli, secondo Marco, in iniziati e non iniziati... le
solite cose, insomma... a parte quel po' di cine, di messinscena
modesta — eppure già così valida — che gli era riuscito di allestire
con le candele e il fuoco primigenio, la torre dai sette piani

e la scala che conduceva al luogo supremo, trascendente, puramente intelligibile, in cui ha sede il Pleroma degli Eoni...

Scosse la testa e riportò gli occhi sul polveroso e ammuffito Fascicolo IV (Volume 87) che aveva davanti.

— *Aaa ooo zezophazazzza jeozaza eee iii...* — rilesse a voce alta, — *... zajezozoakhoe ooo uuu thoezaozaez eee zzeezaoza khozaekheude tuxuaalthukh.*

C'era poco da ridere, quella era roba che gli avrebbe aperto tutte le strade, anche fuori Torino e anche all'estero, altro che il latino di monsignor questo e del canonico quello. Solo che un semplice parroco doveva andarci coi piedi di piombo, ecco la difficoltà, mentre invece avrebbe dovuto sbrigarsi, darci dentro a tutto gas. La cosa era nell'aria. Ci voleva niente perché qualcuno gli fregasse l'idea.

2.

A che cosa mi serve una donna, una ragazza così? si chiese Graziano non per la prima volta. E immediatamente vide, come al di là di un camion che stesse per sorpassare con la sua Porsche, la sagoma di un'altra, non meno ingombrante domanda: Perché me lo sto a chiedere? che cosa me ne frega?

E più avanti ce ne sarebbe stata un'altra, e poi un'altra, e poi un'altra ancora; una fila, una colonna di domande che ogni tanto — per esempio adesso — si presentava in fondo a una discesa, nell'arco di una curva, in tutta la sua interminabilità.

Era questo l'effetto che ogni tanto — adesso, per esempio — gli faceva Thea.

Le tende chiare del piccolo ufficio, tre stanze in un mezzanino sotto i portici di via Sacchi, avevano un continuo, leggero ondeggiamento. L'edificio era vecchio, gl'infissi erano vecchi, aliti freddi filtravano nell'aria surriscaldata. Graziano, che era completamente nudo, rabbrividì e mandò giù l'ultimo sorso di acquavite di pere con una smorfia. In fondo, non gli piaceva. Uno dei piani bassi dell'armadio-libreria reggeva una ventina di bottiglie di whisky, rhum, grappa, cognac delle più svariate marche, omaggio di fornitori, conoscenti, amici. Perché andare a scegliere proprio quell'unica bottiglia di acquavite di pere, che non certo per caso era ancora piena fin quasi al collo dopo chissà quanto tempo?

In qualche modo, pensò, è per via di Thea; se non ci fosse stata lei, non l'avrei bevuta.

Con Thea, come alla fine di certe inspiegabili notti di poker, uno aveva spesso l'impressione che le carte fossero uscite in combinazioni fuori dalla norma; anche se l'irregolarità, lo scarto, l'eventuale trucco, non si lasciava poi mai definire con esattezza, inchiodare. Presa a sé e guardata da vicino, ogni cosa — a cominciare dal primo incontro con Thea, sei, no, cinque mesi fa — ridiventava normale, naturalissima. Uno stupido incidente, un fanalino rotto durante una manovra nel parcheggio sotterraneo di piazza Castello. Solo che non era stata lei a venirgli addosso; chi aveva calcolato male le distanze era stato lui, abituato a comandare la sua Porsche come un cane da circo, al millimetro. Il piccolo urto era stato enormemente amplificato dal lungo budello di cemento, e Thea, scesa con tutta calma dalla sua auto, aveva detto senza sfottere, con interesse:

"Ha proprio fatto *crunch*, come nei fumetti."

Si divertiva per cose di questo genere.

Ridere, rideva relativamente poco, non era il tipo che si tenesse la pancia, che si facesse venire le convulsioni, come Rita. Ma si divertiva continuamente anche lei, a modo suo. Lo champagne che debordava dal bicchiere le faceva venire in mente una parrucca platinata. Una volta, mentre stavano abbracciati sul divano, aveva detto di sentirsi come un ricevitore di telefono mal posato. Sapeva tutto sulla fantastica velocità di fuga degli scarafaggi, che non le facevano né paura né ribrezzo. Le piaceva pescare alla lenza, e ogni tanto andava davvero in riva al Po coi suoi arnesi, in compagnia di certi vecchietti che conosceva.

Cose da bambina, da ragazzina. Claudia, che aveva venti anni, solo uno più di lei, era già passata per un figlio, due aborti, quattro o cinque arresti, per non parlare di tutto il resto. E Rita, a ventiquattro anni, stessa cosa. Graziano si mise a pensare alle donne in mezzo alle quali si muoveva abitualmente, spogliarelliste, puttane, entraîneuse, cantanti di secondo e terzo piano, brasiliane, indonesiane, negre di passaggio. Molte, spettacolose. E alcune dei veri e propri fenomeni, a letto. Non che a letto Thea

fosse zero, anzi. E anche lei era una gran bella ragazza. Spetta-
colosa magari no, ma forse perché non ci teneva a esserlo, il trucco, i vestiti, il modo di camminare erano d'un altro genere.

Oggi per esempio le aveva slacciato un vestito di stoffa grigia
e morbidissima, che in qualche modo riusciva però a sembrare
anche una specie di vestaglia o camicione. E le aveva tolto delle
scarpe scure con una fibbia dorata, che in qualche modo riusciva
però a non luccicare, a non aver l'aria di una patacca.

Buon gusto, classe — pensò soddisfatto Graziano — niente mai
che attirasse troppo l'attenzione. Si girò a controllare con un sorriso, perché le scarpe erano rimaste vicino al divano, Thea se
n'era andata di là senza infilarsele.

Non vide niente. In qualche modo, le scarpe erano sparite.

— Come sarebbe? borbottò Graziano.

Un minuto fa erano ancora lì, a mezzo metro una dall'altra,
le aveva notate con la coda dell'occhio. Una capovolta, la suola
in aria.

— Thea! — chiamò.

Nessuno rispose.

Doveva essere tornata a prendersele mentre lui era voltato,
assorta e silenziosa come un gatto.

— Thea! — chiamò ancora, e passò nella prima stanzetta e di
lì, attraverso un arco, nell'anticamera, col dubbio improvviso che
se ne fosse andata così, senza salutare, senza ragione. Non l'aveva
mai fatto, non era nel suo stile; e poi dovevano passare il pomeriggio insieme, lei stessa gli aveva chiesto che la portasse con sé
nel suo giro.

— Cosa fai ancora vestito da verme? — disse la voce di Thea
nello stesso momento in cui lui notava il trench della ragazza
sempre appeso all'attaccapanni.

Graziano si girò, ma vide soltanto la porta del bagno, che,
spalancata, veniva a ostruire quasi completamente lo stretto corridoio buio.

— Ah, sei lì, — disse. — Ora mi vesto anch'io.

Uno dei due telefoni nella prima stanza cominciò a suonare
aspramente e Graziano tornò indietro in fretta, riconoscendo il
suono del logoro apparecchio nero messo su uno sgabello accanto
alla scrivania. Tirò su il ricevitore.

— Graziano.

Una voce d'uomo, che non chiedeva, constatava.

— Sì.

La voce cominciò a parlare in dialetto siciliano. Graziano rispondeva ogni tanto in dialetto siciliano. Durò poco più di un minuto, poi Graziano riattaccò e si sedette di sbieco sulla scrivania. Sentì Thea che entrava dal corridoio nella stanza in fondo, a vuotare i portacenere, aprire le finestre, raccogliere le briciole dei panini presi al bar dell'angolo che avevano sostituito il pranzo. Una ragazza ordinata, beneducata, tirata su da governanti, signorine, suore, bastava guardarla.

Chissà perché, si chiese Graziano ricominciando con le domande, chissà per quale diavolo di ragione insisteva a venire qui, quando lui aveva il suo comodo, signorile appartamento nuovo in via Bardonecchia? O altrimenti c'erano gli alberghi, bei posti in collina, o anche in campagna, dove lui aveva amici che non chiedevano i documenti, che non sapevano che cosa fosse la curiosità. Fare tutto qui su quel divano tra le dodici e trenta e le due, o la sera tra le nove e le dieci, non aveva nessun senso. A Rita, a Claudia, alle altre, non sarebbero di sicuro andate giù le finestrelle schiacciate dal soffitto, le tende non lavate, i frusti tappeti tunisini, le poltrone di similpelle, tutta roba di seconda mano meno la tappezzeria, di carta da poche lire, comunque.

Un capriccio, pensò Graziano, una stranezza. O magari era gelosa delle altre, sotto sotto. E se le cose stavano così, aveva ragione lei, perché in questo ufficio Thea era praticamente la sola donna che ci venisse. Non ci veniva, a dire la verità, quasi mai nessuno, e lui stesso lo usava ben poco, non era qui che sbrigava i suoi affari.

Guardò l'ora. Bisognava vestirsi, andare.

Entrò nell'ultima stanza, raccolse la camicia, i calzini. Thea aveva rimesso ogni cosa perfettamente a posto e ora stava trafficando nel bagno, dove c'erano anche un fornelletto a gas, il frigorifero, una pattumiera a pedale.

In via Sacchi era ricominciato il traffico della gente che tornava in ufficio dopo la pausa di mezzogiorno, macchine, autobus, fitto rumore di passi sotto i portici. Graziano s'infilò le scarpe che tutt'a un tratto gli parvero esageratamente lucide e di un ros-

siccio in qualche modo troppo acceso in fondo ai pantaloni blu.
In qualche modo, pensò, in qualche modo...
D'impulso si alzò, andò in corridoio con la cravatta in mano.
— Ehi!
— Sei pronto? — disse Thea dall'anticamera. — Cosa vuoi?
Graziano la vide di spalle, col trench già infilato, la testa
china sulla borsa che aveva a tracolla.
— Niente, — disse. — Vengo subito.
E pensò, non per la prima volta, ma a che cosa le serve un
uomo, un tipo come me?

3.

Lungo la strada tra Orbassano e Stupinigi c'erano delle prostitute
che mangiavano panini davanti a fuochi avari. Ma il Priotti che
pure, tornando dal circolo ricreativo "La Penna Nera", aveva
deviato apposta di lì, continuò senza fermarsi. Oggi, decisamente,
non aveva voglia di niente.
Sulla destra della provinciale, fra i tronchi sottili e nudi dei
boschi di acacie, si aprivano ogni tanto larghi sentieri rettilinei
chiusi laggiù dalla nebbia, oppure un ultimo prato arrivava fino
al ciglio della strada con la sua tenace distesa di brina. Qui,
d'estate, si vedevano ancora mandrie al pascolo, orizzonti di
campagna tenera e intatta, benché il parabrezza di plastica della
Gilera già inquadrasse, in fondo a una fila di pioppi, la bruna
incisione invernale della palazzina di caccia dei vecchi re piemontesi.
La moto rallentò allo stop, poi prese a sinistra contornando
il muro di cinta del parco e il cervo di bronzo, fiero e spaesato,
che dal tetto dell'edificio dominava il traffico. Furgoni, camion-
cini, giardinette sgangherate correvano attorno all'ampio cerchio
descritto dal muro, scartando frettolosamente verso Piobesi, None, Vinovo, tra un pulviscolo di cartelloni pubblicitari stinti
dalla pioggia, di piccole fabbriche, di capannoni, di mobilifici, di
ristoranti dalle insegne grandiose e dagli interni desolati.
Il Priotti, che in uno di quei ristoranti era stato una volta,

non si pentì di aver mangiato uova sode e salame alla "Penna", dove si faceva cucina soltanto alla sera; e pensando alla donna, sua coetanea e mezza parente, con la quale coabitava da trent'anni, trovò che valeva ancora, perlomeno, quanto le troie di Stupinigi. Lui in fondo era un uomo di casa, rifletté intenerito mentre cambiava marcia e accelerava, malgrado il traffico, verso le altissime, fitte case popolari che dominavano il vecchio abitato della Roggia. Di casa e di chiesa.

4.

A prescindere da quei rapporti che soltanto i suoi colleghi, neanche più i preti, si ostinavano a considerare "intimi" per definizione, il commissario aveva sempre dovuto fare un certo sforzo per ricordarsi che le donne erano donne. Lo stesso sforzo, del resto, gli capitava di doverlo fare con gli stranieri, con i giovani, con gli ebrei, con i carabinieri, con gli extraparlamentari, persino coi monotoni drogati.

Fuori del lavoro e spesso anche nel lavoro, applicava con difficoltà le distinzioni d'uso — per genere, per categoria — e in ogni modo la sua attenzione, il suo interesse per l'albero singolo, lo portavano subito a dimenticare la foresta. I discorsi sulle donne (o sui tedeschi, o sui tassisti) lo annoiavano per la loro dogmatica imprecisione, e certi comportamenti comuni a molte donne non mancavano mai di stupirlo quando se li trovava davanti all'improvviso. Ah, già, rifletteva, le piacciono le collane e le pellicce, le interessano gli uomini, legge la rivista "Grazia", perché è una donna. E addirittura: guarda guarda, è incinta, dev'essere una donna.

O press'a poco.

La cosa, a suo parere, si sarebbe anche potuta interpretare favorevolmente, come segno di larghezza di vedute, di democratica mancanza di pregiudizi, ma alle interessate non faceva di solito quell'effetto. Le interessate ci vedevano un'indifferenza da schiaffi, e con gli anni il commissario s'era risolto a elaborare anche lui un certo numero di schematizzazioni pratiche, di punti di riferimento fissi, per evitare almeno il peggio.

Aveva per esempio accertato e memorizzato l'esistenza di un particolare meccanismo, di un vero fenomeno naturale per cui, dopo il rapporto "intimo", quando la mente dell'uomo cominciava a vagare su dettagli come il tempo che avrebbe fatto domani o le scarpe viste oggi in un negozio di via Lagrange, gli organi vocali femminili emettevano automaticamente, a bruciapelo e in tono di melliflua inquisizione, la domanda: "A che pensi?", domanda a cui conveniva rispondere con una bugia, sebbene — non c'era da dubitarne un momento — anche la mente della donna avesse cominciato a orientarsi su calzature osservate in via XX Settembre, e fosse stato proprio questo a farle nascere, sul conto del partner, un sospetto di brutale indifferenza, di cinico e imperdonabile materialismo.

— A che pensi? — chiese la giovane donna accanto a lui.

Il commissario, che predicava bene ma razzolava a volte pessimamente, trovò che in quel caso particolare poteva anche dire la verità. Non proprio cioè la verità letterale — dato che la domanda aveva interrotto delle vaghe riflessioni sul pneuma, difficili da spiegare a una spogliarellista australiana — ma pur sempre una risposta franca e sincera. Alle scarpe di via Lagrange, niente male e non poi troppo care, aveva pensato appena un momento fa, e quel negozio dietro il suo albergo poteva interessare anche alla ragazza.

— Niente, pensavo a delle scarpe che... — incominciò.

Fu un errore grave.

5.

Graziano le aveva detto una volta di essere un "rappresentante", ma Thea non ci credeva. La vaga qualifica poteva forse coprire certi ideali di eleganza vistosa e aggiornatissima coltivati da Graziano, poteva bene o male giustificare la Porsche nera e il modo di guidarla, l'ufficetto di via Sacchi, i sorrisi smaglianti che Graziano dedicava alle commesse e alle cameriere dei ristoranti. Ma molte altre cose non corrispondevano, anche se lei, in continua polemica con sua madre, rifiutava di dare tanta importanza a quello che la gente faceva per vivere. Una persona era

una persona, e la sua professione aveva in fondo solo un valore
statistico.

— Un po' di musica? — disse Graziano, già staccando la mano
dal volante. — O ti dà noia?

Era comunque un ragazzo molto gentile, sempre pieno di at-
tenzioni e riguardi.

— No, — sorrise Thea, — fai pure.

La Porsche era munita di mangianastri e di radio, con due
altoparlanti stereofonici, ma per musica Graziano intendeva esclusivamente le canzonette. Non se ne stancava mai, le conosceva
tutte, italiane o straniere che fossero, e quando stava zitto non
smetteva in realtà un momento di produrre a labbra chiuse un
indistinto mugolìo melodico.

La mano guantata toccò un pulsante e sul quadro dell'apparecchio una linea rossa cominciò a spostarsi adagio, alla ricerca
automatica della stazione. Vicino alla radio, fissata al cruscotto
da una calamita, c'era una cornice di pelle con la scritta in oro:
"Pensa a noi", e, dentro, la fotografia di tre donne nude ritagliata
da qualche rivista. Graziano diceva di aver avuto lui quella
trovata, ma Thea non ci credeva. Più probabile che l'avesse vista
nell'auto di qualcun altro, o che qualcuno gliene avesse parlato,
e a lui doveva essere sembrata la cosa più spiritosa mai concepita
da mente umana. Scherzi da rappresentante, certo. Ma contrad-
detti da altre manifestazioni, sebbene Thea rifiutasse l'assurda tavola pitagorica di sua madre, per la quale se una persona faceva
questo e quest'altro era infallibilmente così, e se faceva quello e
quell'altro voleva dire che era invece per forza cosà.

— Ah, senti! Senti questa!

La mano scattò a fermare la linea rossa, poi strinse entusiasticamente la coscia di Thea, mentre dalla radio una voce quasi
isterica gridava "Cornered rat, cornered rat, I'll fight for my love
like a cornered rat!" e Graziano l'accompagnava con sibili felici
e ritmici scuotimenti di testa.

Un'altra volta le aveva detto di essere un "contabile", ma Thea
non ci credeva. Un piccolo contabile che faceva anche il rappresentante per arrotondare le entrate, o viceversa, spiegava forse
le ore di lavoro molto spesso notturne; ma non collimava con
quel portafoglio (di coccodrillo) sempre troppo pieno di soldi,

con le mance troppo alte, col silenzio troppo assoluto su colleghi e clienti.

La Porsche correva tra gli innumerevoli misteri della periferia. Alti edifici nudi, resi più simili gli uni agli altri da differenze irrisorie, bordavano larghi viali senza fine, ormai identici in tutte le città del mondo. Ma Thea rifiutava di vedere in quelle ripetizioni di facciate, in quelle file su file di finestre chiuse al grigiore di febbraio, una vittoria dell'anonimo, del piatto e uniforme plurale. A lei pareva, al contrario, che solo così saltasse veramente agli occhi il fantastico intreccio di singolarità che si sentiva sempre attorno e che era quello che le piaceva della vita. Ogni finestra una faccia, una voce, una storia diversa che s'intrecciava e aggrovigliava con le altre in una matassa multicolore, come i fili che stavano dietro il cruscotto, rossi, gialli, arancione, blu, e che una volta, quando avevano tentato di rubare la macchina della mamma...

— Cornered raaaaat! — conclusero insieme con un urlo il guidatore e la radio.

— Erano gli Horse Power, — rivelò Graziano quasi schioccando la lingua. — Formidabili, eh?

— T'hanno mai rubato la macchina? — disse Thea.

— Questa?

— Questa o un'altra.

— Sì, altroché. Un'Alfa che avevo prima. L'ho ritrovata senza ruote a Villastellone.

Il disc-jockey s'era adesso aperto come un rubinetto di insulsaggini sovreccitate.

— Bel mestiere, — disse Graziano, — devi solo startene lì a sentire musica dalla mattina alla sera. Bella pacchia.

Diceva anche di avere il diploma di ragioniere e di essersi poi iscritto all'università, Economia e Commercio, ma senza mai frequentare né dare esami. Thea ci credeva perché, vanitoso com'era, gli sarebbe costato poco inventare una cosa meno squallida, e inoltre perché le aveva un giorno spiegato la teoria dei grandi numeri con appassionata serietà. Ma anche se, in senso assoluto, non esistevano attività squallide (oppure allora tutte lo erano, compresa quella del disc-jockey), restava il fatto che Graziano, almeno con lei, sembrava sempre volersi presentare sotto una veste dimessa, modesta, scolorita, che non c'entrava niente con lui, ma proprio niente.

— Cos'hai? — disse Graziano incontrando il suo sguardo.

— Niente. Perché?

— Mi guardavi.

— Perché sei così bello, — disse Thea, caricando la voce d'ironia.

— Ah, bene. Grazie.

La radio ripartì con una canzone praticamente uguale alla precedente, ma Graziano, per qualche ragione, fece una smorfia e il suo dito impaziente rimise in moto la ricerca automatica.

La Porsche si infilò serpeggiando fra altre macchine ferme a un semaforo, attese brevemente, ripartì come Achille impegnato nell'eterna gara contro la tartaruga.

Il guidatore era in realtà un bellissimo uomo, ma la cosa non finiva lì. C'erano tanti, o insomma non pochi, uomini e ragazzi che spingevano avanti la loro bellezza come un carrellino da supermarket, ogni pezzo — ciglia, naso, bocca, fianchi, spalle — impoverito da quell'aria raccattata e sostituibile. Thea ne aveva ammirati e anche baciati diversi, prima di trovarli troppo uguali. Ma Graziano avrebbe anche potuto non essere bello affatto, la sua bellezza era un di più, una cosa non determinante, come la sua professione, contabile, rappresentante o ragioniere che fosse. Qualunque faccia avesse avuto, sarebbe stata animata dalla stessa vitalità, dalla stessa intensità risoluta, travolgente, del tutto egocentrica.

Tra i compatti spicchi delle abitazioni cominciavano ad apparire basse cancellate e tetti aguzzi di fabbriche e manifatture, e ogni tanto un rettangolo d'erba marrone nel quale becchettava il collo smisurato e schematico di una gru. La città si dilatava, ricoprendo i vecchi confini coi paesi della cintura, e ciò che restava era una specie di archeologia orizzontale, gli strati uno accanto all'altro, ben riconoscibili, la diroccata cascina barocca, poi la stazione Esso, poi la ciminiera ottocentesca, poi la casa operaia dei primi del secolo, poi la villetta 1920 col giardino e i pesci rossi, poi di nuovo una cascina, una stazione Chevron, un casello daziario abbandonato, e così via in cerchi sempre più ampi.

Ma Thea rifiutava di lasciarsi rattristare da quei segni di
morte e cancellazione. Era egocentrica anche lei, ecco, se essere
egocentrici voleva dire non rimpiangere, non ricordare, non rimu-
ginare. E anche non prevedere, lasciarsi andare sul sedile della
Porsche, lasciarsi portare in questo non meglio precisato "giro"
per la cintura di Torino, senza starsi a chiedere che cosa facesse
veramente l'uomo al volante.

6.

Il brigadiere Pastorello non s'era sbagliato. I banditi di via
Frejus, dei biellesi organizzati da un geometra di Ivrea, erano
già stati fermati dopo l'uccisione di un altro metronotte, nell'ottobre scorso. Solo che allora il magistrato non s'era convinto.
La polizia aveva dovuto rilasciarli per insufficienza di indizi.

Oggi invece le cose erano andate meglio, a parte i due morti.
Uno dei banditi, ferito nella sparatoria, era stato ritrovato in casa
di parenti e aveva parlato. Grazie alle sue indicazioni, altri tre
erano stati catturati e la refurtiva recuperata. Per cui gli indizi,
insomma, stavolta parevano sufficienti, o almeno così doveva
sembrare al geometra, dal momento che lui e un altro s'erano bar-
ricati nella villetta di Ivrea e minacciavano una strage.

— A che punto siamo? Novità? — chiese per radio il vicequestore Picco, che seguiva da Torino l'operazione.

De Palma, nella radiomobile, stentava a tenere gli occhi aperti. Gettò uno sguardo interrogativo a Pastorello, che guardò a
sua volta verso la villetta e rispose con una smorfia dubbiosa,
stringendosi nelle spalle.

— Questione ancora di un'ora o due, poi verranno fuori da
sé, — disse De Palma al microfono, sperando che fosse vero.

— Ah, bene, — approvò Picco. — Benissimo. Perfetto.

Ma si capiva che il suo entusiasmo era tutto relativo. Il giornale del pomeriggio, c'era da giurarci, aveva già avanzato delle
perplessità sulle conclusioni della Scientifica, secondo cui la pallottola che aveva ucciso il tranviere era stata sparata dai banditi
e non dalla volante; aveva poi contestato, comunque, la ragionevolezza di certi inseguimenti nelle vie cittadine; e pur espri-

mendo la speranza che l'operazióne si concludesse positivamente, non aveva mancato di ricordare che il primo compito della polizia era di *prevenire*: quella era la strada, quello il vero modo di assicurarsi la riconoscenza dei cittadini.

De Palma considerò il modesto spiegamento di agenti intorno alla villetta del geometra: provocatorio, avrebbe spiegato il giornale se fosse finita con morti e feriti; insufficiente e mal distribuito, se i malviventi fossero riusciti a squagliarsi. E non si stupì quando Picco, in maniera di saluto, gli ricordò il servizio d'ordine di questa sera.

— Non troppi né troppo pochi, mi raccomando, — disse fermo il vicequestore, col tono di chi impartisce un suggerimento lungamente studiato. — Si tratta solo, cioè si tratta sostanzialmente...

— Di prevenire.

— Sì, facendo sentire la nostra presenza. Ma d'altra parte senza neanche... cioè...

— Senza dare troppo nell'occhio.

— Ecco, vedo che ci capiamo perfettamente, — si compiacque il vicequestore.

De Palma chiuse il microfono e disse a Pastorello di non svegliarlo prima di mezz'ora, neanche se quelli fossero usciti sparando.

7.

Dopo un pranzo d'affari (con dei finanziatori sgraditi, ma purtroppo indispensabili) e una breve siesta, l'editore, puntualmente alle 3, era di nuovo al suo tavolo di lavoro.

Restò un momento soprappensiero poi chiamò la signora Converso, sua segretaria, per dettarle una lettera di ringraziamento a un gruppo di carcerati ai quali aveva inviato a Natale quarantasei volumi delle sue collane economiche, e che, per ringraziarlo del dono, gli avevano a loro volta inviato un ritratto in sughero di Antonio Gramsci. Ci teneva a sbrigare di persona quel tipo di corrispondenza, sia perché era un buon metodo per rimettersi *en train* a quel punto della giornata, sia perché le sventure altrui, sempre che fossero collettive e lontane, gli stavano sinceramente a cuore. La signora Converso, una vedova cui tutto era andato male nella vita (un figlio drogato, una figlia col diabete, eccetera) gli dava invece sui nervi.

— Cari amici, — dettò l'editore, — ho ricevuto con grande piacere... No, cancelli... Ho ricevuto con un senso di vivo apprezzamento la bella scultura che...

Ma era lecito chiamare "scultura" un ritratto in sughero? si chiese lisciandosi la barba.

— Ho ricevuto eccetera, — riprese, — il simpatico oggetto che la vostra pazienza e la vostra industriosità...

Ma Gramsci non era, non si poteva a nessun titolo definire, un "simpatico oggetto".

La signora Converso lo guardava rassegnata, con quei suoi occhi dove s'erano accumulati anni d'individualistico soffrire. In più, si vestiva sempre di marrone, un colore che l'editore detestava.

— Senta, signora, mi faccia il piacere, mi vada a prendere questo Gramsci. Dove l'ha messo?

— Di là, nel corridoietto, — disse la signora Converso alzandosi. Mentre usciva si scontrò con Annibale, portiere, fattorino e non di rado autista della casa editrice.

— C'è un signore, — bisbigliò Annibale, che per paura di disturbare parlava sempre a voce bassissima.

— Che signore? Chi è?

Annibale gli porse un biglietto da visita.

— Dice che conosce il dottor Rossignolo.

— E se vuole Rossignolo tu portalo da Rossignolo, no?

— Il dottor Rossignolo, — mormorò Annibale, — non è in ufficio.

— Mmm, — fece l'editore, e guardò il biglietto.

In alto a destra c'era la sigla della Fiat e sotto, al centro, la scritta "Dott. Ing. Sergio Vicini, Direzione Coordinamento Stoccaggi".

L'editore non conosceva nessun Vicini e non aveva la più lontana idea di che cosa fosse il coordinamento stoccaggi; ma dato che era nato e sempre vissuto a Torino fece ugualmente:

— Ah.

In presenza di un funzionario, di qualsiasi grado, della grande industria cittadina, nessun torinese che non ne fosse alle dipendenze dirette si lasciava sfuggire l'occasione di dire che cosa pensava realmente della Fiat.

– Fallo passare.

Perché la Fiat era la prima responsabile delle degradazioni, le vergogne, le disastrose miserie a cui era arrivata Torino. La Fiat s'era esclusivamente, ciecamente preoccupata di fabbricare il maggior numero possibile di automobili e di venderle al maggior numero possibile di persone. Nessuno, alla Fiat, aveva capito che l'automobile era, in ultima analisi, un fenomeno culturale e che pertanto la Fiat avrebbe dovuto...

– Permesso?

L'editore si alzò e strinse la mano all'ingegner Vicini, un uomo sulla quarantina con la faccia da bambino, con bastone e occhiali, che prima ancora di sedersi cominciò a farfugliare di Rossignolo, di certi nastri, di certe riunioni serali, di partecipazione ed eventuale collaborazione.

Parlava in fretta e in modo molto confuso, o per timidezza o perché riteneva l'editore al corrente di tutto. Ma l'editore non ricordava niente e non capì niente, salvo la parola "partecipazione".

– Si accomodi, – disse cordialmente.

Pronunciata da un funzionario Fiat, "partecipazione" era una parola molto interessante. Come ogni torinese, l'editore era segretamente persuaso che le cose, alla Fiat, sarebbero andate di gran lunga meglio se il colosso multinazionale fosse stato guidato, o perlomeno ispirato, da lui. E nulla escludeva che questo fosse un primo sondaggio, che a questo Vicini fosse stata affidata una cauta missione esplorativa, una tortuosa presa di contatto, in vista di un rapporto reciprocamente stimolante e costruttivo.

– Direi di chiamare anche Rossignolo, no, visto che vi conoscete. Ne avete già parlato insieme?

– Ecco, – fece l'ingegnere, prudentissimo, – gliene ho accennato ieri, ma in termini molto generici. E anzi...

– Facciamolo venire, – disse deciso l'editore premendo il tasto della Converso. – Vediamo se è arrivato.

Ma si ricordò che la Converso stava nel corridoietto a perder tempo con Gramsci, e chiamò Annibale. Nessuno rispose. Si rassegnò a chiamare lui stesso Rossignolo, ma quello ovviamente non era ancora arrivato. Quasi le quattro. Era una situazione impossibile, intollerabile.

— Cosa vuole, abbiamo un po' di assenteismo anche noi, — disse, cercando di metterla sullo scherzo.

Ma nella mente gli balenò una visione di negrieri arabi col sacrosanto scudiscio alzato sulle schiene dei suoi redattori. Ecco cosa succedeva a trattarli da adulti, a credere nel loro senso di responsabilità, nella loro serietà professionale! Con un sorriso forzato si alzò in piedi.

— Mi scusi un momento, — disse.

Una figura penosa, un'esibizione di totale inefficienza, di irresponsabile anarchia.

Richiuse con cura la porta dietro di sé, passò nell'ufficio della Converso e di qui in corridoio, mentre un gigantesco capociurma mongolo, nudo fino alla cintola, agitava sulla testa dei redattori una sacrosanta frusta.

— Rossignolooo! — si mise a chiamare.

Da un ufficio balzò fuori il giovane Lomagno, scarno e male incollato come una brossura clandestina.

— Non c'è, — disse torvo.

— Lo vedo anch'io che non c'è. Dov'è?

— Doveva andare in biblioteca, credo. Che lo cerchi a fare?

Mentiva, teneva mano al collega. E per giunta nel solito tono sprezzante e astioso che l'editore, quando tre anni prima l'aveva assunto, aveva trovato così divertente. Un ragazzo di primissimo ordine, molto brillante, molto preparato, gli era parso allora. Vide adesso dei capelli lunghi e sporchi, una barbaccia nera, dei jeans bisunti, un fisico da morto di fame. Vide un cosacco arrivare al galoppo, roteando la sacrosanta sciabola; ma all'ultimo istante il cavaliere si fermò, esitante. Di barbe, in corridoio, ce n'erano due.

L'editore impallidì. Era possibile che la sua sensibilità avesse captato l'imminente visita dell'ingegnere e che proprio per questo gli fosse venuta consigliando il taglio di una barba che nell'ottica Fiat non poteva non apparire stravagante, selvaggia, inaffidabile?

Dall'ufficio di fronte uscì la Mariarosa, gauloise all'angolo della bocca, e si appoggiò stancamente allo stipite scoprendo tre dita di pelle tra il golf e i pantaloni.

— Che succede, capo? — biascicò.

L'editore chiuse gli occhi. Un'altra collaboratrice di primissimo ordine, una studiosa di livello europeo, nessuno che conoscesse meglio di lei la storia del sindacalismo tedesco. Ma perché aveva abolito il reggiseno, quando il suo problema, semmai, sarebbe stato di abolire quelle due talpe morte che le penzolavano sotto la maglia?

Un bel campionario, c'era poco da dire. Un bel *team* da presentare alla Fiat, dove ci tenevano tanto alle forme.

— Eccolo là, — disse Lomagno. — Mettiti tranquillo.

La testa di Rossignolo spuntò dalla scala in fondo al corridoio.

— Ah, senti, — disse la Mariarosa andandogli incontro, — ho pensato che per la prefazione ai *Nuovi studi* del Putkammer l'unico è ancora Amighetti. Non sarà l'ideale, ma...

— Putkammer? — fece Rossignolo, aggrottando la fronte.

Vide l'editore e lo salutò con un cenno distratto, poi si fregò con forza le mani paonazze.

— Amighetti, — disse Lomagno, — è un fascista.

La sua rabbiosa conversazione constava, come per certe bambole parlanti, di mezza dozzina di espressioni, tra le quali "fascista" e "nella misura in cui" erano le più frequentemente ripetute.

— Be', adesso non esageriamo, — disse equanime Rossignolo. — Amighetti ha i suoi limiti che tutti conosciamo, e posso anche concedere che da un punto di vista metodologico...

L'editore tornò a chiudere gli occhi. E io li pago, pensò, io li copro praticamente d'oro.

— Di là da me, — disse dominandosi, — c'è un ingegnere della Fiat che da mezz'ora sta aspettando di parlarti.

— A me? — disse Rossignolo sbattendo le palpebre. — Uno della Fiat?

Lomagno fece un verso come se stesse per sputare sulla moquette azzurra. A un'altra porta si affacciò Francisco, un perseguitato politico sudamericano fuggito dal suo paese (l'Argentina? il Cile? il Venezuela?) in circostanze che nessuno ricordava più, come nessuno sapeva più esattamente che lavoro facesse nella casa editrice. Era alto quasi due metri e sorrideva sempre, in silenzio.

L'editore li guardò uno dopo l'altro lisciandosi la barba. In certi momenti doveva ripetere a se stesso, con molta insistenza, che si trattava di personalità eccezionali, di menti fuori dal comune, di gente di primissimo ordine. Non li aveva scelti lui stesso, del resto?

Con la coda dell'occhio vide una figura furtiva sgattaiolare da una porta lontana verso il corridoietto.

— Monguzzi! — gridò.

Monguzzi divenne una statua.

— Monguzzi, dove credi di andare?

— Al gabinetto.

— C'è una riunione.

— Qui? — disse Monguzzi. — In corridoio?

— Di là da me.

— Ma oggi è venerdì! — protestò Monguzzi. — E la riunione informale è il lunedì.

— Questa non è la riunione informale, è una riunione volante.

— Io ho il carteggio, — disse Monguzzi. — Devo andare avanti col car...

— E lascia perdere questo carteggio! Su, vieni.

Fece un passo, poi si girò. Gli altri erano lì come bambini in attesa del gelato. Non gliene fregava niente a nessuno, delle riunioni; eppure chi ne veniva escluso soffriva, si torturava, litigava con la moglie, concepiva lunghe lettere di dimissioni. Il potere era sempre il potere.

— Tu no, — disse l'editore guardando Lomagno. — E tu...

Fissò la Mariarosa, che cominciò a grattarsi l'ombelico.

— Massì, vieni anche tu.

E alla testa del suo piccolo esercito mosse incontro alla Fiat.

L'ingegnere era seduto tranquillamente di fronte a Gramsci, e non sembrava affatto intimidito da tutta questa gente che entrava. Ma per forza. Doveva essere un vecchio lupo di riunioni, un uomo da comitato esecutivo. L'editore lo vide salutare familiarmente, cordialmente Rossignolo, sebbene da parte di quest'ultimo ci fosse più sorpresa che calore.

— Non c'è nessuna fretta, — diceva sorridente Vicini, — ma quel discorso che abbiamo fatto ieri sera...

Ieri sera! E il lavativo Rossignolo, che lui pagava specialmente per le relazioni pubbliche, non aveva nemmeno pensato di telefonargli, preavvertirlo! L'editore sollevò futilmente Gramsci dal piano della scrivania e lo rimise giù un po' più in là, sui primi *Studi* del Putkammer. Poiché era di sughero non produsse il minimo rumore, ma Rossignolo colse lo stesso il gesto di irritazione e rispose con una strana occhiata e un impercettibile movimento del capo.

— ...concretizzare la cosa, — diceva Vicini, — stringere...

E stringeva le dita come attorno al collo di una gallina.

La "cosa" era dunque al di là del colloquio riservato, già si trattava probabilmente di proposte operative, di una qualche forma di *joint venture* connessa con quelle registrazioni. La Fiat aveva deciso di entrare nel settore dei *media* audiovisivi? Era questo il progetto?

— Oh, c'è anche lei. Come va? — diceva l'ingegnere a Monguzzi.

— Salute, — diceva Monguzzi, con rimarchevole assenza di entusiasmo. E voltava la testa verso l'editore, alzava gli occhi al cielo. Francisco toglieva Gramsci dalla scrivania e andava sorridendo a depositarlo sul tavolo ovale tra le due finestre in fondo alla stanza. L'editore, che intendeva tenere la riunione proprio lì, fece alla Mariarosa un cenno esasperato. La Mariarosa capiva a volo, e strascicando i piedi provvedeva a recuperare il busto e a sistemarlo sopra uno scaffaletto di cristallo.

Tutti si mettevano a sedere, accendevano le sigarette. L'ingegnere guardò con aria d'approvazione lo *staff* della casa editrice, ma non ne fu, notò l'editore, ricambiato. Monguzzi, col chiodo del carteggio in testa, aveva una smorfia di sopportazione. Rossignolo contemplava una finestra con le palpebre semichiuse. La Mariarosa sembrava più del solito arcigna, ostile. Solo Francisco sorrideva, ma quello sorrideva comunque.

Il silenzio cominciava a pesare.

— Sono lieto, — cominciò gravemente l'ingegnere, — di poter esporre a voce l'idea che mi è venuta. Avrei anche potuto farlo per lettera, ma io ritengo che queste cose si trattino meglio attraverso un contatto, un rapporto umano, dico bene?

L'editore approvò con la testa. L'approccio era perfetto, mascherato da iniziativa personale, senza compromettere la Fiat. E anzi, se non ci fosse stata di mezzo la Fiat, questo tecnocrate, quest'uomo dalla faccia di bambino, dall'occhio serio, concentrato, alacre, avrebbe al limite potuto passare per uno di quegli impavidi seccatori, di quei bavosi e appassionati rompicoglioni che erano il terrore delle case editrici. Individui che venivano a presentare una nuova traduzione dei *Fleurs du Mal*, un trattato sull'inflazione, sul nazismo, sul cinema muto, che avevano scritto un'immensa biografia di Napoleone o Mazzini, una storia di tutte le religioni o di tutte le rivoluzioni. E quelli — i più pericolosi — che avevano soltanto se stessi da raccontare, che esordivano dicendo...

— Perché anche se sono io a dirlo, — disse l'ingegner Vicini, — la mia vita...

L'editore guardò sbigottito i suoi collaboratori, e lesse nei loro occhi compatimento, disprezzo, malevola sufficienza. Ma non verso Vicini, verso di lui. Perché a lui, con tutta la sua famosa sensibilità, era completamente sfuggito ciò che a loro era stato chiaro e lampante fin dall'inizio.

— ...la mia vita, — spiegò serissimo l'ingegnere, nel gelo artico della stanza, — è praticamente un romanzo.

8.

Uscendo dal dancing-ristorante-tavolacalda-pizzeria "Mexico", tra Caselle e Leinì, Graziano s'incamminò verso la Porsche che aveva lasciato lontano dall'ingresso, in un angolo del vasto piazzale di parcheggio; Thea non era uscita dalla macchina, e la vista di quella figura che lo aspettava laggiù, appoggiata allo schienale, composta e tranquilla contro il cielo di piombo, gli fece in qualche modo affrettare il passo.

— Scusa, eh? T'ho fatta aspettare.
— Pochissimo.
— Ciao.

— Ciao, — disse Thea, con lo stesso sorriso che già gli aveva dedicato dopo l'albergo-ristorante-tavernetta "La Fenice", e dopo la discoteca-pizzeria "Galaxy".

Graziano la baciò sulla guancia, poi le prese la mano e baciò anche quella. Tutto stava, capì, nel sorriso. Che non era un sorriso d'amore, Thea non era innamorata di lui, su questo non c'era discussione, ma un sorriso senza la minima ombra di rimprovero, senza pretese, richieste, esigenze di qualsiasi genere, senza broncio e senza noia. Senza sforzo.

— Ti sarai annoiata. Ma sai com'è con questi maledetti conti. C'è l'Iva, c'è le trattenute del personale...

Con qualunque altra delle ragazze che conosceva sarebbe stata una musica ben diversa fin dalla prima fermata, labbra strette e unghie in fuori (sempre troppo rosse, le une e le altre), e dài, non hai ancora finito, occupati un po' di me, torniamo a Torino, portami a vedere il film con Paul Newman, ma allora proprio non hai nessun rispetto, sei proprio un cafone, non te ne frega niente di me, ti servo solo per scopare. Il rispetto. Cristo.

— Stavo a guardare i mobili. Hai notato quanti ce n'è?

Graziano lasciò rombando il piazzale, dove effettivamente, accanto al "Mexico", s'allungava una grande vetrina piena di armadi e sofà.

— È un mobilificio, — disse senza capire, la mano già sulla radio.

— Appunto. Ce n'è dappertutto, hai notato?

Graziano non ci aveva mai fatto caso, ma ora che ci pensava tutta la cintura attorno a Torino era davvero invasa da quella roba, chilometri di cristalli affacciati sulle strade a mostrare poltrone, scrivanie, letti, lampadari.

— Chissà chi li compra, — disse Thea.

— Non so. La gente. Quelli che mettono su casa.

— Ma tu credi che ci sia tanta gente che si sposa?

— Forse sì. E comunque qualcuno deve comprarli, sennò non ci sarebbero, ti pare?

Le altre non si sarebbero mai accorte di un particolare simile, s'interessavano esclusivamente di vestiti, di regali, di viaggetti, mi porti a Parigi, mi porti a Venezia, andiamo a sciare. Cristo.

— Andiamo al cinema, stasera? — disse.

– Non posso, – disse Thea, – ho promesso a mia madre di...
Graziano vide in tempo, a duecento metri, i bracciali bianchi della polizia stradale, e frenò bruscamente. Qui c'era il limite di velocità, ti beccavi una multa e una predica.
– Devi uscire con tua madre?
– Non proprio, ma devo andare a una messa serale, una specie di funzione, gliel'ho mezzo promesso.
– Una cosa di famiglia?
Thea si mise a ridere.
– No, dev'essere più come una conferenza, un comizio. Succede nella chiesa di Santa Liberata, sai dov'è?
Graziano incrociò per un istante lo sguardo dei due agenti fermi accanto alle loro motociclette grigioverdi. Innocente. Impassibile. Il tachimetro segnava 50 all'ora esatti.
– Roba politica?
– Più o meno. C'è questo prete che fa delle riunioni un po'...
– Possiamo ritrovarci dopo, per il cinema. A che ora è?
– Alle nove. Ma può essere una cosa lunga, non so. Figurati che le donne stanno tutte da una parte e gli uomini dall'altra. Come una volta, pare.
– Che idea.
Poco prima di Leinì c'era un bivio sulla sinistra, e Graziano lo infilò con una secca accelerata, tagliando la strada di un soffio a una Opel "Kadett" celeste del 1968 o '69. Il guidatore agitò il pugno infuriato, formando insulti inaudibili con le labbra.
Anche questo era bello di Thea, che non strillava, non tremava, non diceva niente, si fidava. Capiva che lui guidava così per un suo divertimento, un suo bisogno, e che era un buon guidatore. Non gli rompeva l'anima con la prudenza.
– Sei mai stata a Venezia?
– Sì, perché?
– Niente, pensavo che potevamo andarci insieme.
Thea non rispose, guardava davanti a sé le curve della strada stretta, piatta e sinuosa, come tracciata da un pennarello infantile, che correva tra rogge e file di gelsi verso le montagne.
– Venezia o un altro posto, – disse Graziano, – un'altra città. Non facciamo mai niente insieme, non ti porto in nessun posto.

– Va benissimo così, – disse Thea sorridendo, – io mi contento di quello che facciamo.

Una curva, un ponticello, un'altra curva, e una donna su un motorino Guzzi che andava anche lei verso le montagne tenendosi al centro della carreggiata. Graziano frenò, ma la donna, anziché dargli spazio per passare, continuò a trattare la strada come se fosse un sentiero tutto suo. Graziano era sul punto di disilluderla con un colpo di claxon, e poi lasciò perdere, si mise a seguirla a trenta all'ora, tutto a un tratto indifferente.

– E adesso dove andiamo? – disse Thea allegramente. – Mi diverte, questo tuo giro.

– Abbiamo ancora quattro fermate. La prima è subito dopo Caselette, a un club che si chiama "La Chiocciola". Mica male, lo tiene uno che prima era a Parigi.

Domande innocenti. Risposte innocenti. Ma non avrebbe dovuto far nomi, precisare, spiegare. Non avrebbe dovuto portarsela dietro, non era una cosa regolare. Il lavoro era il lavoro e le donne le donne, anche se Thea era un caso speciale. Ma metti che capitasse un guaio, un incidente qualsiasi? Va' a spiegare che questa era diversa, un'eccezione, una cosa, in qualche modo, a parte.

Graziano toccò il pomello del cambio, che era di legno. Davanti a lui c'era sempre la schiena quadrata, infagottata, della donna in motorino, una contadina o operaia col fazzoletto in testa e una scatola di cartone che le ballonzolava sul portapacchi.

– Perché le stai dietro? – disse Thea.

– Mah, – disse Graziano. – Già.

Suonò il claxon, la donna si spostò quasi sull'erba, la Porsche passò veloce.

– Un po' di musica, ti va?

– Benissimo.

C'erano molte cose da spiegare, pensò Graziano, molte cose da precisare. E altre che forse era meglio lasciare così, non spiegate, non precisate, come se non esistessero. Finché durava.

9.

L'ingegnere continuava a parlare, seduto alla tavola ovale, tra le due finestre ormai scure, ma era come se fosse stato solo. Nessuno lo guardava in faccia, nessuno faceva commenti o domande. Ogni sua parola cadeva come una palla di stracci su un mucchio di sabbia.

Come previsto, pensò il diabolico simulatore. Fiasco scontato e calcolato al millimetro.

La sua vita (cioè: quel quadro intimo e sconcertante, ma ancora parziale, ingannevole, che ne era venuto tracciando) poteva sembrare il romanzo di un piccolo frustrato aziendale; ma costoro chi erano, se non degli *autentici* piccoli frustrati aziendali? e per giunta di un'azienda media? Non c'era da aspettarsi niente da gente simile.

A monosillabi, a mezze frasi, lo informavano del resto che quei suoi nastri non li avevano più, non sapevano bene dove fossero, li avrebbero cercati, si sarebbero fatti vivi... E l'editore faceva l'atto di alzarsi, Rossignolo si adeguava subito guardando ostentatamente l'orologio.

Volevano liberarsi di lui al più presto. Lo consideravano uno scocciatore, un impiastro, un belante pidocchio. L'umiliazione era totale, come previsto.

Eppure, all'atto pratico, il mostro della stanza 528 non traeva da quel calpestamento morale e intellettuale che un godimento mediocre. Vero, egli era venuto qui con un suo occulto disegno, per ragioni che nulla avevano da fare con l'editoria. Ma l'idea di quel libro di confessioni parlate, sia pure parziali, non era poi così sciocca; l'autoritratto, sia pure ingannevole, di un dirigente Fiat, non era poi da buttar via...

Il mostro s'infervorò, riprese da capo, riparlò di don Pezza, di Santa Liberata, del suo contributo ai polidialoghi, ignorando le bollicine di saliva che gli scoppiettavano dalle labbra, ignorando i suoi ascoltatori che si alzavano a uno a uno. La sua personalità era così complessa e tortuosa che lui stesso non ci si raccapezzava, certe volte. I suoi moventi erano contraddittori, i suoi scopi si elidevano a vicenda: voleva farsi mettere malamente alla porta, ma all'atto pratico desiderava l'approvazione, l'abbraccio di questi

intellettuali, che d'altra parte erano dei miserabili, delle nullità,
cui tuttavia, se avessero saputo con chi avevano realmente a
che fare...

Finì per guardare l'ora anche lui; sia perché non sopportava
oltre quella silenziosa tortura, sia perché doveva essere tardi
davvero, s'andava facendo buio. Quando prese il bastone e s'alzò,
udì distintamente i loro sospiri di sollievo.

10.

Le montagne già sfumavano dietro Ivrea, nell'oscuro cielo delle
cinque, quando il geometra e il suo accolito vennero fuori dalla
villetta con le mani alzate. Ma per tutto il tempo avevano continuato a gridare, dalle finestre, dichiarandosi combattenti della
libertà e chiedendo di parlamentare con questo e con quello. Il
commissario De Palma non era riuscito a recuperare un solo
minuto di sonno.

Il commissario Santamaria, a Torino, s'era invece rimesso dalla
terribile scenata della spogliarellista. Scenata non ingiusta e fatta
a fin di bene, aveva addirittura concluso, ordinando dei fiori
per la ragazza. Il resto della sua vacanza, la pausa distensiva su
cui solo adesso si accorgeva di aver contato, era tuttavia compromesso. Pensieri bui come quel pomeriggio già buio lo accompagnavano nelle sue ultime e futili commissioni. (Alle scarpe
"niente male" aveva poi rinunciato, stava tornando verso un negozio di piazza Castello che ne vendeva solo di irrimediabilmente più care.)

— Salve, commissario! — lo salutò cordialmente un uomo che
usciva da un bar.

Il commissario si voltò, ma quello era già lontano, una testa
tra i passanti. Un coinquilino? Un bottegaio? La faccia, vista
un istante, non era nuova; ma il commissario, col mestiere che
faceva, cercò anche di "piazzarla" tra le vecchie conoscenze della
Questura. E infatti.

Era un ladro, uno specialista in casseforti e serrature difficili,
più volte condannato. Canova. Una faccia ormai ben oltre la
cinquantina, piena di rughe. Canova Ettore. Mezza tacca. Non
particolarmente simpatico. Qualche volta aveva anche fornito del-

le informazioni a De Palma e a lui, molti anni prima. Chissà come se la sfangava adesso? E perché l'aveva salutato?

Il commissario si sforzò di ricordare l'esatta intonazione di quel saluto, col dubbio di aver scambiato per cordialità un accento di spavalderia sarcastica. Ma non c'era motivo, Canova non era mai stato un "duro", né era probabile che lo fosse diventato alla sua età.

La vecchia "mala" al tramonto, allora, che salutava quasi con affetto l'avversario combattuto per tanto tempo secondo le vecchie regole?

Poteva darsi, benché a questa storia della "nuova" delinquenza, della "nuova" violenza, il commissario ci credesse solo fino a un certo punto. I criminali — pareva a lui — erano sempre stati violenti e sempre "nuovi", cioè un passo più avanti della polizia. Era naturale. Toccava a loro non restare indietro, individuare senza posa le maglie allentate dell'ordine sociale. Rimpiangere la malavita "di una volta" era un po' come rimpiangere il gusto delle albicocche dell'infanzia o le estati interminabilmente serene di un passato meteorologico immaginario. Tuttavia, certo, si poteva anche dubitare che il gusto della frutta fosse stato realmente diverso. Si poteva addirittura discutere se quello stesso passato meteorologico, fosse poi stato talmente immaginario. E soprattutto ci si poteva chiedere, in generale, per quanto tempo sarebbe rimasto ciò che ancora rimaneva...

Il commissario passò davanti a un negozio pieno di sci, a un altro pieno di formaggi, a uno pieno di stoffe, a un altro traboccante di jeans e camicie texane. Tutto sembrava, *ancora*, più o meno normale. La gente sostava davanti alle vetrine, saliva e scendeva dai tram, impugnava il volante delle automobili, alzava la testa a guardare il cielo che prometteva neve, attraversava diagonalmente la strada. Tutto, *ancora*, più o meno "funzionava", tutto "girava", tutto sembrava più o meno com'era sempre stato: il centro di Torino in un qualsiasi giorno più o meno lavorativo. Ma tutta quella normalità suonava poco convincente, precaria, malamente simulata. Ciò che mancava, ecco, era l'impalpabile sentimento della durata.

In mancanza di precise opinioni sociopolitiche, il commissario s'era fatto un suo quadro semplificato e approssimativo della so-

cietà, che si raffigurava, quando aveva occasione di pensarci, come
un grande palazzo del gioco, un affollato casinò dalle cui cupole
e torrette sventolavano tutte le bandiere. I clienti — avidi, timo-
rosi, incoscienti, annoiati — andavano a puntare i loro pochi o
molti gettoni, scegliendo o credendo di scegliere, questo o quel
tavolo. Alcuni cambiavano spesso gioco, altri mai. Molti giocavano soli e accigliati, molti altri in rumorosa brigata. Ma nella
loro fantastica diversità, avevano tutti una cosa in comune: tutti
sapevano che le infinite combinazioni dei giochi erano prodotte
da poche regole finite. Il rosso e il nero. I puntini sui dadi. Il
"nove" del baccarà. E poi un giorno, senza che si sapesse bene
come la cosa era cominciata e perché, ci si accorgeva che una
specchiera era rotta; una sedia si scollava di schianto; il tappeto
mostrava nere bruciature di sigarette; due lampadari si spegne-
vano; lo sparato di un croupier era macchiato di vino. L'intero
edificio appariva subitamente dilapidato, livido.

C'era sempre qualcuno, allora, che dava la colpa alle regole.
Perché una sola pallína nella roulette? Perché non due, tre, dodici? Perché trentasei numeri e non ventiquattro o settantacinque? Le regole erano antiche, nessuno ricordava più con certezza come si fosse arrivati a stabilirle. Forse erano davvero ridicole, arbitrarie, inique. Forse non servivano addirittura a niente.
Qua e là nei saloni si sperimentavano nervosamente delle varianti,
che a loro volta venivano variate la sera dopo. Apparivano dadi
a otto facce, mazzi di novantatré carte. Alla roulette si aggiun-
gevano nuovi colori, il giallo, l'azzurro, il grigio. Voci irose o
eccitate risuonavano dovunque, pugni si alzavano minacciosi,
qualche tappeto verde veniva scaraventato in terra con tutte le
fiches. Chi, in un bovindo, affermava di saper controllare per
sempre il rischio; chi, dall'alto di uno scalone di marmo, negava
che il rischio perfino esistesse. Calcoli, teorie, sistemi sempre più
astrusi generavano tortuose confutazioni e labili perfezionamenti.

La maggior parte della gente errava smarrita tra i tavoli, invitata da effimeri croupier a puntare su giochi in perpetua mu-
tazione, nei quali il concetto stesso di vincita e di perdita s'era
alla fine perduto. Era l'ora peggiore. Dai lucernari ingrommati
calava la luce smorta dell'alba: le facce erano esauste, le guance
ispide, i capelli sfatti, le creme sfuse. Tutti rabbrividivano per

il freddo e per l'incertezza, consapevoli che mai l'Azzardo era stato così forte, così nudo. Sarebbero infine venute le nuove regole? E come sarebbero state? Peggiori? Migliori? Segretamente uguali?

Sì, era l'ora peggiore, pensò il commissario scrutando i passanti di via Accademia delle Scienze, di via Battisti. Senza regole si viveva male. Gli stessi bari ne avevano bisogno, per poterle infrangere, gli stessi ladri come Canova e tutti gli altri tipi di criminali. Gli tornò in mente il sac. Pezza, con le sue messe speciali e il suo inesplicabile pneuma. Anche i preti, che pure potevano contare su regole di duemila anni, anche loro si agitavano, si sentivano insicuri, dubitavano dei loro dadi venerabili. Si ricordò una massima che non solo Picco, ma lo stesso Questore, citavano volentieri: "L'ordine è sempre un peso per l'individuo. Il disordine gli fa desiderare la polizia o la morte". Poi si ricordò che il peso — o quantomeno la grana — del servizio d'ordine per il Pezza l'aveva scaricato su De Palma, e si sentì ancora più depresso. Non sarebbe stato meglio, pensò, se avesse accorciato questa lugubre vacanza per occuparsi lui stesso di Santa Liberata? Per sentirsi anzi anche la predica? Che magari, non si sapeva mai, gli avrebbe fatto il più gran bene.

Una squadra di operai stava rimettendo i vetri alle vetrine dell'antico caffè, e nell'ultima saletta, tra mogani, marmi e velluti, la signora Guidi e la sua amica Nicoletta cominciavano ad avere freddo ai piedi. Il giorno prima, un vicino cinematografo s'era azzardato a proiettare un film inviso alle femministe, e queste, nel corso di una dimostrazione di protesta, avevano sfondato anche i vetri di un negozio di pelletterie, di un'agenzia turistica e dell'elegante caffè per signore oziose.

— ...e poi no, guarda, — stava dicendo Nicoletta, — io diventerò femminista quando troverò una femminista che sia meno nevrotica di me, una che non abbia dietro le spalle un'infanzia infelice, ventisei complessi, due matrimoni falliti, dei figli che se ne fregano di lei, che non abbia l'insonnia e il vizio di fumare sessanta sigarette al giorno, anche se certe volte io arrivo alle ottanta, sto proprio peggiorando, non so se te ne sei accorta ma

mi stanno venendo anche dei tic, figurati per esempio che mi
sono messa a contare, conto qualsiasi cosa, gli anelli delle tende,
le righe del tuo vestito, molto molto carino, dove l'hai preso, e
non parliamo dei parcheggi, se non trovo un parcheggio arrivo
al pianto dirotto, alla crisi isterica, oramai devo fare tutto a
piedi o in autobus, dimmi te, anzi non dirmi, non ti lascio dir
niente, parlo sempre io, lo so, lo so, ho anche la logorrea, le ho
proprio tutte, ma dicevo, almeno io non ho perso la mia lucidità, sono un'onesta nevrotica, non cedo all'ultima vergogna, non
do tutta la colpa agli uomini, poveri stronzi anche loro, ti ho
detto che dopo che ci siamo lasciati con Davide ho avuto quindici, no aspetta, sedici cosiddetti amanti in un anno, non sai il
pianto, la noia in-fi-ni-ta, le frasi, diomio le frasi, le confidenze,
i gesti, non hai idea, e non mi vengano a dire che proprio per
questo le donne devono finalmente alzare la testa, ma quale testa,
dico io, la testa bisogna avercela, per alzarla, e al massimo ti
concedo la parità, l'uguaglianza, ma quello l'ho sempre pensato,
una donna idiota è insopportabile esattamente come un uomo
idiota, non c'è la minima differenza, bella la tua borsa, dev'essere anche molto pratica, no, a parte poi l'assurdità di mettersi
a rompere le vetrine, di fare un casotto gigantesco, sdraiarsi sui
binari eccetera, tutto perché le donne possano diventare anche
loro che ne so capodivisione alle ferrovie, direttrici di banca,
dirigentesse Fiat, t'immagini l'orgoglio, la gratificazione, insomma
voglio dire, come se fosse quello il problema...
  — Ma Augusta, per esempio, sostiene... — s'illuse per un attimo di poter infilare la signora Guidi.
  — Augusta è un'imbecille, e quindi qualsiasi movimento, partito o rivoluzione con dentro Augusta è già squalificato in partenza, voglio dire, è la classica mosca nella minestra, no, non
trovi, tu ridi ma ricordati cos'era Augusta vent'anni fa, dieci anni
fa, non so te ma io da quando la conosco non le ho mai sentito
dire una cosa intelligente, mai, sai cosa vuol dire mai, ma-i, non
che l'intelligenza ti renda felice, anzi, guarda me che non sop-
porto si può dire nessuno e naturalmente nessuno sopporta me,
ma con questo nemmeno la stupidità ti rende felice e infatti
Augusta e quell'altra fanatica di Gea sono infelicissime, sono
professioniste della crisi e della lagna, reginette dello sfacelo e

dell'insuccesso e per me, guarda, la cosa più fantastica è che
gente simile si metta in mente di gestire la società, di migliorare
il mondo, è come se i becchini comunali pretendessero l'appalto
del luna-park di piazza Vittorio, no, non trovi, tu ridi ma ti pare
che chiameresti le pompe funebri per organizzarti il matrimonio
di Thea, a proposito, niente ancora da quel lato, no, menomale,
più tardi ci si mette meglio per lei, anche se voi due, te e tuo
marito voglio dire, non siete andati male, l'avete azzeccata, forse
magari perché lui è sempre in giro, forse il segreto è di non starsi
troppo addosso, non avere il tempo materiale di scocciarsi reciprocamente, per quanto Giuliana mi dice che ogni volta che lui
torna, sai che Ascanio sta via mesi e mesi in Canada o in Brasile a
vendere il suo vermouth, be' ogni volta che ricompare è tremendo,
è come risposarsi da capo, le tocca fare uno sforzo mostruoso
per riabituarsi alla faccenda, ma certo lei non è equilibrata come
te, non ha il tuo buon senso, no, scusa, lascia, sul serio, lascia
stare faccio io, ti ho trascinata io in questa cella frigorifera, è un
vero miracolo che ci siamo incontrate, a Torino non ci s'incontra
mai, da quel lato non è proprio cambiata malgrado i vetri rotti
e quelle fanatiche, perché capisci non è tanto il vetro rotto, a
quello magari ci starei anch'io, così, tanto per sfogarmi, ma è il
fanatismo che mi agghiaccia, alla fine ha sempre qualcosa non
so, di untuoso, di appiccicaticcio, ti sembra sempre di stare in
una colonia nudista o in un club vegetariano, hanno sempre quella
voce ispirata, quell'occhietto mistico, voglio dire, non è la parte
cattiva di tutta questa gente che fa venire i brividi, è la parte
buona, no, tu non pensi?

La signora Guidi, che per un momento aveva accarezzato l'idea
d'invitare Nicoletta alla messa di stasera a Santa Liberata, pensò
col suo buon senso che sarebbe stato più prudente andarsi a
sentire quel "fanatico" da sola, dopotutto. O con la sola Thea,
se Thea dopotutto fosse venuta anche lei.

E disse, sì, sì, è vero, sono insopportabili, ma adesso devo
proprio andare.

Lo sgomento dei passeggeri era al colmo, chi singhiozzava, chi
bestemmiava, chi si strappava i capelli. Una brigata di gaudenti,

uomini e donne, che fino a poco fa avevano cantato e ballato,
ora tacevano lividi, tremanti, annichiliti. Gli stessi induriti ma-
rinai s'abbandonavano alla disperazione. Solo un vecchietto dai
capelli candidi, seduto a prua su un rotolo di cordami, conservava
tutta la sua calma, e guardando con occhio sereno le onde altissime che minacciavano a ogni istante di sommergere la nave,
recitava tranquillamente il rosario. Quel vecchietto era Volfango
Amedeo Mozart.

Don Pezza aveva imparato in seminario questa *pia fraus* – che
attestava la devozione, ma non l'immatura scomparsa del grande
musicista – e per molti anni se n'era servito nelle sue prediche.
Poi, col dilagare del nozionismo e della pedanteria, era stato costretto a rinunciarvi. Molti parroci, del resto, avevano smesso
del tutto questo genere di apologhi; altri avevano ripiegato su
casi autobiografici meno contestabili, seppure ugualmente fittizi:
Mi trovavo l'altro giorno a passare per un giardino pubblico (o
davanti a un lussuoso negozio, o su un affollato autobus) quando...
Ma in ogni caso la fantasia voleva la sua parte, una certa in-
ventiva era indispensabile per introdurre l'argomento, incatenare
l'attenzione. E don Pezza, dopo aver laboriosamente composto la
predica vera e propria, aveva pensato di premettervi un libero
sketch tratto dalla vita di tutti i giorni.

In canonica, dove s'era ritirato all'arrivo della Caldani, non
ci si vedeva praticamente più; il mozzicone di matita col quale,
sbattuto via il registratore, s'era messo a riempire dei larghi fogli
a quadretti, scriveva a malapena. Avrebbe dovuto accendere una
candela, trovare una biro. Ma trasportato dall'ispirazione e nel
timore di perderla, continuava, foglio dopo foglio, a comporre
febbrilmente nell'oscurità.

11.

Il gruppo di case attorno all'incrocio, laggiù, aveva già alcuni
rettangoli illuminati e nell'oscurità ormai quasi compatta si distinguevano bene l'insegna di un tabaccaio e il semaforo, fermo
sul giallo, che lampeggiava senza posa. Era distante un centinaio
di metri, ma Thea non fece in tempo ad arrivarci. Quando fu a

metà strada, davanti a un casotto di legno pieno di erbacce che doveva essere stato la fermata di una vecchia tranvia, si sentì chiamare e si girò.

— Thea! — gridò ancora Graziano tutto illuminato di rosso. Le fece segno di tornare indietro, poi, senza aspettarla, andò in fretta verso la Porsche. Era stato dentro solo cinque minuti, questa volta. All'insegna sul tetto mancava l'ultima lettera. "La Lantern ", annunciavano gli alti caratteri di neon rosso. E sotto si distinguevano appena le parole, non accese e in caratteri più piccoli: "Motel-Snack-Discoteca".

— Volevo sgranchirmi le gambe, — disse Thea risalendo in macchina.

Graziano aveva già acceso il motore e ripartì mentre lei ancora chiudeva lo sportello.

— Devo tornare indietro, — disse, — mi hanno telefonato.

— A Torino?

— No, in un posto dove siamo già stati. C'è gente che devo vedere.

Accese gli abbaglianti, imbiancando per un tratto lunghissimo i collari di vernice dipinti sui tronchi dei pioppi ai lati della strada. Sulla destra, molto lontano ma ben nitido, c'era un minuscolo punto rosso, il catarifrangente di una bicicletta priva del fanalino posteriore.

— Non c'è nebbia. Menomale.

— Sta cambiando il tempo, — disse Thea. — Forse adesso si metterà a nevicare.

— Speriamo di no.

Un'auto sbucò da una curva lontana e Graziano abbassò le sue luci. Dita e mani si muovevano sugli strumenti come quelle di una dattilografa, agili, rapidissime. I due fari si avvicinarono l'uno all'altro, poi si allontanarono, persero l'allineamento orizzontale. Non era un'auto, ma due motociclette una dietro l'altra.

— Guardali qui... — mormorò Graziano.

Una pattuglia della Stradale, la stessa di prima o un'altra, che passò occhialuta e riassiccia nel buio.

— Senti... — disse Graziano, — pensavo... forse è meglio...

— Sì?

— C'è un paese, prima del... posto, una frazione di Rosta,

credo. Magari troviamo un bar e mi aspetti lì, bevi qualcosa intanto che io...
– Va bene.
– È che lì... in questo posto dove vado...
Tra un'esitazione e l'altra voltava brevemente la testa verso di lei, sorrideva un attimo.
– Sarebbe una complicazione... se ti vedono con me. Capisci, dovrei presentarti... insomma, un sacco di cose inutili. È gente che non ti conosce... e a te comunque non ti interesserebbe, sono tipi... be', sono cose di lavoro.
– Certo.
– Scusa, sai? ma se facciamo così è più semplice, no?
– Naturalmente.
– Non credo che starò molto. E così intanto tu ti scaldi un po', ti bevi una grappa, un caffè. Mangi qualcosa. Hai fame?
– No, – disse Thea.
I pioppi erano finiti, i fari illuminavano casette a due piani con la lanterna in ferro battuto sulla porta, enigmatici capannoni, tratti di reti metalliche afflosciate, gruppi di operai che tornavano a casa in fila indiana lungo il fosso. Graziano guidava concentrato, senza staccare le mani dal volante. Non accese la radio.

12.

Dopo l'uscita dell'"uomo della Fiat", l'editore troncò sul nascere ogni commento e fece cenno a tutti di rimettersi a sedere. Rimase poi a lisciarsi lungamente la barba, alzando ogni tanto lo sguardo alla parete di fronte. Ma la sua aria niente affatto disorientata, anzi di quieta concentrazione, indicava che stava seguendo un suo preciso pensiero, di cui agli altri non restava che aspettare le conclusioni.
A destra, sulla parete di fronte, c'era un'icona ucraina portata via per dodicimila rubli a Leningrado, e a sinistra, sotto vetro, un pezzo d'intonaco giallino sul quale lentamente stingevano tre rosse lettere cubitali, RAN, tracciate a mano con un pennellaccio. Era un frammento di scritta rivoluzionaria, scovato a Pau in casa di un vecchietto commovente, un profugo madri-

leno che aveva salvato quel ricordo murale dall'assedio della sua città, nel '39. Quarantamila vecchi franchi.

Ma tra questi due colpi di fortuna c'era lo scaffale di cristallo, e ogni volta che alzava la testa l'editore si trovava faccia a faccia col Gramsci di sughero. A un certo punto la sua sensibilità si ribellò e i suoi denti, ancora perfetti, si scoprirono nel temuto sorriso di belva.

— Ma cos'è quell'orrore, insomma! Chi ha messo lì quella turpitudine?

E poiché era un suo vezzo imperiale accusare la prima persona di cui incontrasse lo sguardo, sibilò subito dopo:

— Monguzzi!

Monguzzi aveva però avuto un maestro elementare con lo stesso vezzo, e non si scompose.

— Va bene, va bene, — disse, — lo tolgo subito.

Andò a mettere il Gramsci fuori tiro, poi s'avvicinò senza parere alla porta. S'era ricordato che tra poco, qui, avrebbe dovuto cominciare la riunione per la nuova collana "Le Piastrelle", affidata a Rossignolo.

— Allora, posso andare? — disse a mezza voce. — Tanto qui io...

— Monguzzi, non faccia lo spiritoso, torni al suo posto.

Il ringhio basso, schifato, lo scoprimento dei denti, il passaggio dal "tu" benevolo e assembleare al gerarchico "lei", indicavano chiaramente che l'editore, interrotto nel corso dei suoi pensieri, cercava un pretesto qualsiasi per prendersela con qualcuno. Ma Monguzzi, testardamente, insistette:

— Io non c'entro, con le "Piastrelle" di Rossignolo... Non posso dare nessuna idea, nessun contributo, sarebbe solo una perdita di tempo...

L'editore si tirò con furia la barba, quasi volesse strapparsela, e riuscì ancora a balbettare uno strozzato:

— Lei...

Monguzzi tornò obbediente al suo posto, ma il male era fatto e adesso non restava ormai che subire l'inevitabile scenata. Che si svolse, come sempre, nel più assoluto silenzio, dato che l'editore, quando era in preda a una forte emozione come la collera, diventava del tutto inarticolato. Ne seguivano mutismi praticamente telepatici, carichi di tensione inesplosa.

Ecco, pensavano gli altri intorno al tavolo ovale, ora ci rinfaccia che siamo noi a perdere tempo, far tardi in ufficio, chiacchierare e fumare in corridoio, grattarci la pancia... Ora chiama i cani-poliziotto... Ora ci fa fare il giro dell'isolato di corsa, a calcioni... Ora ci licenzia tutti senza liquidazione e fonda un'altra casa editrice con altra gente ancor più di primissimo ordine...

Ecco, pensava l'editore, ora pensano che io penso quello che penso. Ma soprattutto pensano che mi sto sfogando, mi sto rifacendo per la "magra", per il granchio che avrei preso con quel tizio della Fiat, ah-ah. E invece si sbagliano, alla cosiddetta "magra" io non ci pensavo neanche più, me la sono scordata totalmente. Anzi, non la considero per niente una magra. *Est-ce qu'il y a eu magrà?*, si domandò in francese, lingua più razionale, logica, dell'italiano. *Mais pas du tout.*

Ora si convince che la magra non era una magra, pensavano gli altri, non si rassegna, non vuole ammettere il suo errore, poveraccio gli è proprio rimasto in gola.

Quanto sono meschini, pensava l'editore, meschini e banali. Come se io fossi un poveraccio qualsiasi che vive di ripicche e dispetti. Sono loro a vivere così, le isteriche donnette. Quindi faccio obbiettivamente benissimo a ignorare la loro opinione e a considerarmi nel giusto. *Pas de magrà. Pas d'erreur.*

È una donnetta isterica, pensavano gli altri, ma non possiamo strafregarcene dei suoi ridicoli puntigli perché obbiettivamente il padrone è lui. Che dio ce la mandi buona.

L'editore ruppe soavemente il silenzio.

— Chissà però cosa voleva veramente... — gettò lì come uno che parli da solo.

Ci fu un nuovo lungo suspense, ma tutto diverso dal precedente.

— Be', — fece alla fine Rossignolo, — l'hai sentito anche tu...

Sì, l'aveva sentito, e tutte le apparenze erano contro di lui. Il solito frustrato, il solito fissato che pretendeva, spruzzando parole da tutte le parti, di utilizzare certe sue confessioni pubbliche registrate a Santa Liberata mesi prima, estraendole da nastri che a quel prete non interessavano più, e offrendo confusamente, con mille perifrasi, di integrarle in una "più complessa testimonianza sociale e umana" che sarebbe poi stata la sua stessa mezza carriera alla Fiat. Aveva ovviamente già pensato al titolo ("*Un dirigente cerca se stesso"*, direi...) nonché alla collana, che era la collana "Momento sociologico" a cura di Mariarosa Zonca, cioè della Mariarosa. Ridicolo, certo. La Mariarosa ne riceveva quintali, di testimonianze simili.

Ma la grande questione, pensò accarezzandosi la barba, il problema fondamentale, era se la sua sensibilità avesse davvero potuto prendere una simile cantonata. Perché in quel caso era segno che la vecchia cominciava a perdere colpi, a far sciopero, e allora addio. Tanto valeva chiudere, mettersi a stampare gli orari delle ferrovie. L'editore immaginò per un attimo la Mariarosa che scriveva laboriosamente Torino-Settimo-Chivasso-Santhià e dimenticava la coincidenza per Biella e Borgomanero. Ah-ah.

Era possibile una cosa simile? era concepibile, pensabile? No, non era possibile. *Pas de cantonata. Pas d'erreur.*

— Quei nastri, — disse risoluto, — chi li ha materialmente in mano?

Ci fu un altro angoscioso silenzio.

— Calamassi, no? — disse Monguzzi, con la voce del traditore.

— Calamassi però, — disse pronto Rossignolo, — è a Pavia.

— A Cagliari, — disse la Mariarosa.

— Ma non l'avevano chiamato a Messina?

— No, forse l'anno prossimo, se non avrà la nomina a Milano.

L'editore non si raccapezzava in quelle trame accademiche, in quella giostra di cattedre universitarie: sapeva solo che una buona metà dei suoi consulenti passavano la vita a correre da una città all'altra, non erano mai a Torino, quando li volevi.

— Ma avrà una madre, no? Avrà pure una moglie, una famiglia, un recapito fisso? — insisté.

— Ah, be', certo... — disse Rossignolo.

— E dove? In quale città?

Nessuno rispose, e l'editore capì che si trattava di Torino.

— Bene. Allora telefonate alla famiglia e fatevi consegnare quei nastri. Io penso che valga sempre la pena di dargli un'ascoltatina.

— Ma se li ha presi con sé per studiarseli?...

— Gli manderemo un telegramma, — disse l'editore, — ma intanto voi, uno di voi...

Si guardò in giro sorridendo. Il comando era sempre il comando. Ah-ah.

Tutte le teste si abbassarono. Non a me, non a me, pensavano tutti.

— Mariarosa, — disse l'editore, — mi pare che tu saresti...

— Io ho il Putkammer! — scattò la Mariarosa. — Mi sono arrivate stamattina le seconde bozze e ho solo quattro giorni per consegnarle.

Guardò l'ora, fece come per alzarsi.

— Rossignolo?

— Lo farei volentieri, è una cosa che interessa anche a me. Ma se devo portare avanti la nuova collana, tu capisci...

Francisco sorrideva, le mani incrociate sul tavolo.

— No! — gridò Monguzzi. — Io no! Ho il carteggio Crispi-Oderici, sono a buon punto, doveva uscire per Natale!

— Ma è solo questione di un'ora o due, Monga, — disse paterno Rossignolo. — E poi il carteggio può sempre slittare a Pasqua.

— Ma è già slittato sei volte! Io mi rifiuto, io non posso...

— Abbiamo un registratore, in casa editrice? — chiese l'editore.

— No!

— Ne ho uno io, Monga, — disse Rossignolo. — Puoi prenderlo nel mio ufficio. È un Philips.

— M'avete incastrato, — disse Monguzzi, — ma non è giusto. Non è giusto.

— Via, — disse l'editore con dolcezza, — non fare così, Monguzzi. Guarda, ti lascio andare, ti dispenso dalla riunione.

Cavò l'orologio dal taschino del panciotto.

— Neanche le sei, — disse. — Se ce la metti tutta, poi ti resta un'ora buona per il tuo carteggio.

Gli altri tre si misero a ridere. Monguzzi si alzò, e senza guardare nessuno in faccia, nemmeno il Gramsci di sughero, lasciò la stanza.

13.

Thea accese una sigaretta, ma dopo averne fumato appena un terzo la trovò insipida, aprì il finestrino della Porsche e buttò lontano il mozzicone. Ne avrebbe fumato una di quelle di Graziano, pensò, che erano americane e più forti. Bastava aprire il cassettino del cruscotto, dove Graziano teneva anche una piatta bottiglietta di whisky e un impermeabile di plastica malamente appallottolato. Una volta, perché lei non si bagnasse correndo sotto la pioggia dalla macchina all'ingresso di un cinema, lo aveva tirato fuori e glielo aveva gettato addosso come la cappa di San Martino.

Ma per ora le era passata la voglia di fumare. Avrebbe aperto il cassettino, e cercato con la mano le sigarette americane fra un poco. Più tardi. Non subito.

La Porsche era ferma su una striscia di terra larga una ventina di metri che fiancheggiava la strada per un lungo tratto, come una sponda in leggera salita. In cima al rialzo sorgevano dei grossi casoni popolari, ma Thea non li vedeva, perché Graziano aveva parcheggiato in marcia indietro, infilandosi tra altre macchine in modo da restare col muso rivolto verso la strada. Ciò che Thea vedeva da quella posizione sopraelevata era prima di tutto la striscia non asfaltata in pendenza e piena di buche, profondi solchi di fango indurito, rottami e immondizie d'ogni genere. Poi c'erano tre lampioni nuovi, tre steli di cemento ancora senza lampade, e la palina gialla di una fermata di pullman. Poi la strada. Poi, dall'altra parte della strada, quasi di fronte, un vasto piazzale con una stazione di servizio chiusa, il Mobilificio Marletti violentemente illuminato, e il dancing-ristorante "La Mezzaluna" immerso nel buio.

Graziano aveva cambiato idea tre o quattro volte. Dopo l'idea di lasciarla in un bar, gli era venuta quella di rimandarla a Torino in tassì. Ma quale tassì, in quelle steppe? Allora con un pullman della cintura, uno ci doveva pur essere. Chissà però quanto tempo avrebbe dovuto aspettarlo, sola, di notte, in mezzo a una strada. E se si metteva anche a nevicare? No, niente, sarebbe rimasta come al solito in macchina. Certo, se la cosa andava per le lunghe, lei avrebbe fatto tardi con sua madre. Meglio il bar, di dove si poteva almeno telefonare a casa. Ma l'unico bar della frazione due chilometri prima della "Mezzaluna" era uno sporco buco, si vedeva anche di fuori, e sicuramente pieno di gentaglia che beveva e gridava e dava fastidio alle donne sole.

Thea non l'aveva mai visto così indeciso, nervoso.

Alla fine, quei casoni con quella fermata di pullman avevano

salvato un po' tutto. Graziano l'aveva lasciata lì dopo un rapido
bacio sulla guancia, sollevato, contento che il problema fosse
risolto: se lui tardava troppo, lei poteva sempre tornare a Torino
col pullman. "Ti telefono domani, semmai", e si era allontanato
in fretta. Thea l'aveva visto attraversare la strada, infilarsi tra
le pompe di benzina, tagliare diagonalmente il rettangolo chiaro
che faceva sul piazzale la vetrina rutilante del mobilificio, scomparire nel cubo spento della "Mezzaluna".

C'erano sei macchine parcheggiate davanti al dancing. Un'altra
era ferma di traverso un po' più in là, nella luce del mobilificio.
Un'altra ancora sostava al limite della stazione di servizio, semi-
nascosta da un abete in vaso rimasto lì da Natale.

Tutto questo bastava, pensò Thea. Un parabrezza convesso
dove minutissimi cristalli di neve si fermavano per un istante;
e al di là una strada, un piazzale, la notte. Non c'era altro da dire.

Si poteva aggiungere la nozione di luogo – un punto imprecisato della cintura torinese – e di tempo – quei venti minuti,
forse già mezz'ora, che lei aveva passato dentro la Porsche. A
fare che cosa, le avrebbe chiesto per esempio sua madre. Ma
niente. Questa mania di voler sempre trovare una ragione, una
causa, una successione, un nome per ogni minima cosa della
giornata, della vita. Niente.

Si poteva forse ammettere che c'era un uomo che era andato
in un posto e che lei stava aspettando. Che uomo? Che posto?
Niente. Un uomo. Nudo. Senza documenti, senza etichette, con
la sua peluria scura sopra l'ombelico, in piedi su una spiaggia
deserta. Il Lido di Venezia? No, un'isola innominata, introvabile, lontanissima. Era il solo modo per vedere veramente una
persona, qualsiasi persona. Spogliarli, per modo di dire. Rita-
gliarli via da tutto. Isolarli, appunto. E cercare l'essenza, la composizione autentica, la scritta quasi invisibile in fondo ai medicinali.

Un pullman blu delle autolinee di cintura venne a fermarsi,
sgangherato e sbuffante, davanti alla palina. Tre uomini e una
donna scesero goffamente e se ne andarono nel buio mentre il
carrozzone ripartiva coi suoi finestrini fiochi, i suoi rassegnati
utenti. Chissà quando ne sarebbe passato un altro.

C'era qualcuno dentro la macchina ferma vicino all'albero di

Natale. Un punto rosso, la brace di un mozzicone, schizzò improvviso dal finestrino e dopo una breve orbita precipitò oltre
l'orizzonte di un bidone bianco. Due innamorati, che discutevano,
magari litigavano. O progettavano il matrimonio, la casa, parlavano di letti, tende, poltrone, che il Mobilificio Marletti gli avrebbe venduto a rate. Il marrone col beige. Il giallo col verde scuro.
    Ora mi fumo un'altra sigaretta, pensò Thea. E risolutamente
aprì il cassettino davanti a sé, frugò con la mano. Il pacchetto
c'era, anzi due. C'era anche la bottiglia. C'era anche la cappa
di plastica. Ma quella volta, riponendo l'impermeabile dopo il
cinema, le sue dita avevano incontrato un oggetto metallico, e
s'erano subito ritratte, avevano subito riconosciuto una rivoltella.
E stasera la rivoltella mancava. Non c'era proprio.
    E Thea pensò che non significava niente, lei non aveva mai
più aperto il cassetto, da quel giorno, e Graziano poteva aver
tolto la rivoltella da una settimana, da un mese, non c'era nessuna prova che l'avesse con sé in questo momento, che se la fosse
infilata in tasca poco fa, dopo la telefonata in quell'ultimo posto,
mentre lei tornava verso la macchina. L'aveva chiamata, ma invece di aspettarla s'era precipitato nella Porsche. Ma non era
una prova, non significava niente.
    E poi pensò, dio, cosa fa in quella Mezzaluna, cos'è andato a
fare, perché l'hanno chiamato, mio dio.

    Il parabrezza della Volkswagen era costellato di piccolissimi
punti, ma il venditore di matite non capì, sulle prime, di che
cosa si trattasse. Pensò vagamente a granelli di smog, tracce di
mosche o d'insetti, e continuò a guardare il tratto di viale cittadino che aveva davanti a sé. Ma poi ricordò che era inverno
e che già prima, quando s'era fermato a Trana per un caffè,
aveva sentito nell'aria la neve. Adesso cominciava a cadere, o
comunque ci provava, con quei cristalli ancora troppo distanziati
e leggeri, e tuttavia sufficienti per formare a poco a poco sulla
strada una patina scivolosa che avrebbe rallentato la marcia
della Volkswagen. Non solo della Volkswagen, però; anche le
altre macchine si sarebbero trovate nella stessa situazione.
    Neve. Nebbia. Pioggia. Gelo. L'inverno era lungo, nel Nord,

aveva mesi e mesi per variare le sue fredde offerte. Il venditore
di matite accese un'altra sigaretta, una delle ultime del secondo
pacchetto della giornata. D'inverno si fumava di più, troppo, per
il fatto che quel fuocherello tra le dita ti dava un'illusione di
calore. Meglio fumare la pipa, allora. Ma la pipa esigeva attenzio-
ni e manipolazioni complicate, richiedeva una bella poltrona
davanti al televisore, una serata tranquilla, una casa comoda
e silenziosa.

Nel parabrezza picchiettato stavano giusti giusti tre palazzoni
uno in fila all'altro, pieni di finestre accese, di gente appena tornata dal lavoro, di bambini che facevano i compiti di scuola.
Ai piedi delle tre facciate, una striscia di terreno non asfaltato
già serviva agli inquilini come parcheggio, auto e motorette
strisciavano diffidenti sul fondo dissestato, trovavano una sbi-
lenca sistemazione, scaricavano donne e uomini tutti con qualche pacco o borsa in mano, che andavano a suonare ai quadri
luminosi vicino ai portoni, si chinavano a parlare nei citofoni,
entravano.

Cento, duecento appartamenti nuovi, un pezzo di viale cittadino trapiantato tale e quale a venti chilometri da Torino. A sinistra dei tre palazzi c'era la campagna buia, a destra un quarto
palazzo non ancora ultimato, con intorno dei resti di staccionata,
una betoniera silenziosa, alti mucchi di ghiaia e mattoni. Davanti, sul ciglio della strada, avevano già procurato di mettere
la fermata del pullman e tre lampioni; ma la fermata non aveva
tettoia, era solo una palina gialla piantata in terra, e i lampioni
erano spenti, l'Enel non aveva ancora fatto l'allacciamento.

Il venditore di matite pensò che domani quello spiazzo in leggera salita sarebbe stato un acquitrino fangoso, se la neve si
decideva a cadere. Pensò che l'abete di fianco al quale s'era fermato avrebbe ripreso un'aria da cartolina natalizia. Pensò di
ripulire il vetro della Volkswagen con qualche colpo di tergicristallo.

Ma poi, quando osservò senza fatica il secondo mozzicone vo-
lar fuori dal finestrino della Porsche nera laggiù, dall'altra parte
della strada, si disse che la visibilità era ancora buona e continuò a fumare infreddolito e paziente.

14.

Monguzzi si ritrovò in casa editrice neanche mezz'ora dopo che era uscito. La madre di Calamassi, che gestiva una fiaschetteria in via San Secondo, aveva dovuto chiuderla per salire in casa a cercare i nastri; ma per fortuna li aveva trovati subito, il figlio era ordinatissimo, schedava tutto, perfino i vestiti, le scarpe, la biancheria che lasciava lì quando era a Cagliari per il suo incarico.

Col suo pacco dei nastri sotto il braccio, e col registratore che aveva trovato nell'ufficio di Rossignolo, Monguzzi si fermò un momento a origliare alla porta dell'editore. Benissimo. Lì ne avrebbero avuto per un pezzo, se stavano ancora a ridiscutere il titolo della collana.

Entrò nel suo ufficio e scaricò tutto su una sedia. Benissimo. Non solo se l'era sfangata dalla riunione, ma i polidialoghi del Pezza non gli avrebbero rubato altro tempo. Aveva, sogghignò, una scusa inoppugnabile per non sentirne neanche uno.

Eppure quei nastri, in qualche modo, lo incuriosivano. Anche lui a un certo punto, e ben prima dell'editore, s'era chiesto che cosa volesse veramente quel tizio, e perché ci tenesse tanto a recuperarli. Ma a lui che diamine gliene fregava? Possibile che da stamattina, anzi no, da ieri sera, continuasse a farsi distrarre da questioni, dubbi, interrogativi, che niente avevano a che vedere col suo lavoro? Ed ecco ora che ripensando all'editore, a qualcosa che l'editore aveva detto o fatto dopo che il tizio se n'era andato, gli tornava quell'idea di aver trascurato, di non aver saputo cogliere o interpretare correttamente, un...

Le parole INDIZIO CAPITALE – ESPLOSIONE – REALTÀ SCONOSCIU-TA gli si stamparono incomprensibilmente nel cervello come per suggestione telepatica, e Monguzzi fece un salto sulla sedia. "Ellamiseria," gridò impaurito, a rischio di farsi sentire e richiamare alla riunione sulla nuova collana, "ellamadosca!" Altro che realtà sconosciuta, questo era un indizio di esaurimento bello e buono. Per cui, oltre al tabrium di cui si versò subito quindici gocce, decise di riprendere domani stesso una cura di fosforo e vitamine per iniezioni, che aveva scioccamente lasciato a metà.

15.

Thea aveva ragione, notò Graziano uscendo dalla "Mezzaluna", c'era tutta una varietà di mobili anche qui, salotti, tinelli, cucine, camere per bambini, come un confuso spiraglio su altre vite possibili. Ma era solo un'idea, nessun'altra vita era possibile oltre a quella che facevi, si sarebbero dovute cambiare troppe cose.

Vide Thea che attraversava di corsa la strada, in poche falcate leggere, e poi si fermava a dieci passi da lui, accanto al box di vetro del benzinaio, spento, abitato da piramidi di lattine d'olio.

— M'hai aspettato.

Thea tese le labbra per farsi baciare, e dopo, sempre stringendolo, disse:

— Credevi di non trovarmi più?

— Non so. No. Hai il naso freddo.

Tornarono abbracciati fino ai grandi casoni popolari dall'altro lato della strada. Quando vide il tetto della Porsche luccicare nel buio Graziano alzò gli occhi verso il cielo.

— Ma nevica o cosa?

— Aveva cominciato, ma poi ha smesso.

— Morirai dalla fame.

— Sì, un po'.

— Adesso, adesso ci penso io, — disse Graziano aprendole lo sportello. — Adesso ti porto io in un posto che. Ti piace il pesce?

— Molto. Ma hai finito il tuo giro?

— Sì, per oggi basta. Adesso ceniamo e poi ti accompagno in quella chiesa. Magari ci resto anch'io e dopo andiamo al cinema. O devi tornare a casa con tua madre?

— No, — disse Thea. — Ma guarda che quelle cose lì possono andare per le lunghe, in genere sono una gran barba.

— Pazienza, ti aspetterò. Tu m'hai pure aspettato tutto il giorno.

— Ti verrà sonno.

— Mi nasconderò a dormire in un confessionale... O preferisci che non venga, preferisci andartene a letto?

— No, — disse Thea, — non sono stanca, hai sempre guidato tu, io non ho fatto niente.

— Adesso vedrai, ti porto dove so io, la padrona fa lei la cucina.

Ma dopo pochi chilometri sull'asfalto viscido, Thea lesse ad alta voce un cartellone pubblicitario:

— Motel "Le Betulle". Lo conosci?

— No, dov'è?

— A un chilometro. Non ci vai mai, nei tuoi giri?

— Mai sentito nominare.

— Andiamoci adesso.

— Ma sarà uno schifo, si mangerà malissimo. Se resisti ancora dieci minuti...

— Non per mangiare, — disse Thea.

— Ah, — disse Graziano.

E poi disse: — Ohé, però!

Fece una risata che voleva essere allegra, eccitata, e con la mano le toccò il ginocchio risalendo in fretta fino all'inguine, in un gesto sbagliato, buono per le altre. Ma era la sorpresa a farlo sbagliare così, Thea non ci voleva mai andare, negli alberghi, le stava bene solo l'ufficio di via Sacchi.

— Sarà uno schifo anche come letto e tutto, — disse Graziano, — probabilmente.

— Non importa. Voglio fare l'amore.

— Anch'io, — disse Graziano, — ma e mangiare? Se ci fermiamo qui non avremo più il tempo di...

— Non importa, troveremo qualcosa al motel. Voglio fare l'amore.

— Anch'io, — disse serio Graziano, — anch'io.

Rallentò, segnalò col lampeggiatore che stava per svoltare a destra.

Con lei, in qualche modo, ne aveva sempre voglia e mai voglia; e appena l'aveva fatto, era in qualche modo come se non l'avesse fatto. Un fenomeno strano, che come ogni altra cosa connessa con Thea non si poteva spiegare neanche a lei. Forse si sarebbe dispiaciuta, avrebbe pensato di non essere sexy o simili. Mentre non era questo, assolutamente; non era che le mancasse niente. Era piuttosto che con lei...

— Eccolo qui, — disse Thea.

I fari della Porsche centrarono un basso edificio dall'aria di garage, dietro una fila di betulle striminzite. Era nuovo ma già spelacchiato e malconcio, un posto per comitive di turisti francesi e belgi che scendevano dal Moncenisio, e senza neppure entrare a Torino ripartivano all'alba per le vere città italiane, Venezia, Pisa, Roma, verso il sole e i pini...

Una donna di mezza età, con la faccia di chi non ne ha azzeccata una nella vita, ritirò i documenti, rifletté un momento, poi allungò la mano verso il tabellone delle chiavi e ne staccò una.

— Angelo! — gridò.

Da una porta socchiusa dietro di lei venivano rumori attutiti di spari e di zoccoli, di grida selvagge.

— Angelo!

Un ragazzino si affacciò immusonito, la bocca aureolata di briciole.

— Il 27. Accompagnali.

Dai ganci non mancava nessun'altra chiave.

Graziano s'incamminò con Thea e il ragazzino, ma dopo qualche passo tornò indietro.

— Si potrebbe mangiare qualcosa?

— Il ristorante è chiuso, — disse la donna senza alzare la testa dalle schede.

— Ma come bar non c'è niente? Qualche panino, non so.

La donna lo guardò. Graziano le fece un gran sorriso.

— Ci sono dei biscotti. Dei crackers.

— Benissimo! — disse Graziano con entusiasmo.

La donna uscì da dietro il banco, abbassò una levetta sul quadro delle luci, e in fondo all'ingresso, oltre gruppi di poltroncine e divani immersi nell'oscurità, un piccolo bar scarlatto si accese come un teatro dei burattini.

— Veda un po' lei. C'è anche della cioccolata.

Nel sacchetto di carta marrone che la donna gli porgeva, Graziano infilò i biscotti, la cioccolata, tre pacchi di nocciole tostate, due brioscie "Dolceburro", una stecca di torrone.

— Ehi, quanta roba, — disse Thea, che stava togliendo il copriletto a fiori.

Graziano posò il sacchetto su un tavolo, andò a toccare il radiatore.

— Ma è quasi freddo.

— Non importa.

Il battente di un armadio di falso mogano si aprì cigolando,

come sospinto da un fantasma in agguato nell'interno. Graziano
andò a chiuderlo, notando le grucce di fil di ferro che non reggevano niente, l'odore di umido e di polvere.

— Ma perché sei voluta venire proprio qui?

— Te l'ho detto.

S'era seduta sull'orlo del letto matrimoniale, le mani tra le
ginocchia, come se fosse in qualche stazione ad aspettare chissà
quale treno.

— Cosa c'è?

— Niente, — disse Graziano. — Sei innamorata di me?

Alle sue spalle l'armadio si riaprì, con lo stesso lento cigolio.

— Eccristo!

— Lascia stare, ci ho già provato io, non sta chiuso.

Gli sorrise, gettò le scarpe, si arrotolò sul letto appoggiandosi a un gomito.

— Mia madre dice che se fossi innamorata se ne sarebbe accorta.

— Non si sbaglia mai, tua madre?

— Qualche volta.

Farò l'amore, pensò Graziano, e dopo sarà in qualche modo
come se non l'avessi fatto.

— Vuoi che mangiamo qualcosa subito, — disse, — o dopo?

— Dopo, — disse Thea, — dopo.

IV
SE LA CAMICIAIA NON GLI AVESSE DETTO

1.

Se la camiciaia non gli avesse detto, contro ogni aspettativa, di passare pure perché le camicie erano pronte, il commissario Santamaria non sarebbe tornato quella sera in via Po. Non sarebbe quindi passato davanti al Teatro Regio, rincasando con i suoi pacchi. Non avrebbe notato, di conseguenza, i cartelloni che annunciavano per le 21 precise *L'elisir d'amore*, commedia giocosa in due atti di Felice Romani, musica di Gaetano Donizetti, con Marianne Stock-Gibson nella parte di Adina. E non avrebbe finito, alle 21 precise, per andarsi a sentire l'opera di Donizetti invece della predica di don Pezza. "Il che dimostra," avrebbe scherzato in seguito il suo collega De Palma (l'appassionato di lirica era lui, Santamaria neanche sapeva chi fosse la Stock-Gibson), "la forza del destino."

La presenza del commissario a Santa Liberata, in effetti, non avrebbe spostato il destino di un millimetro, ritardato i tempi di un secondo. E a meno ancora avrebbe servito il consiglio del vicequestore, se De Palma lo fosse stato a sentire:

— Non sarebbe meglio una squadra, con un maresciallo? Mezza mi sembra un po' poca, francamente, anche se Dalmasso...

Ma De Palma era morto di stanchezza, aveva gli interrogatori dei biellesi da concludere, non si sognava di perdere altro tempo col Pezza. Tra un'ora — erano adesso le sette — il brigadiere Dalmasso sarebbe partito con i suoi inutili uomini, da disporre "quattro in divisa fuori, ma senza dare nell'occhio, e due in borghese dentro".

Certo non tutto era già deciso alle sette. Delle alternative restavano aperte, esitazioni e ripensamenti, contrattempi, disguidi erano ancora possibili.

I negozi di alimentari non chiudevano che alle sette e mezzo,
per esempio, o anche sette e tre quarti. Se l'erborista, all'ultimo
momento, avesse ceduto alle suppliche della moglie e l'avesse
lasciata uscire almeno per la spesa, la donna non avrebbe esitato
a fuggire, raggiungendo il materassaio e aiutandolo lei (i Bortolon
ancora non si vedevano) a sistemare meglio il tappeto di sacchi
sulla scala della torre. In questo caso il parroco non avrebbe
inciampato e il suo cero non si sarebbe spento; le singolari lan-
cette del destino, invisibili in quel buio, non si sarebbero per
un istante fermate.

Romilda Bortolon, da parte sua, avrebbe potuto smetterla di
tenere il muso ai cognati rientrati stanchi dal lavoro, nel qual
caso i cognati non l'avrebbero presa a schiaffi e lei, per ritorsione, non li avrebbe lasciati ripartire senza uno straccio di cena.
Questo non sarebbe stato di alcuna utilità per qualcuno, ma
avrebbe risparmiato la vita a qualcun altro.

Il Priotti invece avrebbe potuto cenare benissimo. La sua convivente, pensionata anche lei, era un'ottima cuoca, e come ogni
venerdì sera aveva preparato da mangiare in anticipo. Ma nessuno dei due aveva fame. La donna era preoccupata per la brutta
storia della settimana scorsa, e lui stesso, benché non volesse am-
metterlo, era agitato e nervoso.

— Io dico che potresti restartene a casa, — disse la pensionata.
— Non ci sono l'ingegnere e quegli altri? Almeno per stasera,
lascia che se la sbrighino loro.

Priotti esitò, in fondo se ne sarebbe rimasto a casa volentieri, la sua partecipazione alla serata non era indispensabile.
Per il Pezza sarebbe stato lo stesso, che lui ci fosse andato o no.
Quanto all'ingegnere, pensasse pure quello che voleva. Ma i Bortolon, senza di lui, non sarebbero stati capaci di combinare qualche altro guaio? Con quei due non si sapeva mai.

L'incertezza di Priotti durava ancora quando, a trenta chilometri di distanza, Graziano disse a Thea che in fondo l'avrebbe
accompagnata volentieri in quella chiesa, anche se gli uomini
dovevano restare separati dalle donne.

— Ti basta guardarmi da lontano? — disse Thea.

Graziano restò perplesso, perché in quel momento erano strettamente incollati. Poi si rese conto e la sua perplessità aumentò.
Erano davvero a quel punto?

Qui poteva aprirsi uno spiraglio di salvezza. Un piccolo incidente (dovuto alla presenza di Graziano) avrebbe potuto dege-
nerare in rissa (se il Priotti se ne fosse rimasto a casa) e provocare l'intervento degli agenti, decidere addirittura il brigadiere
Dalmasso a sospendere la funzione. Ma lo spiraglio non si aprì.
Ben prima che Thea e Graziano risalissero sulla Porsche, Priotti
tagliava corto alle sue esitazioni e inforcava la Gilera diretto a
Santa Liberata.

Anche nell'ufficio dell'editore le cose stavano precipitando. I
testi proposti da Rossignolo per la nuova collana — che del resto
non avevano incontrato il favore di nessuno, tutto il programma
andava ripensato, lo stesso titolo "Le Piastrelle" non sembrava più
così ghiotto — erano stati messi da parte. Al centro del tavolo
c'erano adesso un registratore Philips e i nastri recuperati da
Monguzzi presso la madre di Calamassi. I nastri, in cassette da
90 minuti, erano in una scatola da scarpe su cui spiccava una
scritta a pennarello verde, di pugno dello stesso Calamassi: "Registrazioni di S. Liberata. Validissime".

— Validissime, — disse l'editore in tono neutro. Non criticava
nessuno. Si limitava a registrare l'opinione del prof. Livio Calamassi, un docente di valore indiscusso e uno dei più lucidi, informati consulenti esterni della casa editrice.

— E lei adesso le ha sentite? S'è fatta un'idea più precisa? —
chiese a Monguzzi.

Monguzzi rispose con una risatina idiota e un cenno del mento verso il centro del tavolo. L'editore pensò che si riferisse
alla sovrabbondanza del materiale.

— Naturalmente, — disse con pazienza leggermente forzata, —
non chiedo se le ha sentite *tutte*, in così poco tempo.

— Ma no, — disse Monguzzi ripetendo il suo cenno, — è che
quelle sono cassette, e il registratore di Rossignolo, — indicò fur-
besco Rossignolo, — è a bobine.

Poi si mise a ridere sguaiatamente.

L'editore chiuse gli occhi e si coprì la faccia con le mani. Restò così un minuto.

Quando tornò a guardare in giro, considerando uno per uno i suoi collaboratori, sorrideva rasserenato.

— Qualche volta, — disse, e nella sua voce c'era forse un po' di meraviglia ma nessuna ostilità, anzi della simpatia, un affetto sincero, — qualche volta mi chiedo se la mia è una casa editrice, o una scuola materna. Adesso... — aggiunse dopo una pausa, guardando l'orologio, — ...no, non c'è più tempo, ceneremo dopo alla Birreria Bavarese. Adesso andatevi magari a mangiare un panino, e alle nove meno cinque, no, alle nove meno sette esattamente, ci ritroviamo tutti a... — indicò la scatola, — davanti alla chiesa di quel sacerdote.

Monguzzi emise una specie di guaito lamentoso, ma nessun altro fiatò.

— Tu avverti Lomagno, — riprese l'editore rivolto alla Mariarosa, — e tu... — si voltò a Rossignolo, — hai la macchina?

Rossignolo fece segno di sì.

— Allora tu resti con me e m'accompagni. La strada almeno la sai?

— Ci sono stato ieri, no? — disse piccato Rossignolo.

2.

Allora io comunque ti telefono nel pomeriggio, ma se per caso alle sette non ho chiamato, o se non ti trovo, tu calcola che sarò a casa per le sette e mezzo, no, facciamo settemmezzo-otto a meno che non ti abbia lasciato detto che non posso tornare e allora vuol dire quasi sicuramente che ci vediamo direttamente là alle nove, va bene?

La signora Guidi non aveva capito niente di quel discorso fatto tutto d'un fiato sulla porta di casa, ma con una ragazza pignola e esauriente come Thea solo un folle avrebbe chiesto dei chiarimenti. E del resto, evocare un simile groviglio di ipotesi e probabilità a proposito di un normale pomeriggio torinese non era nem-

meno tipico di Thea, ma della sua età. Tutto poteva continuamente succedere, a diciannove anni. O così sembrava.

— Va bene, — disse alla Piera, che aspettava su un piede solo
una decisione. — Servi pure, io vengo subito.

— E la signorina?

— Se viene ancora, le farai scaldare qualcosa.

Thea non s'era fatta viva per tutto il pomeriggio, e adesso,
alle otto meno venti, stava probabilmente in casa di qualche
amico a sentire dischi (supremamente raffinati o disgustosamen-
te popolari, con questi ragazzi non si sapeva mai), o a discutere
con pedanteria di diosacché. Se non era a spasso per la città, senza scopo.

La signora Guidi si rimise alla lettera che aveva cominciato a
scrivere al marito appena rientrata a casa:

"Insomma, si fa sempre più fatica a seguire il filo di quello
che dice, povera Nicoletta. Peccato, perché stupida non è. Thea
vuole di nuovo cambiare dentista, perché quello che ha ora si
rifiuta di spiegarle per filo e per segno quello che le sta facendo.
Non abbiamo ancora deciso quando andare a Crans, e se andarci, perché lei è stata invitata a Firenze, a Monaco dai Lho-
mond, e a Courmayeur, naturalmente; mentre io avevo promesso
a Elisabetta di passare qualche giorno a Roma da loro. Cosa
scegliere? Finirà che ce ne staremo qui. Comunque, stasera andiamo insieme a sentire una predica (!)..."

Fermò la penna. Non c'era più tempo per raccontare tutta la
storia in modo divertente, e d'altra parte era un peccato sprecare
il parroco di Santa Liberata in tre righe.

"...ma ti racconterò tutto in una prossima lettera, è una storia
piuttosto divertente, almeno finora. Ora devo lasciarti, la Piera
è di là che scalpita con una delle sue minestrine."

Aggiunse gli abbracci, la firma, infilò il foglio in una busta
aerea, copiò l'indirizzo dall'ultima lettera del marito; mise una
quantità di francobolli perché non sapeva mai quanti ce ne volessero, i cantieri di Giacomo erano sempre in paesi impossibili,
dove si comunicava col tam-tam e le nuvolette di fumo.

Ma ci stiamo arrivando anche noi, pensò guardando la grande
vetrata dello studio e immaginandola in frantumi. E passando in

sala da pranzo ammirò con nostalgia preventiva il tavolo ovale impeccabilmente, stoicamente apparecchiato contro le orde dei selvaggi.

3.

Discordi e logore voci cantavano gl'inni senza tempo dell'antica liturgia. Quando avevano visto tornare le candele, le donnette, le vecchiette del quartiere erano tornate anche loro; non molte, perché la città era ormai troppo pericolosa dopo il tramonto, ma erano tornate.

Entrando in chiesa, che aveva già il portoncino spalancato e i due Bortolon di sentinella nel vestibolo, l'ingegner Vicini le vide sparse negli ultimi banchi di sinistra, le teste coperte dal velo, le spalle ingobbite, le mani giunte, perdute in quelle nenie latine che nessuno gli aveva chiesto, ma nemmeno proibito, di cantare.

L'ingegnere risalì la navata centrale. Qua e là nei banchi, benché fosse ancora prestissimo per la funzione, c'erano già degli ammiratori del parroco, riconoscibili dall'aria installata, possessiva, con cui sedevano. Nella ex cappella operativa Domenico spostava energicamente ciocchi e fascine, preparando il fuoco. Priotti accendeva candele nella navata di destra.

Don Pezza non si vedeva, doveva essere ancora in canonica. Vicini traversò la sacrestia e passò nell'ufficio parrocchiale, salutò la professoressa Caldani che stava scorrendo dei fogli, seduta al tavolo.

— Eccomi qua.

— Meglio tardi che mai, — disse asciutta la professoressa.

— Come? Ma se non sono neanche le otto e mezzo.

— Vuol dire che lei ha poco più di mezz'ora per imparare tutto questo, — disse la Caldani alzando e porgendogli i fogli, una dozzina almeno di larghi fogli a quadretti, ricoperti sulle due facciate dalla disordinata scrittura del parroco.

— Ma cos'è?

La professoressa si strinse nelle spalle.

— Veda lei stesso, — disse alzandosi e uscendo.

Vicini si mise gli occhiali e decifrò a fatica il primo foglio,

poi il secondo. Al terzo capì che cosa l'aspettava, e si guardò intorno costernato, smarrito. A un'abbiezione simile, pensò, neanche nei polidialoghi c'era arrivato mai.

4.

Una dozzina di macchine erano parcheggiate su due file ai piedi
della ragazza in bikini, e Graziano, scorgendo un ultimo interstizio libero, vi s'infilò prontamente con la sua Porsche.

— Mettiamoci qui. Andrà bene?

— Sì, — disse Thea, — la chiesa dev'essere lì dietro.

Lo slargo si apriva a un incrocio fra due viuzze caliginose e
storte, nelle quali, isolati o a piccoli gruppi, frettolosi passanti
camminavano verso una stessa direzione e sparivano dietro una
cantonata.

— Ci fumiamo ancora una sigaretta?

— Io no, grazie, — disse Thea. — Ma fumala pure tu.

Sopra di loro, la ragazza in bikini giaceva pigra e sorridente
nella sabbia, contro un mare percorso da pallide vele. Era
lunga cinque o sei metri e teneva in mano un flacone di crema
abbronzante. Ma le piogge d'autunno e d'inverno, le nebbie e i
caustici fumi della città, le avevano cancellato di dosso l'abbron-
zatura, e le ondulazioni del suo corpo perfetto erano ormai di
uno smorto colore larvale. Anche la sabbia era esangue, e il
bikini non manteneva che qualche rada chiazza del primitivo
azzurro.

— Come stai, col bikini?

— Mah, — rise Thea. — Più o meno te lo puoi immaginare, no?

— Non è la stessa cosa. Voglio dire, mi piacerebbe vederti in
bikini.

— Li ho tutti al mare, credo. Ma posso sempre comprarne uno,
se ti fa piacere.

— No, volevo dire...

Si figurò Thea in bikini nell'ufficio di via Sacchi o in un
motel della cintura.

— No, — disse. — Ma dov'è che vai, al mare.

— Vicino a Santa Margherita. Abbiamo una casa, che mio nonno, il padre di mio padre...

— È un bel posto? Ti ci diverti?

— Mah, — disse Thea. — Il mare è sporchetto, e ci sono sempre le stesse facce, si fanno sempre le stesse cose, sai com'è.

No, lui non lo sapeva. Quali facce? Quali cose?

Thea non si faceva mai pregare, bastava chiedere e lei raccontava di sé, di sua madre che non faceva niente ma era sempre occupatissima, di suo padre che andava continuamente nel Pakistan o nello Yemen, di tutto quello che lei aveva fatto e faceva; ma in qualche modo, ogni sua parola era una porta che si apriva su un'altra porta.

— Ti vedo poco. Ci vediamo poco.

— Trovi? Ma se siamo insieme tutto il giorno! Dài, fuma questa sigaretta e poi andiamo.

Graziano fumò in silenzio, guardando quel mare stinto e in più punti sbrindellato, quella sinuosa gigantessa pubblicitaria che sembrava il cadavere dell'estate. Quali facce, pensò ancora, chiedendosi come potesse essere la madre di Thea.

Uno dei quattro spicchi del crocevia non esisteva più, constatò il venditore di matite affacciandosi da una delle quattro stradine, e al suo posto era stata ricavata un'area di parcheggio, provvisoria ormai da qualche decennio. Nel folto del vecchio centro cittadino si aprivano diverse radure come questa, dove decrepite case erano crollate per un incendio, per una lontana incursione aerea o per naturale disfacimento, senza che nulla fosse poi stato deciso circa la loro utilizzazione definitiva. Così, mentre i ragni pianificatori tessevano le loro lente tele, altri ignoti burocrati avevano via via disposto che le macerie venissero rimosse, la terra spianata e poi ricoperta di bitume, i muri delle case adiacenti puntellati con massicce travi e infine affittati a chi desiderasse esporvi dei cartelloni pubblicitari.

Lo slargo, notò distrattamente il venditore, era dominato da una figura femminile seminuda, senza dubbio protagonista di qualche film. Ma là sotto non c'era posto per la Volkswagen, e anche nella viuzza da cui il venditore proveniva le macchine in sosta formavano una compatta colonna aderente ai muri.

Qualcuno che arrivava dietro di lui gli chiese coi fari di togliersi di mezzo, e il venditore di matite, dopo un'esitazione che gli fece guadagnare ancora qualche secondo, ripartì con deliberata lentezza. Passò l'incrocio e vide che nella via trasversale alla sua destra, sbarrata da un senso unico, le auto in sosta non arrivavano fino all'angolo; l'ultimo tratto era sgombro, pronto ad accogliere la Volkswagen. Fece in fretta il giro dell'isolato, percorse la viuzza nel senso consentito, ritrovò lo spazio libero e solo allora si accorse con stupore che il primo veicolo della fila era un furgone della polizia, fermo e a fari spenti.

Il venditore stette un po' a riflettere come dovesse comportarsi, cosa dovesse fare. Poi si decise ugualmente a occupare il posto, con due o tre colpi di volante strisciò abilmente contro il muro, e spense il motore. Davanti a lui c'era di nuovo il piccolo parcheggio sormontato dalla donna seminuda; che non era però un'attrice, ma una bagnante, una pubblicità di crema solare.

Dietro di lui uno sportello sbatté e dei passi pesanti si avvicinarono. Il venditore di matite non si mosse.

5.

— Un'architettura di prim'ordine, una chiesa da guardarsi bene, — disse l'editore, che riunito il suo piccolo gruppo sotto un portone di fronte, non la finiva di estasiarsi sul mediocre e tardo barocco della facciata.

Per forza, pensò con rabbia Rossignolo. Ora che li aveva portati tutti qui per un mero dispetto, insisteva secondo il solito ad ammantare di motivi superiori il suo capriccioso autoritarismo.

— Un piccolo gioiello, — proseguì l'editore, implicando che la cosa era sfuggita finora ai massimi storici dell'arte. — Dovremo anzi tornare per cosarla. Voglio dire per...

Schioccò le dita.

— ...fotografarla, — disse Mariarosa.

— Appunto. Il primo giorno che c'è un po' di sole me lo ricordate e veniamo qui a... a fare...

— ...qualche fotografia, — disse Rossignolo a denti stretti.

Quando era in giro con loro, l'uomo affettava una vaghezza, una indolente smemoratezza da *flâneur*, che gli dava modo di farsi suggerire la parola col sistema dei circhi equestri. Schioccare le dita per farli saltare nel cerchio, questo era il vero scopo della faticosa commedia.

— Entriamo? — aggiunse con impazienza, rabbrividendo nell'impermeabile di tela.

— E coso... dov'è? — disse l'editore.

— Qui, — disse Monguzzi che se ne stava al riparo più indietro, appoggiato al muro.

Più indietro ancora c'erano altri due uomini vestiti di scuro, due ombre quasi invisibili nell'androne semibuio. Inquilini che si accingevano a uscire? Fedeli che aspettavano altri fedeli?

Il gruppetto attraversò la strada, si fece largo nel piccolo sagrato dove già una discreta folla scalpicciava, entrava, riusciva, chiacchierava, guardava l'ora, ingombrando l'entrata e lo stretto vestibolo dai battenti foderati di plastica.

Rossignolo profittò della ressa per tenersi indietro e sottrarsi a un'entrata collettiva, tipo scolaresca. L'editore — notò — scrutava senza parere ogni volto nella speranza di essere riconosciuto, e senza dubbio col simultaneo terrore di vedere qualcuno che l'avesse preceduto nella "scoperta" di Santa Liberata. Tre o quattro teste si girarono al passaggio della grossa figura barbuta, ma per fortuna non c'era gente di conoscenza. Le poche persone intelligenti di Torino non amavano certo mescolarsi con questo gregge a dir poco equivoco.

Rispettabili signori in paletot e cravatta facevano strada a dame eleganti, le quali peraltro, nello spingersi verso la porta, si mostravano particolarmente riguardose e affabili con fedeli di condizione inferiore — modeste casalinghe, bottegaie o impiegate anche meridionali, ce n'era qualcuna addirittura col velo — che le ricambiavano con lusingati sorrisi. Pochi i proletari. Pochi i "diversi". C'erano più avanti due vistose parrucche bionde, ma non era detto che fossero di travestiti. C'era uno studente con la giubba grigioverde. Un'altra giubba identica indosso a un uomo alto e calvo, forse un operaio che tornava dal turno alla Fiat...

no, macché, era il classico nobile locale, con naso aquilino e baffetti.

— Giù le mani! — strillò una donna che era già oltre la porta.

Rossignolo si stupì perché non era da Mariarosa (la voce era sua) indignarsi così nell'improbabile caso che qualcuno le avesse messo le mani al sedere.

— Fuori!... È vietato!... — ripetevano intanto rauche voci d'uomo.

— Ma cosa vietato! Cosa vietato! — si mise a gridare Mariarosa.

— Lasciali perdere, — si distinse la voce di Lomagno nel subbuglio, — lasciali cuocere nel loro brodo!

Poi Rossignolo e gli altri più vicini all'entrata furono spinti violentemente indietro. La calca fu tagliata da una catapulta umana formata da Lomagno, Mariarosa e i due fratelli aiutanti del Pezza.

— Per quello che me ne frega! — strillava Mariarosa.

— Vieni via, non accettiamo la provocazione! — gridava Lomagno, stravolto.

Nella scìa dei quattro venivano Francisco, Monguzzi, e ultimo l'editore, che fece cenno a Rossignolo di venirgli appresso.

In mezzo alla strada, Lomagno saltellava avanti e indietro come sui carboni accesi.

— Ma è roba da pazzi, ma questi dove vivono, ma qui siamo rimasti al medioevo! — gridava sarcastico.

Causa di tutto, risultò, erano i pantaloni di Mariarosa. I due aiutanti del Pezza l'avevano invitata in malo modo a uscire perché quell'indumento non era ammesso a Santa Liberata; alle sue proteste, i due gorilla fascisti l'avevano presa brutalmente per le braccia, e Lomagno era intervenuto in sua difesa.

— Su, venite, leviamoci da questo schifo! — gridò, partendo avanti a testa bassa.

Sulla soglia della chiesa era comparso l'altro aiutante del Pezza, il factotum dalla testa pelata, e si adoperava per far rientrare i due gorilla tirandoli per la giacca. Monguzzi si rimise il basco per avviarsi anche lui dietro a Lomagno. Mariarosa ripeteva: "No, ma è pazzesco, è allucinante!". Francisco sorrideva. L'editore... Rossignolo vide che l'editore non si muoveva.

Lomagno si riprecipitò verso di loro, sempre con quella sua andatura da ariete.

— Ma cosa aspettate! — gesticolò. — Andiamo, venite via da questo cesso!

— Inaudito, — insisteva Mariarosa. — Dico: nemmeno a San Pietro, nemmeno nella basilica cattolica apostolica romana di San Pietro...

— D'altra parte... — cominciò lentamente l'editore, — se qui non vogliono le donne coi cosi... insomma i cosi...

Schioccò due volte le dita.

— I calzoni, — obbedì Rossignolo.

— Ecco. E se questa è la loro regola...

La bocca di Lomagno sembrò uscirgli dalla barba come un tentacolo.

— Ah, ma bene! Ma bravo! Prima ci porti in questo covo di provocatori fascisti, e poi gli dai anche ragione! Be', sai cosa ti dico? Che non mi stupisce! No, non mi stupisce affatto! È da un po' che la tua posizione...

— E poi non hanno il diritto, — intervenne Mariarosa. — Perfino a San Pietro, dico: nella basilica cattolica...

La gente faceva cerchio, s'interessava. Rossignolo, che aveva capito da un pezzo come sarebbe andata a finire, indietreggiò verso la porta della chiesa.

— Comunque, — tagliò corto l'editore, — voi due non siete obbligati a venire, andate dove vi pare. Vuol dire che ci ritroviamo tutti verso le undici, undici e mezzo, alla Birreria Bavarese.

Tornò deciso verso la chiesa, seguìto da Francisco, poi si girò.

— Coso dov'è?

— Sono qui, — disse rassegnato Monguzzi, sbucando da dietro un capannello di donne che commentavano.

— Bene, andiamo, — disse l'editore. E mentre entravano, Rossignolo lo sentì imprecare tra i denti: — In chiesa! Ma neanche in ufficio dovrebbe venirci, con quei calzoni!

L'avvocato Quadrone stava esprimendo lo stesso concetto a beneficio di sua moglie e di quanti altri erano a portata del suo robusto sottovoce. La faccia tosta, l'improntitudine di questa *ru-menta*, di quest'immondizia, che pretendeva di dettar legge in casa d'altri. Sua moglie, che era più giovane di lui di 16 anni e portava i pantaloni 300 giorni su 365, opinò che forse quella ragazza non lo sapeva. Figuriamoci se non lo sapeva, tutti sapevano di Santa Liberata, ribatté una delle sorelle Anselmetto, fedelissime del parroco. No, *chila lì* lo sapeva benissimo, ed era venuta col preciso scopo di portare anche in questo rifugio il *rabèl*, il disordine che c'era dappertutto. Il prof. Veglia, radiologo, che conosceva Quadrone e lo considerava un imbecille, cercò di filarsela verso i banchi degli uomini prima di essere agganciato. La signora Possetto, casalinga, mormorò a sua figlia Romina, menomale che non te li sei poi messi, pensa la figura. Un commercialista, il rag. Dellagiovanna, osservò che oggi in Italia ci voleva la protezione della polizia perfino in chiesa, a parte che la polizia non proteggeva più niente e nessuno...

La polizia, nei panni borghesi degli agenti Muzzoli e Urru, ascoltò impassibile quei commenti, si convinse che l'incidente era chiuso, e tornò al riparo della seconda e terza colonna della navata di destra.

Muzzoli e Urru non facevano parte della Direzione Informazioni Generali Organizzazione Sicurezza, ma della Squadra Mobile, e avevano del servizio d'ordine un'esperienza saltuaria e comunque limitata a eccezionali assembramenti di estremisti, eccezionali concerti pop, eccezionali visite di potentati italiani e stranieri. In chiesa non avevano mai messo piede se non in qualità di cattolici battezzati (Urru era credente e praticante, Muzzoli propendeva per una semplice Intelligenza Superiore) e trovavano la missione di stasera imbarazzante e ingrata. Inoltre, avevano ricevuto istruzioni al tempo stesso particolareggiate e confuse, che il brigadiere Dalmasso gli aveva impartito in quel tono tagliente, definitivo, adottato da tutti i sottufficiali del mondo quando non hanno a loro volta capito bene che cosa si debba fare. Non dare nell'occhio, non farsi avanti per eventuali singolarità nello svolgimento della cerimonia, ma controllare, senza qualificarsi, eventuali elementi sospetti, sia del teppismo comune sia forse dell'estremismo politico; intervenire in caso di assoluta necessità, ma sempre con la massima discrezione; non dimenticare soprat-

tutto che il sac. Pezza aveva espressamente rifiutato ogni protezione da parte della Questura, e che pertanto il servizio andava
svolto per così dire in segreto.

Così, Muzzoli e Urru, dissimulati fin dall'inizio dietro la seconda e terza colonna di destra, s'erano avvicinati in segreto ai liti-
ganti, chiedendosi se fosse un caso di assoluta necessità; e sempre
segretamente avevano lasciato che la ragazza in pantaloni (ma
perché? non erano ammessi ormai da anni nelle chiese?) venisse
allontanata dai due uscieri o sagrestani, senza dubbio quelli già
implicati, come aveva detto Dalmasso, nel tafferuglio o pestaggio
del venerdì precedente, tali Bortolon Pietro e Paolo. E ora, visto
che un terzo sagrestano (tale Priotti Giuseppe?) era sopraggiunto
di rinforzo, si segnarono segretamente quei tre fra le persone da
tener d'occhio, tanto per cominciare.

Via via che la chiesa si riempiva, infatti, Muzzoli e Urru si
andavano accorgendo che i loro consueti criteri per identificare
gli "elementi sospetti", qui non servivano a niente.

Abituati a un'ottica settoriale, a muoversi tra bar di ricettatori
e rivenditori d'armi, night di spacciatori di droga, bische clandestine, pizzerie di protettori e garage di demolitori d'auto, luoghi
in cui *tutti* gli elementi erano sospetti, essi dovevano ora misu-
rarsi con l'universalità della Chiesa, signore impellicciate e grige
massaie con fazzoletto in testa, giovani con la barba, smunti anziani, qualche bambino, povera gente, gente impettita, gente malata, gente distratta, ogni genere di gente. E per giunta l'incerta,
oscillante illuminazione a candele cambiava i connotati a tutti,
una faccia da galera era nobilitata da mistici chiaroscuri, floridi
borghesi si coprivano di ombre canagliesche, una serva sembrava
una stella del cinema. E un momento dopo, le stesse persone apparivano ancora diverse, trasfigurate da nuovi riflessi e riverberi.

La signora Guidi, libera da schematismi connessi con bar e
pizzerie losche, poté apprezzare meglio la composizione del pubblico; il quale non solo aveva cominciato a dividersi in uomini
a destra e donne a sinistra, ma s'andava in qualche modo gerar-
chizzando.

Nei primi banchi erano già installati fedeli di diversa estrazione
sociale, ma accomunati da una stessa aria ispirata e decisa: i
"fanatici" del Pezza, quelli che non volevano perdere una sola

parola della predica, tra cui la signora Guidi riconobbe un conte
Lazzerini, dei Lazzerini di Brusasco, e le titolari del centrale
negozio di tessuti Anselmetto. Dietro questa élite religiosa cominciava a raccogliersi il pubblico più elegante e mondano, venuto
probabilmente, come lei stessa, più che altro per curiosità. I
banchi di mezzo stavano riempiendosi di una maggioranza picco-
loborghese ma con qualche pretesa, tipo abbonati alle "diurne"
del Regio. La gente del quartiere, i parrocchiani veri, si tenevano invece verso i banchi di fondo: vecchiette, pensionati, bot-
tegai (Celestini non c'era), e meridionali.

Un pubblico vario, insomma, e un'atmosfera insolita, un ambiente senz'altro curioso, che sembravano escludere il solito mor-
torio torinese; Thea avrebbe fatto male a non venire.

Il trapestio, il mormorio continuo della folla che prendeva posto, riecheggiava dall'abside e giungeva amplificato alla professoressa Caldani, ferma a guardare gli arrivi dalla porta della sacrestia.

La chiesa era piena e la gente continuava a entrare, ce n'era
già di più dell'ultima volta, constatò con orgoglio e insieme con
disagio, con vago timore l'anziana signorina, che l'incidente di
venerdì scorso aveva profondamente turbato. E in quello stato
d'animo anche la torre, altissima alla sua sinistra, le parve una
minaccia più che un augurio.

Alla sua destra, nella prima cappella del transetto, cascate di
scintille e dense fumate si spandevano ogni tanto dal grande camino. Oggi il tiraggio era difettoso, forse per via del tempo, o
forse Domenico ci metteva troppa foga, là davanti, a gambe divaricate, a tormentare il rogo con quel suo lungo ferro. Tra i sibili
della legna verde, gli scricchiolii e le frane della brace, il suo
viso arrossato e fuligginoso sembrò alla Caldani quasi diabolico.
Purché stasera non abbia un'altra crisi, pensò. Gli accessi di
furore del materassaio contro gli uomini carnali, i nemici di Dio,
le potenze delle tenebre, stavano diventando allarmanti.

Poi bisognava badare che i Bortolon non esagerassero, laggiù
alla porta. Avevano già estromesso in malo modo una donna in
pantaloni, Priotti aveva dovuto faticare per evitare una rissa, e

lei aveva detto a Priotti di rispedirli senz'altro a casa se avessero continuato così. Ma non sarebbe stato meglio mandare l'ingegnere, a sorvegliarli?

Veramente l'ingegnere aveva altro da fare, don Pezza s'era molto raccomandato su quel punto, si ricordò. Ma tornando nell'ufficio lo trovò che aveva già messo da parte i suoi fogli. Era accanto alla stufetta a legna, a scaldarsi le mani con aria soddisfatta.

— Ma come? Ha già finito?

— La prima parte. Per il resto, mi sono fatta un'idea.

— Ma don Pezza...

— Stia tranquilla, — sorrise Vicini, — m'arrangerò... Del resto è quasi ora. Sta ancora venendo gente?

— Una vera folla. E anzi, se veramente ha finito volevo appunto chiederle...

L'ingegnere stette a sentirla, annuì, le disse di non preoccuparsi.

— Stia tranquilla, — ripeté uscendo. — Ci penso io.

Ma la professoressa non riusciva a liberarsi dell'ansietà e dell'affanno, dell'agitazione che l'aveva presa. Riordinando i fogli rimasti sul tavolo, aggiungendovi gli oggetti di cui Vicini avrebbe avuto bisogno, s'accorse che le tremavano incontenibilmente le mani.

— Signore, — mormorò mentre gli occhi le correvano alla grossa borsa che aveva lasciato in un angolo, su una sedia, — Signore, dammi forza...

La borsa era quella che portava sempre con sé il venerdì, e che le serviva, venendo in chiesa, per fare qualche magra provvista per il giorno dopo.

— Signore, — pregò, — abbi pietà.

L'ingegnere si fermò un momento alla balaustra a contemplare la folla, e il suo sorriso si accentuò fino a deformargli il viso in una smorfia, in un ambiguo ghigno. Ciò che avrebbe dovuto fare tra poco l'aveva sulle prime costernato, atterrito; ma ora non più. Era anzi quello che ci voleva, si ripeté contornando la balaustra e scendendo i gradini del presbiterio. Stasera, pensò, avrebbe toccato il fondo.

Dalla navata di sinistra, dove stava avanzando lentamente con gli altri, Rossignolo lo scorse ed ebbe per un momento il dubbio che l'abominevole piattola venisse alla loro ricerca. Ma Vicini s'era già avviato per la navata centrale, zoppicando col suo bastone nella corsia tra i banchi. Che li avesse visti o no, era ovviamente impegnato in altre faccende, stasera.

— Ma coso che fa? Perché non viene? — disse l'editore voltandosi.

Stavolta non si trattava di Monguzzi, che, pur tenendosi rasente al muro, stava procedendo al loro fianco, ma di Francisco, che s'era fermato davanti a una cappella ornata d'un quadro di potente melensaggine. Era lì immobile a fissare il dipinto — una Santa Teresa in estasi — quasi volesse mangiarselo con gli occhi; poi, come spinto da una forza soprannaturale, s'accostò alla ringhiera e piegò a poco a poco le sue lunghe gambe di giraffa.

— È un baciapile, — grugnì Monguzzi, — io l'avevo sempre sospettato.

Solita semplificazione, pensò Rossignolo; quando invece era chiaro che il background dell'infanzia sudamericana di Francisco giustificava perfettamente quella sua improvvisa emotività religiosa. La forte suggestione di questo décor spagnolesco, controriformistico, di questi cupi contrasti di luci e di ombre...

— Qui comunque non ci può rimanere, — disse Monguzzi, — bisogna che venga a baciare le pile di là, dalla parte degli uomini.

E riprese ad avanzare verso il transetto, tra la processione dei fedeli, anche per scaldarsi un po' davanti al fuoco primigenio.

Era lui, era Monguzzi! Il materassaio Domenico, risollevandosi con un grosso ciocco dalla catasta di legna, lo vide passare e il sangue gli salì con violenza alla testa. Era tornato a Santa Liberata (e insieme al suo accolito! eccolo là anche lui!) certo con uno scopo perfido, un disegno funesto contro don Alfonso e la torre dai sette piani! Stava per rincorrerlo, afferrarlo, scaraventarlo fuori o meglio ancora nel fuoco, quando vide una cosa che lo sbigottì ancora di più. Un uomo massiccio con un lungo cappotto nero, grosse sopracciglia nere, una grande barba nera, avanzava con aria importante schioccando le dita, e subito l'accolito si chinava deferente verso di lui, gli mormorava all'orecchio parole segrete. Dunque i due demoni non erano tornati da soli. Con loro questa volta c'era lo stesso Achamot, il maledetto principe della notte, detto anche Jaldabaoth, detto anche...

Domenico, col suo ciocco tra le braccia, restò come paralizzato dalla scoperta. Doveva correre ad avvertire don Pezza del pericolo, ma il terrore lo inchiodava lì. O era un sortilegio, un incantesimo di quei tre? Con uno sforzo riuscì a scagliare il ciocco nel camino e indietreggiò, riparandosi gli occhi dall'esplosione di scintille. I tre, quando si voltò di nuovo, erano spariti, mescolati tra la gente che affollava il transetto. O forse non c'erano mai stati, era stato tutto un trucco per distrarlo e allontanarlo dal fuoco. Lui in ogni modo non ci sarebbe cascato. Il suo compito — si disse riprendendo il suo lungo ferro e spingendo, rovistando, attizzando — era di tenere ben viva la Spintera, la scintilla divina che proteggeva Santa Liberata e tutti gli uomini pneumatici.

Altra gente affluiva intanto dalle navate laterali. Una certa circolazione "turistica", senza separazione tra i due sessi, era infatti tollerata prima dell'inizio della funzione, anche se poi i nuovi venuti non avevano altro da ispezionare che la cappella col camino e la torre dai sette piani. Queste due attrazioni provocavano un fitto bisbiglio dominato dalla lettera "s", che la signora Guidi, cogliendone a distanza soltanto la tonalità, riconobbe tuttavia per la "s" piemontese dubitativa o scettica, quel generale effetto sibilante non potendo essere prodotto che dalla frase, polifonicamente ripetuta, *susì cosa sarìa*, questo cosa sarebbe.

— Molto bello, fa pensare a una taverna inglese del Seicento, — aveva invece sentenziato l'editore a proposito del camino; e se n'era andato a curiosare verso la sacrestia.

Irritato dalla stupidità, dall'inappropriatezza del paragone (perché il Seicento? e perché poi inglese, quando le vecchie taverne elisabettiane avevano notoriamente soffitti bassissimi?) Rossignolo non lo seguì. In realtà, il *flâneur* doveva ormai essere deluso e scocciato, ma tentava con quei mezzucci di "salvare" Santa Liberata (cioè, la sua balorda idea di venirci), si muoveva come

se stesse visitando Chartres o Vézelay. Beati Lomagno e Mariarosa che a quest'ora sedevano tranquilli in un cinema ben riscal-
dato. Forse l'avevano fatto apposta, s'erano messi d'accordo prima
per farsi cacciare, le carogne. Sentendosi solo, e un po' tradito,
Rossignolo provò il bisogno di solidarizzare col suo compagno
di sventura e lo cercò con gli occhi. Ma il vecchio Monga s'era
eclissato, spinto forse anche dalla paura d'incontrare il Pezza.
Meglio imitarlo, per scansare intanto altri paragoni d'ordine sto-
rico-estetico; e non appena l'editore, che ora stava ad ammi-
rare con altri turisti la torre sulla destra, si addentrò nel nero intrico di travi e tubi dove ieri il prete aveva fatto il suo scherzo con la
pila, Rossignolo si mescolò un passo dopo l'altro alla corrente
e ridiscese per la navata di destra verso il fondo della chiesa.

Fermi alle loro colonne, Muzzoli e Urru s'erano via via resi
conto di potersi tranquillamente guardare in giro senza dare nel-
l'occhio. Almeno la metà dei fedeli faceva altrettanto con la massima disinvoltura, cercandosi e salutandosi, correndo a stringersi
la mano, impegnando conversazioni a mezzavoce, per non parlare dei cenni di riconoscimento e di richiamo tra i banchi di
destra e quelli di sinistra: dove uomini e donne s'andavano stranamente dividendo come a un funerale di paese.

In questa chiesa, decisamente, c'erano delle strane regole. Ma
soprattutto c'era tra i fedeli, parve ai due agenti, una curiosa
aria d'intesa e quasi di cospirazione che accresceva la stranezza
dell'ambiente, con le sue centinaia di candele e di ceri, col suo
fuoco laggiù accudito da un anziano in maniche di camicia (il
Serralunga Domenico?), e la torreggiante impalcatura sul fondo.

Sull'ingresso le cose andavano meglio. Al sagrestano pelato e
ai due fratelli maneschi s'era poi aggiunto uno zoppo con gli
occhiali, civilmente vestito, e i quattro svolgevano il lavoro di
filtraggio in modo meno provocatorio di prima. Qualche altra
donna in pantaloni era stata allontanata, ma con le dovute maniere e quasi con delle scuse; un travestito, dopo che lo zoppo
gli aveva dato cortesi spiegazioni e battuto amichevolmente sulla
spalla, se n'era andato da sé; e il sagrestano aveva invitato lui
stesso una parrocchiana centenaria a sedersi dalla parte degli
uomini, per via del nipote che l'accompagnava.

La situazione tuttavia non piaceva ai due agenti, che per deformazione professionale erano inclini a vederla nei termini di un minaccioso confronto tra bande rivali in un dancing di periferia; e per quella stessa deformazione tenevano d'occhio gli angoli meno rischiarati della chiesa, in uno dei quali, più indietro ancora di loro, erano apparse come dal nulla due figure scure: due uomini vestiti di grigioscuro o di nero, con sciarpe tirate fino al mento, che sembravano non tenerci affatto ad essere visti. Uno anziano e uno meno, immobili tra l'ultimo confessionale e il muro di fondo, i due si tenevano rispettosamente il cappello contro il petto, senza guardarsi intorno né scambiare una sola parola tra loro; il che però, nell'ottica di Muzzoli e Urru, non impediva al loro atteggiamento di apparire furtivo.

Ma squilli di campanello richiamarono l'attenzione di tutti verso il presbiterio. Una suora — non cioè propriamente una suora, vide meglio Urru dalla terza colonna, ma una specie di terziaria o dama del Sacro Cuore, con un velo nero sui capelli grigi — era venuta alla balaustra ad agitare un campanello da messa. La funzione stava per cominciare. La gente che ancora affollava il transetto prese quindi a defluire verso i banchi, mentre un movimento incrociato si produceva tra le due navate laterali, gli uomini rimasti a sinistra dirigendosi verso destra, e le donne viceversa.

— Affrettiamoci, prego, — disse la donna dalla balaustra.

— Affrettiamoci, — fece eco lo zoppo con gli occhiali, rivolgendosi ai gruppi "misti" che ancora sostavano presso l'ingresso. E siccome c'erano delle coppie, probabilmente dei curiosi venuti per la prima volta, che riluttavano a separarsi, aggiunse più energicamente: — Entrare o uscire, ma per favore sbrigarsi...

— Che t'è parso di mia madre? Bella, non è vero? — disse Thea, che da sua madre non s'era fatta ancora vedere, aveva voluto girare un po' con Graziano, ma gliel'aveva indicata mentre tornavano dalla torre.

— Bella, — disse con convinzione Graziano.

— Ma dunque senti, — continuò Thea in fretta, perché voci impazienti alle sue spalle andavano ripetendo di sbrigarsi, — io allora le dico che sto con degli amici e che poi abbiamo da fare,

dobbiamo andare in un altro posto, per cui ritroviamoci qui stesso
o in macchina, cioè se non ci rivediamo qui aspettami in macchina, va bene?, solo che se questa predica o quello che sarà durasse
troppo o fosse troppo una barba allora io me ne vàdo prima e
perciò tu tienimi d'occhio, vatti a mettere in un posto dove mi
puoi vedere, io in ogni modo cercherò di farti segno, così mi
raggiungi, a meno che non voglia venire via anche mia madre
nel qual caso tu...

S'interruppe sentendosi tirare per una spalla, e nello stesso
tempo vide gli occhi di Graziano ridursi a due sottili fessure.
Per un attimo, anche, vide un'altra mano posarsi sulla spalla di
Graziano e le mani di quest'ultimo uscire fulminee dalle tasche
dell'impermeabile. Ma tutto non durò che un momento. Il momento appresso, Thea si ritrovò a far parte di un calmo e silenzioso gruppetto di quattro persone, in cui nessuno si muoveva più:
né lei stessa, né Graziano, né i due irsuti omaccioni che Graziano teneva strettamente afferrati per il bavero.

— Va bene, — disse alla fine Graziano, a voce bassa e nello
stesso tono con cui avrebbe potuto chiedere l'ora, — allora scu-
satevi con la signorina, adesso.

— Ma è colpa mia, — disse Thea mentre i due, passata la prima
sorpresa, cominciavano a emettere dei suoni strozzati che non
rassomigliavano molto a delle scuse. — Lasciamo stare, via, non
è successo niente.

Graziano lasciò la presa e Thea respirò, anche perché intanto
s'erano intromessi altri due tipi. Il primo, un pelato, intimò agli
irsuti di tornarsene immediatamente a casa perché per oggi bastava così. Il secondo, uno zoppo biondastro, con gli occhiali,
rivolse a Graziano e Thea un sorriso addirittura strisciante, mettendosi a biascicare pezzi di frasi sul servizio d'ordine, il grano
dal loglio, le regole della piccola comunità, lo zelo malinteso e
la fame cattiva consigliera.

Si capì che i due zelanti erano bravi ragazzi (ragazzi?) della
parrocchia, operai che dopo il lavoro venivano a dare una mano
in chiesa e che stasera, per arrivare a Santa Liberata in tempo,
avevano perfino saltato la cena.

Come noi, pensò Thea con retrospettiva tenerezza. E dal mezzo
sorriso di Graziano capì che anche lui stava pensando la stessa

cosa. Poi lo vide tirar fuori dall'impermeabile il sacchetto ancora ben gonfio, ben guarnito, del loro gran pranzo alle "Betulle", e consegnarlo ai due "ragazzi" con solennità evangelica. Quelli mugolarono qualcosa, forse un ringraziamento, e s'allontanarono verso la porta col pelato che continuava a rimproverarli.

Lo zoppo si accostò a Graziano.

— Scambiamoci il segno di pace, — disse, evangelico anche lui.

— Eh? — disse allarmato Graziano. Ma non fece in tempo a tirarsi indietro che già l'altro, alzandosi in punta di piedi, lo abbracciava e baciava con untuosa compunzione su entrambe le guance.

Povero Graziano, pensò Thea facendo un piccolo saluto con la mano e andandosene per la navata quasi di corsa, terrorizzata all'idea che potesse toccare anche a lei, ma dove l'ho portato?

La rapida scena non avrebbe allarmato e tantomeno terrorizzato Muzzoli e Urru, se anche l'avessero vista. Un amichevole incontro, avrebbero anzi pensato, tra gli aiutanti del parroco e due fedeli di riguardo, benefattori venuti con un dono forse cospicuo per la chiesa. In ogni modo non videro niente, perché avevano smesso di voltarsi verso la porta. La gente aveva finito di entrare e prendere posto, non si aspettava più che il parroco per cominciare, e la temuta irruzione della banda (quale che fosse) rivale, non c'era stata. E una, pensarono sollevati.

Qualche colonna più avanti, ai piedi d'una statua di Don Bosco, l'editore, Rossignolo e Monguzzi videro l'uomo della Fiat tornare zoppicando per la navata centrale, salire a fatica i tre gradini del presbiterio e scomparire in sacrestia trascinando la gamba.

— Quello è uno che fa finta, forse non è nemmeno zoppo, — disse Monguzzi.

L'editore volse subito a suo vantaggio quel sospetto.

— Be'... — belò, — si vedeva già oggi che è uno che cosa a carte... che gioca a cose... che gioca a carte coperte, insomma.

— Magari non è nemmeno della Fiat, — ridacchiò Monguzzi.

— Ci ha bidonati tutti, come il guerrigliero laggiù.

Il guerrigliero, ossia Francisco, s'era inginocchiato davanti a una cappella dedicata a Maria Immacolata, su verso la torre, e pregava piegato in due, la faccia praticamente per terra.

— Non vedo l'incompatibilità, — disse Rossignolo. — In Sudamerica la religione, la chiesa...

— Magari non è nemmeno sudamericano, — disse Monguzzi. — È albanese. O magari pugliese.

— *Oh, la barbe!* — lo zittì in francese l'editore, seccato. — La barba!

Monguzzi ammutolì di colpo, forse anche perché l'uomo della Fiat, vero o falso, era ricomparso alla balaustra e invitava tutti al silenzio. Ma nessuno avrebbe potuto dire che cosa ci fosse nell'occhiata — costernata? fremente? improvvisamente decisa? — che il "vecchio Monga" lanciò all'editore in quel momento.

L'uomo o pseudo uomo della Fiat si staccò dalla balaustra e andò a mettersi di fianco all'altar maggiore. Il momento si avvicinava, la sala era gremita, il brusio lentamente digradava verso un silenzio sospeso. I visceri dell'infelice all'atto pratico si contorsero. Chi mi salverà, pensò con orrore.

6.

— Raccogliamoci, prego, — disse Vicini dall'altar maggiore.

Il brusio cessò. Nel silenzio punteggiato da colpi di tosse si udì l'orologio del campanile che batteva il quarto, e subito dopo un fracasso in fondo alla chiesa. Qualcuno o qualcosa andava urtando i battenti d'ingresso, che a poco a poco si schiusero per lasciar passare prima un piede e poi, tra nuovi urti e tonfi, una grossa e malconcia valigia dagli spigoli ferrati; seguì il braccio che reggeva la valigia, il ginocchio che la spingeva e infine, di sbieco, tutto un omone con un voluminoso fagotto sotto l'altro braccio, un cappellaccio in testa e una lunga, lacera mantella dai lembi inzaccherati.

— Oh... — esclamò dall'altare Vicini, mentre tutti si voltavano incuriositi e i due agenti, dalle rispettive colonne, si preparavano a convergere precauzionalmente sul nuovo venuto. — Oh, — ripeté impostando meglio la voce e perfezionando nello stesso tempo il tono di lieta sorpresa, — c'è un viandante!

L'individuo lasciò cadere con fragore il valigione di fibra, si tolse rispettoso il cappellaccio e si fece il segno della croce.

— Sì, — confermò con naturalezza, — sono un semplice viandante, appena giunto a Babilonia.

— Ah, — disse Vicini col massimo sforzo di partecipazione, ma consapevole lui per primo (insieme a Monguzzi, che ne riconobbe all'istante l'inflessione da recita parrocchiale) della pochezza drammatica di quell'"ah". — E da dove giungi, straniero?

— Dal mio villaggio tra i monti, — rispose lo "straniero". Risollevò con ostentata fatica il valigione e prese ad avanzare a passi lenti, sonori sul nudo impiantito, verso il suo distante interlocutore.

— *A l'è chiel!* — si sentì sussurrare tra i parrocchiani degli ultimi banchi. — È lui!

— Ssss... — ammonirono altri dai banchi intermedi, con dei sorrisi di complicità, mentre un mormorio di agnizione si diffondeva per tutta la chiesa.

— Sì, dal mio umile villaggio tra i monti, — ripeté con più forza il Viandante, fermandosi alla fine della corsia. — Ma, — aggiunse dopo un momento d'attesa, — voi di certo vi chiederete... Tu, amico, mi chiederai...

Dal tono pungolante e dall'incerta pausa che seguì, fu chiaro che l'ingegnere, per impaccio o smemoratezza, non stava dandogli la replica come doveva.

— Allora! — tuonò il Viandante apertamente spazientito. — Che cosa mi chiederai?

Vicini, rosso in faccia, si rassegnò a tirare di tasca i fogli a quadretti e a spiegarli con dita tremanti. Orrore, pensò, orrore e abominio. Essersi ridotto a infimo guitto d'avanspettacolo, avere accettato per puro masochismo quella parte grottesca, ignobile... e non saperla neanche fare! Inforcò, ultima abbiezione, gli occhiali, e lesse in fretta:

— Oh, c'è un viandante!

Un mormorio di disapprovazione, mescolato a risate represse, serpeggiò tra l'uditorio.

— Stupendo, — disse la signora Guidi alla figlia. — Che t'avevo detto?

L'editore, che fino a un certo momento aveva ritenuto la scenetta genuina, intuì la verità e non esitò a reinterpretare il tutto in chiave di sacra rappresentazione, di Jacopone da Todi, di...
Schioccò imperioso le dita.

— Oberammergau, — disse Rossignolo.

Ecco! Ma in questa chiave l'ingenuità del testo, l'estrema rozzezza dell'esecuzione, erano certamente volute, deliberate.

— E perché sei venuto a Babilonia? — lesse l'ingegnere ritrovando infine il punto giusto. — Che cosa cerchi in questa grande, moderna città?

— Ho incontrato a un crocevia, — prese a spiegare il Viandante, — un fanciullo...

— Un semplice fanciullo?

— Sì, o tale almeno pareva, e mi ha detto che qui avrei trovato la vera luce, la scintilla della vera fede. Ma, — si guardò intorno sbarrando gli occhi, — attorno a me non vedo che una paurosa oscurità... Chi mi guiderà in questo buio? Sei tu il guardiano di questa notte?

— Quale notte? — disse meravigliato Vicini, guardandosi intorno anche lui.

— Aaah! — gemette il Viandante alzando le mani al cielo. — Costoro vivono nel buio e non lo sanno! Il fanciullo mi avrebbe dunque ingannato? E adesso chi mi salverà?

Vicini consultò il copione e gli si accostò simulando burbanza.

— Sono un vigile di Babilonia, — disse brusco. — Qual è insomma il tuo problema?

— Orientarmi tra queste rovine! Trovare la salvezza e la luce!

— Qui... non ci sono rovine, — riprese a leggere Vicini con una certa difficoltà, perché il testo e la scrittura si complicavano, — e v'è abbondanza di energia elettrica. Qui splende la luce... della ragione e del progresso. Vorresti forse calunniare la nostra operosa città?... Tu piuttosto, — lesse in tono sospettoso, — mi sembri un individuo sospetto... lo abbranca.

Solo dopo averla pronunciata a voce alta, Vicini si rese conto che la fine della frase era una didascalia. Restò lì paralizzato.

— Abbrancami... — sibilò il Pezza. Poi si decise a far da sé e respinse violentemente il preteso vigile, che non l'aveva nemmeno toccato, gridando con voce terribile: — Vade retro!

Vicini perse quasi l'equilibrio e finì contro la balaustra, per darsi un contegno si rimise a consultare il copione.

Il Pezza si girò all'assemblea.

— Ma il povero Viandante, — annunciò, — doveva ancora vederne delle belle.

— Si è oggettivato! — percepì pronto l'editore.

— Vecchio effetto, — grugnì Rossignolo. — Roba di cinquant'anni fa.

Ma la struttura, giocata su quei tre tempi incrociati, ricordava sia pure di lontano gli esperimenti di teatro discronico del Gruppo di Cracovia. Possibile che questo increscioso cialtrone...?

— Tra un lugubre svolazzare di pipistrelli e di gufi, tra uno strisciare di scorpioni e rettili immondi, — ansimò l'attore-narratore riavviandosi col suo carico e guardando ora in alto con sgomento, ora con ripugnanza ai suoi piedi, — il Viandante si riavviò rinnovando il suo grido: "Chi mi salverà?". Intorno a lui divampavano incendi, infuriavano saccheggi, urlavano folle imbestialite... Ma nessuno sembrava darsene per inteso. La gente, pur se sbigottita in cuor suo, circolava senza fare una piega sotto i diroccati portici che erano stati il vanto dell'orgogliosa città...

— È Torino! — bisbigliò una delle sorelle Anselmetto, dal suo posto verso la corsia.

— È simbolico, — sussurrò di rimando l'avvocato Quadrone, dal banco opposto. — Torino, Milano, Bologna, qualsiasi città.

— Sì, ma soprattutto Torino.

— Chi sei tu che ti aggiri per questa grande piazza smarrito e lagrimoso, mentre il popolo è in festa? Qual è il tuo problema? — lesse dalla balaustra l'ex vigile babilonese.

— E tu, — ribatté il Viandante, — chi sei? Cos'è quel drappo rosso che agiti... che ti appresti ad agitare... tra la folla scalmanata?

Vicini, che non stava agitando nessun drappo rosso, prese a frugarsi freneticamente in tutte le tasche. Niente, doveva averlo dimenticato in sacrestia. Ma tanto meglio, pensò, estraendo in cambio il suo fazzoletto a quadri bianchi e celesti e sventolando quello, dopo averne profittato per asciugarsi il sudore. Un altro fondo toccato, un altro gradino di vergogna disceso...

— Sono un provetto demagogo, — assicurò. — Unisciti a noi e ogni tuo problema materiale sarà risolto.

— Ma i problemi dell'anima? — chiese umilmente il Viandante.

— Ubbie! — gridò il demagogo. — Cose superate!

— Ma qui io vedo che tutto sta andando a ramengo!

— Solo per meglio ricostruire, nell'armonia e nella concordia.

— Ma io, — osservò il Viandante mettendosi una mano dietro l'orecchio, — odo soltanto delle grida d'odio e di vendetta.

— Basta con i tuoi ma, il tuo stesso atteggiamento dimostra la necessità di un certo grado di coercizione, compagni prendetelo, — decifrò a stento, e quindi senza l'impeto necessario, il demagogo.

Il Viandante si dette tuttavia a correre in cerchio, fuggendo atterrito nel suo svolazzante mantello.

— Ahi, — si disperò, — chi mi salverà da costoro?

— Vuol dire i comunisti, — approvò l'avvocato Quadrone.

— Comunisti, socialisti, radicali, tutta quella gente lì, — ampliò qualcuno dietro di lui.

Rossignolo si voltò ironico all'editore. Visto cos'era il fondo ideologico della faccenda?

— Ci può sempre essere un... coso, — biascicò l'editore.

Schioccò le dita verso Monguzzi, ma Monguzzi non rispose. Assorto e con gli occhi bassi, con un gomito appoggiato alle scarpe di Don Bosco, stava rigirando lentissimamente, come un rosario, il suo basco cencioso.

— Un ribaltamento? — disse scettico Rossignolo. — Mi stupirebbe.

Sul ribaltamento, che nel loro linguaggio si chiamava eversione, erano incerti anche i due agenti in fondo alla chiesa. Non si capiva bene se la cosa in corso fosse un dibattito, un pubblico spettacolo (non autorizzato) o già la predica stessa; ma finora nessuna voce di protesta s'era levata dal pubblico, e anzi tutte le facce sembravano sorridenti, compiaciute. L'aria che tirava era buona. Si voltarono, per scrupolo, a dare un'occhiata alle due figure scure, e videro che non s'erano mosse. Nel fondo scuro e freddissimo della chiesa non c'era nessun altro. Dopo l'arrivo dell'individuo con la valigia — che era poi, avevano finito per capire, lo stesso sac. Pezza — nessuno era entrato o uscito.

In realtà, si ridissero, il solo pericolo stava in un eccesso di zelo da parte degli aiutanti. Ma i due fratelli non s'erano più visti, l'addetto al riscaldamento era sempre laggiù, almeno a giudicare dai tonfi e dagli spruzzi di scintille, e il nominato Priotti se ne stava tranquillo vicino a un pilastro.

— E adesso chi incontra, secondo te? — chiese la signora Guidi.

— Ha sistemato il materialismo volgare e quello dialettico, — disse Thea, — adesso dovrebbe toccare o alle macchine o alla dissolutezza dei costumi. Magari va in un lupanare.

— Sarebbe magnifico.

Il fuggiasco aveva intanto ripreso un'andatura per così dire normale, ma che tradiva una crescente spossatezza. Infine fu costretto a piegare dolorosamente le ginocchia e si abbandonò al dubbio e allo scoramento.

— Ah, perché ho ascoltato quel fanciullo? Dov'è la luce che mi aveva promesso?

Con eccezionale tempismo l'ingegner Vicini cominciò ad accendere e spegnere, accendere e spegnere, una lampada a pile.

— Ma... che cosa vedo baluginare laggiù? Ecco la scintilla del Signore! — gridò il Viandante rialzandosi giulivo. — La mia preghiera non è stata vana!

— Sì, — disse Vicini nello stesso tono di letizia, — ho sentito che eri in difficoltà e sono qui per aiutarti. Lavoro come sacerdote nel tempio della luce che vedi alla tua destra.

Diresse il raggio della lampadina verso il buio intrico alla base della torre.

— Ma io distinguo, — disse il Viandante facendosi schermo con la mano, — uomini e donne che danzano promiscuamente tra gli altari abbattuti e le croci divelte, che abbracciano la capra e l'asino selvatico, che divorano l'ortica e il rovo. Come può essere un tempio, un luogo simile?

— Non c'è problema, nei templi di Babilonia non si bada a queste sottigliezze, — spiegò il sacerdote roteando la lampada. — Noi abbiamo abolito tutte le differenze, le distanze e le gerarchie, nonché ogni ombra e ogni mistero. Da noi tutto è semplificato e lampante, e si può discutere e dialogare su tutto perché nessuno ne sa più degli altri. Inoltre, garantiamo la salvezza a tutti indistintamente i nostri fedeli.

— Ma io avevo sentito dire che pochi sono gli eletti.

— Mai più! Da noi tutti sono eletti, democraticamente s'intende, e hanno diritto a un tesserino gratuito di salvezza che sono ben lieto di offrire anche a te.

Si tolse di tasca un tesserino del tram e lo porse al Viandante, che arretrò disgustato. Poi tutti e due sbirciarono verso la porta della sacrestia, dove la Caldani, a questo punto, avrebbe dovuto comparire col suo campanello. Ma non c'era nessuno, e il Viandante improvvisò:

— Odo un campanello...

— Oh, è per me, devo correre a benedire un rapporto prematrimoniale!

Agitando la sua luce, il sacerdote babilonese se ne andò verso la torre e scomparve nell'intrico. Il Viandante ricominciò la sua penosa deambulazione.

— Falso sacerdote!... Dottrina per uomini carnali!... Chiesa senza visioni e senza illuminazione!... Hai i giorni contati e non te ne avvedi!

— Ma ce l'ha anche coi suoi, — soffiò l'editore. — Dove vuole arrivare?

— Al potere temporale, vedrai, — disse Rossignolo.

— Be', interessante.

Rossignolo fece una smorfia. Ormai la cosa aveva preso un andamento scontato, meccanico, non c'era più il minimo senso a rimanere. Si girò al vecchio Monga, ma quello s'era di nuovo dileguato chissà dove, i preti di Valenza Po dovevano avergli insegnato la tecnica della sparizione inosservata durante la predica. Anche Francisco s'era spostato, adesso pregava davanti a un Sacro Cuore, ignorando totalmente la litania del Pezza.

— Chi mi salverà?... Chi mi trarrà da questa cupa notte?...

— Io, — disse una flebile voce dal buio, e l'ingegner Vicini, appoggiandosi appena al suo bastone, si rifece avanti a piccoli passi timidi.

— Dio mio, adesso fa il fanciullo, — bisbigliò Thea.

— Non mi dire! — mormorò costernata sua madre.

Ma i passetti dell'ingegnere, il suo ebete sorrisetto, non potevano in questo contesto significare altro.

— Il fanciullo del crocevia! — esclamò infatti il Viandante. —

Ma come mai lo ritrovo qui? S'è dunque pentito del suo inganno ed è venuto a rimettermi sulla retta via?

Il presunto fanciullo, riconsultati i suoi fogli, venne a prenderlo soavemente per mano.

— Non t'ho ingannato, Viandante, — disse nel suo raccapricciante falsetto, — ma ti ho messo alla prova dell'errore e delle tenebre, e tu l'hai superata. Ora sei pronto per la vera luce.

— Quali parole! Quale saggezza in un semplice fanciullo!... Ma, — il Viandante si voltò perplesso all'uditorio, — sarà davvero un fanciullo? Egli mi appare circonfuso come d'un chiarore, d'una luce che non è di questa terra...

C'era ancora un estremo gradino da scendere, pensò Vicini con dolorosa voluttà, e lui l'avrebbe sceso. Tanto più inebriante sarebbe stato il riscatto finale. Al di sotto di tutto, e perciò stesso al di sopra di tutto.

Non era facile superarsi, ma togliendosi gli occhiali e levando in alto lo sguardo, allargando amorosamente le braccia, il fanciullo riuscì a raggiungere una vetta di melensaggine inaudita, assoluta, suprema.

— Sono un angelo del Signore, — dichiarò con semplicità.

Il Viandante cadde ai suoi piedi.

L'assemblea tratteneva il fiato, Thea non osava guardare sua madre per paura di esplodere, ma l'ilarità compressa si vendicò scatenandole nello stomaco una fame lancinante. Se solo Graziano non avesse dato via tutto quel bel sacchetto, lei ora avrebbe potuto sgranocchiarsi chiotta chiotta un po' di torrone o del cioccolato, un paio di wafers... Si voltò dalla sua parte e sorrise, vedendolo col mento pazientemente appoggiato alle due mani. Chissà quanto si annoiava, poveretto, e chissà cosa ci capiva, in questa incredibile recita. Ma lei poi gli avrebbe spiegato tutto per bene, come ora l'Angelo stava spiegando al Viandante la via della salvezza.

— Vive in questa città un coraggioso sacerdote, un semplice parroco, che tenta di opporsi allo sfacelo generale. Pochi ancora lo ascoltano, pochi lo seguono, ma egli è pieno di quel pneuma che innalzò l'apostolo Paolo al terzo cielo, e anch'egli ha udito quella gran voce che... — l'Angelo girò il foglio, si schiarì prosaicamente la gola.

— Quella gran voce, — lo anticipò con forza il Viandante, — che ordinò all'evangelista Giovanni: "Sali qua!".

— Poiché la parola del Signore deve risuonare dall'alto, — spiegò l'ex fanciullo con voce neutra, — e non già confondersi con le stolte o blasfeme voci di chi sta in basso.

Il Viandante annuì, ma era chiaro che la dizione piatta e incolore dell'altro non lo soddisfaceva, che quel tono da bollettino meteorologico sabotava l'ascesa del semplice parroco.

— Dài, forza... — lo udirono sibilare dalle prime file.

L'Angelo indicò ieraticamente la torre.

— Questa turrita cattedrale è il suo pulpito: una chiesa di ferro per tempi di ferro! — recitò volenteroso ma inetto, irrimediabilmente monotono. — E di lassù egli parla, di lassù rilancia quell'antico grido che vorremmo oggi riudire in ogni chiesa: "Fuori...".

— Fuori i cani!... — lo scavalcò il Viandante. — E i maliosi!... E i fornicatori!... E i micidiali!... E gl'idolatri!... E chiunque ama e commette falsità!...

Urlato a pieni polmoni, il versetto 22,15 dell'*Apocalisse* fece sobbalzare spiacevolmente Muzzoli e Urru, tanto più che per comprensibile deformazione professionale capirono mafiosi invece di maliosi *(farmakoi* in greco, del resto, e nella droga anche loro fino al collo).

Rossignolo capì che il Pezza si stava avvicinando alla svolta cruciale del suo show e che intendeva assumere in proprio tutti i ruoli, come nel teatro monomultiplo di Hans Zekke. O non era invece la paleomimesi teorizzata dal Ruiz-Meyer? Comunque lo aspettava al ribaltamento, l'istrione, lo aspettava al momento in cui l'autore-attore-sacerdote sarebbe stato inevitabilmente costretto a ribaltare la sua triplice... Ma quello ora, fregandosene di ogni coerenza strutturale, dava segni di voler ribaltare senza tanti complimenti l'ingegnere.

— Ma tu, angelo, — improvvisò rudemente, — avrai mille impegni, mille incombenze, qui a Babilonia!... Vai dunque, vai pure, vai... — incalzò strappandogli il copione e congedandolo con un gesto di aperto disprezzo.

L'Angelo impallidì, restò incerto un momento, guardò grottescamente l'orologio.

— Già, adesso devo proprio scappare, — finì per ridacchiare

tra i denti. Ma prima di andarsene si frugò in tasca e gettò ai piedi del Pezza qualcosa che cadde con un secco rumore, rotolando per un tratto. — La candela, — rise sarcastico. — Non dimenticare, viandante, che nel copione c'è anche quella.

Poi si voltò e si ritirò in fretta, scomparendo nel buio da cui era venuto.

Maledetto schifoso d'un farabutto, pensò il Pezza mentre si chinava a raccattare l'oggetto, vatti a fidare di quel bastardo d'una carogna. Ma per ora non poteva fare a meno di lui né di nessuno, doveva andare avanti con quel che aveva... Si rialzò possente, minaccioso, congelando di colpo le risatine spuntate tra il pubblico, e mostrò ciò che aveva raccolto.

— Precisamente. Nel copione c'è anche questa, — disse mostrando l'oggetto che aveva raccolto: — una candela d'auto, una vecchia candela arrugginita e inservibile, da cui nessuna scintilla sprizzerà più. È il perfetto simbolo dello stato in cui siete ridotti.

Salì i gradini del presbiterio e riprese, agitando la candela:

— Avete barattato la *spintera*, la scintilla dell'antica fede, con questo misero oggetto di metallo e coccio. E ora temete che non s'accenda più? Dubitate di restare a piedi per esaurimento di benzina, al freddo per scarsità di gasolio, al buio per mancanza di corrente?... Ebbene, — disse sprezzante, — siate pur certi che ci resterete. Meglio ancora: persuadetevi che ci siete già.

Rovesciò la testa a misurare l'altezza della torre.

— Poche balle, la risalita sarà lunga e difficile, non molti ce la faranno, — disse riportando gli occhi sull'assemblea. — Ma la prima condizione sta nel riconoscere che quaggiù, — batté il piede in terra, — regna il buio più profondo, una notte assoluta. Guai a credere ancora nel lume della ragione, una volta distrutti i misteri della fede! Guai, — la sua voce si caricò di sferzante sarcasmo, — a correre ancora da esperti e sociologi, da politicanti, da preti di manica larga, per chiedergli: "Su, presto, chiarisci il mio dubbio, risolvi il mio problema". Ma cosa volete chiarire, cosa volete risolvere più! Inginocchiarvi, dovete! Inginocchiarvi nel buio, tremando di terrore e d'angoscia, e ripetere col cuore in gola l'invocazione di Isaia...

Tenne l'uditorio in sospeso per qualche secondo, poi, mentre

molti s'inginocchiavano davvero, rialzò la testa verso la sommità
della torre e urlò rauco:

— Guardiano, a che punto è la notte?

L'urlo echeggiò lungamente nelle navate, lasciandosi dietro
un brivido generale, un'onda di attesa inquieta. Il primo colpo
gliel'aveva dato, ora al secondo. Sparì sotto la torre cacciandosi
in tasca la candela e prendendo con lo stesso gesto i fiammiferi,
tolse a memoria il cero dal suo sostegno, lo accese, salì al primo
ripiano di tavole, si affacciò alla ringhiera.

— Ma il guardiano non annuncia l'alba, non promette il giorno. Anzi! Il guardiano avverte che la vera notte, la lunga notte
di Babilonia è appena cominciata. E annuncia che per uscirne,
quelli che ne usciranno, dovranno sudare sette camicie: quanti
sono i peccati capitali e le piaghe d'Egitto, i giorni della Creazione e le chiese d'Oriente, i piani di questa torre e gli angeli
dell'Apocalisse!

Si ritrasse rapido e ripartì illuminando col cero la passatoia
di sacchi, che copriva anche la seconda rampa. Il tema era im-
postato... Isaia e l'Apocalisse funzionavano... E anche quel gio-
chetto di parole e numeri, niente ancora di azzardato, di troppo
scoperto, ma intanto... Cristo! L'imprecazione non gli sfuggì, ma
gli era sfuggito il cero e per poco non era caduto lui stesso, in-
ciampando in una gobba della passatoia. Imprecando tra i denti
si chinò, recuperò il cero a tastoni e stentò non poco a riaccendere lo stoppino fradicio, che non voleva star su. Quando arrivò
alla seconda piattaforma vibrava di irosa ispirazione, era pronto
a scuoterli per il collo.

— Ma io vi sento già protestare, — accusò benché nessuno fia-
tasse, — io vi sento richiamare il guardiano lamentandovi e
piagnucolando: Pronto, pronto! guardiano? — piagnucolò beffardo,
passando il cero nella sinistra e portandosi la destra all'orecchio,
— sbrigati con questa luce per carità, annuncia il giorno, tiraci
presto fuori di qui!... E il guardiano risponde... Sapete cosa risponde il guardiano?

Non glielo disse, meglio graduare, utilizzare ogni piano della
torre, riprendere ogni volta da più in alto. Corse su trafelato, il
cero ben stretto in pugno. Le teste erano inclinate all'indietro, il
silenzio e l'immobilità erano totali.

— Eccoli lì, grida il guardiano, gli ex cittadini di Babilonia! Gli ex fedeli della ragione e del progresso! Hanno voluto rifare la loro città a misura d'uomo, e si ritrovano logicamente nella merda. Ma allora di che si lamentano? dov'è la loro logica, dico io?... Questo vi risponde il guardiano! — gridò battendo il pugno su un tubo dell'incastellatura. Le parole cadevano giù come pietre, li stava lapidando senza misericordia. — Ma guardiano, guardiano... — avanti di nuovo col falsetto, con lo scherno del piagnisteo, — noi abbiamo sbagliato in buona fede! noi siamo religiosi, siamo sempre andati a messa, adoriamo Dio... E il guardiano della notte vi risponde: ma quale fede?... quale Dio?... — sotto con la sciabolata, la botta a doppio taglio, — che cavolo di Dio è il vostro?...

Via di sopra. Girava bene, veniva bene, meglio, molto meglio di quello che aveva preparato stamattina, l'ispirazione gli bruciava la gola, la trachea. Eccitato, febbrile, madido di sudore, si sporse dalla quarta ringhiera.

— Vi siete fatti un Dio a immagine e somiglianza della vostra empietà e scempiaggine, un Dio all'acqua di rose, uno svenevole, un rammollito, un impotente, che incassa tutto e si lascia menare per il naso da tutti!... Eh, no, cari miei! Per uscire da questa notte dovrete prosternarvi davanti a un altro Dio e ad altri Angeli, ad altre Potenze... dovrete venerare gli Arconti della Luce e non quello delle Tenebre... — filo di rasoio, qui, ma anche se qualcuno riferiva in Curia, potevano al massimo far storie per qualche parola isolata, l'aggancio apocalittico copriva tutto. — L'Apocalisse! Ecco la tremenda realtà in cui siete andati a sbattere, con cui ormai dovrete fare i conti: l'Apocalisse!..., — su con il cero, agitarlo, ipnotizzarli, incatenarli alla fiamma. — Ma che vuol dire Apocalisse? Significa solo distruzione e olocausto, strage e catastrofe? Ebbene, certo, dalla catastrofe bisogna passare, da quella ormai non si scappa. Ma cosa vuol dire letteralmente apocalisse, la parola greca "apocalisse"?

Equilibrio. Invettiva e dottrina. Puntello tradizionale e lampo innovatore. Equilibrio e cautela, un passo dopo l'altro, un piede dopo l'altro, torre solida, gradini bene inchiodati, ma l'altezza qui al quinto ripiano si sentiva nelle gambe, il mantello pesava.

Si affacciò, riprese fiato squadrandoli per un lungo momento in silenzio.

– Apocalisse, – pronunciò con lentezza, – significa "svelamento", rivelazione di misteri, apparizione di cose occulte.

Allusione a doppio senso. Chi afferra afferra. Ora un altro lampo.

– Ma non aspettiamoci, fedeli, che Dio metta in piazza per tutti i suoi segreti! In principio era la parola, era il verbo, era il Logos, dice Giovanni. Ma egli non dice quale fosse questa parola. E quando Paolo fu innalzato al terzo cielo, nel luogo remoto della sua rivelazione, andò poi forse a spifferare ai Corinzi tutto ciò che aveva visto e sentito? Anzi, disse soltanto di avere udito parole arcane, che gli era vietato ripetere.

Indietro. La scaletta. Adagio. Non sbilanciarsi. Muscoli stanchi. Saltare un piano, passare direttamente all'ultimo? Sì. Effetto di sorpresa. Un ginocchio dopo l'altro, un piede dopo l'altro. Esercitarsi meglio, per il prossimo venerdì. Fiato corto. Cuore. Gli anni passano.

Ma quando si sporse dall'ultima ringhiera, dominando vertiginosamente quella moltitudine d'occhi e facce alzate, la momentanea debolezza della sua carne si staccò da lui, e un'esaltazione come non aveva mai provato gli restituì la forza, la possente voce, l'incontenibile slancio declamatorio.

– *Quid noctis?* – tuonò. – A che punto è la notte?

Li teneva, li stringeva come la fiaccola nel pugno alzato.

– Il guardiano della notte, fedeli, è anche il custode dei suoi misteri. Egli conosce le parole che salvano e le vie segrete che riportano in alto, nell'eterno ciclo della luce e delle tenebre. Egli ha le chiavi del Pleroma, quella sfera scintillante che è il supremo consesso, il *plenum* degli angeli e degli arcangeli, delle potenze e...

S'interruppe udendo un mormorio (non di parole, non capì cosa fosse) e alzò bruscamente gli occhi. Chi mormorava lassù sopra di lui? Fu allora che gli apparve la Spintera, l'Arconte della Luce venuto a chiudere il ciclo terreno di don Alfonso Pezza, parroco di Santa Liberata.

V

NELL'ATTIMO IN CUI LA CHIESA

1.

Nell'attimo in cui la chiesa fu rischiarata a giorno, qualcuno poté forse intravedere — per una frazione di secondo — la scura sagoma scagliata di lato verso l'orlo della piattaforma. Ma quasi tutte le candele nello stesso tempo si spensero. E mentre una fitta nuvola di polvere, calcinacci, frantumi di legno, esplodeva dall'abside nel transetto e nelle navate, fu impossibile distinguere altro.

Il paragone con Simon Mago e il suo tragico volo davanti agli occhi della folla attonita, tra il raccapriccio degli uni e il malcelato compiacimento degli altri, qualcuno lo sviluppò più tardi di fantasia. Nessuno in realtà vide il Pezza — ciò che restava del Pezza — volare dall'altissima impalcatura e fracassarsi sui gradini del presbiterio.

Non tutti del resto stavano guardando in alto, in quell'attimo. Graziano guardava da una parte, verso Thea e la signora Guidi. I due agenti in borghese guardavano in giro, cercando di non perdere di vista il Priotti, il materassaio e le due figure grige, senza contare i fratelli Bortolon che non si capiva dove fossero finiti. E il venditore di matite, qualunque cosa avesse fatto fino a quel momento, guardava di nuovo la strada davanti a sé.

Durante i primi, concitati interrogatori, sarebbero mancate così proprio le testimonianze più qualificate: quelle che avrebbero permesso agli inquirenti, con ogni probabilità, di chiarire subito la singolare "dinamica dell'attentato".

L'editore avrebbe poi complicato le cose sostenendo (non senza motivo) l'ipotesi di una bomba a percussione "lanciata dall'alto, forse dalla tribuna dell'organo"; mentre altri avrebbero insistito (con ottime ragioni) sull'opposta ipotesi dell'ordigno a miccia o ad orologeria "previamente collocato sul luogo".

Quanto agli agenti nel vicolo, al momento dello scoppio, stavano cercando di scaldarsi nel pullmino ben tappato e col motore acceso. Quello che sentirono fu soprattutto lo schianto delle grandi vetrate, seguìto dalla lunga, assordante pioggia dei vetri tutt'intorno.

— Attentato al plastico, con probabilità di morti e numerosi feriti, — segnalò immediatamente in Centrale il brigadiere Dalmasso, senza stare a chiedersi se l'ordigno fosse stato a miccia, a orologeria, o come; e balzato giù dal pullmino badò a quello che poteva fare, con quattro uomini, in attesa dei rinforzi e delle ambulanze.

Poteva fare molto poco.

"Prevenire il panico, prestando nel contempo i primi soccorsi." Per questo era tardi. L'ingresso di Santa Liberata era già ostruito, impenetrabilmente, da una folla urlante e terrorizzata che cercava di precipitarsi fuori tutta insieme. La porticina laterale era solidamente sbarrata.

"Impedire il concorso dei curiosi ed evitare la dispersione dei presenti al fatto." Una parola, con i presenti in preda a choc e i curiosi che già accorrevano da tutte le parti. Tuttavia si poteva tentare. Il brigadiere dispose tre uomini ai tre accessi della zona e si mise col quarto alla porta della chiesa, cercando di accelerare lo sfollamento e convogliare la gente verso lo slargo sulla destra.

— Da questa parte... Non sostare davanti all'ingresso... Radunarsi da questa parte, per favore... Calma, per favore... Da questa parte...

La gente non finiva di pestarsi per uscire, i due agenti in borghese non si vedevano, le prime sirene erano ancora lontane.

"Procedere agli opportuni controlli d'identità e al fermo immediato delle persone sospette." Ma in attesa appunto degli opportuni controlli, che non poteva fare da solo, il brigadiere Dalmasso non aveva persone sospette da fermare.

Tranne, — si ricordò all'improvviso, — tranne le due che...

2.

— Il leone nero!...

Assurdamente, la signora Guidi non ebbe paura finché qualcuno, da qualche parte nel buio, non cominciò a urlare quell'avvertimento di pura follia.

— Attenti al leone nero!...

Fino a quel momento la signora, con molto buon senso, aveva badato solo a non farsi travolgere dai fuggiaschi, tenendosi con una mano al suo banco e stringendo con l'altra, non meno fermamente, il braccio della figlia. Ma adesso, mentre il pandemonio era al colmo laggiù verso la porta, dove un po' di luce filtrava dall'esterno e qualche cero ancora brillava nelle navate laterali, adesso anche lei si sentì prendere da un tremito convulso e dal panico.

— Attenti!...

Qui nei banchi del transetto, tra un grido e l'altro del folle, s'era fatto silenzio. Il buio era completo. Del "fuoco primigenio" nella cappella di sinistra, non restava che un cerchio rossocupo con oscuri ricami di cenere.

— C'è il leone nero!...

La voce veniva dall'abside, fortissima e cavernosa, con risonanze grottesche da altoparlante di stazione.

— Gesù, aiutaci, — gemette la signora Guidi. — Thea, vieni, presto.

Ma le gambe le si piegavano.

— È un matto, mamma, — disse Thea. — Non c'è nessun leone. Rimettiti a sedere un momento.

— Ma lo so, che non c'è nessun leone! Cosa vuoi, che creda davvero che...

Come sempre, la fredda pignoleria di sua figlia ebbe il potere di irritarla al massimo e di calmarla nello stesso tempo. Si rimise a sedere cercando a tentoni il banco dietro di sé.

— Dio che spavento, — disse battendo i denti e respirando forte per riprendere fiato. — Ma secondo te che è successo? Una bomba? Dio che impressione. Avrai avuto una gran paura anche tu?

— Tremenda, — disse Thea girandosi indietro. — Graziano?

Un uomo, alla magra fiamma di un accendino, andava esplorando la fila dei banchi alle loro spalle.

— Ah, Thea, bene, sei lì, — disse avvicinandosi. — Tutto bene? La signora come sta?

— Un po' scossa, per forza, — disse Thea. — Ma niente di grave. Il mio amico Graziano, mamma.

— Piacere, — disse Graziano.

— Come sta, — disse automaticamente la signora Guidi, divisa tra il più vivo sollievo (un giovane robusto e sicuro, si vedeva anche a lume di accendino, questo provvidenziale amico di sua figlia) e un desiderio furioso di prendere a schiaffi la figlia stessa. — Non più scossa di un altro. Stavamo solo aspettando che la gente sfollasse un po', — precisò asciutta, alzandosi.

— Menomale che ci hai trovato, comunque, — disse Thea. — Credi che adesso si possa andare via senza farsi calpestare?

Graziano guardò verso la porta e spense l'accendino, che si consumava inutilmente bruciandogli le dita. Al baccano sempre fortissimo, là in fondo, si mescolavano adesso urli di sirene e secchi comandi polizieschi dalla strada.

— Meglio passare dalla sacrestia, — disse affidando l'accendino a Thea e prendendo le due donne per il braccio. — Andiamo di qua... Ci vedete a camminare?

— Abbastanza.

Tra le due file di banchi, nel barlume notturno che pioveva dalle alte vetrate sfondate, il nudo pavimento di pietra faceva da guida spettrale fino al coro e all'altar maggiore, di cui s'indovinava ora la massa biancastra.

— Attenzione, devono esserci dei gradini, — disse Graziano.

Thea fece scattare l'accendino, rischiarando per un istante i due gradini del coro, ma lo rispense immediatamente.

La signora Guidi non vide così, per sua fortuna, lo scuro e sanguinoso ingombro sulla sinistra. Mentre continuavano lentamente verso l'altare, la situazione le suggerì invece la bizzarra idea di un corteo nuziale semplificato, formato unicamente dagli sposi e dalla suocera. Questo Graziano, strano che Thea non gliene avesse mai parlato, perché non sembrava che si conoscessero da oggi. Anzi davano l'impressione di... E non doveva essere un compagno d'università, perché aveva sicuramente diversi anni più di lei. Chissà se erano già...

Thea si fermò.

— Scusate un momento, — disse a voce bassa e un po' affannata. — Fermiamoci un momento.

— Che hai? — disse allarmata sua madre. — Thea, che hai? Ti senti male?

— No, niente, ho solo le gambe un po'... Niente, è già passato. Si vede che sono un po' scossa anch'io, — disse Thea con una risatina incerta. — È l'emozione del momento, — rise di nuovo rimettendosi a camminare. — Graziano mi ha compromessa, ma oggi mi porta all'altare. Il matrimonio cancella tutto.

Dalla risata troppo disinvolta (e che tardò un attimo) di Graziano, dal suo scherzo imbarazzato ("Ti ci porto, ma solo per accendere una candela, eh?") la signora Guidi capì che a letto c'erano già stati davvero; il che la commosse per Thea (una bambina) e non le dispiacque quanto alla scelta del partner (un giovane più che a posto), ma la mortificò parecchio come madre: perché aveva sempre pensato che lei, il giorno che la bambina avesse *couché*, se ne sarebbe accorta immediatamente.

Il pavimento era cosparso di calcinacci e altri detriti. Prima ancora di arrivare all'altare, inciamparono in un candelabro rotolato giù dai gradini.

— Ecco, se vuoi accendere la tua candela... — disse Graziano rialzandolo.

La candela era un grosso cero che si accese con lento sfrigolio, illuminando a poco a poco l'abside e il nero intrico dell'impalcatura torreggiante a destra, quasi sopra di loro. La porta della sacrestia era a sinistra, pochi passi più avanti.

— Cristo, — disse Graziano tra i denti.

— Madonna, — disse Thea.

La signora Guidi si tappò la bocca per non gridare.

Il materassaio, dall'altare, li guardava con occhi allucinati e la bocca aperta, i capelli irti a corona, i denti digrignati in una smorfia folle.

— C'è il leone! — urlò con quanto fiato aveva in gola. — Il leone!... Il leone nero!...

Il minuto o minuto e mezzo che ci volle per infilare la porta,

traversare la sacrestia, percorrere un breve corridoio e riuscire da
un'altra porta che dava direttamente sul parcheggio, a poca distanza dalla Porsche, la signora Guidi lo impiegò a pregare Santa
Liberata che le risparmiasse altre emozioni, almeno per quella
sera.

Non fu esaudita. Graziano le aveva appena aperto lo sportello,
quando il brigadiere Dalmasso s'intromise rudemente, afferrando
lei per una spalla e intimando a lui di alzare le mani.

— E tu, ferma lì anche tu e non ti muovere, — disse minaccioso a Thea che era rimasta da una parte.

Graziano, mentre un altro agente gli toglieva la pistola, sospirò scuotendo la testa.

— Brigadiere, — disse, — ma che minchia, con me ve la venite a pigliare?

— E poi, che minchia di maniere? — disse Thea.

3.

La Stock-Gibson si voltò con risoluzione al baritono.

— Andiamo, Belcore. S'avverta il notaro.

— Dottore, dottore, soccorso, riparo! — smaniò il tenore.

Il dottor Santamaria si preparò ad applaudire con gli altri la
fine del primo atto, benché l'esecuzione (per quanto poteva
giudicarne lui) non sembrasse eccelsa, e la scenografia l'avesse
lasciato francamente perplesso.

— Presente alla festa, — assicurarono tutti insieme la Stock-
Gibson, il baritono e il coro, — Amore sarà.

Ma il tenore ("le smanie di Nemorino raddoppiano", precisava
la didascalia sul libretto) concluse con una nuova e disperata
invocazione di aiuto.

— Mi sprezza il sergente, mi burla l'ingrata, — gridò con acuti
altissimi, — l'oppresso mio core più speme non ha... Dottore!
dottore! soccorso! pietà!

Praticamente una chiamata al 113, sorrise il commissario mentre incominciavano gli applausi. E per un momento fu tentato di
telefonare in ufficio, sentire se De Palma non avesse bisogno di
lui. La Stock-Gibson gli era parsa raffreddata, tra l'altro, e

gli aveva ricordato i vuoti lasciati in questura dall'influenza "afgana"...

Ma questo *Elisir* era comunque una delizia, pensò associandosi ai battimani. Lo stesso De Palma avrebbe preferito che lui restasse, magari, per farsi raccontare domani com'era andata, se la gente s'era divertita, quante chiamate aveva avuto alla fine questa Gibson, quante il direttore d'orchestra... Profittò dell'*entr'acte* per andare a prendersi un caffè.

4.

Il funzionario di notturna vicecommissario Tatò, al comando provvisorio delle operazioni, non sapeva nulla dei venerdì di Santa Liberata; non poteva giudicare se il dispositivo di sicurezza – otto uomini in tutto, col sottufficiale e l'autista – fosse stato adeguato; e la cosa, comunque, non lo riguardava minimamente. L'importante per lui era che il dispositivo di *intervento* fosse scattato bene.

Era scattato benissimo.

Dopo un quarto d'ora – il funzionario guardò l'orologio – no, dopo appena *tredici minuti* dalla segnalazione, un fitto cordone di agenti era disposto tutt'intorno, il morto era piantonato, le ambulanze raccoglievano i contusi; e mentre una squadra dei servizi speciali srotolava cavi e installava riflettori nella chiesa, fuori, sullo slargo a fianco dell'edificio, graduati e sottufficiali della Mobile procedevano alla sistematica ricognizione dei presenti.

"Documenti, prego..."

"Prima di tutto un documento, per favore..."

"Loro favoriscano da questa parte..."

"Nei nostri uffici per rispondere a qualche domanda... Questione di due minuti..."

"Anzi: chi può darci qualche indicazione, lo rimandiamo a casa prima..."

"No, se non può dirci niente sulle circostanze di fatto, lei può andare... E anche lei, signora... certo, nel caso la richiamiamo noi..."

"Documenti, prego..."

Bene, si compiacque il dottor Tatò. Ma vedessero di accelerare, aggiunse, annusando l'aria e guardando qualche sparso, indeciso fiocco di neve fluttuare tra i fari delle radiomobili.

Il brigadiere Dalmasso si avvicinò, salutò, e cominciò a spiegargli qualche cosa sottovoce.

Di bene in meglio. Anche se le circostanze di fatto restavano da chiarire (ciò che non era affare suo) si avevano già dei *risultati operativi*: tre persone sospette e, a quanto pareva, con precedenti penali, erano state fermate mentre cercavano di dileguarsi su un'auto di grossa cilindrata.

Inoltre — riferì il brigadiere — un'altra persona, già implicata nei precedenti disordini, era stata accostata dopo lo scoppio dai due agenti in borghese, che minacciati con arma impropria avevano provveduto al suo immediato arresto. Due individui dal fare sospetto, infine, erano rimasti deliberatamente occultati tra i banchi; per cui adesso, insieme a un terzo che dava segni di squilibrio, aspettavano di raggiungere gli altri sul cellulare.

Ottimamente, approvò il funzionario, li raggiungessero pure. Ma lo squilibrato, si poteva magari caricarlo su un'ambulanza. Che segni dava?

Parlava di leoni neri e — se il brigadiere aveva capito bene — di pneumatici. Pareva che attribuisse la morte del Pezza allo scoppio di una gomma.

Sì, lo caricassero su un'ambulanza, visto che c'era posto. Quanto ai due che si occultavano: se n'era potuta accertare l'identità, o risultavano sprovvisti di documenti?

Il brigadiere non sapeva se ne fossero sprovvisti o meno; ma avevano rifiutato di esibirli, pretendendo di parlare direttamente con qualche alto funzionario. Doveva — chiese indicando due figure grige che alcuni agenti scortavano al cellulare — doveva portarglieli lì?

Il vicecommissario Tatò allargò le braccia con aria desolata. Col suo modesto metro e settantotto, disse, aveva paura di non essere abbastanza alto per quei signori... Ah, ah, scoppiò a ridere, felicitandosi per l'eccellente battuta e aspettando che il brigadiere ridesse anche lui, ah, ah, ah.

Ma il brigadiere Dalmasso non rideva mai. Salutò e fece segno agli agenti di imbarcare i due individui. Poi, mentre la neve cominciava a cadere meno pigra, si unì con zelo ai colleghi che procedevano agli accertamenti.

— Documenti, prego...

5.

La Volkswagen era ferma sul cavalcavia. Il venditore di matite aveva spento i fari e, chinato di fianco verso l'altro sportello, guardava in giù alla sua destra. Di tanto in tanto guardava anche dietro di sé, per vedere se sopraggiungesse qualcun altro. Ma a quell'ora, e con la neve che cadeva sempre più fitta, la provinciale era deserta.

Quando non ci fu più niente da vedere, il venditore si raddrizzò e ripartì lentamente, senza riaccendere i fari, per andare a fermarsi su una piazzola qualche decina di metri più in là. Poi scese e tornò indietro di buon passo.

La strada che si diramava dalla provinciale, poco prima del cavalcavia, era selciata per il tratto in discesa; poi girava e continuava in terra battuta, tutta buche e solchi profondi di autocarri, tra un fascio di binari morti e un basso muro di cinta che sosteneva dei resti di rete metallica.

Da una grande arteria sopraelevata, di là dallo scalo ferroviario, una doppia e alta fila di lampioni spandeva il suo chiarore fin qui, tingendo d'azzurro la nevicata e illuminando vagamente la strada, lo spiazzo oltre il muro di cinta, un lungo e scuro fabbricato di mattoni sul fondo. Anche il cancello, rimasto aperto, era in questa zona rischiarata.

Ma più avanti, dove la strada s'interrompeva e il recinto finiva contro una scarpata, il terreno davanti al fabbricato era buio. La rete metallica era caduta quasi del tutto, qui. Sul muro, basso e diroccato, ne restavano solo dei rugginosi brandelli già coperti di neve, che il venditore di matite poté scavalcare senza difficoltà.

6.

— Pronto, dottor Santamaria?... Le passo il dottor De Palma.

Rincasando poco fa, il commissario aveva sentito suonare con insistenza il telefono già dalle scale; e guardata l'ora — giusto mezzanotte — aveva avuto un primo presentimento di guai: disordini a Santa Liberata... grave scontro tra seguaci e avversari del parroco... otto agenti erano stati troppo pochi...

Bastò però che il collega cominciasse: — Pronto? Sai quel tuo disgraziatissimo prete? — per dargli l'improvvisa certezza che...

— Cos'è? È morto? L'hanno fatto fuori?

— Sì. Ma allora, dello scoppio lo sai già?

— No, non so niente. Dimmi.

E via via che ascoltava il magro resoconto dei fatti, ebbe anche la certezza di non aver capito niente del Pezza, né di quello che c'era veramente sotto i suoi dannati venerdì. Ma che cosa avrebbe dovuto capire? Da dove gli veniva quest'impressione di essersi addirittura "lasciato incantare"? Incantare da chi?

— Per il momento, — concluse De Palma, — non si sa di preciso neanche il modo dell'attentato. La sola cosa sicura è che ne avremo per tutta la notte.

— Io che faccio? Vengo lì, o vado prima sul posto?

— Meglio qui. C'è un mucchio di gente da sentire, diversi fermati da interrogare... Sul posto c'è già Cuoco con gli specialisti.

— Va bene, vengo subito.

Riagganciò, spense la lampada sul tavolo, ma non si mosse. Alla luce del fanale che rischiarava, quasi di fronte alle sue finestre, l'incrocio di via Mercanti con via Barbaroux, restò a considerare lo stanzone quadrato, dal soffitto a grosse travi, dalle pareti imbiancate a calce, che gli serviva da studio e da soggiorno: pochi mobili scuri, severi; un'aria da sacrestia; un ambiente, gli aveva detto una volta qualcuno, addirittura monacale, ascetico...

Si riscosse con un'alzata di spalle, vagamente irritato da questo ricordo e dalle sue futili elucubrazioni teologiche di ieri. Uscì. In realtà si rese conto sul portone, alzando lo sguardo al cielo e decidendo, malgrado la neve, di fare a piedi i pochi minuti di strada fino a corso Vinzaglio, — la sua idea di adesso era che Dio non c'entrasse niente con questa storia del Pezza. E tanto meno con la sua morte. "Estraneo ai fatti. Alibi di ferro. La sera di venerdì 25 febbraio egli trovavasi infatti..."

Il commissario si fermò e riprese a camminare più adagio, sia per il marciapiede scivolosissimo, sia per le conturbanti prospettive che apriva un alibi di quel genere, a volerlo controllare.

Già. Dove si trovava Dio quando non era nei dintorni del creato a occuparsi di foglie e di uomini? Tra un'interferenza e l'altra, tra premi, grazie, castighi e altre mansioni del genere, doveva pur stare da qualche parte, avere per così dire una seconda residenza, un qualche suo hobby particolare. Che altro faceva, insomma, oltre a quanto risultava dal dossier, insieme astratto e mondano, che s'era accumulato ufficialmente su di Lui?

Apparve, di spalle, il generale Lamarmora, che con la sciabola in pugno dava l'assalto a una banca, e il commissario attraversò diagonalmente l'omonimo giardinetto quadrato, ricoperto di peluria candida. Lunghi tram vuoti trascinavano per via Cernaia la loro vana disponibilità.

La vita privata di Dio, nessuno aveva mai tentato di figurarsela, nessuno ci pensava mai, neppure i credenti. Con un misto di egoismo e pigrizia, la gente si contentava di poche, generiche etichette, Onnipotente, Onnisciente, Eterno, eccetera, e non faceva il minimo sforzo per andare più in là. Lo dava per scontato, sotto sotto. Lo considerava "tutto lì".

— Brrr! — fece una prostituta appena scesa da una macchina all'angolo di corso Siccardi. E si mise a canticchiare una specie di valzer di sua invenzione: — Chi viene a sciare con meee...! Chi viene a sciare con meeee!

Dondolava la borsa, e l'alto monumento dei suoi capelli neri era cosparso di fitte perline luccicanti.

Il commissario per poco non si fermava a chiederle se fosse mai stata a Santa Liberata, se avesse conosciuto il Pezza e che cosa pensasse di lui. Questo avrebbe dovuto fare ieri; battere il quartiere, parlare coi frequentatori della chiesa, informarsi sull'uomo, andarlo a trovare personalmente, vedere i gesti, sentire la voce. Invece, s'era contentato del dossier, s'era fermato alla superficie anche lui, come se il prete fosse tutto in quella astratta cartellina marrone: Pezza l'ecologo, Pezza l'umanitario, Pezza il sociologo, Pezza il poeta... Ma che altro faceva, il Pezza, al di fuori di quelle etichette?

Ripensandoci ora, quando ormai era troppo tardi, il commis-

sario capì di aver capito già ieri che il parroco di Santa Liberata era qualcuno di non "tutto lì". Una fra le tante cose che
s'era dato la pena di leggere su di lui, o forse tutto l'insieme di
ritagli, informazioni, interviste, rapporti, doveva avergli dato l'impressione che ci fosse dell'altro. Ma che cosa? Una doppia vita?

No, niente di così netto. Solo la sensazione che il Pezza, ecco,
esistesse per conto suo.

Bella scoperta. Bella formulazione.

Su e giù per via Cernaia, le auto sollevavano baffi di fanghiglia bruna, e sotto i portici i pochi passanti erano misteriosamente riusciti a lasciare migliaia di orme bagnate, che s'intersecavano e sovrapponevano in tutte le direzioni. Seguire anche uno
solo di quei confusi percorsi sarebbe stato impossibile.

7.

Un'esperienza eccitante press'a poco quanto aspettare in un aeroporto, rimuginò Rossignolo, che cominciava a sentirsi la fatica
nelle ossa. Infinito squallore di stanze e corridoi, infinito squallore di folla, di sguardi perduti nel vuoto, di facce illividite dal
neon, di sigarette accese per noia, impazienza. E quell'impressione di non essere che oggetti, pacchi, colli, manovrati e spo-
stati a piacere da uomini in divisa, che passavano ogni tanto
senza guardare nessuno, scalcagnati padreterni. E tutto così prevedibile, così, anzi, previsto. Da lui, perlomeno. Come poteva
essere una notte in questura, se non così?

Si mosse sulla dura seggiola di legno chiaro, anch'essa scontata e inevitabile come i tubi al neon, il verdognolo delle pareti,
il ticchettio intermittente di macchine da scrivere dietro porte
socchiuse. Negli aeroporti, però, i sedili erano imbottiti.

L'editore, seduto su un'identica seggiola al suo fianco, si girò
a sorridergli con l'aria di averla organizzata lui, quella festa
così ben riuscita. E in un certo senso era vero, pensò Rossignolo
senza ricambiare il sorriso, la bomba era scoppiata per dargli
ragione, per premiare la sua fottuta sensibilità. E quando s'erano
ritrovati fuori della chiesa dopo il fugone generale, quello aveva
già messo su un sorrisetto di trionfo, permanente come una ci-

catrice. Se ne sarebbe vantato per anni. Mentre i suoi ottusi collaboratori, che pure conoscevano di persona il prete, non avevano capito niente, lui, lui solo era stato capace di intuire, di captare, di *sentire*...

Nell'ufficio c'era una mezza dozzina di altri testimoni silenziosi, già chiaramente pentiti di aver accettato quella "collaborazione" notturna con la polizia. Ma l'editore no. Ben caldo nella sua tuta di vanità, si lasciava trattare docilmente come tutti gli altri, non protestava per l'attesa, non cercava di far pesare nome e prestigio. Alla sua sensibilità stava aggiungendo un secondo strato di crema: il senso civico, il comportamento modesto, democratico. E in cima a tutto, la panna montata della sua teoria.

Rossignolo provò per associazione una gran fame, immaginò Lomagno e la Mariarosa seduti alla Birreria Bavarese a tirar giù agnolotti con Francisco (che s'era squagliato alla chetichella dopo l'attentato) e con Monguzzi (che forse se l'era filata già da prima). E tutti insieme ricostruivano con gusto, tra un bicchiere e un boccone, la maledetta concatenazione dei fatti, la visita di ieri a Santa Liberata, l'arrivo oggi del bavoso Vicini, la magra dell'editore, la sua ritorsione sui sottoposti, e il povero Rossignolo (passami il prosciutto, non vuoi due carciofini?) che ci andava, al solito, di mezzo, che doveva tentare di trattenere per la giacca quell'esibizionista scatenato.

Un agente panciuto, grigio di capelli, un autentico nonno, venne a prelevare uno dei testimoni, eseguendo chissà quali incomprensibili ordini. C'era una gran confusione, in questura. Al loro arrivo, un altro agente li aveva sistemati in un primo ufficio, e un altro ancora li aveva più tardi condotti in un ufficio diverso, a un piano diverso, per la prima, breve deposizione. L'editore aveva cominciato a farfugliare della sua teoria, ma il funzionario in borghese, frettoloso e impersonale, non s'era lasciato incastrare. Nomi, cognomi, un appunto telegrafico, e via, in questo terzo ufficio, di nuovo ad aspettare, a incrociare e disincrociare le gambe.

— Un'esperienza, — aveva mormorato l'editore mentre li sballottavano qua e là in quel desolato casino.

Ma non era la curiosità, Rossignolo lo capiva bene, a fargli girare avidamente gli occhi da tutte le parti. Era la speranza di veder spuntare un nugolo di giornalisti, fotoreporter, operatori della televisione, che avrebbero preso nota, per darne notizia al mondo, della sua fredda capacità di osservazione, del suo occhio infallibile, del suo genio deduttivo. Il ridicolo pavone s'era talmente montato che già chiamava quel banale attentato il "caso Pezza". Risolto da lui, beninteso.

Rossignolo fece involontariamente uno sbuffo disgustato.

— Come? — disse subito l'editore.

— Niente, — disse Rossignolo. — Niente.

8.

— Il matto l'hai messo, Pietrobono? — disse De Palma all'assistente di polizia Pietrobono, che gli faceva da segretaria di emergenza.

— Ho messo: "Matto del leone. Piantonare".

— Ah, sì. Allora aggiungi il fatto della gomma. Metti: appena possibile.

"N.B. matto: interrog. appena poss. circa preteso scoppio pn.", scrisse la Pietrobono nel suo quaderno.

— Poi metti la Curia.

— Ma non se ne stava occupando il signor Questore? Pare che l'Arcivescovo sia fuori sede, ma...

— Metti e non contraddire, Pietrobono. Voglio sentirli direttamente io. O sennò Santamaria. Sì, metti la Curia al commissario Santamaria, magari per domattina.

"Curia Arcivesc. (Santamaria domatt.) metto e non contradd.", scrisse piccata la Pietrobono.

— Poi... Ah: la storia dell'editore. L'abbiamo messa?

— Non mi pare... No.

— Mettiamola, — disse De Palma. — Per quanto, — ci ripensò stropicciandosi gli occhi e rimettendosi a guardare le note di Dalmasso, l'inconsistente rapporto della Scientifica, i verbali delle prime e sommarie testimonianze, — non so... Aspettiamo Santamaria.

"Storia edit.?" mise la Pietrobono.

"DP", continuò poi a scrivere per proprio conto, giacché il

suo quaderno le serviva anche da diario, "chiuso momentaneam.
occhi in attesa arrivo S. – Assol. strem..."

– Pronto?... – rispose al telefono. – No, non c'è, è fuori stanza.
"Assol. stremato, pov.tto, benché uomo ferro. – Umile s. scritta
fiera protegg. suo riposo et praticam. tentata carezz. stanca fronte
con sua lieve fresca manina. – Ma attenz., P.bono! Dura vita pol.
non consente manifestaz. sentim. materni aut altro gen. –
Ecco S."

– Ssss... S'è assopito un momento. Lei dov'è stato di bello? –
disse piano a Santamaria.

– Al Regio, – disse Santamaria. – Ti dispiace?

– Eh?... – si riscosse De Palma. – Ah! – disse illuminandosi
tutto.

E la fatica, il sonno, l'esasperazione per quest'altra notte "di
prima linea" gli caddero di dosso come per incanto.

– Ah, – ripeté con un sorriso estatico che parve, alla Pietrobono, francamente ebete, – *L'elisir d'amore*!

Ricacciò nelle quinte un sottufficiale che s'era affacciato dalla
stanza accanto e batté col dito, ritmicamente, sul mucchio di
verbali che aveva davanti.

– Tatà... tatatà... tataaaa... – mugolò con presumibile allusione all'ouverture.

Lo trasfigurava un'espressione paragonabile a quella di un
emigrato che contempli una cartolina del Vesuvio; e in verità
l'opera lirica, pensò Santamaria, sembrava essere per i suoi appassionati una patria geografica, un paese con una sua esistenza
perfettamente determinata, come l'Inghilterra, il Venezuela.

– Ci sono delle volte, – rivelò lentamente l'emigrato, oppresso
dalla gravità del dilemma, – che io Donizetti lo metto... sarei
tentato di metterlo... più in alto di Rossini.

Abbassò gli occhi sul suo burocratico spartito e si riacciglió
un momento, facendo scorrere i fogli.

– Allora, abbiamo messo tutto? – disse alla Pietrobono.

– Non lo so, l'ultima cosa che ho scritto è: "storia editore?".

– Bene bene, – annuì De Palma, gli occhi di nuovo lontani.
– Ma di' un po', – si voltò a Santamaria che stava appendendo
il cappotto bagnato, – questa Stock-Gibson che impressione t'ha
fatto? Ti ha convinto? Perché una volta sentita la Carteri...

— Carteri o Caldani? Io qui avevo scritto "sentire la Caldani", — disse maligna la Pietrobono.

— E hai fatto male, donna, perché nell'*Elisir*... No, sul serio, che funzioni come Mimì ci posso anche credere, ma è come Adina che la voglio sentire, la vostra Stock! Voialtri, nell'*Elisir*, la Caldani l'avete sentita mai?

— Caldani o Carteri? — chiese Santamaria strizzando l'occhio alla Pietrobono.

De Palma restò un momento a bocca aperta. Nella sua patria operistica, retta da leggi bizzarre e trascendenti, non c'era differenza tra personaggi e interpreti: la zingara, il principe, la fantesca, il traditore, il monaco, diventavano una cosa sola coi cantanti che li rappresentavano, passavano continuamente da un'esistenza carnale a una vita immaginaria, anche i direttori d'orchestra godevano di questa specie di doppia nazionalità, con effetti a volte fuorvianti.

— Già, — disse alla fine, — scusa. Ora ci arriviamo, a questa Caldani. Ero appunto qui che cercavo di ordinare un po'...

Si strinse la fronte con una mano, uno dei tre telefoni suonò, e al suo cenno ferocemente negativo la Pietrobono rispose che no, il dottor De Palma non era ancora tornato.

— Pretendono già il consuntivo, un primo consuntivo, capisci? — cominciò a gridare De Palma.

Ma la tirata contro questore, vicequestore, ministero, giornalisti eccetera, non venne. L'indignazione del povero poliziotto sotto pressione era una di quelle cose che un poliziotto veramente sotto pressione non si poteva permettere.

Santamaria si sedette.

— Insomma, — disse, — come stiamo messi?

La Pietrobono, da tre anni in polizia e in procinto di dare gli esami per diventare ispettrice, s'era guadagnata il diritto a un certo pessimismo professionale.

— Tz-tz... — fece concisamente.

— Donna, frena la tua lingua! — l'aggredì De Palma. Ma gli parve che la frase avesse un timbro belliniano o verdiano, e mugolò qualche incerta nota di accompagnamento. Il commissario temette che per euforia da stanchezza il suo collega si mettesse ora a parlare nel linguaggio stravagante, iperbolico e faticoso dei libretti d'opera. De Palma, però, era già ripassato di qua.

— L'editore, adesso vediamo, — disse. — Ma che altro hai messo, Pietrobono? L'hai messo quel maresciallo comesichiama? L'hai messo l'ingegnere? L'ordine è la prima cosa.

— E la logica, — disse la ragazza.

— Pietrobono, mi sfotti? Rileggi da capo, così sente anche il commissario Santamaria e capisce tutto.

La Pietrobono chinò la massa dei suoi capelli ricciutissimi e neri sul quaderno, e con tono accuratamente neutrale, inteso a separare la sua responsabilità da ciò che leggeva, obbedì:

Priorità assoluta testimonianze esplosione. — Chiarire episodio confessionale e fermo sagrestano. — Identificazione sedicenti altolocati che si occultavano (può aspettare). — Sentire i CC circa la VW. — Accertare posizione mafioso e due troie (Santamaria). — Reperire e sentire la Caldani (brigadiere Mattei). — Ingegnere Fiat (idem). — Matto del leone: piantonare e interrogare appena possibile circa preteso scoppio pneumatico. — Curia Arcivescovile (Santamaria domattina). — Storia editore?

De Palma, che dondolando la testa a occhi socchiusi aveva seguìto la lettura come se fosse stata una delle sue arie predilette, o quantomeno un "riassunto dell'Atto I", si raddrizzò.

— Ecco, più o meno c'è tutto. Hai capito?

— Niente, — disse Santamaria.

— Appunto.

— Brancoliamo nel buio, — suggerì leziosa la Pietrobono.

— Pietrobono! — ringhiò minaccioso De Palma. — Risparmiaci il tuo cinismo!

— Ma dottore, io dicevo solo...

— Silenzio! Renditi utile, alza quel tuo sedere, va' dal maresciallo Biazzi e...

S'interruppe, premette un pulsante sul tavolo e il sottufficiale di poco prima si riaffacciò.

— Cosa c'era?

— Il sostituto procuratore. Dice che è andato direttamente sul posto e poi passerà qui.

— E bravo il sostituto.

Colse la Pietrobono già sulla porta, alzò una mano e le gridò:
— Tu dove vai?

— Da Biazzi, dottore.

— Ah, giusto, ottima idea, niente caffè, basta col caffè, vai da Biazzi e col tuo fascino vedi cosa riesci a farti dare: whisky, grappa, sambuca, qualsiasi cosa di un po' robusto, va bene?

— Anche un amaro, eventualmente? — chiese la Pietrobono.

— Pietrobono... — sibilò De Palma.

La ragazza uscì in fretta e De Palma si girò brusco al sottufficiale del centro comunicazioni.

— Cosa c'è? Cosa vuoi?

— Il sostituto procu... — ricominciò l'altro.

— Vai via, sparisci, lo so già... Aspetta, — lo richiamò, — che dice, che dice la Scientifica? Dice qualcosa?

— Niente, dottore. Ancora niente di concreto.

— Vai, vai, torna ai tuoi bottoni. Ma appena dicono qualcosa vieni da me con le ali ai piedi, corri, vola, non lasciarti fermare da nessuno.

Guardò l'ora e si voltò a Santamaria.

— È la mezza e tutto va bene, — annunciò volubilmente.

— Sei stanco? — disse il commissario.

Si guardarono seriamente.

— In ginocchio, ma non a terra. Funziono ancora, — diagnosticò De Palma. — Stamattina m'hanno tirato giù dal letto alle quattro, ma posso reggere ancora per un po'. Dunque senti: l'attentato...

— Politico?

— Mah? Nessuno l'ha ancora rivendicato e Cuoco non ci crede molto, comunque anche lì stanno facendo i soliti "controlli in tutte le direzioni"... Ma quello che ci blocca tutti, il punto di partenza che non ci fa partire, è che non si sa ancora che cos'abbia ucciso il prete, come sia saltato in aria precisamente. E allora come possiamo...

Suonò il telefono. De Palma alzò rapidissimo il ricevitore, disse d'un fiato "non è in ufficio", e rimise giù.

— E allora come possiamo, — riprese, — non dico preparare un primo consuntivo per... — accennò col mento al telefono, — ma anche solo per cominciare a muoverci con quella roba lì?

Indicò scoraggiato il quaderno della Pietrobono, che Santamaria s'era tirato davanti e stava considerando.

— Non che... — sbadigliò, — non che ci sia tanto da muoversi, ho paura. Ma intanto è ben di lì che bisognerà cominciare... Ah, — si rianimò vedendo tornare la Pietrobono con whisky, ghiaccio, bicchieri di carta, — ecco l'ancella, ecco la vergine di via Grattoni!

— La mia vita intima riguarda soltanto me, — disse la Pietrobono. Posò tutto sul tavolo e tolse il quaderno di sotto il naso al commissario. — Questo non può andare in tutte le mani.

— Come il testo della *Turandot*, — disse Santamaria. — Ma mi sembra soprattutto un po' oscuro, come tutti questi libretti. Se tu provassi a farmene un riassunto per mio uso e consumo? — chiese al collega che stava trafficando col ghiaccio. — Così, poi, magari te ne vai a dormire.

— Un riassunto del primo atto? Santamaria sei grande, — si esaltò De Palma. — A te il primo calice! Non è vero che è grande, Pietrobono? — gridò tra due lunghissimi sbadigli.

La ragazza lo guardò allarmata.

— Sì... — disse prendendo il primo bicchiere e porgendolo a Santamaria. — Ma il riassunto posso farglielo io, se crede.

— No, escluso, tu non sai, non hai la tecnica! Per riassumere tutto bene dal principio, ci vuole...

Si alzò in piedi e cominciò a camminare su e giù per l'ufficio.

— Atto primo, Scena prima, — disse fregandosi le mani. — Don Alfonso, prete agitato e trafficone, rompe da tempo i coglioni alla Questura, tanto che deve occuparsene il celebre dottor De Palma, un funzionario che peraltro, nell'intimo suo, se ne sbatterebbe completamente i suddetti. Si giunge così alla notte della tragedia. Cioè, un passo indietro: il venerdì precedente...

Si ritrovò accanto alla scrivania, notò il suo bicchiere intatto e lo mise in mano alla Pietrobono. Ne versò un altro per sé.

— Bevi, Rosmunda. È un ordine.

— Uh, dottore, quanto me ne ha messo! — squittì la Pietrobono.

— Dunque il venerdì precedente, nell'oscurità del tempio, Don Alfonso è stato bastonato da misteriosi avversari, per cui il De Palma, a scanso di ulteriori casini, s'induce a mandargli un gippone con sei comparse in divisa, più due uomini della Mobile, Muzzoli e Urru, travestiti da semplici borghesi... Mi segui, fin qui?

— Ti seguo, — disse Santamaria.

— Costoro, due sempliciotti, due coglioni di prim'ordine, avrebbero in teoria la possibilità di fermare il destino, o quantomeno
di salvare l'onore della Questura. Ma essi a tutto badano salvo
che a Don Alfonso, onde questi non solo salta per aria, ma nemmeno si capisce com'è successo, come hanno fatto i sicari a mettergli la bomba sotto il sedere... No, — disse prevenendo la domanda di Santamaria, — la Scientifica non ha trovato traccia di
fili né di congegno a tempo. Io poi ho visto da dove predicava,
una specie d'impalcatura alta fino al soffitto, e un lancio a mano
dal basso è ugualmente da escludere.

— Però, — disse Santamaria, — niente male, il tuo libretto.

— Un vero enigma! — disse la Pietrobono con un gran battere di ciglia.

— Cos'è, Pietrobono, sei già ciucca? — disse De Palma. Ma
era lui a reggersi male in piedi, e si lasciò ricadere sulla sedia.
— Ci sarebbe, — continuò, — la storia dell'editore, secondo cui
l'ordigno è arrivato dal soffitto. Ma allora, — ripescò dal mucchio le due segnalazioni, — tanto vale quella del matto. Leggi
anche tu questa roba: ti sembra il caso di dar seguito?

Santamaria lesse.

— Se non abbiamo altro, per forza. Comunque... — esitò in-
trigato. Lo scoppio di un pneumatico, tanto più se provocato
da un leone nero, non prometteva di chiarire molto la dinamica
dell'attentato. Ma questo pneumatico... Alzò le spalle. — Comunque, se il matto adesso è all'ospedale, sentiamo magari l'editore.
È giù con tutti gli altri?

De Palma allungò una mano, cercò a tentoni il telefono.

— Sì. Allora dico di...

— Aspetta, vado giù io, così do una controllata anche agli altri.
Poi se vale la pena te lo porto su. Tu intanto se vuoi sentire i
fermati, magari il sagrestano, non so...

— Va bene, — disse De Palma. — Cioè, — si passò una mano
sugli occhi, — non lo so, se va tanto bene... Per il momento, vedi
un po' tu.

9.

Si sentirono in strada voci che s'avvicinavano, poi il rumore del portone aperto e richiuso. Monguzzi s'irrigidì. Erano "quelli", pensò già sconvolto e col cuore in gola. Avevano capito dov'era e venivano a cercarlo... Gli ci volle un lungo momento — durante il quale nessun passo e nessuna voce risuonarono nelle scale — per convincersi che s'era trattato dell'altro portone dello stabile, occupato nei piani superiori da appartamenti d'abitazione.

Ma si maledisse lo stesso per la sua imprudenza, per il rischio che aveva corso restando lì dopo la sua scoperta, attardandosi senza necessità a quel tavolo e tra quelle mura.

Certo, la sua risoluzione finale non era ancora presa. Ci avrebbe riflettuto ancora domani. Ma ormai aveva in mano la prova decisiva. La terza bomba...

Si versò in fretta un altro mezzo bicchiere d'acqua minerale, mandò giù un'altra capsula di tabrium, poi preparò accuratamente il suo pacco e s'alzò, ripose bottiglia e bicchiere nell'armadio. Si guardò intorno per assicurarsi di aver lasciato tutto in ordine.

Bene, ormai qui non aveva altro da fare. Spense la luce e andò a riaprire a tentoni gli scuri della finestra, che aveva chiuso perché la luce non tradisse la sua presenza. Non s'accorse neppure della nevicata. La terza bomba, pensò compulsivamente, ossessivamente, ma con perfetta calma sotto l'effetto del tabrium. La *terza* bomba... E dire che fin da ieri aveva avuto la verità sotto il naso. Quello portava la barba perché...

Si voltò, e sempre a tentoni uscì in corridoio, tra le stanze deserte, verso la scala buia.

10.

(Dal diario della P.bono)

DP crollato nonost. wiski aut causa medesimo et andato stendersi 1/2 ora salottino. — S.maria sceso controllare personalm. testimonianze scoppio. — S.scritta aperto finestre causa fumo et richiuso urgenza causa freddo. — Nevica fittam. — Wiski Biazzi non 10 Years Old ma potab.

Brig. Mattei comunica prof.ssa Caldani et ing. Vicini non rientrati rispettive abitaz. aut quantomeno non rispondere telef. né campanello porta. — Chiede se autorizzato farsi dare chiavi appartam. da custodi rispett. stabili. — Dettogli richiamare + tardi.

Piantone osped. riferisce matto riempito sedativi non interrogabile prima di domatt. — Scientifica: novità NN. — Cuoco: navighiamo buio. — Vicequest. telefonato altre 2 volte: *urge 1° consunt.!*

Comando CC telef. chiedendo notizie Volkswagen gialla segnalata ultima volta pressi S. Liberata. — S.scritta spiegato pazientem. che *noi* chiesto a loro notizie VW! — Incredib. come Arma B.merita riesca sempre incasinare tutto! Fenomeno dovuto mio avviso a fatto che arruolam. Arma precluso donne.

Versomi altro dito wiski poi basta. Ora avanzata et situaz. intimità con grandi Capi impongono *mass. controllo.* Attenz., P.bono! — (Grave probl.: attraz. esercitati da s.detti Capi su umile s.scritta dovuta grado aut qualità fis. et morali? Poniamo P.bono umile appuntata CC: sentirebbesi ugualm. tentata raggiungere suo sig. Magg. aut Ten. Col. su divanetto sal.?).

Ritelef. Mattei chiedendo istruz. — Ritelef. vicequest. et CC. — Altro 1/2 dito et *stop.*

S.maria risalito con appresso uomo barba aria import. (edit.?) et giovanotto non identif., ma pregatili aspett. 2 min. anticam. — Chiesto se Scient. niente aut altre novità e dato istruz. varie. — Chiarito casino CC: VW interessa anche loro et particolarm. tenenza Rivoli, ma senza notizie per il mom. — Mattei: non autorizz. penetrare alloggi ma richiesto continuare sorvegl. — Testimon. scoppio: tutte negative salvo uomo barba (trattasi effettivam. edit., con suo segret. aut tirapiedi), ma S.maria ancora non capito che c. avrebbe visto aut non visto. — S.scritta suggerito umilm. sentire prima sagrest. aut maf. ma S. non ascoltato, detto dài dài fai entrare, P.bono! — Fatto entrare et preparatami scrivere, ma che c. scrivo? Non si capisce nemmeno che c. dice! — S. chiaram. pentito averlo fatto venire (ma giusta puniz.). — Perfino tirapiedi visibilm. scosso. — Edit. messosi parlare *passaggio segreto*!!! Ma allora è ancora + matto di...

11.

— Un passaggio segreto, — ripeté Santamaria con voce debole.
— Lei vuol dire che l'attentatore si è servito di un passaggio
segreto?

L'editore dovette cogliere la nota di scoraggiamento.

— Lo suggerisco, — precisò asciutto. — Lo ipotizzo.

— Capisco, sì, un suggerimento utilissimo, — disse il commissario con uno sforzo di vivacità, — controlleremo... Ma il punto
principale della sua testimonianza, mi scusi, m'era parso che
fosse un altro. Lei, — lesse dal primo verbale, — ha dichiarato di
avere un preciso motivo per credere...

— Per dedurre, — corresse l'editore.

— ...per dedurre che l'ordigno sia stato lanciato dall'alto.

— Esattamente. Ma dato che più in alto del predicatore... cioè,
dato che il predicatore già era... cioè si trovava...

— Molto in alto, — lo incoraggiò il commissario.

— Ecco, e siccome più in alto c'era solo il soffitto, ne ho ulteriormente dedotto l'esistenza nel soffitto stesso, o meglio nel... —
schioccò le dita in cerca della parola, — nella...

— Nell'intercapedine, — disse Rossignolo. — Nello spazio tra il
tetto e il soffitto.

— Ecco, appunto, ne ho ulteriormente dedotto, dicevo, l'esistenza...

— Di un passaggio segreto, — annuì Santamaria. — Giustissimo.
Ma il preciso motivo per cui...

— No, — disse l'editore, — più che di motivo, io qui parlerei
di contesto. E più precisamente di stile. Perché Santa Liberata è
barocca, come loro avranno visto. Puro barocco piemontese. Ora...

La Pietrobono ebbe un accesso di tosse. L'editore, che l'aveva
ignorata completamente fin qui, le concesse un'occhiata distratta.
Santamaria si guardò il polso sinistro e si dette ancora un minuto e mezzo — novanta secondi d'orologio — prima di rinunciare a quell'unico testimone e al suo ex "preciso motivo".

— Ora, — riprese l'editore, — ipotizzare in una chiesa barocca
dei passaggi segreti, delle scale, dei vani dissimulati nei muri
e persino nei soffitti, non soltanto non ha nulla di obbiettivamente... come dire...

— Strano, — disse Rossignolo.

— ...di strano, appunto, ma è contestualmente aderente a quelli che sono... cioè tiene conto proprio di quel gusto del bizzarro, del sorprendente, di quel ben definito stile architettonico che si potrebbe chiamare... che si potrebbe obbiettivamente definire...

— Barocco, — disse Santamaria contando i secondi. — Ma a parte il contesto obbiettivo, potrebbe dirmi che cosa è stato... soggettivamente, per così dire, a farle pensare a un ordigno lanciato dall'alto? Lei quest'ordigno non l'ha mica visto?

— Io? — disse l'editore in tono stupito e quasi offeso.

Cinquantacinque secondi. Ma era soprattutto il concetto che aveva di se stesso — cominciò a capire Santamaria — che gl'impediva di scendere a banali particolari di fatto, ragguagli elementari, constatazioni alla portata dei testimoni qualunque. Lui era lo specialista dell'intuizione folgorante e della complessa deduzione.

— Io? — ripeté l'editore. — Io non ho visto niente più degli altri. Ma dal momento che l'ha visto il Pezza, e considerato quanto le dicevo, ne ho dedotto...

Suonò un telefono accanto a Santamaria. Il commissario staccò il ricevitore, lo posò sul tavolo senza rispondere.

— Mi scusi, — disse all'editore, — non capisco. Che cos'è che avrebbe visto il Pezza?

— Ma l'ordigno, no? Su questo non ci sono dubbi. E dato ciò... dato cioè questo semplice dato... come dire...

— Di fatto, — disse Rossignolo.

— Appunto. Un mero dato di fatto, che io però... che io insomma, — disse l'editore in tono di compiaciuta conclusione, — ho avuto l'idea di collegare con lo stile della chiesa.

— Ma... — azzardò la Pietrobono dal suo angolo, dopo otto secondi di silenzio.

Il commissario lasciò perdere il conto. Riattaccò il ricevitore.

— Già, — disse. — Ecco, ho l'impressione che siamo arrivati al punto. Solo che... Vediamo un momento. Il Pezza, dice lei, ha visto arrivare l'ordigno. Su questo, dice sempre lei, non ci sono dubbi. Come dice anche lei, — si voltò a Rossignolo, — si tratta di un dato di fatto. Ma perché?

— Ma perché è ovvio, — disse l'editore con condiscendenza. — Era ovvio per chiunque ci fosse.

— Sì, ma vede, noi non c'eravamo, — si lanciò a testa bassa la Pietrobono.

Benché un po' sorpreso dall'intervento, l'editore si girò per rivolgersi democraticamente anche a lei.

— E allora guardino: basta riepilogare... o piuttosto ricostruire, per così dire...

— La scena, — disse la Pietrobono.

— Esattamente. Dunque il predicatore... cioè il Pezza, naturalmente... sta predicando, quando improvvisamente si produce... si verifica...

— L'esplosione.

— No, — disse l'editore. — Cioè, — precisò corrugando la fronte, — non esattamente. Il fatto è...

Ma il confronto coi meri fatti era chiaramente al di sotto delle sue forze. Si voltò con un gesto impaziente a Rossignolo, invitandolo a chiarire lui.

Rossignolo si guardò un momento le unghie.

— Il fatto è che quando si verifica l'esplosione, — disse con aria distaccata, — il predicatore *non* sta predicando.

Alzò gli occhi sul commissario e sulla Pietrobono, come per assicurarsi che avessero assimilato questa premessa.

— Il predicatore invece, — continuò, — sta predicando, quando s'interrompe di colpo a metà di una frase, anzi di una parola, e alza bruscamente la testa verso il soffitto, come se avesse visto o sentito qualcosa. Segue un brevissimo ma definito, — sottolineò definito, — istante di intervallo, durante il quale il predicatore continua a guardare in alto. Ed è al termine di questo istante che si verifica l'esplosione.

Fece una pausa ben definita.

— Forse, — aggiunse con un'occhiata all'editore, — era di qui che avremmo dovuto cominciare. Ma è un punto che chiunque potrà confermarvi. Quanto al barocco...

— Grazie, — l'interruppe il commissario, — un momento... Chiama Santa Liberata, fatti dare Cuoco o qualcuno della Scientifica, — chiese alla Pietrobono. S'alzò. — Se non le dispiace, — disse a Rossignolo, — io la farei tornare in chiesa con qualche altro testimone, per verificare sul posto.

Rossignolo annuì con fredda cortesia, alzandosi anche lui.

L'editore restò seduto a lisciarsi la barba, come francamente annoiato da queste futili verifiche e precisazioni.

— Bene, — disse. — Chiarito questo punto...

Neanche adesso, si rese conto Santamaria, aveva capito che tutto il punto era quello.

12.

A Santa Liberata, le indagini della Digos non erano precisamente "a un punto morto". Erano piuttosto in quella fase non infrequente dopo un attentato, in cui ci si aggrappava a qualsiasi cosa: tracce anche illusorie, piste senza sbocco apparente, indizi di infimo rilievo, ma tanto da contentare per un momento il ministero e gli organi d'informazione; tanto da giustificare l'annuncio che la polizia era in possesso di "elementi definiti interessanti, sui quali sta lavorando".

Solo che a differenza del suo vice, commissario Fiora, ancora a casa con l'"afgana", il commissario Cuoco non aveva nessun gusto per questo tipo di "elementi". E d'altra parte non poteva far tutto da sé: stare appresso agli uomini della Scientifica, collaborare coi CC del nucleo antiterrorismo, tener buono il Questore, e nello stesso tempo seguire da vicino la perquisizione in canonica, nell'ufficio parrocchiale, negli scantinati.

In canonica aveva guardato da sé, frugato personalmente tra le carte della vittima, ma senza trovar niente che permettesse di dare all'attentato (ancora non rivendicato da nessuno) uno sfondo particolare, politico o no. Nell'ufficio, oltre naturalmente ai registri e a tutti i documenti della parrocchia, c'era un registratore dove il morto aveva registrato in anticipo la predica di quel venerdì (dei fogli a quadretti, pure attinenti alla predica, gli erano stati trovati in tasca). E negli scantinati, a quanto lo informavano i sottufficiali che avevano effettuato il sopralluogo, c'erano pacchi su pacchi di vecchie carte e vecchi giornali, casse di rottami metallici, ma che sembravano il risultato di quelle raccolte che fanno le parrocchie di casa in casa. Niente di sospetto.

In queste condizioni, e con le ricerche sulla "dinamica" ancora a zero, inutile orientarsi verso le solite perquisizioni nelle sedi di gruppi e gruppuscoli, verso i soliti interrogatori e controlli di alibi di estremisti. La cosa più ragionevole sembrava proprio, nonostante tutto, questa ricostruzione della scena dell'esplosione, alla presenza del testimone annunciato da Santamaria.

Il tenente del nucleo antiterrorismo ne convenne cortesemente.

— Benissimo, aspettiamo questo testimone, — disse con un sorrisetto.

L'implicazione era che dai testimoni trovati dalla Questura, c'era sempre pochissimo da aspettarsi.

13.

Spedito in chiesa Rossignolo, il commissario Santamaria s'era preparato a tagliar corto con l'editore, a sventare la sua minaccia di ulteriori ipotesi, deduzioni, intuizioni. Ma erano bastate due domande di routine — lui e il suo collaboratore conoscevano già Santa Liberata? frequentavano abitualmente i venerdì del Pezza? — perché l'altro perdesse di colpo ogni interesse.

No, no, s'era affrettato a dichiarare, alzandosi, l'esperto di barocco. Lui del Pezza ne aveva sentito parlare solo il giorno prima, quella era la prima volta che metteva piede nella sua chiesa. E la sua curiosità era stata puramente, come dire... esclusivamente...

Professionale?

Neanche. Diciamo piuttosto... — aveva concluso trovando inaspettatamente la parola da sé, mentre Santamaria l'aiutava a rimettersi il cappotto, — culturale in senso lato.

Ma lato quanto? si chiese vagamente il commissario dopo averlo accompagnato alla porta. Oggi c'erano curiosità culturali che arrivavano subito al tritolo.

— Dottore, i carabinieri, — disse il sottufficiale del centro comunicazioni.

— Come? Quali carabinieri? Da Santa Liberata?

— No, il capitano Scarampi, dal comando di piazza Carlina.

— Ah, sì, un momento...

Guardò interrogativo la Pietrobono, che stava rispondendo con aria compunta al suo apparecchio.

— Il signor Questore personalmente, — annunciò a bassa voce la Pietrobono, tappando col palmo il microfono.

Santamaria alzò le spalle, annuì.

— Va bene, dammi... Di' a Scarampi che lo richiamo io, — disse al sottufficiale.

— Pronto? Sì... No, sono Santamaria. De Palma s'è... cioè, è tornato sul posto per controllare una nuova testimonianza. Ma appena... La dinamica dell'attentato? Sì, appunto. C'è forse un elemento nuovo, che se trovasse conferma... Purtroppo no... Niente ancora di concreto... Ma come dicevo, se... Certo... Naturalmente... Senz'altro. Verrò io stesso a riferire non appena possibile.

Richiamò Scarampi.

— Qui Santamaria, buonasera, dimmi... De Palma no, è praticamente in coma, non te lo posso chiamare. Di' a me.

Stette un po' a sentire, si mise a frugare tra i rapporti.

— Una Volkswagen, lo so. Dalmasso e l'autista del pullmino hanno riferito che... Come?... No, se il rapporto te l'ha già letto De Palma, qui per il momento non abbiamo altro. Quelli della Porsche devo ancora sentirli, ma... Posso risentire anche l'autista, se vuoi, ma... Sì, da quello che mi dici sembra strano anche a me. Ma con questa neve, non so, potrebbe... Va bene, se so qualche cosa avverto Rivoli direttamente. E voi da parte vostra... D'accordo.

14.

— Rossignolo chi è? — chiese il commissario Cuoco al gruppetto dei testimoni, che oltre a Rossignolo comprendeva l'avvocato Quadrone, le signorine Anselmetto e un individuo di aspetto misero, con una grossa verruca sul naso.

Rossignolo alzò un dito con reticente lentezza. Se questo piedipiatti credeva di farlo scattare come una recluta...

— Ah, — disse Cuoco, — bene. Dalla Centrale mi hanno riferito la sua deposizione. E qui, — accennò al tenente del nucleo antiterrorismo, ai militari del parco lampade, a un altro carabiniere che stava salendo sulla torre, — siamo pronti per la verifica.

— Pronti per la verifica, — ripeté in tono ammonitorio, da

guida turistica per turisti da strapazzo, il graduato che accompagnava il gruppo.

Quadrone e le Anselmetto annuirono con zelo. L'individuo con la verruca si mise praticamente sull'attenti.

Rossignolo esitò. Una cosa era la sua deposizione, e un'altra le assurde scempiaggini che l'editore — il grande esperto! il supertestimone! — aveva tirato fuori sul barocco. Lui l'aveva lasciato dire per il gusto di andarla poi a raccontare in giro, quella storia; ma adesso era forse meglio mettere le mani avanti. Di barocco, a Santa Liberata, non c'erano più che la facciata e forse la tribuna dell'organo. Il resto era puro Ottocento, come chiunque poteva vedere.

— Un momento, — disse rialzando la mano. — Vorrei prima precisare che lo stile della chiesa...

— So già, so già, — l'interruppe sbrigativo Cuoco. — Ma adesso si tratta innanzitutto, — aggiunse rivolgendosi anche agli altri, — di ricostruire le circostanze esatte dell'esplosione.

— Le circostanze esatte, — sottolineò la guida.

Rossignolo si strinse nelle spalle e si tirò un po' in disparte. Per quello che gliene fregava a lui, pensassero pure che erano barocchi la Mole o il castello del Valentino.

— E allora? Ci sei? — gridò Cuoco verso la torre, dove l'appuntato dei carabinieri, con un cero in mano, si stava arrampicando sull'ultima piattaforma per impersonare la vittima.

— Quasi, signor commissario... — gridò l'appuntato. — Ecco... Ci sono.

— Allora attenti che cominciamo, — disse il graduato ai testimoni.

— Allora dài, comincia, — gridò Cuoco.

In piedi sulla piattaforma bruciacchiata e sconnessa, davanti alla ringhiera contorta, l'appuntato levò alto il suo cero e cominciò a contare.

— Prova uno, prova due, prova tre, prova... — s'interruppe, alzò di scatto la testa, — quattro!

— No, — gridò Cuoco dal basso, — non hai capito niente. Devi interromperti a metà della parola "quattro", e alzare nel contempo la testa. "Prova uno, prova due, prova tre, prova quatt..." e hop!, alzi la testa. Capito?... No, perché scusa, — disse voltandosi

al tenente del nucleo, – o facciamo una ricostruzione un po'
precisa o allora è inutile, non ti pare?

– D'accordo, – disse il tenente, – ricominciamo.

– Allora attenti che ricominciamo, – disse il graduato ai testimoni.

– Prova uno, prova due, prova tre, prova quatt... e hop! –
gridò l'appuntato alzando nel contempo la testa.

Cuoco fece un gesto scoraggiato ma lasciò perdere, per non
indispettire il collega dell'Arma.

– Va bene, va bene, resta fermo così, – gridò all'appuntato.
Si voltò ai testimoni. – Allora? – chiese all'avvocato Quadrone.
– Ha alzato la testa così? È quella la posizione?

– Più o meno. E sarà rimasto così forse un secondo, – disse
l'avvocato.

– Oh, sì! – gridarono le signorine Anselmetto, – forse anche
due!

– Due, – disse l'uomo con la verruca.

– I tempi li vediamo dopo, adesso mettiamo a fuoco la posizione, – disse Cuoco avvicinandosi a Rossignolo che era rimasto in disparte. – Lei che cosa ne dice?

– Già, sentiamo il vostro superteste, – disse il tenente dei carabinieri, avvicinandosi anche lui. – Lei che cosa ne dice, signor...

– Dottor Rossignolo, – disse secco Rossignolo. – Ci sto
pensando.

Aveva colto benissimo la sfumatura sfottente nel tono del-
l'ufficiale, e lo esasperava di essere addirittura scambiato, adesso,
per quell'irresponsabile pagliaccio esibizionista e ignorante del
suo datore di lavoro, che dal canto suo, fiero del suo successo
barocchista, era rimasto in questura a pontificare, a divagare, a
raccontare diosà che altro... D'altra parte era in ballo, e non ci
teneva neanche a confondersi coi testimoni meno articolati...
Facendosi schermo agli occhi, scrutò con occhio critico e distaccato il carabiniere in cima alla torre.

– Naturalmente, – fece notare, – manca l'effetto ombra, l'illuminazione era tutt'altra. Io, perlomeno, abbasserei un tantino
quei riflettori.

– Giusta osservazione, facciamoli abbassare, – disse Cuoco al
tenente dell'Arma, da cui dipendeva il parco lampade, con tono di

sottile compiacimento. (Non *sempre* i supertesti della polizia erano le "superteste di c..." del pesante scherzo in auge tra i carabinieri.)

— Fotoelettriche, ridurre del trenta per cento, — ordinò il tenente. — Così? — chiese poi a Rossignolo.

— Molto bene, — disse Rossignolo. — Ma con la posizione non... no, con la testa non ci siamo... Senta, — gridò direttamente all'uomo sulla torre, — alzi la testa un po' di più, e un briciolino verso destra... no, un po' meno... così, ecco.

— Sì, — gridarono eccitatissime le signorine Anselmetto, — ha alzato la testa proprio così! S'è interrotto, e ha guardato in alto proprio così!

— Confermo pienamente, — corroborò l'avvocato Quadrone. — Un istante prima dell'esplosione, la vittima, alzato bruscamente il capo, ha fissato esattamente il punto che sta ora fissando il nostro giovanotto lassù. Che cosa guardava? — chiese con voce roboante e quasi minacciosa, da principe del foro giunto alla fine della sua arringa, all'immaginaria giuria dei presenti. — Che cosa ha visto?

Cuoco rialzò la testa verso la torre.

— Tu, — gridò all'appuntato, — che cosa vedi?

— Che cosa vedo? — gridò dall'alto l'appuntato.

A Rossignolo venne in mente *La piccola vedetta lombarda*, e sogghignò all'idea di andarlo poi a raccontare alle spalle dell'editore. Aggiunto alle cazzate sul barocco, questo tocco deamicisiano l'avrebbe sistemato definitivamente, il superteste! Figuratevi, avrebbe raccontato, che ho avuto addirittura l'impulso di gridargli, a quel disgraziato lassù: "Scendi, ragazzo, per l'amor di Dio!", proprio come l'ufficiale dei cavalleggeri quando l'altro ufficiale...

— Sì, Esposito, forza! Che cosa vedi? — gridò l'ufficiale dei carabinieri.

— Un angelo, signor tenente, — gridò l'appuntato.

Lui aveva chiamato Dalmasso, concluse l'autista del pullmino, il quale aveva specificato tutto nel rapporto. Di specifico non sapeva altro. Non aveva idea di che fine potesse aver fatto la Volkswagen.

Ma, insisté Santamaria, quando l'autista della Volkswagen era ripartito, lui che impressione aveva avuto? Che andasse a parcheggiare più avanti? O che avesse deciso, magari, di lasciar perdere e andarsene?

Difficile specificare, disse l'autista del pullmino. Aveva pensato che andasse a parcheggiare più avanti, ma perché gli pareva naturale. Non per qualche ragione specificamente...

— Va bene. Allora tu te ne puoi andare a casa, — disse Santamaria. — Giù chi c'è rimasto?

— Solo i fermati, più i testimoni trattenuti in quanto sprovvisti di documenti, ovvero perché risultati con precedenti penali.

Il commissario pensò alle vecchie messe "per i nostri fratelli carcerati", all'incidente con i "fratelli travestiti", alla bastonatura di venerdì scorso... Ma i "precedenti penali" erano ormai così svariati, equamente distribuiti in ogni specie d'ambiente, da non significare più molto di per sé.

— Che genere di precedenti? Lo sai?

— No, dottore. Se n'è occupato specificamente il dottor Tatò.

— Va bene, buonanotte.

Comunque un controllo era meglio farlo, prima di rimandare a casa anche quelli; poi bisognava svegliare De Palma per la riunione dal questore, qualunque fosse il risultato della "ricostruzione" a Santa Liberata; e poi c'erano da interrogare i fermati... La notte, pensò il commissario guardando l'ora, sarebbe stata ancora lunga.

— Come va, Pietrobono? Resisti? — chiese alla Pietrobono che stava scrivendo nel suo quaderno. — Ma che scrivi?

— Difficile specificare, dottore! — disse la Pietrobono con una risatina ambigua.

Adesso sulla piattaforma erano in cinque, compreso il perito artificiere e lo stesso Rossignolo, come presunto esperto di sorprese e tranelli dell'architettura barocca. L'angelo era affacciato qualche metro più in alto, in uno spicchio di volta: usciva con la testa e le spalle da un folto capitello corinzio e stava dando minacciosamente fiato, come i suoi tre colleghi dipinti negli spicchi simmetrici, a una lunghissima tromba d'oro.

— Io non so niente di barocco, — disse l'ufficiale dei carabinieri, — ma in quel soffitto lì non vedo che passaggi o altre trappole ci potrebbero essere.

Le fotoelettriche erano di nuovo sul massimo e rischiaravano a giorno il settore sospetto. Sotto la veste azzurra dell'angelo, nei punti scalcinati dallo scoppio, si vedevano perfettamente i mattoni della volta.

— Ci sarebbe il capitello, — disse Cuoco indicandolo a Rossignolo. — Se non erro, — aggiunse con un sorrisetto, — è corinzio.

— Ma anche in trompe-l'oeil, — disse Rossignolo con un sorrisetto di rimando. — Lo guardi bene.

— Vuol dire... vuoto?... mobile?... — chiese perplesso il tenente dei carabinieri.

— Voglio dire finto, solo dipinto, — chiarì condiscendente Rossignolo. Anche questa era da raccontare, giubilò. Editore e forze dell'ordine accomunati dalla stessa monumentale ignoranza. — E d'altra parte io personalmente, — sottolineò "personalmente", preparandosi a dissociare la propria responsabilità, — non direi che questo tipo di architettura consenta molti trucchi.

Il tenente lo guardò sorpreso, poi alzò le spalle e si disinteressò. Classico sgonfiamento, al momento buono, di questi supertesti della P.S.

— Ma come? — disse Cuoco.

— Dico, — si decise Rossignolo, — che...

— No, — intervenne il perito della Scientifica, — io il trucco non l'ho ancora capito, però ci dev'essere. Qui, — batté il piede sulla piattaforma, — l'ordigno non c'era e nemmeno c'è scoppiato, perché non ha lasciato traccia di impatto. Ha preso in pieno la vittima, invece! E quindi...

Guardò il soffitto, alzò le spalle anche lui, ci rinunciò. Un agente chiamò dal basso il commissario Cuoco per avvertirlo che era atteso in Centrale non appena possibile, per la riunione col signor Questore.

— Scendo, — gridò Cuoco. — Ma senta un po', — disse a Rossignolo mentre tornavano giù, — lei ha voluto sfottere o cosa? Per-

ché prima ci viene a dire che il barocco qui il barocco là, e poi
invece...

— Ma io le stavo appunto dicendo, — balbettò Rossignolo sentendosi impallidire per il furore e l'umiliazione, — che io personalmente... che insomma questa chiesa... a parte la facciata che
in realtà... che cioè...

Era così sconvolto che per poco non mancò la scala. L'altro
dovette trattenerlo per un braccio.

— Be', guardi, lasciamo perdere, — disse Cuoco rabbonendosi.
— Io per me, — si fermò a considerare, dalla quinta piattaforma,
l'interno rigido e pesante dell'edificio, — direi che questo è Ottocento puro. Ma nessuno è obbligato a intendersene, naturalmente.

(*Dal diario della Pietrobono*)

Sola soletta mentre indag. segnano battuta arresto. — Testim. con
preced. pen. risultati normali trasgress. norme valutarie aut paci-
fici evas. fiscali et rimandati casa. — Commiss. Cuoco venuto avvertire esito ricostruz. sostanzialm. negativo et salito grande plenum Questore. — S.maria et celebre dott. DP (parzialm. uscito
coma) saliti anche loro. — Approfittatone per breve respiraz.
yoga et figura albero malam. eseguita. — Dovrei riprendere se-
riam. ma mai tempo (inoltre: est pace anima et sensi realm. desi-
derab. ogni occas.?) — Moderata pratica karaté forse + congeniale mio caratt. — Ma quale est veram. mio caratt.? — Troppe
contradd. interne. — Mio intermittente fidanz. Ugo giudicami creat.
passionale ma stesso tempo fredda calcolatr. — Invece il Bellissimo (come già Roberto due) trovavami fondo triste et malinc.
— Mah (uffa). — Già l'una e 3/4! Cr., quanto prolungasi questo plenum.

15.

Il tempo era passato, passava, ma Thea se ne accorgeva appena.
Vedeva appena la nuda stanza crudamente illuminata, le grosse

sbarre alla finestra, i due uomini scuri e immobili sulla panca di fronte a lei, la guardia seduta accanto alla porta semiaperta su un qualche corridoio.

Due ore, forse tre ore, in cui Thea aveva, puntigliosamente, appassionatamente, ripassato la storia della letteratura, la storia del teatro, la storia del cinema. Il sospetto, e poi – via via collegando, richiamando, trasponendo, con crescente meraviglia – la certezza di una rivelazione straordinaria. Ecco, le Pleiadi tramontavano alla finestra di Saffo. Calipso salutava per l'ultima volta Ulisse. Stendhal galoppava nella notte verso Milano, saliva di corsa lo scalone di un palazzo. Ecco, Giulietta rabbrividiva al canto dell'allodola, Jean Gabin e Michèle Morgan, con l'impermeabile nero, si stringevano sotto un viadotto, Natascia si abbandonava tra le braccia del principe Andrea.

Brava, pensò Thea. Bravi.

La cosa, stanotte finalmente lo capiva, non era esprimibile, non era dicibile. Ma quelli ci avevano provato, s'erano ingegnati, arrabattati con un coraggio, una buona volontà ammirevoli. S'erano aggrappati a tutto, alla luna, all'anima, a un gesto, a una rima, a un ricciolo, al sesso, a un paio di guanti; avevano tirato dentro tutto, oceani, alabastri, cascate, uragani, vulcani, violette, perle, fiamme.

L'amore, pensò. Ecco.

E succedeva ancora, insomma. Succedeva sempre. In condizioni ritenute ormai sfavorevolissime, per non dire impossibili, continuava a succedere.

L'amore, appunto. Ma anche lasciando stare lei e Graziano (Graziano?), si trattava chiaramente di un fenomeno carico di conseguenze sconvolgenti, inaudite, estreme. Il solo fatto che potesse esistere quaggiù, fianco a fianco con le infinite e misere cose che non erano l'amore, già bastava a dare le vertigini... Guardò incuriosita i due uomini grigi davanti a lei, la guardia impassibile. Vedevano? Sapevano anche loro?

Non ne avevano l'aria. Ma, rifletté Thea, c'era chi doveva saperlo e tuttavia nessuno aveva l'aria di farci caso, di averne mai preso atto adeguatamente. Perché nessuno me l'ha detto? pensò con subitanea indignazione. Perché mi hanno spiegato come nascono i bambini e non m'hanno invece informata della fantastica verità? Era vergognoso. Era incredibile.

Si accigliò. Le sembrò di intravedere una vasta e subdola cospirazione. Perché per parlarne ne parlavano, anche troppo. Il problema, ora vedeva, non era questo. Ah, l'amore! dicevano con un sospiro. Eh, l'amore...! alzando gli occhi al cielo. Oh, l'amore! con una smorfia. Ne parlavano tanto, non si poteva negare. Ma sempre per scorci, allusioni, sottintesi, eufemismi, parabole. Come di uno scandalo esplosivo che la prudenza consigliava di minimizzare, diluire, banalizzare il più possibile, con ogni mezzo. Il carro della Dea iniziava la discesa verso il centro di Torino, e loro gli preparavano una bella rimessa all'aeroporto di Caselle. Questo doveva essere il senso, lo scopo segreto delle nauseanti scempiaggini che avevano per argomento l'amore. La pubblicità. I fotoromanzi. Le canzonette che piacevano a Graziano (Graziano?).

Era una situazione inammissibile. Una volta saputo, come lei adesso sapeva, che l'amore c'era, bisognava tenerne il debito conto. Quale conto? Thea non lo sapeva, ma sentiva che quella stanza astratta e disadorna, con quella nuda panca di legno, era il posto ideale per rifletterci.

L'assalì la paura che venissero a distoglierla dalla sua concentrazione.

— Che ora... — disse con voce troppo forte, o che le sembrò troppo forte dopo il lunghissimo silenzio. — Che ora è, — ripeté più piano, — per favore?

— Non si può parlare, — disse la guardia senza severità.

Uno dei due uomini scuri aveva già estratto l'orologio a catena. Guardò di sbieco il compagno, e l'altro abbassò impercettibilmente le palpebre.

— Le due meno dieci, — disse il primo.

— Non si può parlare, — ripeté la guardia, seccata.

Il secondo uomo, che era anche il più anziano, fece a Thea un sorriso impercettibile.

Forse lui sapeva, si ricredette immediatamente Thea. Forse anche il suo compagno. E così la guardia, gli altri poliziotti della questura, quel prete che era volato giù dalla sua torre, tutta la gente che c'era in chiesa e tutti i torinesi, tutti gli abitanti della terra. Forse non c'era nessuna congiura, ma solo una terribile impotenza, un'incapacità, un'impossibilità di raccontare tutto, di dire veramente, di spiegare sul serio... Ora lo capiva bene, il loro problema.

Ma sua madre, santoddìo, almeno un accenno, una mezza parola, avrebbe potuto dirgliela, per metterla sulla strada. Altro che le raccomandazioni sulla pillola, l'aborto, le malattie veneree, la droga...

Poi s'intenerì. "Se tu fossi innamorata me ne sarei accorta", le aveva detto ancora ieri. Povera mamma, non aveva idea. Perché forse invece ce n'erano che non ne sapevano veramente niente, che non c'erano mai arrivati, che la grande, l'impossibile, la miracolosa montagna di cristallo non l'avevano vista mai, non la vedevano.

Povera mamma, pensò, ma allora come faccio a spiegarle?

Innamorata, pensava la signora Guidi a quaranta centimetri di distanza, e di un bandito, un criminale, un mafioso, un killer. Con la Porsche e la pistola. O uno sfruttatore. Un trafficante di droga. Comunque, il peggio assoluto.

Per la centesima volta in quella notte d'incubo, (e nessuno le venisse a dire che non era una notte d'incubo), staccò le spalle dal muro al quale, dalla parte opposta, si appoggiava Thea. Una mamma angosciata, firmavano quelle donne che scrivevano ai giornali perché la figlia era finita sul marciapiede o in un covo di tossicodipendenti. Dove ho sbagliato, si chiedevano straziate, come ho sbagliato?

La signora Guidi non se lo chiedeva più. Fermata, malmenata, trascinata, perquisita, sbattuta in una pidocchiosa cella (be', insomma) e lasciata lì a marcire per delle ore, aveva avuto tutto il tempo per arrivare alla verità. Lo sbaglio era stato di non capire che Thea, pedante, esauriente, meticolosa, definitiva com'era, si sarebbe innamorata allo stesso modo: fino in fondo, dall'A alla Z. La grande passione. Il destino ci ha uniti. Amore e morte.

E lei perché, di questa storia, non se n'era accorta prima? Ma proprio perché Thea era stata allevata troppo bene, noiosamente sincera, aperta, incapace di sotterfugi e doppiezze. Cosa mai poteva scoprire una mamma, in una figlia così trasparente?

Quanto a sapere come mai si fosse messa con quel malvivente (a parte che era un bel ragazzo, ovviamente), la cosa aveva poca importanza. Probabilmente per caso, al principio. E poi per curiosità. Per vedere com'era. Attirata "scientificamente" dal diverso, dall'insolito. Dopodiché addio, chi la fermava più?

Invece bisognava fermarla in qualche modo, e purtroppo toccava a lei. Per ora non avrebbe cercato suo marito, inutile mettere di mezzo un padre angosciato, che si precipitava a dorso di mulo giù dalle sue montagne per andare a prendere il primo aereo da Karachi o da dove diavolo. Appena possibile avrebbe parlato (ore!) con Thea, con questi invisibili poliziotti, con gli avvocati, e si sarebbe fatta un'idea di quanto era grave la situazione...

Si riappoggiò al muro, e per la centesima volta in quella notte di follia si chiese se non ci fosse un peggio del peggio assoluto. Se cioè sua figlia, attraverso quell'uomo, non c'entrasse in qualche inverosimile modo con quell'attentato, con quella morte. Per la centesima volta si disse che era stata lei a dirle di quella chiesa, a mettere in moto quell'infernale successione di fatti. Una mamma angosciata? Ma anche e soprattutto una mamma idiota, pensò.

Graziano fumava tranquillo, annoiato, ma con la sensazione che gli mancasse qualcosa. Non era stanco e non aveva nemmeno fame. Aspettare sapeva aspettare, e la questura, la polizia, non l'impressionavano minimamente, meno che mai in questo caso. Con la fredda ragionevolezza per la quale era apprezzato da tutti, aveva già sistemato mentalmente i vari aspetti della questione e definito le varie alternative. Era stato beccato o perché 1) qualcuno l'aveva seguìto fin dal pomeriggio, e chi fosse questo qualcuno, che ragioni avesse avuto, stava a lui di scoprirlo; oppure perché 2) qualcuno l'aveva riconosciuto in chiesa, e allora, con novanta probabilità, questo secondo qualcuno era uno della polizia, che doveva già avere i suoi motivi per essere lì. Ma contro di lui, rifacendo bene ogni calcolo, non avevano e non potevano avere che due sole carte: 1) il fatto che si trovasse sul luogo

dell'attentato, fatto però che ai loro stessi occhi doveva apparire per forza casuale, un po' strano ma casuale; 2) la pistola,
per cui aveva una licenza ristretta al suo presunto "studio contabile". Carte da poco, non certo degli assi. Quindi: un piccolo
incidente sul lavoro, facilmente appianabile. Quindi: nessuna
preoccupazione. Salvo quel leggero, vago senso di privazione.

Restava il problema della ragazza; ma, appunto, non era più
un problema. Mentalmente, l'aveva già scaricata. Con lei aveva
commesso tre errori: 1) di portarsela appresso, oggi, nel suo
giro; 2) di accompagnarla in chiesa, ma questa era un'inevitabile
conseguenza di 1; 3) di volerla riaccompagnare a casa con la madre, ma questa era un'inevitabile conseguenza di 2.

Risultato: fine della faccenda. Dato però che questa fine era in
partenza inevitabile e prevista, poco importava che fosse arrivata stanotte invece che tra un mese o un mese fa. Era stato
un piacere. Era stato, anzi, bello, finché era durato. D'altra parte,
queste storie con le ragazze a un certo punto, in qualche modo,
finivano. Questa qui in particolare, con questa particolare ragazza,
lui l'avrebbe magari tirata avanti ancora per un pezzetto, non
s'era ancora tecnicamente stufato. Ma così era andata, non c'era
niente da fare. Un bel ricordo.

Si mise macchinalmente a mugolare sottovoce una canzone, e
capì che quello che gli mancava era la radio. Un po' di musica,
ecco cosa gli sarebbe servito in questo momento. Un bel programmino notturno, con voci morbide di negre, carezzevoli note di
pianoforte. Sorrise, accarezzando l'aria con una mano.

La guardia si girò a guardarlo.

Ma che sto dicendo, che sto pensando? pensò accasciandosi
di colpo. Quale ragazza?

È Thea. Non una ragazza. Thea.

16.

— Insomma, — disse il questore dopo che tutti ebbero discusso
e ridiscusso *ad nauseam* i termini del problema, — questo parroco
è stato ucciso da un Ufo.

Il vicequestore Picco, che doveva preparare il comunicato per la stampa, considerò un momento l'ipotesi.

— Be', — scherzò speranzoso, — dopotutto...

— Sarebbe la cosa migliore, — disse il sostituto procuratore come tra sé. Poi richiuse la cartellina delle sue note e la rimise in un'elegante busta di pelle, di cui fece scattare udibilmente il fermaglio. Non era uno di quei sostituti facinorosi che intralciavano e ritardavano il lavoro della polizia, pretendendo di impartirle precisi orientamenti.

— Solo che quest'Ufo nessuno l'ha visto, — disse il questore. — E ciò, — aggiunse asciutto, — sebbene...

Girò lo sguardo su Picco e sui tre commissari, lasciando pesantemente in aria il "sebbene".

De Palma, a nome dei colleghi e suo proprio, recitò ancora una volta l'atto di contrizione. Sì, la cosa più imbarazzante da ammettere coi giornalisti era che le circostanze dell'attentato, la sua dinamica più elementare, restasse tuttora un mistero sebbene la P.S. si fosse trovata sul posto.

— E non per caso, ma per proteggere la vittima, — osservò il sostituto procuratore con l'aria di dire: ecco dove porta il troppo zelo.

D'altra parte, aggiunse imparziale e accennando ad alzarsi, certi contrattempi erano ormai inevitabili; era comprensibile che la polizia, mobilitata in permanenza qua e là per cercare di proteggere tutto e tutti, non potesse in definitiva garantire più niente a nessuno.

— La debolezza, — disse Picco citando una massima che inseriva regolarmente nei comunicati ai media, e che i media regolarmente omettevano, — chiama la guerra.

Il questore annuì e s'alzò, salutò il procuratore che s'era affrettato a imitarlo.

— Va bene, — concluse voltandosi agli altri, con una secchezza decisionale destinata a compensare il niente su cui c'era da concludere, — se mi dite che per ora mancano effettivamente indiziati d'una certa... — soppesò un immaginario mattone, — consistenza...

— Mancano veri indiziati e mancano veri indizi, — disse De Palma. — E comunque finché l'Ufo... l'ordigno, voglio dire, l'esatta natura dell'ordigno...

— Senti, l'Ufo lasciamolo stare e andiamo avanti con quello che abbiamo, — disse Santamaria mentre rientravano in ufficio. — Per esempio la Porsche, anche se la Volkswagen... Ancora niente sulla Volkswagen? — chiese alla Pietrobono.

— Niente, dottori.

De Palma alzò le spalle.

— Preferirei ancora la Fiat, quell'ingegnere della Fiat. O la viceparroco, se...

— Niente, non si trovano neanche loro, — disse la Pietrobono. — Mattei continua a provare, ma o non sono rientrati o non rispondono.

— E allora il sagrestano.

De Palma, con aria oppressa dalla vanità del tutto, storse la bocca.

— La storia del confessionale?

— No, che c'entri con l'attentato come dicono quei due salami, mi sembra difficile. Ma in ogni modo è uno da sentire.

— D'accordo, sentiamo questo sagrestano, — disse De Palma con voce incolore. Si voltò alla Pietrobono e accennò col mento al telefono, andò a sedersi depresso.

— Magari invece è stato proprio lui, — l'incoraggiò la Pietrobono dopo aver telefonato. — O lui, o quell'editore.

— Il cerchio si restringe, — approvò Santamaria. — Brava. Manca solo il movente e poi ce ne andiamo a casa.

— Ma è la forza del destino, dottore! — disse allegra la Pietrobono che gli aveva ridato un po' sotto col whisky. — Il movente è sempre quello: la forza del... No, no! — squittì impaurita sotto lo sguardo di De Palma, che aveva rialzato la testa e la fissava stringendo gli occhi, — non fatemi del male!

De Palma invece si stava rischiarando.

— Ma naturale che è stato lui! Macché attentato politico, macché mafia! Perché, — s'illuminò, — mettiamo che abbia una figlia.

— L'editore? — riazzardò la Pietrobono.

— Ma quale editore! Il sagrestano, no? La figlia del sagrestano.

— È vero, — disse Santamaria. — Bastava pensarci.

— E allora dunque, ecco, state a sentire, — disse De Palma rialzandosi addirittura in piedi. — Don Alfonso, prete gaudente e lussurioso, ignora che il vecchio sagrestano ha una figlia. Il Priotti infatti, conoscendo l'indole scopereccia del parroco, gli tiene accuratamente nascosta l'esistenza della fanciulla, che vive pura e innocente in un confessionale abbandonato, uscendone solo il venerdì sera per fare il bagno.

— Nel fonte battesimale? — disse la Pietrobono entusiasmandosi.

— Esattamente. Ed è qui che don Alfonso, in una notte di tempesta, la sorprende e la possiede. Ma viene a sua volta sorpreso dal Priotti, che avvicinatosi non visto grazie all'oscurità del locale, lo colpisce al capo con un grosso pneumatico Michelin. Ne segue una violenta colluttazione, a cui mette termine l'entrata di una folla di parrocchiani, parrocchiane e vigili della Sezione Garibaldi. Ed ecco intanto spiegato il tafferuglio di venerdì scorso.

— Ma allora, — disse Santamaria, — quelli che gli astanti hanno visto dileguarsi, non erano gli aggressori?

— Ma niente affatto. Era la figlia, che approfittando del trambusto fuggiva col ricco editore e il suo tirapiedi, venuti a documentarsi sul barocco. Ma il vecchio giura di vendicarsi, e il venerdì successivo... Avanti, avanti, — disse a Dalmasso che aveva aperto la porta ma esitava a entrare col suo prigioniero, — mettetevi lì. Il venerdì successivo, — riprese dopo un'occhiata tra fulminante e delusa al Priotti, che s'era probabilmente immaginato più vecchio, — scatta l'operazione Ufo e l'ignobile seduttore sconta davanti a tutti le sue malefatte.

— Questo però non chiarisce le modalità dello scoppio, — disse Santamaria.

— No, ma spiega la scena finale, quando il sagrestano, consumata la vendetta, va a raccogliersi nella cameretta della figlia, cioè il confessionale, dove gli uomini del celebre De Palma finiscono per acciuffarlo.

Si voltò verso Priotti che lo guardava a bocca aperta.

— Solo che il nostro sagrestano, — disse minaccioso, — invece di arrendersi, di confessare, di invocare le sue numerose attenuanti, che cosa fa? Oppone resistenza agli agenti, li aggredisce con arma impropria, e si ostina poi in un silenzio che può soltanto aggravare la sua posizione.

— C'è anche il reato di oltraggio, — disse Dalmasso, che aveva incomprensibilmente tratto di tasca una grossa chiave. — Dopo che gli agenti si erano qualificati, il prevenuto li ha apostrofati con termini scurrili e ingiuriosi, quali...

— *Mument*, — l'interruppe Priotti alzando una mano. — Un momento, — ripeté esibendo il pollice ai due commissari. — Capo primo: sarà benissimo che gli agenti si sono qualificati, ma io in quel casotto non ho nemmeno sentito, ho pensato subito che erano gli stessi dell'altra volta, e pertanto mi sono difeso. Secondariamente, — disse aprendo anche l'indice, — avevo le mie responsabilità da espletare, a riguardo dell'incolumità del pubblico.

— E le espletavi occultandoti nel confessionale? — disse truce Dalmasso.

Priotti si mise a ridere.

— Senta capo, — disse tra umile e paterno a De Palma, — senta signor commissario: io non so questi qui cosa ci hanno raccontato. A me non mi hanno neanche lasciato parlare. Ma se permette... — s'accarezzò la faccia piena di lividi (Muzzoli e Urru dovevano aver calcato un po' la mano), indicò una sedia, si sedette pesantemente. — Ecco. Adesso ci spiego io.

Benché stracco e biascicante (la dentiera doveva essergli andata fuori posto) era notevolmente più articolato dell'editore, e per spiegare non gli ci volle molto. Dopo l'esplosione, sulla quale non poteva dir niente perché in quel momento era in giro tra i banchi, voltava le spalle alla torre, s'era districato dalla folla urlante che si accalcava verso l'unica uscita, per precipitarsi ad aprire la porta laterale.

— Perché in tutte le chiese, come sapete meglio di me, deve esserci la sua uscita di sicurezza, che deve stare aperta durante le funzioni. La quale invece il sottoscritto l'aveva tenuta chiusa. E perché l'aveva tenuta chiusa? — continuò prevenendo la domanda. — Per via dell'altro venerdì, dato che proprio da quella porta erano entrati e poi scappati i nostri aggressori... Questo fatto dell'aggressione l'ho già spiegato ai Vigili, ma se vuole ce lo spiego anche a lei.

— Magari dopo, adesso andiamo avanti con questa porta, — disse De Palma guardando perplesso la grossa chiave in mano al brigadiere. — Se stavi correndo ad aprirla, che c'entra il confessionale? Perché ti ci sei andato a nascondere?

Priotti gettò anche lui un'occhiata alla chiave.

— Perché, — spiegò, — capo primo, il confessionale sta vicino alla porta; e secondariamente nel confessionale c'è un chiodo, la chiave sta sempre attaccata lì. L'avevo appena staccata, — disse alzando dimostrativamente il pugno, — quando quei due mi sono saltati addosso. E allora, — continuò a dimostrare con energia, abbassandosi più volte il pugno ora su un ginocchio, ora sull'altro, — mi sono difeso.

Ci fu un breve silenzio.

— Tutti possiamo sbagliare, — concluse Priotti con un sogghigno che smentiva il suo tono contrito. — Ma, — chiese anche a Santamaria e alla Pietrobono, che abbassò pudicamente gli occhi, — mi dicano loro: chi è stato a sbagliare per primo?

De Palma sospirò, tese una mano verso Dalmasso per farsi dare la chiave.

— Così era questa l'arma impropria? — chiese rigirandola e restituendola.

Il sottufficiale annuì umiliato.

— Bene bene, — disse De Palma. Poi sorrise a Priotti e restò a guardarlo un momento.

— Lei ha figli, signor Priotti?

— Vedovo senza figli, — disse Priotti. — La mia povera Armanda aveva l'utero che...

— Bene bene, — ripeté De Palma. — Allora il signor Priotti non ha figli e non si occultava. Ma... — si concentrò nello sforzo di ricordarsi, rialzò gli occhi sull'infelice brigadiere, — ne abbiamo altri due che si occultavano, no?

— Dietro un banco in fondo alla chiesa, — precisò il sottufficiale. — Ma già durante la funzione, — aggiunse sotto lo sguardo scettico di De Palma, — gli agenti Muzzoli e Urru avevano notato il loro atteggiamento furtivo, aggravato dalla loro ingiustificata e sospetta permanenza sul luogo dopo l'attentato, e dal loro rifiuto di declinare le proprie generalità.

De Palma si passò una mano sugli occhi.

— Furtivi, eh? — disse rassegnato. — Eh, Dalmasso mio, è brutta quando sono furtivi...

Il brigadiere non rispose. Dal suo angolo, Priotti si schiarì la voce e gli venne inaspettatamente in aiuto.

— Però è vero che davano quell'impressione. Ci ho fatto caso anch'io: due col collo del paltò tirato su, la sciarpa fin qui, che sono sempre rimasti in fondo dietro a tutti gli altri. Tanto che a un certo momento sono andato a darci un'occhiata da vicino.

— E allora?

— Niente. Non ho potuto vederli bene perché lì dove s'erano messi, oltre a tutto, non c'era nemmeno una candela. Ma d'ogni modo erano persone d'età, niente a che spartire con quelli dell'altra volta.

— Ma lei, — disse Santamaria, — neanche quelli dell'altra volta li ha visti bene.

— Non li ho visti per niente inquantoché ci sono venuti addosso da dietro, mentre spegnevamo le candele. Ma ho sentito come pestavano!... Per quanto che io, — sorrise furbescamente, — non è che non mi so difendere, se in caso.

(*Dal diario della Pietrobono*)

Questo sagrest. (che poi a q. pare non est veram. sagrest. ma solo facente funz.) non convincemi troppo. — Dicesi sicuro che capo 1°, autori attent. stessi di preced. aggress. — Et capo 2°, autori in quest. doversi ricercare tra svariati elem. indesiderab. che parroco anticam. accoglieva S. Lib. scopo dialogo et/aut redenz.

Tratterebbesi insomma vendetta da parte estremisti, estranei parrocchia ma contrari a nuova predicaz. parroco. — Ma chi sarebbero questi estrem.? — Pseudo-sagr. ricomincia capo 1° et 2°, ma praticam. limitasi ripetere sua dichiaraz. a vigili Sez. Garib. — Circa "nuova predicaz." dichiara che DP (Don Pezza, non celebre DP) cambiato strada causa visione Madonna aut simili, ma dicesi troppo ignorante per spieg. esatta. — Consiglia sentire + ttosto viceparroco prof.ssa Caldani (che però anche lei, a q. pare, non veram. viceparr. ma solo fac. funz.) aut ing. Vicini.

Già, ma dove finiti ing. et prof.ssa? — Dice non avere idea, et che entràmbi lasciato chiesa prima esplos. – Et suoi aiutanti F.lli Bortolon? – Anche loro lasciato chiesa prima esplos., anzi ancora prima inizio funz., perché prof.ssa giudicato eccessivo loro zelo tutori ordine et pensato bene rimandarli casa. – Forse adesso (chiede furbescam.) potrebbero rimandare casa anche lui?

DP (celebre DP, non Don P.) chiedegli se notato altri indiv. sospetti, oltre ai due che occultavansi. Lui dice no. – S.maria chiedegli anche se notato indiv. mezzetà stat. mediobassa corporat. robusta giaccone finta pelle camicia righe berretto quadri, giunto S. Lib. bordo Volkswagen. Dice no.

Insomma dice niente. – CDP (Celebre DP) sembrerebbe disposto mandarlo via. Dice sentiamo Porsche, adesso. – S.maria dice invece ancora momento. – Dice est vero, sig. Pr., che Don P. anteriorm. a sua visione Madonna et inizio nuova predicaz... – Veram. adesso, dice Pr., ricordomi che vis. non Mad. ma S. Giov. – Non imp., dice S.m., ma est vero che D.P. dedicava venerdì a varie categ. nostri fratelli quali f.lli carcer., travest., drog.? – Se per questo, dice Pr., anche ns. f.lli ladri et ns. s.lle puttane. – Et, dice S.m., ns. f.lli mafiosi no? – Ah, mettesi ridere Pr., f.lli maf. no, ma solo perché povero D.P. non pensato! Se pensava...

Bene bene, dice CDP. – Ancora momento dice S.m., io sentirei meglio da sig. Pr. storia visione et faccenda pneumi, scintille, leoni. – Molto bene dice CDP che evidentem. cominciato stufarsi sig. Pr., ma allora io vado intanto dare guardata f.llo et s.lle Porsche et magari anche ns. f.lli che occultavansi, così vediamo chi est meglio sentire prima. – P.bono, dice bruscam., tu smetti scrivere et vieni con me. – Vengo, scrive s.lla P.bono, volo! – (Sento amarlo).

17.

Thea cercava di vedere il palazzo della Questura in sezione, come un modellino o una casa di bambole: tante scale e scalette, tante stanze di varia misura, dove una grande mano sistemava e spostava di tanto in tanto le figurine... Chissà dov'era, in questo momento, la figurina di Graziano?

L'aveva cacciato in un bel guaio, pensò. Uno come Graziano

non poteva permettersi di farsi prendere sul luogo di un attentato, e per giunta con la pistola. Lei certo avrebbe testimoniato che non c'entrava, che non poteva entrarci, che era stata lei a portarlo a Santa Liberata. Ma quelli le avrebbero creduto? E comunque, già che se lo trovavano tra le mani, non l'avrebbero mollato tanto facilmente. Era anche possibile che Graziano fosse ricercato, braccato già da tempo per altre questioni, oppure che lo tenessero d'occhio in attesa di una buona occasione per incastrarlo. E l'occasione era venuta, ci aveva pensato lei a dargliela su un piatto d'argento.

Farò testimoniare anche la mamma, stabilì, dopotutto la causa prima è stata lei, ha l'obbligo morale di intervenire. L'avrebbe inoltre persuasa a chiamare papà, che avrebbe subito mobilitato tutti gli avvocati, tutti i magistrati di sua conoscenza.

Si sentì piena di indomabile energia, poi si scaricò. I suoi avrebbero, sì, mosso mari e monti; ma per lei, per togliere d'impiccio lei. Per Graziano non avrebbero alzato un dito, anzi. Più lo tenevano dentro e meglio sarebbe stato, dal loro punto di vista. Oppure avrebbero cercato di farlo rispedire in Sicilia...

Il pensiero della Sicilia cominciò a ricaricarla. Graziano era sicuramente un mafioso, e la mafia proteggeva i suoi come figli, tutti lo dicevano, film, libri, giornali, inchieste sul Mezzogiorno. Non era una leggenda, c'erano le prove. Appena uno di loro veniva preso, tutta l'organizzazione si metteva immediatamente in moto.

Già al momento dell'arresto (Santa Liberata non era, appunto, in una zona di meridionali?) misteriosi osservatori dovevano aver assistito alla scena e comunicato la notizia ai capi. Già durante il tragitto, Graziano doveva aver ricevuto qualche segnale, qualche piccolo cenno d'intesa. E nell'interno stesso della Questura, da parete a parete, dovevano essere corsi fino a lui messaggi cifrati e rassicuranti: tre colpi, due colpi, cinque colpi... Le sigarette, i panini, i soldi, stavano arrivando. Forse una lima. O più probabilmente avvocati astutissimi, specialisti di tutti i cavilli e le scappatoie. O più probabilmente ancora, stavano arrivando gli occulti e onnipotenti protettori, gli altissimi, insospettabili personaggi che...

Thea guardò — vide realmente per la prima volta — i due uomini vestiti di scuro che sedevano davanti a lei. Vestiti di scuro. Perfettamente immobili. Assolutamente inscrutabili. Il più anziano, quello che le aveva sorriso, poteva avere sessantacinque anni. Una testa bianca e ben cesellata, naso aquilino, labbra sottili. Occhi pazienti ma fermissimi. Volontà di ferro. Abitudine al comando.

L'altro, chiaramente in sottordine, aveva un dieci anni di meno, ma anche lui sembrava uno di quelli che dirigevano, muovevano le fila, non certo uno che si sporcasse mai direttamente le mani. Non aveva però lo stesso autocontrollo del capo, muoveva spesso la testa, i piedi, incrociava e disincrociava le mani, e già due volte era andato a sussurrare qualcosa alla guardia, che s'era limitata a scuotere la testa. Si capiva che faceva uno sforzo per dominare l'impazienza.

Il capo invece non aveva mai aperto bocca, non s'era mai mosso, come se non ricordasse nemmeno di essere dov'era. Indifferente. Gelido. Superiore.

E tuttavia le aveva sorriso, impercettibilmente.

Thea abbassò lo sguardo, eccitatissima. I due uomini, che non ricordava di aver visto in chiesa, erano stati accompagnati nella stanza dopo di lei. Un certo tempo dopo. Perché proprio qui? Era possibile che sapessero già tutto di lei, dell'importanza della sua testimonianza per Graziano, e che fossero venuti appunto per quello? Certo che era possibile, era addirittura probabile. E il sorriso era stato d'intesa e incoraggiamento, un invito a stare tranquilla, un segnale: tutto va bene, tutto è sotto controllo, siamo qui noi.

Rialzò la testa e si preparò a sorridere impercettibilmente a sua volta, per far capire al capo che aveva capito. Lei d'altra parte non aveva pratica di questi muti linguaggi mafiosi, ma certamente lui...

La guardia scattò in piedi. Thea e le due figure scure voltarono la testa. Un uomo alto e asciutto, con una giacchetta sportiva e una "polo" avana, mal rasato, gli occhi arrossati e una mezza sigaretta spenta all'angolo della bocca, era entrato bruscamente nella stanza. Gli veniva dietro una poliziotta in divisa, una ragazza magra, ricciuta, il naso un po' lungo e l'aria vivace.

L'uomo, certo un poliziotto anche lui, un commissario o simili, girò intorno uno sguardo sbrigativo prima di fermarlo su Thea. Poi lo riportò improvvisamente sulle due figure immobili.

Thea vide benissimo come incassava il colpo: ci fu un irrigidimento di tutto il corpo, una distorsione dolorosa della faccia, che gli moltiplicò le rughe, un "oh" stupefatto e silenzioso che quasi gli fece cadere la sigaretta dalle labbra.

— Porta via, porta via... — disse rauco alla guardia, agitando il braccio verso Thea.

Mentre la guardia la prendeva fermamente per il gomito e la portava fuori, Thea si girò. L'ultima cosa che vide fu il passetto deferente del poliziotto verso il vecchio capo mafioso, che senza muoversi di un millimetro lo fissava di sotto in su con infinita indulgenza, con infinita ironia.

18.

Dall'esame necroscopico, spiegò al telefono il medico legale, risultava che l'ordigno era scoppiato a "un metro, massimo un metro e mezzo dalla vittima, ma più in alto".

Santamaria, che fino a un momento prima s'era interessato all'Apocalisse di San Giovanni, ebbe la fuggevole visione di un carro di fuoco che esplodeva transitando sulla testa del Pezza.

— Questo, — disse con un cenno di congedo al Priotti, e facendo segno a Dalmasso di riaccompagnarlo, — confermerebbe le testimonianze secondo cui...

Vide la porta dell'ufficio spalancarsi di colpo e la Pietrobono rientrare trafelata, gettargli un'occhiata di costernazione, alzare le mani al cielo come una messaggera di sventura.

— Via, via subito, sgombrare, sgombrare! — ordinò in giro la ragazza, falciando l'aria col braccio come un agente della stradale a un rientro di ferragosto. Dalmasso e Priotti s'affrettarono docili e sbalorditi verso la porta. Dalla porta interna s'affacciò il brigadiere del centro comunicazioni, ma lei lo respinse con le due mani aperte: — No, no! Dopo, dopo!

— Pronto? — disse il medico legale al telefono.

— Scusi un istante, professore, — si scusò Santamaria. — Ma che succede? Mica c'è l'ispezione? — chiese alla Pietrobono.

— Ah, dottore! — gridò lei, guardandosi intorno smarrita. — Se sapesse chi è caduto nella nostra rete!

— Ma che rete? Cosa dici!... Mi scusi, professore, potrebbe dire direttamente al commissario Cuoco? Le passo l'interno.

La Pietrobono spostò una sedia, prese da un tavolo un portacenere pieno di mozziconi, lo rimise giù scoraggiata.

— Tutto questo fumo... — deplorò voltandosi verso la finestra.

— Ma insomma che c'è? Chi...

— Io non so niente, io non parlo, io non ho visto nessuno, — disse la Pietrobono.

E filò via come se fuggisse dal castello dei vampiri.

Santamaria s'alzò in piedi, girò intorno alla scrivania. Chi diavolo stava arrivando?

Prima arrivò De Palma, che evitò di guardarlo. Tenne la porta aperta e disse: "Prego".

Due uomini vestiti di scuro apparvero: uno, che il commissario non conosceva, aveva un'aria tra affaticata e sostenuta; l'altro, che il commissario riconobbe subito, sembrava invece pieno di franca curiosità e in ottima forma, benché fosse il più anziano.

— Ah... — fece come se fosse entrato in un museo, — e questo è il suo ufficio... questo è il suo collega... Buonasera, buonasera... O veramente dovrei dire buongiorno?

De Palma e Santamaria fecero insieme una livida risatina.

— Io ho insistito per l'ufficio del signor questore, che perlomeno è un po' più comodo, — spiegò De Palma, — e dato che disgraziatamente... i signori... sono rimasti per tutto questo tempo su una panca, di sotto...

— Ma non ha la minima importanza, — disse cordialmente il più anziano dei "signori". — E a questo punto, per noi è più interessante, e direi più utile, parlare con chi conduce direttamente le indagini, non le pare?

De Palma non rispose, sembrava groggy.

Forse fingeva quella abissale mortificazione, ma se non fingeva nessuno avrebbe potuto accusarlo di esagerare. Il colpo era davvero sensazionale. I pesci caduti nella rete erano davvero grossi.

— Posso prendere questa sedia? — chiese nel silenzio il pesce dai capelli bianchi.

— Oh, — disse De Palma, — mi scusi, Eminenza. Si accomodi.

Calmo, sereno, elegante, il Cardinale Arcivescovo di Torino si accomodò.

QUESTI MONSIGNORI, QUESTI PORPORATI

1.

Questi monsignori, questi porporati, questi prìncipi della Chiesa, non erano diventati tali in seguito a una vincita al totocalcio. La scuola, pensò Santamaria, si sentiva.

Poche parole indulgenti e accorate, poche frasi risplendenti di tatto, bastarono a invertire radicalmente le parti. Per prima cosa, la madornale gaffe della questura fu ridimensionata a piccolo malinteso, la vittima del quale venne in pari tempo declassata da arcivescovo a semplice uomo tra gli uomini, a trascurabile cristiano tra i cristiani: soggetto quindi agli incidenti, alle sorprese e alle noie (da parte anche della polizia, implicitamente) come ai casi più tragici, che in questi tempi dolorosi e oscuri potevano toccare a chiunque (malgrado la polizia, sempre implicitamente). Levatosi così al di sopra dell'effimero con una mossa che gli consentiva simultaneamente di confondersi con l'anonima folla, Sua Eminenza cominciò con distaccata sollecitudine, in puro stile da visita all'orfanotrofio, l'interrogatorio di Fra De Palma e Suor Santamaria.

Nessun arresto, ancora? Nessun serio indizio? Ah, e dunque non si escludeva nessuna ipotesi: né il terrorismo politico, allargato a colpire la stessa Chiesa... né una vendetta personale o il gesto di un folle... né forse una disgrazia, un malaugurato incidente di tipo, per esempio, pirotecnico?... In tanta sciagura, comunque, il Signore era stato misericordioso a non permettere che ci fossero altre vittime: quell'ordigno — di cui il reparto scientifico ignorava ancora la natura? o quantomeno il meccanismo? — quell'ordigno avrebbe potuto fare una strage... Erano tempi terribili, ma la Chiesa, nella sua storia millenaria, aveva vissuto momenti ben più gravi, era stata minacciata da ben più mortali pericoli...

Il commissario ammirava. Silenzi, digressioni, incisi, frasi fatte, rapide aperture e pronte ritirate, tutto fluiva con una naturalezza quasi automatica e senza un intoppo.

Finché, interrompendo un excursus che relegava, praticamente, l'assassinio del Pezza all'alto medioevo, Sua Eminenza tornò al malinteso che aveva portato lui stesso, qui, questa notte, davanti a due funzionari della questura di Torino. Un malinteso, come aveva già detto, di nessun conto, ma di cui soprattutto non doveva darsi la colpa a nessuno; s'era trattato di un equivoco perfettamente comprensibile, date le circostanze. Dopo la sciagura infatti, lui stesso e il suo accompagnatore, mons. Ceci...

Passò con un breve cenno la parola a mons. Ceci, perché spiegasse lui le circostanze di fatto, e il fantasma dell'editore sembrò aleggiare per un momento nella stanza.

Ma il caso era affatto diverso, dovette riconoscere il commissario mentre l'accompagnatore spiegava. Il silenzio di Sua Eminenza era dettato da comprensibile ritegno. Non stava a lui sottolineare come, dopo la sciagura, la reazione di un arcivescovo non avesse potuto essere quella del panico e della fuga. Non stava a lui descrivere come, nella chiesa ancora sconvolta dall'esplosione, un senso di doverosa pietà l'avesse spinto a inginocchiarsi dietro un banco con mons. Ceci, e a raccogliersi lungamente in preghiera. Il malinteso con gli agenti era nato appunto da questo, e s'era poi aggravato alla richiesta delle generalità.

Qui l'accompagnatore esitò, tossicchiò, ma uno sguardo dell'arcivescovo l'incoraggiò a continuare. Il fatto era, spiegò circospetto e abbassando addirittura la voce, che Sua Eminenza, per ovvie ragioni, aveva giudicato opportuno di mantenere il più stretto incognito: specie, com'era naturale, dopo la tragedia.

Sua Eminenza approvò.

— Loro, — disse ai due funzionari, — comprendono.

I due funzionari avrebbero voluto comprendere di più, ma non ebbero altra scelta che approvare anche loro.

Di qui, proseguì monsignor Ceci, il rifiuto di declinare le generalità *coram populo*, e per di più a dei semplici agenti che... della cui discrezione cioè... cioè no, nessuno voleva mettere in dubbio la discrezione degli agenti, ma piuttosto, diciamo, quel tatto, quella maggiore avvedutezza e perspicacia, mancando la quale...

L'arcivescovo lo fermò lì. Il malinteso era dimenticato, il trascurabile incidente era chiuso. Adesso, disse con risolutezza, la stessa pietà per la vittima doveva cedere alla speranza che le indagini si concludessero rapidamente, che piena luce venisse fatta sulla tragedia. E poi la chiesa avrebbe dovuto essere riconsacrata, secondo l'antica tradizione.

Scosse brevemente la testa.

— Non meno che la sciagura in sé, — disse asciutto, — ci colpisce la profanazione, ci addolora che la violenza si sia scatenata nella casa di Dio.

Il plurale, pensò Santamaria, si riferiva senza dubbio alla comunità ecclesiastica; ma non dava alla frase un tono di perentoria conclusione, un'autorevolezza papale intenzionalmente intimidatoria? Il necrologio del Pezza non avrebbe potuto essere più spedito, in ogni modo.

— Per fortuna, — disse usando il plurale anche lui, — ci risulta che i danni alla chiesa stessa non sono gravi. Una chiesa antica, non è vero? Una chiesa... barocca?

Sua Eminenza liquidò in fretta anche i danni.

Solo la facciata, solo la facciata, precisò, l'interno era stato rimaneggiato nel secolo scorso... Sì, anche il povero parroco aveva fatto qualche piccola modifica, sempre naturalmente nel pieno rispetto... Il caminetto, sì. E anche quella costruzione lignea, del tutto provvisoria, mobile, e a dire il vero alquanto precaria, pericolosa, tanto che disgraziatamente... no, certo, se il reparto scientifico escludeva la disgrazia... ma nondimeno, non sarebbe stato inopportuno tener presente che la scarsa solidità dell'incastellatura...

Soavemente infilata, tornava l'ipotesi (la preghiera?) della disgrazia. Alla quale poi cosa c'era da contrapporre, col pugno di mosche che il "reparto scientifico" si trovava ancora in mano? Sua Eminenza, constatò Santamaria con crescente ammirazione e allarme, stava chiudendo la sua partita senza aver messo giù una sola carta.

— Però, — disse come tra sé e guardando la finestra, — una

strana idea, quella torre. E uno strano personaggio, quel povero
don Pezza...

Le candide sopracciglia s'inarcarono appena a contestare la
parola "strano". Ma subito un sorriso millenario fece annegare
l'osservazione del poliziotto in un oceano di tolleranza, di rassegnazione, di comprensione.

— Sappiamo, — mormorò Sua Eminenza, — sappiamo...

Non intendeva concedere di più. Sfiorò con lo sguardo il suo
accompagnatore, o segretario particolare che fosse, e costui dette
un formale colpo di tosse e cominciò ad alzarsi. La visita all'orfanotrofio era finita. Suor Santamaria e Fra De Palma potevano
stare tranquilli, l'Arcivescovo non avrebbe detto niente al Padre
Questore, non avrebbe fatto parola con nessuno del malinteso:
tutto ciò che umilmente chiedeva era di uscire dalla questura in
incognito come c'era entrato, e un autista fidato per essere ricon-
dotto in Curia e al suo breve sonno di tre o quattro ore, perché
a una certa età...

In realtà, era ormai ben chiaro, tutto ciò che chiedeva era di
non dire perché mai avesse ritenuto necessario andare di persona,
e in segreto, a vedere che cosa combinasse il Pezza a Santa
Liberata. Così voleva chiuderla, la sua partita.

Eh, no, pensò il commissario. Sfiorò anche lui con lo sguardo
De Palma, che ora, gettata la maschera di gaffeur costernato,
mostrava il suo vero volto di gatto che si vede filare via sotto il
naso il più grosso topo della sua vita. Non c'era nessun modo,
nessun pretesto, nessuna concepibile scusa per trattenere in questura un cardinale arcivescovo.

— Circa lo sviluppo delle indagini... — disse per prendere tempo.

Ma Sua Eminenza non insistette nei suoi voti di rapido sviluppo, allargò anzi le braccia, ieratico, con l'aria di rimettersi più
alla Provvidenza che alla polizia.

— Noi comunque, — disse De Palma, — ci faremo un dovere
di tenerla informata. Sappiamo che la Curia ha già inviato o sta
per inviare a Santa Liberata un suo rappresentante, col quale...

— Chi è? — lo interruppe l'arcivescovo.

— Non lo sappiamo. Quando li abbiamo avvisati, ci hanno
detto che...

Monsignor Ceci mormorò qualcosa all'orecchio esangue e fragile del superiore, che annuì.

— Già, — disse. Poi si rivolse gravemente ai due funzionari.
— Bene. Chiunque sia questa persona, riferirà direttamente a me. E se tutta la... cosa potesse essere portata avanti nello stesso modo anche da parte dei validi indagatori, intendo senza intermediari...

Non si doveva sapere, tradusse il commissario, non doveva trapelare in nessun modo che lui, il cardinale arcivescovo, stava a sua volta indagando "direttamente" sul Pezza quando il Pezza era stato ucciso. E che quindi a Santa Liberata bolliva qualcosa di molto, ma molto "strano".

— Eminenza, — tentò, — noi certo non amiamo il rumore né lo scandalo, e se la sua visita in incognito...

— Scandalo? — si stupì, prontissimo, il cardinale. — Ma lo scandalo c'è già stato! Lo scandalo è che un nostro fratello, un povero sacerdote sia stato colpito davanti al suo gregge, nel tempio stesso del Signore! E io mi auguro per il bene di tutti, non solo della comunità cristiana e della Chiesa, che il colpevole... se il colpevole c'è... non possa andare a lungo impunito, a ripetere forse la sua funesta impresa in altri luoghi!

Parato. Deviato. Con millenario sdegno e millenaria evasività. Non restava che piegare cristianamente il capo di fronte a quel perfetto tagliamento di corda. De Palma guardò disperato il suo collega. Era possibile lasciarsi ridurre al silenzio così? Era inevitabile rinunciare a porre anche una sola domanda?

Per l'onore della polizia, il commissario la pose.

— Eminenza, — disse, con quella che sperava fosse una decente imitazione di un seminarista intimidito, — potrei chiederle una piccola spiegazione, per mia personale curiosità?

Erano tutti in piedi, ora, e il cardinale, più basso del commissario, chinò tuttavia la testa, un po' di sbieco, verso di lui, come se a parlargli non fosse stato neanche un seminarista, ma un chierichetto.

— Sì?

— Il pneuma, — disse Santamaria, — sarebbe lo Spirito Santo? Ci fu una pausa. Scendere da un livello di millenaria erudizione teologica e formulare una risposta per i semplici, richiedeva evidentemente un certo tempo.

— Pneuma è parola greca che significa soffio, soffio vitale, spirito. E dunque sì, lo Spirito Santo può essere chiamato, viene anzi spesso chiamato, grecamente, Santo Pneuma... È perfettamente nella tradizione.

Ma il perché della domanda fu scansato senza pietà.

Santamaria tornò ad alzarsi timidamente in punta di piedi.

— Ah, ecco, non me lo spiegavo... come ancora non mi spiego quel fuoco primigenio e quei trentasei leoni, cioè *eoni*..., tra i quali, — rise, — ce ne sarebbe uno nero, a quanto pare.

Questa volta la testa si alzò di scatto e uno sguardo pieno di vera desolazione, di meditata e drammatica pena, incrociò per un attimo lo sguardo del commissario.

— Follie... superstizioni dure a morire... — disse Sua Eminenza, la voce tutt'a un tratto stanchissima. — I Padri, gli Apologisti, i grandi Dottori della Chiesa, hanno lottato per secoli contro questo genere di teologia aberrante... Sono cose però, — aggiunse dopo una pausa assorta, — forse troppo complesse e troppo... lontane, per poterne parlare adesso.

Si girò a De Palma.

— Lei crede che...?

— Subito, Eminenza. Ecco, vengano, prego... Li accompagnerà il maresciallo Biazzi, uno dei nostri sottufficiali migliori, usando la sua auto personale.

— Oh, ma non vorrei che...

— No, no, è la soluzione più semplice e più pratica, da ogni punto di vista.

— Forse, — ammise il cardinale, — sì, forse.

Rivolse a Santamaria un piccolo cenno e in un momento la stanza fu vuota, il commissario restò con l'impressione di qualcosa che fosse sparita, svanita, evaporata nel nulla.

Col maresciallo Biazzi, pensò. Come un ladro nella notte, alla lettera.

Difficile che fosse stato lui, disse De Palma rientrando. Casomai il Ceci. Il Ceci conosceva infatti il suo segreto e temeva per l'onore della Curia. Se si fosse scoperta la sua colpa...

— Ma la colpa di chi? Di che cosa?

La colpa del futuro Presule, che in gioventù, quand'era missionario in Algeri, aveva sedotto una pastorella beduina. Il bimbo nato da questa unione era stato abbandonato nel deserto, e un branco di leoni l'aveva salvato e allevato, avviandolo poi alla carriera ecclesiastica sotto il nome di Alfonso Pezza. Don Alfonso ignorava...

Notando però che Santamaria non sembrava seguirlo, s'interruppe con una smorfia e ammise che c'era poco da stare allegri, anche se per il momento il peggio sembrava evitato. Arrestare un cardinale arcivescovo non era ancora come sbattere dentro un ministro, o un qualsiasi governatore della Banca d'Italia. Una minima indiscrezione, la minima "voce" raccolta dai media, e sarebbe scoppiata una grana mai vista, una vera atomica il cui fall-out sarebbe ricaduto interamente sulla Questura. Contro una simile eventualità bisognava aver pronta una versione ufficiale dei fatti, che fosse logica e plausibile, concordandola al più presto con la Curia stessa. Perché i preti, se si lasciava fare a loro, erano capaci di dichiarare che "Sua Eminenza stava passando per caso davanti a Santa Liberata, quando...", inutile, non sapevano più mentire, tutti i loro guai gli venivano di lì.

— Oppure tirerebbero fuori la follia, come in pratica ha fatto l'Eminente con noi. E tu sai che con i media, la tesi della follia...

Bussarono alla porta.

— Entra, Pietrobono! — gridò De Palma.

La ragazza entrò titubante.

— Perché bussi, Pietrobono? Non è nel tuo stile. O insinui che qui potesse esserci qualcuno, una persona che i tuoi occhi non dovevano vedere?

La Pietrobono abbassò pudicamente le ciglia e tornò a sedersi al suo posto.

— Anzi, — disse scribacchiando nel suo quaderno, — copio subito dieci volte: qui non c'era nessuna persona qui non c'era nessuna persona qui non c'era...

— Brava, — disse De Palma, — ma adesso lasciaci lavorare.

Con i media, riprese, la tesi della follia non teneva più in nessun caso, era considerata semplicistica, o un alibi grossolano, una losca copertura, dato che i matti non esistevano più. E se anche il Pezza si fosse presentato a dir messa vestito da Napoleone...

2.

All'angolo del Lungodora con via Cigna, sotto la nevicata che insisteva rapida e fitta, la radiomobile rallentò fin quasi a fermarsi. Poi girò con precauzione sul ponte e riprese velocità, il suo lampeggiatore azzurro sparì in direzione di corso Vigevano. L'ingegner Vicini respirò sollevato.

Non che avesse niente da temere da un'eventuale richiesta di giustificazioni, di documenti, si disse staccandosi dal lampione contro il quale s'era appiattito e riavviandosi per il lungofiume. Ciò che stava cercando da un ponte all'altro, verso quartieri sempre più remoti, in quella notte sempre più fonda e deserta, nell'incessante turbinio dei fiocchi, riguardava soltanto lui. Ma all'atto pratico la polizia...

La radiomobile arrivò fino in piazza Ghirlandaio, esitò, tornò indietro per via Fossata. L'agente al volante stentava a ritrovarsi, sebbene fosse la seconda volta che venivano qui stanotte.

— La prossima a sinistra, — disse il brigadiere Mattei. — Sì, ecco, è qui.

L'autista fermò davanti al portone e spense il lampeggiatore e i fari, ma attese che il brigadiere entrasse prima di spegnere anche il motore. Mattei s'avviò a piedi per l'unica scala. Il portone s'era aperto quasi subito e la voce al citofono s'era limitata ad avvertire "primo piano...", senza chiedere chi fosse. La donna l'aspettava sulla porta, in vestaglia.

— La professoressa Caldani?

— Venga.

— Brigadiere Mattei. Abbiamo telefonato poco fa...

— Sì, venga.

Gli voltò le spalle, lasciando che richiudesse la porta da sé, e lo precedette per un breve corridoio, accese la luce in soggiorno.

— Prego...

Il soggiorno era ammobiliato con un canapè a fiori e i resti d'una camera da pranzo, sul tavolo c'erano libri e quaderni di scuola.

— Si accomodi, — disse sedendosi e accennando alla seggiola dall'altra parte del tavolo. — Lei è venuto per...?

Lo guardava interrogativa ma senza curiosità, con la stessa indifferenza di poco fa al telefono, quando aveva inaspettatamente e assonnatamente risposto all'ennesima chiamata. ("La Questura?... Se ho saputo... No, di nessun incidente... Adesso?... Per informazioni urgentissime?... Sì, vengano pure..." aveva detto limitandosi, in pratica, a ripetere le parole all'altro capo del filo.)

Qui il telefono non c'era e non c'era neppure in corridoio, aveva già visto il brigadiere. Doveva essere in camera da letto. Lei, se era in casa e anche se dormiva, come aveva fatto a non sentirlo prima?

— Lei è rientrata molto tardi? — domandò.

— Molto tardi, — disse la professoressa.

— Ma... aveva già lasciato la chiesa, no, quando c'è stato l'incidente?

— L'incidente, — disse la professoressa.

— Sì, come le ho accennato al telefono c'è stato...

— Un grave incidente, — annuì la professoressa guardandosi le mani. — Un grave, — ripeté assorta, — gravissimo...

Rialzò lentamente gli occhi sul sottufficiale, li girò sui libri e i quaderni ammucchiati da una parte.

— Sì... — disse. — Scriva... Scrivete... Un gravissimo...

La voce s'era d'un tratto impastata, gli occhi erano vuoti, vitrei.

— ... incidente, — concluse in un soffio. Poi la testa le cadde tra le mani, la fronte urtò con rumore contro il piano del tavolo.

Il brigadiere Mattei, che aveva lavorato per la squadra antinarcotici, era rimasto con l'idea che i narcotici in qualche modo c'entrassero sempre. In particolare, era convinto che c'entrassero con l'attentato al Pezza. Ma sapeva anche riconoscere un coma etilico da uno da droga, quando lo vedeva.

Girò senza precipitazione intorno al tavolo, tenne per un momento il polso all'anziana signorina, le rialzò la testa e una palpebra per esaminare l'occhio. Completamente partita. Alcolizzata cronica, per quanto poteva giudicarne lui. Whisky? Cognac? Grappa? Dette un'occhiata intorno, aprì il buffet, si chinò a guardare in un basso scaffale, passò a cercare in camera da letto.

Barbera. La bottiglia sul comodino, accanto al telefono e alla lampada rimasta accesa, era quasi piena. Ma se lei era andata a letto già ubriaca, al risveglio era bastato quello. Adesso non c'era che da aspettare domattina, salvo intanto a perquisire l'alloggio già che era lì. E poi telefonare, decidere se piantonare anche questa, come il matto sotto sedativi all'ospedale... Strana insegnante, però. Strano viceparroco. Strana parrocchia, Santa Liberata.

3.

Ignoti gli attentatori, ignota la tecnica dell'attentato, ma che fosse un dramma della follia non c'era dubbio, si contraddisse De Palma dopo la telefonata del brigadiere.

— Un'alcolizzata, eh? La casa piena di bottiglie, eh?

Una gabbia di matti. Una chiesa dove: capo primo, il viceparroco era una donna e per giunta un'ubriacona; secondo, il parroco saltava per aria; terzo, c'era pieno di leoni...

— È stato Priotti, a proposito, a dirti dei leoni?

— Sì, ma non leoni, — disse Santamaria, — *eoni*. Era un'altra di quelle parole del Pezza, come il pneuma e il logos. I trentasei eoni.

— Di cui uno nero.

— Il leone nero! — esclamò la Pietrobono alzando la testa dal quaderno. — Ma allora devo correggere i miei appunti, devo mettere l'apostrofo a leone!

— E io magari me ne rivado a dormire, — disse De Palma.
— Quell'apostrofo, mia cara Pietrobono, può cambiare tutto il corso delle indagini.

— Ma cos'è un eone, dottore?

— Noi non lo sappiamo. Ma... quella persona... lo sapeva.

— E non ha voluto dirlo?

— No. Forse sono altri animali, grossi cani che tengono in quel passaggio segreto.

— Ma perché trentasei?

De Palma alzò le spalle.

— Però, — disse Santamaria, — di cani il Pezza ne ha parlato sul serio. Di cani e di mafiosi.

— Eh?

— Cioè, veramente avrebbe detto maliosi: "Fuori i cani e i maliosi". Secondo Priotti è una maledizione della Bibbia, che lui ripeteva sempre nelle sue prediche. Ma Muzzoli e Urru dicono di avere inteso mafiosi.

— E ti pare niente? Come l'hanno inteso loro, anche se hanno capito male, potrebbe...

Quasi quasi De Palma sarebbe rimasto, avrebbe fatto un ultimo sforzo, per interrogare subito questo mafioso ("Intanto sentiamo lui, no? La Volkswagen lasciamola perdere...") pur riconoscendo che a un certo limite di stanchezza non si distinguevano più le priorità, tutto sembrava ugualmente importante e urgente ("Quei sonnambuli della Scientifica! Ma cos'è, vogliono vincere il premio Nobel, con questa perizia?") oltre naturalmente al rischio di non saper più cavare un ragno dal buco ("Ah! ah!") delle due troie fermate sulla Porsche, che lui comunque al posto di Santamaria avrebbe interrogato per prime ("Portaci queste troie, Pietrobono!") sia per inquadrare meglio la faccenda, sia per eliminarle subito se non c'entravano niente e lavorare sul pulito, sia per eventualmente invece prendere in castagna l'altro, dato che le donne, non che lui facesse del maschilismo, per carità, ("Santa Liberata me ne guardi!"), ma le donne, se uno le faceva chiacchierare...

La Pietrobono tossì.

— Perché questa tosse, Pietrobono? Tu insinueresti, tu vorresti farmi educatamente capire, che sono io a chiacchierare troppo?

— Nooo, dottore! — disse virtuosa la Pietrobono.

De Palma si alzò.

— Hai ragione, ormai vado a ruota libera, non c'è più il controllo...

Sospirò, disse a Santamaria di interrogare chi gli paresse, di insistere con la Scientifica, di chiamarlo in caso di novità importanti, e se ne andò stropicciandosi gli occhi nel suo "sottoscala", ossia una stanzetta dove il maresciallo Biazzi gli preparava in questi casi una branda di fortuna.

4.

Quando, accompagnata dalla Pietrobono, la donna del mafioso entrò, il commissario Santamaria ebbe la fulminea impressione di ritrovarsi faccia a faccia con Sua Eminenza.

Non che l'attraente, elegante, compitissima signora che gli stava davanti avesse nulla di ecclesiastico, anzi, era perfino difficile immaginarsela come devota di parrocchia. Ma prostituta praticante? Troia da marciapiede? Solo Dalmasso, il terrore delle Curie, poteva aver preso un altro granchio di questo calibro. Tuttavia in questo caso...

Il commissario, per prendere tempo, fece cenno di aspettare e si rimise a sfogliare un incartamento sulla scrivania. In questo caso, rifletté, le circostanze erano molto diverse, e giustificavano sia il fermo che una burocratica, poliziesca burbanza. La distinta signora, comunque c'entrasse, era stata fermata mentre risaliva sulla Porsche di Scalisi Graziano, dopo essere stata con lui prima alla "Mezzaluna", poi al motel "Le Betulle" e... No. Questa era una conclusione di Dalmasso. La prostituta (?) della Mezzaluna e delle Betulle poteva essere quell'altra, questa qui poteva essere venuta direttamente in chiesa. Ma restava pur sempre il fatto...

Niente. I fatti, finché non si ritrovava la Volkswagen, meglio lasciarli perdere. Meglio non scoprirsi, con la gentile signora. Richiuse senza fretta l'incartamento (su Scalisi Graziano) e alzò gli occhi a fissarla con severità.

Anche la Pietrobono, rimasta presso la porta militarmente impalata, morbosamente incuriosita, continuava a studiarsi la nuova "persona" con un'aria intrigata e perplessa, da tabaccaia che scruta un biglietto da diecimila dubbio.

Fu l'ex prostituta a rompere il silenzio, a pronunciare un assurdo "buonasera", a venire avanti mormorando il proprio nome, a tendere la mano al commissario in modo da lasciare a lui la scelta tra il baciamano e la stretta.

— Buonasera, — rispose il commissario, alzandosi automaticamente e prendendole automaticamente la mano.

Ma "eh, no!" pensò nello stesso tempo, non perdonandosi d'esserci cascato. Quest'innocenza suprema, questa assoluta estraneità ai fatti, questa signorile, incantevole disinvoltura, erano troppo perfette e improbabili per non essere simulate. E lo stesso, si rassicurò, valeva per l'intero, studiatissimo abbigliamento da signora: simulato quel soprabito di vigogna lievemente liso, aperto su una preziosa camicetta di cascemir a disegni blu e turchese; simulati il cardigan grigio e la sottana grigia, i pochi e casuali gioielli di fantasia, le costosissime scarpe blu e la borsa morbida e molto usata, ma presa all'ultimo momento, di fretta, e quindi (pecca geniale, supremo tocco simulatorio) nera.

Con un'occhiata il commissario rimandò la Pietrobono al suo tavolo, poi si rivolse cerimonioso alla pseudo signora.

— Si sieda, prego, — disse, ben sapendo quanto fosse snervante, per questi simulatori, stare al gioco, mantenere la finzione a lungo.

Da marciapiede senz'altro no, l'interpretazione di Dalmasso restava inaccettabile. Ma si poteva forse pensare a un'organizzatrice di case clandestine, dietro la facciata di qualche boutique o istituto di bellezza. O a una specialista di assegni a vuoto? Oppure a un giro di bische, di quadri falsi, rubati?

— Mi tolga una curiosità, cara signora, — disse il commissario impersonando un rispettoso conoscente d'albergo, — mi spieghi perché, col freddo che faceva ieri sera, non s'è messa una pelliccia.

Assalita da quel lato inatteso, la falsa signora sembrò per un momento perplessa. Ma si riprese egregiamente, senza elencare le dodici pellicce che teneva chiuse in banca, al riparo da ladri e grassatori ormai spadroneggianti in città sotto il naso della polizia.

— Ha ragione, — disse con una scrollatina deprecativa, — ma io non ho mai i vestiti giusti, sbaglio regolarmente tutto. O troppo pesante o troppo leggera. E poi stasera, ieri sera cioè, dato che andavo in quella chiesa, m'è sembrato più... appropriato...

Lasciò la frase a mezzo, abbassando gli occhi sulla castigata gonna grigia.

Nessuna spavalderia, niente d'ingraziante in quella voce ben modulata, sexy, con una leggera raucedine da sigarette. Una semplicità disarmante, appena corretta da un filo d'autoironia mondana. Perfetta nei minimi particolari, come se l'avessero fabbricata i giapponesi.

— E come mai è andata in quella chiesa?

— Per puro caso, se devo dire.

Naturalmente.

— Era la prima volta?

— In un certo senso, sì.

— In che senso?

— C'ero entrata il giorno prima, appunto per caso, e poi varie persone m'hanno detto che le prediche del venerdì erano interessanti, curiose...

— Quali persone?

— Be', delle amiche, Celestini...

— Chi è Celestini?

Una risatina. E il commissario si rese conto che la donna non aveva finora né riso né sorriso. Preoccupata di mostrarsi preoccupata, provata, stanca, una povera vittima nella tempesta.

— Devo dire proprio tutto? Per filo e per segno?

— Sarebbe meglio. E se volesse anche favorirmi un documento... patente o carta d'identità...

Lei eseguì con tutta naturalezza, come se consegnasse il documento a un portiere d'albergo, e riprese senza batter ciglio.

— Allora senta: ieri pomeriggio, cioè l'altroieri, insomma giovedì, stavo portando un vaso a riparare da Celestini, che è un omino meraviglioso ma molto...

Il commissario ascoltò senza interrompere la storia del primo incontro di Guidi Costanza nata Brizio, casalinga, di anni quarantadue (ma ne dimostrava trentacinque al massimo), occhi e capelli castani, segni particolari nessuno, col defunto sacerdote Pezza. Un vero capolavoro di casualità, verosimiglianza, innocenza. E tuttavia la narratrice non ci metteva nessuna anima-

zione, come se stesse ripetendo meccanicamente una versione preparata, in cui non credeva lei stessa. O non invece un aneddoto
spiritoso già raccontato dieci volte a dieci amiche, e ormai spre-
muto? Ma in quel caso, allora...

— Guidi... — disse restituendo la carta d'identità, come se stesse cercando di piazzare un nome, un volto incrociato a un matrimonio o a Cervinia.

Ma la Guidi non ci cascò.

— Lei non può conoscermi, — scosse la testa, — non ho precedenti penali.

— Ah.

Quella pacata sicurezza si prestava a due spiegazioni. O la
donna sapeva per lunga esperienza che la polizia non poteva, tecnicamente, rinfacciarle il minimo sgarro. Oppure (Santamaria
cercò di rivederla senza preconcetti) si trattava di una signora
autentica, garantita, certificata dalla sovrintendenza alle vere
signore.

— Ho capito, — disse.

Da un lato, era rassicurante pensare che non fossero ancora
riusciti a falsificare le signore. Dall'altro, però, una deduzione
si imponeva.

— Forse avrò sentito parlare di suo marito? Che cosa fa?

— Progetta impianti industriali, ormai quasi tutti all'estero,
Africa, Brasile, Pakistan, posti così.

— È qui, adesso?

— È in Medio Oriente.

Ecco. Un effetto collaterale della crisi italiana a cui il commissario non aveva pensato: il paese era in pezzi, un pugno di eroici
imprenditori si battevano su fronti lontani per salvare i resti
di un'economia disastrata, e intanto, in patria, le loro spose
s'incanagliavano con giovanotti della mafia. Questa era la deduzione, logica e per niente rassicurante.

Restava solo la possibilità (la speranza) che la donna del mafioso, quella della Mezzaluna e del motel, fosse effettivamente
quell'altra.

— Ma lei, scusi, come c'è capitata in quella macchina? — chiese,
rendendosi conto di aiutare sfacciatamente l'indiziata. E mentre
lei naturalmente negava di aver mai visto né conosciuto prima

il "provvidenziale giovanotto" che nel buio e nella confusione l'aveva guidata per mano tra le macerie, facendola poi salire sana e salva, ancorché stordita, nella sua macchina, il commissario capì che ogni aiuto era inutile, che quella versione, o qualsiasi altra, non stava comunque in piedi.

— Il buon samaritano, insomma, — commentò senza premere sull'ironia.

— È proprio quello che ho pensato io! — disse vivacemente lei. E dopo un momento aggiunse: — È tanto incredibile?

— No, anzi. Sono cose che succedono.

Non solo lei, a dire la verità, ma tutti quanti erano stati un po' troppo remissivi. L'editore, andato a sentire il Pezza per pura curiosità, s'era lasciato interrogare come un agnello. Sua Eminenza, altro curiosone, aveva fatto anche lui una lunga anticamera con cristiana umiltà. E questa nuova curiosa se n'era rimasta per ore a aspettare il suo turno senza protestare, minacciare, tirare in ballo amici influenti, convocare mezza dozzina di avvocati. La chiesa del Pezza era senza dubbio piena di gente dall'animo paziente, mansueto. Ma anche con la coda di paglia.

— Quindi lei non è in grado di dirmi altro su questo... gentiluomo? Non ha visto che cosa faceva durante la predica, dov'era al momento dello scoppio?

— No, niente. Anche perché gli uomini e le donne, in quella chiesa...

— Già. E nemmeno sull'altra donna che era con lui?

La signora questa volta s'irrigidì.

— Con lui? — disse a labbra strette.

Anche gelosa, pensò rassegnato il commissario.

— Voglio dire l'altra donna che era lì, quella che è stata fermata accanto alla macchina, — precisò con pazienza e scrutandosi le unghie. — O non l'ha neanche vista? — chiese rialzando gli occhi.

L'espressione era adesso quella concentrata e insieme disperata di una donna che ha lungamente meditato su come vestirsi per un cocktail, e che al momento buono non trova più niente che la soddisfi. Era arrivata, comprese il commissario, l'ora di qualche importante verità o menzogna.

Da una delle tante grucce venne infine staccato un abito di sgranata meraviglia, di totale e inverosimile candore.

— Cosa c'entra, — disse la signora stringendosi graziosamente nelle spalle. — Quella era con me. È mia figlia.

Ma come se la parola indicasse il limite estremo a cui poteva arrivare l'elastico, segnalasse che la difesa era stata più che onorevole e il dovere compiuto fino in fondo, la bella mamma posò la bella mano sull'orlo della scrivania e aggiunse senza transizione:

— In che guaio s'è messa, commissario? Chi è quell'individuo?

5.

(Dal diario della Pietrobono)

S.maria sceso sentire Scalisi G. et lasciatami in situaz. +ttosto imbarazzante con Guidi C. — Fortunatam. s.detta non mostrasi vogliosiss. attaccare discorso con umile s.scritta (benché, devo dire, nemmeno cafona come grande edit.; fattomi anzi simpatico sorr.) — Fingomi ogni modo occupatiss. importanti comunicaz. et annotaz. telefoniche; ma sostanzialm. nulla da annot. — Scientifica: buio. — Volksw.: nebbia. — Caldani: condiz. immutate.

Bella C.G., devo ulteriorm. dire, non convincemi troppo, anzi stammi abbast. sulle scat. — Suo gran cinc (di cui accortami beniss.) per incantare celebre S.maria (che cascatoci come cret.), veramente dettato da preoccupaz. per situaz. figlia? — Mia impress. est che madre ancora + putt. figlia et messo subito occhio su S.m. scopo ore liete mentre marito sgobba Africa aut M.O. — Ma forse mio giud. influenzato da appartenenza C.G. a classe privileg.? — Certo est che dovendo scegliere tra putt. preferisco appartenenti altre classi.

6.

Lo Scalisi, sarebbe stato più semplice farselo portare in ufficio, pensò il commissario mentre un agente insonnolito, raffreddato, gli apriva laboriosamente la porta della stanza di sicurezza. Ma gli era parso più sicuro scendere. Per scaramanzia. Per paura, da come stavano andando le cose, di vedersi entrare in ufficio non il mafioso di cui aveva il fascicolo sulla scrivania, ma l'ambasciatore degli Stati Uniti, il capo dei servizi segreti iracheni, o chissà chi.

Invece — lo riconobbe subito dalle foto — si trattava effettivamente del personaggio schedato da polizia e carabinieri, di cui aveva letto alla Guidi la succinta biografia. Un killer? Un trafficante di droga? Un protettore? Chi diavolo frequentava — aveva voluto sapere la bella mamma spaventata — la sua incomprensibile figlia in questo mondo incomprensibile?

Mannò, mannò, la mafia essendo in definitiva una grossa macchina per far soldi, aveva bisogno anche di ragionieri, contabili, tesorieri, finanzieri; e in quella zona, resa relativamente neutra dall'aritmetica, operava Scalisi Graziano fu Salvatore, nato a Palermo 29 anni prima e residente a Torino dall'età di anni 8. Nessun precedente, salvo tre fermi (e tre rilasci) per indagini relative a una sparatoria con due morti (un marocchino e un calabrese) davanti a un night di via Pio V, a un attentato in un circolo privato di Venaria (il predetto aveva riportato lievi ferite a una gamba), e al rinvenimento di alcune bustine di eroina in un ristorante di Vinovo, dove il predetto si trovava (ma nell'ufficio del gestore) al momento dell'irruzione della polizia.

All'attivo, se così si poteva dire, di Scalisi Graziano fu Salvatore, c'era il fatto che per tre anni aveva lavorato full-time nello studio di un commercialista torinese. Siculo-torinese, più esattamente. Ma commercialista autentico.

Un ragazzo serio, allora, un semplice impiegato?

Eh, no, bella signora, sempre mafia era. Ma insomma, non un manovale della lupara, ecco. Anche se, all'occorrenza, avrebbe saputo usarla con disinvoltura.

Il giovanotto subiva il silenzioso scrutinio del commissario senza opporre l'aria di sfida dei criminali da due soldi. Se ne stava sul suo sgabello con le gambe accavallate, le mani intrecciate intorno al ginocchio, la testa dritta, gli occhi in riposo. Destinato, bella signora, a far carriera nell'azienda dei padri e degli zii, salvo infortuni sul lavoro.

L'idea del commissario era stata di fargli solo qualche domanda circa la ragazza e tornar su a tranquillizzare bene o male la madre; ma forse conveniva cercare prima di valutare il calibro del predetto, in tutti i sensi.

— E così fate anche il racket delle parrocchie, adesso, — disse caricando un po' il proprio accento siciliano.

Lo Scalisi accettò quel lusinghiero plurale, che lo promuoveva implicitamente al rango di portavoce responsabile, ma lasciò cadere la facilitazione del dialetto.

— Perché? Guadagnano tanto? — disse in distaccato italiano.

Lo sguardo sosteneva senza fatica quello del commissario.

— Non ho idea, il contabile sei tu. Magari eri già stato a controllargli i registri, a quel prete.

— In questo caso, non sarei stato io a tornarci ieri sera.

Ma non si dilungò su quel decisivo argomento a suo favore.

— Non lo conoscevi?

— No.

— Eri mai stato in quella chiesa?

— No.

— Perché ci sei andato?

— Per la predica.

Il colloquio a carte scoperte tra ambasciatori era già terminato.

— Lascia stare, — lo richiamò il commissario. — Non sfottere.

— Chi sfotte? Sono religioso.

— Non fare il coglione. T'abbiamo beccato con la pistola.

— È mia, è pulita, ho la licenza come portavalori.

— E portavi valori?

Il silenzio dell'ambasciatore conteneva una buona dose di disprezzo per quel misero appiglio formale.

— Comunque, — osservò alla fine, — non è stata una pistola, a liquidare il prete.

— Tu ne avevi sentito parlare, di questa liquidazione?

Con sorpresa del commissario, lo Scalisi ci pensò su.

— No, — disse, — ma posso sempre informarmi.

Era un'offerta. Perché? In cambio di che cosa?

— Cos'hai fatto prima di andare in chiesa?

— Il mio solito giro. Posso darvi l'elenco completo dei posti dove sono stato, se ancora non l'avete.

— Grazie, ma ce l'ha già dato la tua zoccola.

La provocatoria informazione fu accolta dal silenzio.

— Com'è che oggi te la sei portata dietro?

Il silenzio continuò.

— Una leggerezza, — rispose a se stesso il commissario. — Una coglionata.

Sempre silenzio.

Doveva essere questo il punto debole del giovanotto. Per vanità o per qualche altro sciocco motivo, s'era fatto accompagnare dalla ragazza Guidi nel suo viaggetto d'affari, e adesso aveva paura che la cosa si risapesse. La sua carriera avrebbe potuto soffrirne.

— È stata lei a portarti in chiesa? — riprese il commissario con sarcastica bonomia.

L'altro taceva sempre. Gli doveva bruciare, oltre a tutto, di essersi fatto beccare per via di una donna.

— Cosa ti ha raccontato? Che voleva farti conoscere alla mamma?

Lo sguardo dello Scalisi, rimasto finora fermo, ma neutro e come spento, a questo punto si accese irosamente.

— Se ci avete parlato, — disse, mantenendo però il suo tono distaccato, — sapete pure che non è una zoccola.

— E che cos'è allora?

L'altro non rispose, ma fissò il commissario con inequivocabile ostilità.

— Che cos'è? Una ragazza per bene? Una ragazza di buona famiglia? Ma una ragazza per bene non si mette con uno come te, questo lo sai pure tu, no?

— Lei con le nostre storie non c'entra niente, — disse lo Scalisi con una stupefacente incrinatura della voce. — Dovete lasciarla andare. Non c'entra niente, commissario. Mettetela fuori.

Sembrava addirittura spaventato, ma non si capiva perché. La ragazza aveva forse assistito a qualche cosa che ora, per ingenuità o paura, poteva lasciarsi tirar fuori dalla polizia? Lo Scalisi le aveva forse rivelato, nella sua vanità, qualche segreta e importante faccenda mafiosa?

— Ma a te perché te ne frega tanto? — chiese il commissario.

L'altro abbassò finalmente la testa e gli occhi.

— Lasciatela andare, — ripeté alle sudice piastrelle del pavimento. — È una brava ragazza.

Comunicaz. interna: S.m. avvertemi che sta tornando su con figlia; ordina pertanto spostare madre in uff. attiguo, con pretesto verbalizzare sue dichiaraz. — O.K. (*P.b.*)

— Lui non c'entra niente. Lasciatelo andare.
— È un bravo ragazzo? — disse Santamaria.
Contrariamente alle sue meccaniche aspettative, la brava ragazza non aveva niente di traviato, di perduto, di degradato. Abiti sul casuale, tutti diversi da quelli della madre, ma in ordine. Capelli idem e mani, collo, orecchie lavate. Fronte chiara, occhi luminosi. E l'aveva seguìto in ufficio con una docilità da scolara giudiziosa, s'era guardata intorno con equanime interesse, come in un museo o laboratorio forse un po' squallido, ma da cui si può sempre imparare qualcosa.
Vedi la freschezza, pensò il commissario assistendo ora all'apparizione di due fossette, la dolcezza...
— Bravo ragazzo no, — sorrise lei, — almeno non nel senso corrente. Io credo che sia della malavita.
Vedi il candore, pensò il commissario, l'irresponsabilità, l'intangibilità...
— È vero che lo è?
— È vero.
— Ma sul serio? Voglio dire, lo fa proprio di mestiere?
— Sì.
— Non è per niente un rappresentante di commercio?
— No.
La brava ragazza prese un'aria tenera e astuta.
— Non ha mai voluto dirmelo, ma io lo sospettavo.
Come se lo Scalisi Graziano le avesse finora nascosto che a scuola copiava tutti i compiti dai compagni, o che aveva paura di viaggiare in aereo.
— E voi lo tenete d'occhio? Lo sorvegliate?

Vedi l'aggressività, pensò il commissario lasciandosi docilmente interrogare, vedi il franco accanimento...

— Lo pedinate? — insisté la ragazza.

— Diciamo piuttosto che lo teniamo presente.

— Ma non è che fosse ricercato per qualcosa di speciale?

— No.

— Non è mica un evaso o simili?

— No.

— Quindi lo sospettate per il fatto di stasera e basta?

— Più o meno.

Lei tirò un sospiro di sollievo.

— Menomale, — disse, — perché se è solo per quello, ha tutti gli alibi.

— Menomale, — mormorò il commissario.

— Tanto per cominciare, ha passato tutto il pomeriggio con me. Cioè, io ho passato tutto il pomeriggio con lui.

— Ah, sì?

— Sì, abbiamo fatto un lungo giro in macchina.

— Dove?

— Oh, non so, in giro. Guidava lui, io non ci facevo caso.

— Capisco, — disse il commissario.

La ragazza gli dedicò un'occhiata condiscendente.

— Lei vuol dire che potrei mentire per proteggerlo?

— No, no, io le credo benissimo.

— Ci siamo anche fermati in un motel, verso sera. "Le Betulle". Non so esattamente dove sia, ma potete controllare.

— Controlleremo, — disse il commissario, sentendosi quasi colpevole di saperlo già.

Vedi lo slancio, pensò, l'abnegazione, la meravigliosa dedizione della giovinezza.

— Posso chiederle ancora una cosa? — disse lei, accennando ad alzare una mano come in classe.

— Chieda pure.

— Quei signori... quei due signori anziani che aspettavano giù con me...

— Quali signori? — l'interruppe il commissario, troppo seccamente.

— No, no, — si affrettò a ritrattare lei, arrossendo, — io non so chi siano, anzi, non li ho neanche visti, non parliamone più.

— Non c'entrano niente, erano qui per un'altra faccenda, — specificò, con impeto eccessivo, il commissario.

— Certo, certo, — lo placò lei, — e del resto non sono stata a guardarli, non saprei in nessun caso riçonoscerli, ho già completamente dimenticato tutto.

Vedi il cretino, si maledì il commissario, vedi l'idiota, vedi l'inaudito imbecille.

Avrei dovuto andarmene a dormire anch'io come De Palma, pensò inferocito, ora chiamo la Pietrobono e lascio tutto in mano a lei.

Ma la Pietrobono era sempre di là a verbalizzare la mamma, mentre qui la figlia continuava con tutto l'ordine, la logica e l'inesorabile pedanteria che la povera madre (come la capiva!) gli aveva descritto.

— Non siamo andati in nessun ristorante perché non c'era tempo, abbiamo mangiato delle cosette tipo noccioline e biscotti, siamo rientrati in città, e così arriviamo finalmente alla chiesa. Perché è il fatto della chiesa, no, che le interessa? Quello che è successo in chiesa.

— Infatti.

— Bene. Qui siamo tranquillissimi. L'idea è stata di mia madre, io ci sono andata per far piacere a mia madre, gliel'avevo promesso, e Graziano è venuto unicamente per accompagnare me. Mia madre potrà...

— L'ho vista, — si permise di dire il commissario.

— Ah, bene. E non le ha detto che l'idea è stata sua?

— Me l'ha detto.

— Ecco, vede? E come l'ha trovata, come sta? Chissà come si sente colpevole, povera mamma. Sarà un po' scossa, anche?

— Un po'.

— Pazienza. Domani bisognerà che le spieghi. Non sapeva niente di Graziano, non gliene avevo parlato, anche perché io stessa, fino a stasera, a stanotte, non sapevo..., — si fece pensosa. — Cioè, capisco adesso che in realtà sapevo...

— Della malavita?

— No, no, parlavo d'altro, è complicato spiegare...

Esitò, stringendo le labbra, e il commissario si sentì esaminare, palpeggiare, pesare, come un bovino non molto promettente da un allevatore di bestiame.

— Lei è mai stato innamorato?

Non era l'ora, non era il luogo, non era la situazione giusta, si disse il commissario mentre riprendeva fiato. Ma come irritarsi per quella domanda fatta senza la minima frivolezza, senza nessun intento elusivo, dilatorio?

— Come no? — disse cercando di metterla sul ridere.

— Allora lei sa, — proseguì la ragazza serissima, concentrata, — che c'è un periodo, una fase molto confusa, quando... la prima volta, naturalmente, dopo non so... cioè, non è esattamente confusione, è come se uno conoscesse la musica solo sulla carta, mettiamo un sordo che legge benissimo le partiture, sa tutto, segue alla perfezione un'intera sinfonia ma sempre solo sulla carta, e poi tutt'a un tratto non è più sordo, ci sente, e allora tutti quei piccoli segni diventano violini, flauti, oboi eccetera, e lui scopre finalmente che cos'è la musica... Non è stato così, per lei?

Il commissario finse uno sforzo mnemonico.

— Sì, forse... Sa, è passato molto tempo.

— Avrei dovuto usare un altro esempio. Ma ecco, mettiamo, quando lei fa un'inchiesta e ci sono molti indizi sparsi, molti particolari senza senso, e poi invece a un bel momento...

— Giustissimo, — la interruppe il commissario, — è proprio così. Ma bisogna essere in due per fare arrivare questo bel momento, no? Lei non mi darebbe una mano?

La ragazza si mise a ridere.

— Ma naturale, lei è il guardiano e deve andare avanti con l'inchiesta, risolvere il caso... Guardiano, a che punto è la notte?

— Come?

— Niente, scusi, m'è venuto in mente perché lo dice Isaia.

— Ah, lei legge la Bibbia, — disse Santamaria in tono involontariamente accusatorio.

— Be', non proprio. Il fatto del guardiano era nella predica di stasera... — sorrise lei. — Ma che cosa tremenda.

— La predica?

— L'attentato. Cioè, il boato è stato tremendo, veramente spaventoso. Ma la cosa in sé, voglio dire il volo di quel poveretto, che un momento era lassù a predicare come...

— Come che?

La ragazza si alzò prontamente in piedi, levando in alto il braccio sinistro.

— Così. Come la Statua della Libertà...

Ma poi, per scrupolo pignolesco, cercò in giro con gli occhi, notò l'ombrello della Pietrobono accanto al termosifone, e si rimise in posa tenendolo per il puntale.

— Quel cero che impugnava, — precisò, — m'ha fatto pensare alla Statua della Libertà... A parte che la statua alza l'altro braccio, mi pare.

— Capisco, — disse il commissario.

Già che c'era, fece la solita domanda sull'Ufo.

— E prima dello scoppio, il prete ha guardato in alto?

— Sì, infatti. Ha alzato la testa così.

— Bene.

— A.P., — disse la ragazza.

— Come?

— Le iniziali sul pomo, — disse la ragazza abbassando l'ombrello.

— Ah, è l'ombrello della nostra assistente Pietrobono, ci tiene moltissimo, era di sua madre.

— Pomo d'ambra con iniziali d'argento, — disse la ragazza esaminandolo. — P. per Pietrobono e A. per...?

— Potrà chiederglielo dopo, quando faremo il verbale. Lei si chiama Luigina.

La ragazza stava rimettendo a posto l'ombrello, quando il commissario la fermò.

— No, aspetti un momento.

— Cosa c'è?

Il commissario la fissava senza vederla. Macché barocco, macché Ufo, pensò mentre una gran luce — un po' come quella, rabbrividì, che doveva aver visto il Pezza — gli si accendeva nel cervello.

— Vuol rimettersi un momento come la statua?

La ragazza eseguì.

— Ora alzi la testa come il prete... così... ora mi dica che cosa vede.

— Il soffitto, — disse la ragazza.

— Solo quello?

— Be', prima del soffitto c'è il pomo. Vedo il pomo con le iniziali.

— Macché Ufo, — disse Santamaria. — A.P.!

— Cosa c'entrano gli Ufo?

Santamaria aveva già premuto un tasto e alzato il ricevitore.

— Non c'entrano, — disse, — e non c'entra nessun passaggio segreto. Abbassi pure il braccio, grazie... Pietrobono? senti, chiama tu il brigadiere Mattei e digli che abbiamo la massima urgenza di interrogare la Caldani, veda se gli riesce di svegliarla... Poi il sagrestano, quel Priotti: abita parecchio fuori mano, mi pare? Bisognerà mandare un'auto per riportarlo qui, a meno che abbia il telefono. Vedi con Biazzi... Ah, ora dimmi come si chiamava tua madre... Andreina?... Andreina, — ripeté sorridendo alla ragazza. — Bene, e poi vieni qui a prendere la signorina Guidi e verbalizza anche lei... No, non importa, finirai dopo... Staranno un po' insieme, non importa, sbrigati.

Quando la Pietrobono entrò con una sua arietta partecipe, di persona incaricata di riunire una madre e una figlia separate dal destino, il commissario aveva già chiamato Santa Liberata e s'era fatto passare il perito artificiere.

— Andate, andate, — disse affrettando l'uscita delle due donne. — Pronto? credo che ci siamo arrivati, era un ordigno a tempo, con miccia, — disse al telefono. Restò a sentire con un sorriso le obbiezioni del perito. — Sì, lo so che non avete trovato il detonatore né nient'altro, ma perché dite che il semplice candelotto non si spiega?... Si spiega benissimo, miccia compresa, se il candelotto era la candela! Cioè nella candela... Come, quale candela? Ma il grosso cero che la vittima teneva in mano, no?

All'apparecchio c'era adesso Cuoco, che stava per andarsene a casa ma era impaziente di saperne di più. Com'era venuta fuori la storia del cero? Una soffiata? Qualcuno aveva rivendicato l'attentato? E che prove...

— Ma no, — lo calmò Santamaria, — le prove le aspetto anch'io,
da quei morti di sonno. Per il momento è solo una mia ipotesi...
una mia geniale intuizione, se preferisci... Sì, e non soltanto la
posizione corrisponderebbe, ma si spiegherebbe anche l'accensione automatica della miccia, dato che... Certo, il cero era già acceso, l'aveva acceso lui stesso, ma solo lo stoppino, mentre poi
a un certo punto... Ma naturale che il candelotto era infilato più
giù! un sistema d'orologeria perfetto, se ci pensi un momento...
Eh, sì, un bel lavoretto... No, quando ha alzato la testa, dev'essere stato per l'improvviso sfrigolio della miccia... meno di un
centimetro, immagino, ma anche su questo ci si potrà divertire
la Scientifica... Noi intanto dobbiamo cercare di sapere chi gliel'ha
messo in mano, questo cero, o dove l'ha preso... Già, certo, in
un certo senso è tutto da rifare, dovremmo ricontrollare tutte le
testimonianze da questo nuovo... Eh, sì... al limite, non si può
nemmeno essere sicuri che volessero ammazzare proprio lui... In
ogni modo guarda, io adesso risentirò il sagrestano, tu mi passe-
resti da quella Caldani, prima di andartene a casa?... Non sarà in
grado di connettere molto, Mattei ti spiegherà, ma tu vedi solo cosa può dirti del cero. Per il resto cosa vuoi, la sentiremo domani.

7.

Il brigadiere Mattei rimise giù il telefono e tornò in soggiorno,
dove l'anziana signorina era sempre nella stessa posizione, con
le braccia e la testa abbandonate sul tavolo. Il brigadiere le mise
una mano sulla spalla e cominciò a scuoterla, leggermente, ma
la donna non reagì. Respirava appena. Dalla strada venne un
rumore di motore avviato, l'autista ripartiva per andare a prendere il commissario Cuoco a Santa Liberata.
    Ma poveretta, pensò il brigadiere, senza insistere.
    Tra i libri sparsi sul tavolo, c'erano una grammatica e un libro
di esercizi francesi che il sottufficiale riconobbe, avendo comprato
gli stessi per sua figlia, che era passata quest'anno in terza media. Poveretta. Chissà come aveva fatto, un'insegnante, una donna
religiosa, a ridursi così. Ma doveva essere senza famiglia, sola
da moltissimi anni, a giudicare dalle fotografie ingiallite sul co-

modino e dalle vecchie, sbiadite lettere che teneva nel cassettone tra biancheria rammendata e una scatola da cucito, un'altra con una quantità di bottoni...

Mentre studiava la situazione, ripensando ai sistemi di rianimazione che aveva usato qualche volta con dei drogati, il brigadiere ebbe voglia di fumare ma ci rinunciò. La professoressa non fumava — non teneva sigarette nella borsa o da nessun'altra parte, in giro non c'erano portacenere — e per alcolizzata che fosse, aveva diritto almeno a quel segno di rispetto. Se beveva, erano fatti suoi. Se s'era ridotta in quel modo, si disse guardandola e scuotendo la testa, erano sempre fatti suoi. Non aveva l'aria di una che poi andasse a lamentarsi con nessuno, a chiedere niente a nessuno, l'anziana insegnante. E l'alloggio era scrupolosamente pulito, lustrato. In cucina...

Il brigadiere si ricordò e annuì, tornò in cucina a guardare sotto l'acquaio. Sì, questo avrebbe potuto fare al caso. Ma intanto... Cercò nella credenza a muro, dove aveva visto del caffè, e preparò una grossa caffettiera, la mise sul fornello, accese il gas.

Quando la caffettiera fu pronta, la portò in soggiorno con una tazza da colazione e il flacone che aveva preso sotto l'acquaio, posò tutto sul tavolo. Riempì la tazza di caffè fumante. Poi si sedette accanto alla signorina e le rialzò la testa, le mise sotto il naso il flacone aperto su cui si leggeva: "*Spic ammoniacale, per pavimenti, piastrelle, superfici maiolicate, bagni*".

— Signorina? — disse quando le narici cominciarono a fremere e il viso leggermente a colorarsi. — Signorina?...

Fuori, la volante che tornava fece scricchiolare la neve sotto la finestra. Uno sportello sbatté. La signorina Caldani strinse dolorosamente le labbra e le palpebre.

— Signorina? — disse con gentilezza il brigadiere Mattei. — Le ho fatto il caffè.

Dai ponti della Dora verso il nord e i desolati, glaciali argini della Stura, per strade e corsi e viali spettrali sotto il neon nella tormenta incessante, accecato dalla tormenta, guidato solo da un implacabile istinto di perdizione, l'ingegner Sergio Vicini aveva continuato faticosamente ma ostinatamente avanti nel lunghissimo tunnel della notte. Poi la meta gli era apparsa, sotto forma di lontani fuochi. Rossastri falò punteggiavano il buio davanti a lui. Il fuoco primigenio! pensò con scherno, raddrizzando le spalle e zoppicando più in fretta, con un fosco sorriso da angelo del Male.

(*Dal diario della Pietrobono*)

Miei numer. errori et delus. sempre dovuti a mio fondo inguaribilm. romant.!

Verbalizzando dichiaraz. elegantiss. sig.ra (sig.ra testa piedi, imposs. neg. — acconciat. sogno, non dormirci notte — bigiott. Cartier — camicetta YSL ma non mio genere — favol. sempliciss. gonna svas. et abbotton. con gr. tasca appl. — scarpe fant. benché tacco inadatto a me, troppo basso — soprab. ampi risv. 1930 — borsa favol.).

Dicevo: verbalizz. dichiaraz. predetta, non solo modificavo mio preced. giud. ma deducevo trovarmi presenza class. caso umano — Marito tagliato corda con altra/e adducendo motivi lav. — Mancanza autorità pat. et carenza affett. causato sbandam. figlia, che a sua volta causato complesso colpa madre, che ha prob. amante/i — Madre scoperto solo stas. relaz. figlia con malav. et muore angoscia, disperaz., rimorsi, pur ostentando aristocrat. calma — Due donne rivedonsi presenza P.bono che pur celando commoz. partecipa umanam. preparandosi intervenire fazzoletti bevande sali parole saggezza esperienza psicol.

Realtà: abbracci zero — lacrime id. — strilli id. — accuse id. — freddo dispr. id. — rancori lungam. covati niente — nemmeno sempl. labbro tremol. — verbale prime parole figlia: sei molto morta? (sic) — verbale risp. madre: sì, ma insomma, no, sai cosa, è sopratt. che non hanno un solo sedile comodo, sembra la casa di Rosy (?), no? — Est questo famoso stile classi privileg.? — Mancami totalm. esperienza in proposito. Mamma s.scritta (perché S.maria voleva nome povera M.?) avrebbe riempito sberloni faccia umile Luigina.

Predetta rimasta insomma gravem. delusa (aut di m.) secondo stile classi non priv.

Conversaz. 2 ladies continuata tranquillam. massima natural. facendo partecip. umile P.bono – passa tutte notti così? est lavoro duro? anche interess.? studi necess.? vacanze? pericoli ecc.? – Ma tempo volato – madre et figlia raccontato vari spirit. anedd. et fatte spirit. istrutt. osservaz. vita et persone – bisticciato brevem. circa abuso stivali nocivo piedi (aveva rag. sig.ra), attore De Niro (a me antip.) et prezzi Engadina (mai stata).

Rimessami da mio sgonfiam. 2 ex putt. essendo in conclus. quanto mai simp. et divert. – Forse stile classi predette impone suoi membri contegno apparentem. frivolo presenza estranei et specialm. polizia, ma dopo ritorno casa scenate come comuni mortali? – Dopo compilaz. et firma verbali, ogni modo, 3 s.scritte accomunate da normale sonno et stanch. causa ora tardiss. (quasi 3!) – Captato volo maresc. Biazzi transitante corridoio et pregato portarmi rinforzo suo rinom. wiski con 3 bicch. – Chiesto anche quali novità ma B. dettomi solo reinterrogato (per telef.) sagrestano et sentite da Cuoco dichiaraz. Caldani, S.maria recatosi svegliare D.P.

8.

Il cero non poteva essere destinato che al Pezza: questo risultava dalle testimonianze sia di Priotti che della Caldani. E intanto era arrivata anche l'imbarazzata, tortuosa conferma della Scientifica: sì, non c'erano praticamente dubbi... e praticamente, anzi, c'erano arrivati già da prima per conto loro... ma tecnicamente, come era normale data la singolarità... trattandosi cioè di un congegno assolutamente improprio e non convenzionale... tecnicamente bisognava ancora...

Santamaria si chinò a toccare un braccio del dormiente.

– Che c'è, che c'è? – saltò su De Palma, annaspando con la mano verso un inesistente telefono. – Ah, sei tu... Che è successo?

– L'Ufo, – disse Santamaria. – Abbiamo trovato.

E gli spiegò.

Seduto sulla brandina, De Palma si abbandonò a un assorto

sorriso e a un leggero dondolio della testa, come seguendo una delle sue arie d'opera predilette.

— Un cero al plastico, — disse assaporando le parole, — un moccolo alla dinamite... Ma tu pensa.

Mise i piedi in terra, cercando d'infilare le scarpe alla cieca.

— E dove l'ha preso?

Ecco. In teoria avrebbe potuto prenderlo dovunque, la chiesa era piena di ceri simili. Ma di fatto l'aveva preso e acceso ai piedi della torre, prima di salire per la predica, come ogni venerdì. Quel cero aveva il suo posto ai piedi della scaletta, infilato in un supporto, e il Pezza ce lo rimetteva regolarmente quando tornava giù.

— Ma... — disse De Palma.

Sì, certo, non era sempre lo stesso, quando diventava troppo corto lo cambiavano. Ma ieri sera era quasi intero. La Caldani ammetteva di averlo cambiato lei stessa venerdì scorso.

— La Caldani, eh? La matta? L'alcolizzata?

Santamaria scosse la testa. Il cero era sempre lì alla portata di tutti: chiunque poteva sapere del suo impiego e averlo sostituito con l'altro, in qualsiasi momento, da venerdì scorso a ieri sera prima della predica.

— Il moccolo della morte, — sogghignò De Palma, — il cero che non perdona.

Si accorse di aver infilato il piede destro nella scarpa sinistra e si chinò con un grugnito. Rialzandosi, si stirò tutto e rimase a guardarsi la destra chiusa a pugno.

— Se non era per l'editore, — meditò, — magari ci arrivavamo prima... Quello ci ha messo fuori strada, con la sua botola nel soffitto. Ci ha fatto guardare lontano invece che vicino, col suo fottuto barocco.

— Uno scherzo prospettico, — disse Santamaria, — un capriccio del barocco. In fondo non era mica sbagliato, anche se la chiesa non è affatto barocca, a quanto pare.

— Lo stronzo. L'ignorante. Dovremmo metterlo dentro per aver intralciato il corso delle indagini. E poi, non è un editore di cultura? C'è anche l'omissione di atti d'ufficio.

Santamaria si mise a ridere. Forse invece, disse riassumendo il caso Scalisi, si sarebbero potute rimandare a casa le due Guidi.

Le loro deposizioni collimavano, e sembrava proprio che...
— Dovremo pensarci un momento, — grugnì severo De Palma, alzandosi in piedi e infilandosi faticosamente la giacca. — Un po' di notte in bianco non ha mai fatto male a nessuno.

Uscirono, tornarono giù. Passando davanti all'altro ufficio, De Palma vide la Pietrobono installata con le Guidi e si fermò.
— Oh, oh, — fece ossequioso, — un collettivo femminista.

Santamaria era già andato avanti.
— Lasciale fare, stanno verbalizzando, — lo richiamò.
— Pietrobono, non montarti la testa. Portaci il caffè!

Quando la Pietrobono arrivò coi bicchieri di carta, De Palma levò in alto il suo e stette a contemplarlo.
— Ma tu pensa... Ma se la cosa prende piede, se è una guerra di religione, dobbiamo aspettarci tutta una serie di... Il tabernacolo al tritolo, l'ostensorio alla gelignite, il rosario a... Sì, Pietrobono, tu ancora non lo sai, ma l'arma del delitto era un cero al plastico, una candela al candelotto, capisci?
— Non capisco, — si lamentò lei, — nessuno mi spiega mai niente.

Santamaria le spiegò.
— Ma allora... — ansimò la Pietrobono come se avesse visto la Madonna di Lourdes, — ma se non era per il mio ombrello...
— La polizia, — sentenziò De Palma, — si serve anche portando in ufficio un ombrello... E adesso portami il cappotto, perché noi scendiamo a prendere un po' d'aria.

La ragazza filò come Bernadette al villaggio, tornò dallo stanzino con il cappotto, raccolse al passaggio il suo famoso ombrello.
— A.P.! — gridò a Santamaria, — era per questo che lei voleva sapere il nome di mia madre.
— Di lassù, — disse De Palma, — la mamma veglia sulla tua carriera.

La Pietrobono corse via con gridolini di scandalo.

9.

Il cortile centrale della questura era un bianco risvolto di lenzuolo, sul quale ruote di automezzi in entrata e uscita avevano ricamato sinuosi contorni di petali, fronde, pere, uccelli esotici. Ma pressappoco nel mezzo, sostava la massa cupa di un camion già trasformato dalla neve in un relitto di qualche glaciale ritirata.

— Partiamo dal chiunque. Risentire tutti dal punto di vista del cero. Un testimone che ha visto per caso l'attentatore mentre lo scambiava.

— Inutile. Quello ha avuto una settimana intera, l'ha messo tre giorni fa, cinque giorni fa.

— Già. A quest'ora è a mille miglia di qui, aspetta di leggere la bella notizia sui giornali.

— Restringiamo il chiunque. Uno che s'intende di esplosivi e sa come procurarseli.

— Un sacco di gente lo stesso.

— Va be', ma prima di tutto la mafia e il terrorismo.

Camminando all'orlo del candido quadrato, De Palma e Santamaria dovettero fermarsi davanti a un candido cubo dagli spigoli smussati, un'auto parcheggiata a filo di muro nella speranza che il magro spiovente del tetto evitasse in parte l'accumulo di neve.

— È la Mini della Pietrobono, — disse De Palma girandole attorno. Tracciò con l'indice due grandi maiuscole sul cofano: A.P.

— Se almeno uscisse fuori quella Volkswagen.

— Farebbe comodo.

— Chi la sta cercando, adesso?

— Tutti. Noi e i carabinieri.

— Certo che con questa neve...

— Eh, lo so.

Faceva un freddo asciutto, la neve non dava l'impressione di poter veramente bagnare i loro cappotti. E le frasi uscivano brevi, secche, in economia, quasi che troppe parole rischiassero di perdersi in quel turbinio.

— Va be', la mafia, — disse Santamaria.

— Una riunione alla Mezzaluna, pare. Grossi calibri, pare.

— Per decidere di far fuori il Pezza? Così grosso anche lui?

— Magari no. Piuttosto il tipo pasticcione trafficone. Ai margini. Lo stile però sarebbe quello. Venerdì scorso l'avvertimento. E oggi l'esecuzione.

— Movente?

— Li ha fregati in qualche modo. Doppio gioco.

— Non con noi. Coi carabinieri? Con la Finanza?

— A quest'ora lo sapremmo.

— Coi calabresi. Coi marsigliesi. Droga e contrabbando.

— O anche valuta. Riciclaggio di riscatti.

— Ma la perquisizione non ha ancora dato niente, né in chiesa né in canonica. E poi c'è la storia di mamma Guidi. Vuoi che avessero combinato tutto anche con lei?

Arrivarono al secondo angolo del quadrato, svoltarono per il terzo lato. Le finestre di faccia e anche quelle di destra, ormai, erano tutte spente. Santamaria si tirò su il bavero.

— Terrorismo, — disse De Palma imitandolo. — Terrorista lo stesso Pezza. Contatti, collaborazioni, favoreggiamento...

— Cuoco se n'è andato a casa, non ci crede molto.

— Ma mettiamo di crederci noi. Destra o sinistra?

— Destra, a occhio e croce.

— Sì, questo pneuma mi sa più di destra.

— Quindi attentato di sinistra.

— O camuffato da sinistra, ma di destra.

— A meno che il pneuma non fosse un qualche tipo di copertura.

— Allora erano tutti camuffati da destra, ma in realtà di sinistra.

— Quindi ce ne andiamo a casa anche noi.

— Aspetta, riproviamo con la vendetta privata.

— La figlia del sagrestano?

— Il leccapiedi dell'editore o l'editore stesso, per via di quella professoressa.

— Sua ex amante?

— Sua unica esperta di barocco. Il Pezza gliel'aveva portata via. No, senza scherzi, potrebbe entrarci una donna... La Guidi: se la figlia la dà al mafioso, lei poteva darla al prete. E il marito ha dei cantieri, maneggia esplosivi...

— Ma è in Medio Oriente.

— E noi che ne sappiamo? È lei che lo dice.

Svoltarono a un nuovo angolo. Da una porticina sbucò un graduato già tutto imbacuccato nel pastrano, che si gettò a testa bassa nella neve allontanandosi verso il camion.

— O la convivente di Priotti, — insisté rabbioso De Palma.
— Non ha ammesso di avere una convivente?

— Anziana pensionata come lui, l'ho sentita al telefono. No,
casòmai la cognata dei Bortolon: ieri hanno litigato, dice Priotti,
e per questo loro erano così nervosi. Tanto che la Caldani glieli
ha fatti rimandare a casa.

— Ma il cero potevano averlo messo prima.

— Chiunque, poteva averlo messo prima. Ma anche all'ultimo
momento, a funzione già cominciata e in presenza di tutti, se
vogliamo considerare tutto. Io sul posto non ci sono stato, ma...

De Palma, che aveva fatto il primo sopralluogo, dovette riconoscere che la cosa era possibile. Le fondamenta della torre
s'allargavano nel transetto e chiunque, almeno dalla parte degli
uomini, avrebbe potuto intrufolarsi là sotto senza essere notato,
col suo cero sotto il cappotto.

— Ma perché all'ultimo momento?

— Forse perché prima era con qualcun altro. Metti lo Scalisi:
la ragazza dice che sono stati sempre insieme, finché lui ha dovuto andarsene dalla parte degli uomini.

— Già. Giusto.

Girarono l'ultimo angolo e dall'androne che portava al secondo cortile strisciò fuori una volante, i mezzi-fari accesi, la
neve inferocita come un nugolo di vespe nel doppio cono di luce.

— Ma dove diavolo sarà quella Volkswagen? — disse De Palma. — Il pneuma solo lo sa.

— Facciamo un altro giro?

— No. Andiamo da questo Scalisi. E poi se non ne esce niente
ce ne andiamo a casa. Lui aveva la pistola, possiamo tenerlo
fino a quando ci parc.

— E le due donne?

— A casa ma a disposizione, almeno la figlia.

Nell'atrio c'era ancora un gruppetto di cronisti, che li rincor-
sero speranzosi. Novità, commissario De Palma...? Commissario Santamaria...? La Scientifica non aveva ancora...?

De Palma si fermò.

— Accendete una candela al commissario Santamaria, — disse.
— Chissà che non vi faccia la grazia.

Santamaria dovette spiegare per la terza volta.

10.

Graziano capì che c'era qualcosa di nuovo quando il poliziotto Santamaria tornò insieme al poliziotto De Palma. Ma questa novità si faceva aspettare, i due volevano prima ripassare sui suoi movimenti del pomeriggio, per abitudine, per stanchezza, per vedere se lui cadeva in contraddizione con quello che s'erano fatti raccontare dalla ragazza. Solo che, dalle domande che gli facevano, Graziano s'accorse che la ragazza non aveva in realtà raccontato niente, tranne la sosta al motel "Le Betulle". Le altre fermate, gli altri nomi, non li aveva spifferati.

Graziano dominò l'allegrezza che gli era scoppiata dentro come una chiassosa canzone in un bar. Thea, sebbene lui non le avesse chiesto niente, non parlava, non lo tradiva. Intimidazioni e maltrattamenti non l'avevano piegata. Era una resistenza inutile, quei nomi avevano poca importanza; ma lei non lo poteva sapere, e tra le due strade aveva scelto la più difficile, aveva scelto lui.

Graziano indurì quanto più poté le mascelle, e per tener ferme le mani se le cacciò in tasca, chiuse a pugno. Ragazza fantastica. Ragazza coraggiosa e fedele. Ragazza...

Ora però questi attaccavano con la Mezzaluna ed era chiaro che qualcuno doveva averglielo detto. Ma qualcun altro! Non Thea, come avrebbero voluto fargli credere.

— Sì, — disse senza esitare, — ci sono andato anch'io.

— E gli altri chi erano?

— C'era un po' di gente.

— Una riunione ad alto livello, eh? Un vertice.

— Se volete.

— Tu non sapevi che c'era, sennò non ti saresti portato appresso la ragazza. Come mai non t'hanno avvertito prima?

Questo voleva dire che, se non altro, s'erano convinti della completa estraneità di Thea...

— Mi hanno fatto avvisare in un altro posto.

— Una cosa urgente, insomma.

— Più o meno.

— Avete preso delle decisioni importanti?

– Se volete, – sorrise Graziano.

– Come per esempio quella di far saltare in aria il prete? – sorrisero loro.

Gli spiegarono il fatto del candelotto di dinamite. Questa, allora, era la grande novità. Graziano ci pensò su un momento. Nella sua posizione, era perfettamente inutile stare a negare, protestare, gridare: o avevi delle carte o non le avevi.

– E mi avrebbero mandato proprio a me, a mettere il cero, – disse ragionevolmente, senza sfottere.

– Perché no?

– E avrebbero preso la decisione così, all'ultimo momento.

– Forse avevano fretta. Hanno saputo che il prete stava per combinargli qualche scherzo e l'hanno fermato alla svelta.

– Se era per fare in fretta, andava meglio la pistola.

– No, se il prete stava attento e si faceva proteggere.

– E io sono rimasto fino alla fine a farmi incastrare da voi.

– Dovevi stare a vedere se tutto funzionava. Se qualcosa andava storto, se il prete se la sfangava, ci pensavi tu a farlo fuori nella confusione. Con la tua pistola.

Le carogne gli stavano ricordando che con la pistola l'avevano incastrato, potevano tenerlo dentro anche un anno. Dio, un anno senza Thea, pensò.

– Io non faccio cose di questo genere, – disse scuotendo la testa. – Non me le fanno fare. Ho un altro lavoro.

– Lo sappiamo, – dissero loro, – ma avevano fretta.

– Quant'era lungo il cero? – domandò lui.

– L'hai nascosto sotto il cappotto, – dissero subito loro.

– La ragazza l'avrebbe visto.

– La ragazza non conta.

– Ah, no? E allora chi conta? Quello che m'è venuto appresso dalla Mezzaluna?

Ormai potevano piantarla, coi misteri. Se Thea non contava, ammettevano loro stessi che a dirgli della Mezzaluna era stato quell'altro. Che poi, per farlo beccare così, doveva essergli venuto dietro fino in chiesa.

– È uno dei vostri? – domandò.

Loro non risposero.

— Tu l'hai mica visto, per caso? — gli chiesero invece.
Graziano s'incuriosì.

— No, — disse. — Perché?

— Non ti sei accorto che ti veniva dietro?

— No.

— Una Volkswagen chiara.

— No.

— Con sopra delle scritte pubblicitarie. Pensaci bene.

— No, — disse Graziano. — Non l'ho notata.

Ma che gli fregava tanto di quella Volkswagen? E perché chiedere proprio a lui delle informazioni su uno che lo aveva pedinato?

— Parliamo un po' di quella riunione alla Mezzaluna, — riattaccarono loro. — Che ci facevate?

— Lavoro.

— Che lavoro?

— Lavoro in generale, non un lavoro speciale.

— Tutti amici?

— Eravamo solo noi. Ordinaria amministrazione.

Lo spione doveva essere un nemico, questo era sicuro. Uno dei calabresi, dei francesi, dei marocchini, dei jugoslavi venuti da Milano, dei boliviani saliti su da Roma? Se lui fosse stato fuori, l'avrebbe scoperto in ventiquattr'ore.

— Mica tanto ordinaria, — dissero loro.

— Un piccolo problema, — sorrise lui. — Potrei anche dirvelo.

— E tu diccelo, — sorrisero loro.

— Ho bisogno di un'autorizzazione, — sorrise Graziano. — Se mi fate uscire...

— E bravo.

— Sul serio.

— Tu sei arrivato che era già cominciata.

— Sì.

— E quanto sei stato dentro?

— Un'ora. Più o meno.

— E dopo sei andato al motel.

— Sì.

— A scopare. A distendere i nervi.

No, voleva dire Graziano. Ma non avrebbero capito, e non disse niente.

— O magari per telefonare.

— No, — disse Graziano, — la donna del motel vi dirà che non ho telefonato.

Pensavano che quello che voleva fare l'avesse già fatto. Credevano che si fosse accorto di essere seguìto e avesse chiamato qualcuno a sistemare lo spione della Volkswagen. Ma questo voleva dire che lo spione era stato già sistemato. Ecco il motivo di tanta insistenza, ecco la vera novità. Lo spione aveva fatto la sua bella spiata, magari per telefono, ma poi qualcuno aveva provveduto a chiudergli la bocca; l'avevano trovato da qualche parte con la lingua già bell'e tagliata. O avevano trovato la Volkswagen vuota. O incendiata, con quello fritto dentro.

— E dopo il motel non ti sei più fermato. Neanche a mangiare un boccone.

— No.

— Dritto in chiesa.

— Dritto in chiesa.

— E in chiesa hai visto qualcuno?

— No.

— Amici? Nemici?

— Nessuno.

Loro lo studiarono ancora un momento, sempre con quell'aria di mezzo scherno che prendevano quando non volevano, o non potevano, fare i duri.

— Certo è strano, — fece uno come se lui non fosse lì, — che non abbia visto niente.

— Ah, — fece l'altro, — ma lui guardava solo la ragazza. È ciecamente innamorato.

— Non mi dire.

— Sì, di quella bella ragazza di là. Ma chissà se è ciecamente innamorata anche lei?

— Speriamo di no. Speriamo che almeno lei abbia visto qualcosa.

Graziano, che teneva i pugni sempre più stretti, si sentì scoppiare in testa un juke-box potentissimo.

Questa, questa era la novità!

Non era stato un interrogatorio di controllo per cercare di

sgambettarlo, condotto da due che sapevano già tutto. Questi non sapevano niente, e le loro domande erano state vere domande, vere richieste d'informazioni. Non ce l'avevano con lui, ce l'avevano con lo spione. E se stavano cercando lo spione, era perché lo sospettavano di aver messo la dinamite in chiesa. La carogna doveva aver tentato di far incastrare lui, Graziano, e invece gli era andata male, la polizia non c'era cascata e gli stava dando la caccia.

Era tutto chiaro, adesso.

— Se mi fate uscire, — disse togliendosi i pugni di tasca, — ve la trovo io, quella Volkswagen.

11.

Le riportarono a casa con una volante priva di catene, che slittava e sbandava paurosamente sull'asfalto innevato. Ma la signora Guidi era troppo esausta per preoccuparsene e del resto il guidatore doveva essere bravo, perché riusciva sempre a raddrizzare la macchina per poi riprendere quella sua volubile corsa da ubriaco. Visto di spalle, col berretto a visiera e il nero giaccone di pelle, avrebbe potuto essere un tassista qualsiasi, e anche la radio faceva pensare a un tassì, ne uscivano voci e chiamate che si riferivano a situazioni lontane, enigmatiche, numeri e sigle incomprensibili, indirizzi di vie mai sentite.

Ma il silenzio, ora che non c'era più tra loro due l'assistente di polizia, pesava alla signora Guidi.

— Simpatica, quella ragazza, — disse. — Dev'essere in gamba.

— Sì, — sorrise Thea. — Luigina Pietrobono. Siamo diventate amicissime.

— Chissà se è parente di quei Pietrobono che due anni fa, no, tre anni fa, si erano...

— No, mamma, — disse Thea.

Il silenzio tornò, vivo e ingombrante come qualche grosso cane.

— Quanto ho fumato, — sospirò la signora Guidi. — Anni che non fumavo così... Chissà come fanno i grandi fumatori a andare avanti con dosi così forti ogni giorno che passa.

– Ci arrivano a poco a poco, – disse Thea. – Anche tu sei ancora in tempo.

– Spero di no.

Ma ci arriverò, avrebbe voluto rispondere, ci arriverò di sicuro, se questa storia continua. Mi verranno le dita scure di nicotina, come a Nicoletta. Mi metterò anch'io a parlare come una mitragliatrice, come una matta.

– Però con tutto questo, – disse, – quel cero alla dinamite o cosa diavolo, io l'ho trovato sensazionale, no? Voglio dire, molta pena per quel povero prete eccetera, ma come cosa in sé... Come avranno fatto?

– Mi sembra una cosa abbastanza semplice, – disse Thea. – Fai un buco nel cero, un bel foro regolare col trapano, e poi c'infili il candelotto. In fondo, è come preparare una pera avocado ai gamberetti, non so.

La signora Guidi le toccò la caviglia con la propria. Cosa le saltava in testa di mostrarsi tanto competente davanti, cioè dietro, a un poliziotto? Tanto più che quello magari stava registrando ogni loro parola.

– Domattina appena apro gli occhi, – disse, – chiamo la Rolfo. Doveva venire nel pomeriggio ma chissà che non riesca a infilarmi prima.

La Rolfo era la massaggiatrice, che il sabato era sempre più occupata degli altri giorni.

– Anche a te non farebbe niente male, un bel massaggio.

– La Rolfo mi dà sui nervi, – disse Thea. – Parla sempre di suo marito.

– E lo credo, povera diavola! Con tutto quello che le combina... Le ha venduto perfino la catenina della comunione, il frigorifero, un servizio di...

– E allora perché non lo pianta?

– Non è mica così semplice. Un marito...

– È qui? – chiese il guidatore rallentando.

Erano arrivate.

– Sì, è qui, grazie.

L'uomo scese e venne ad aprire lo sportello, proprio come un tassista dei vecchi tempi, o un autista privato. L'unica nota sto-

nata era la pistola nella grossa fondina, che gli usciva da una
fessura del giaccone come un mostruoso organo esterno. Attese
compìto (o sospettoso?) che lei avesse aperto il portone, salutò,
risalì sulla sua nevosa auto biancoceleste.

— Oooh! — fece con falso sollievo la signora Guidi entrando
in anticamera. In realtà notò subito che tutti gli oggetti di casa,
anziché accoglierla familiarmente, avevano acquistato in quelle
poche ore una patina d'infida estraneità. E più estranea di
tutto era la donna che la guardava dallo specchio, pallida e
con gli occhi pesti.

Dovrei affrontare, si disse torpidamente la signora Guidi,
dovrei parlare, agire. S'immaginò una specie di fuga in Egitto,
con lei che caricava Thea avvolta in una coperta e la portava in
salvo a Lugano, in attesa che le cose si chiarissero un po'.

— Su, andiamo a farci una bella doccia calda, — disse con
un tentativo di allegra risolutezza, — e poi vediamo.

Thea filò obbediente in camera sua. Ha solo diciannove anni,
pensò sua madre. Considerò pigramente l'idea che i figli nasces-
sero con una specie di garanzia, come gli elettrodomestici, gli
orologi; che fosse possibile telefonare alla casa produttrice per
reclamare, farsi mandare un tecnico, dire ma insomma cos'è
questa storia, questa figlia ce l'ho da nemmeno vent'anni e voi...

Nessuna garanzia, pensò. E io sono qui, si commosse, sola e
indifesa, a cavarmela in queste situazioni orrende, catastrofiche,
con Giacomo lontano ventimila miglia, a procurare acqua, elettricità e diosacosa alle famigliole del terzo mondo. Tanto valeva
il marito della Rolfo, allora; ladro, traditore, fannullone, ma
almeno sempre in casa.

Non fare la cretina, si disse. Si aggiustò energicamente i
capelli, gettò il soprabito su una sedia, marciò verso la cucina
per prepararsi un tè fortissimo; bevuto il quale, anche se erano
quasi le quattro della mattina, avrebbe telefonato all'avvocato
Girodi, o all'avvocato Ancona, o meglio ancora all'avvocato
Salle, che era un mastino...

Ma passando davanti alla porta socchiusa di Thea, vide tutto
spento, aprì lo spiraglio, e la luce del corridoio illuminò debolmente la ragazza che, scosse via le scarpe, s'era gettata sul letto
vestita, addormentandosi subito.

La signora si avvicinò, si chinò come aveva fatto migliaia
di volte in diciannove anni. Thea era sdraiata su un fianco e
dormiva nel modo intenso dei bambini, come se il sonno fosse
un lavoro. Un rivolo di capelli le tagliava di sbieco la guancia
scendendo a coprirle il mento, il labbro inferiore. Sua madre
sollevò delicatamente la ciocca e gliela spostò dietro l'orecchio,
pensando agli avvocati, alla questura, ai giornali, alle ottuse,
spietate deformazioni cui gli altri, tutti gli altri, avrebbero sottoposto quel profilo abbandonato, quella ragazza dormiente.

Decise che finché si poteva non avrebbe detto niente a nessuno. Pensò che il mestiere di madre era diventato il più difficile del mondo.

Prima di andarsene a dormire anche lei, sfiorò con la mano
la guancia di Thea e attivò un piccolo fremito di riconoscimento,
un sorriso di totale, biologica gratitudine.

12.

L'editore aveva fatto confiscare la radiolina della cassiera, alla
Birreria Bavarese, per farla mettere sul proprio tavolo. Ma niente
di nuovo su Santa Liberata, fino a poco fa. Nessun accenno a
un testimone di cui non si faceva ancora il nome, ma che, con
una sua geniale ipotesi, aveva avviato ricerche da cui ci si
potevano attendere grossi sviluppi...

Poi gli sviluppi c'erano stati ma quanto mai discutibili, sem-
plicistici, oltre che privi, in fondo, di qualsiasi interesse umano.
L'editore fece una smorfia quando la stessa "Onda Continua",
una delle radiolibere più serie e attente nei propri notiziari,
prese a ripetere acriticamente la versione della polizia.

Una testimone di cui non si faceva ancora il nome, aveva
creduto di notare che il cero tenuto in mano dalla vittima
brillasse con più vivacità un momento prima dell'esplosione,
tanto da ricordare la statua statunitense della Libertà. Questo
aveva condotto alla soluzione dell'enigma. L'esplosivo, un candelotto di gelignite, era infatti nel cero e collegato con una
brevissima miccia allo stoppino: per cui a un certo punto la

stessa fiamma del cero aveva acceso la miccia, determinando l'istantaneo scoppio e la tragica fine del sacerdote.

Secondo gli inquirenti, – continuava "Onda Continua" – la tecnica usata gettava una nuova luce sull'attentato e apriva...

– Ma quale luce, – disse l'editore tra sprezzante e interrogativo, facendo segno a Rossignolo di spegnere l'apparecchio.

Rossignolo spense, e prima di rispondere si dissetò con una lunga sorsata di birra.

La Birreria Bavarese era nata nel 1936, quando il nazismo, almeno visto dai ristoranti, sembrava una faccenda di tutto riposo, associata soprattutto ai canti tirolesi: ma nonostante i successivi disinganni, il locale aveva resistito più a lungo della Latteria Svizzera, della Pasticceria Ungherese e della English Tea-Room che in altri momenti storici erano venute a portare un'effimera ventata di esotismo nella gastromonotonia di Torino. Tale longevità non era certo dovuta a segrete nostalgie hitleriane presenti nella popolazione, sibbene al fatto che la Birreria Bavarese era stata fin dall'inizio, e restava tuttora, uno dei pochissimi locali del centro in cui si potesse mangiare tutta la notte.

– Be', – disse Rossignolo, – intanto significa che può essere stato chiunque.

– Queste acciughe, – disse con fredda severità l'editore, – sono un vero schifo.

Si girò, fermò con lo sguardo un cameriere di passaggio, lo attirò al tavolo.

– No, ma secondo voi queste sarebbero acciughe?

Sollevò con la forchetta un'acciuga che aveva tutto l'aspetto di un'acciuga, e la lasciò ricadere nella densa salsa al prezzemolo.

– Dure, vecchie, troppo grosse... Non saranno mica della Manica?

Nei primi anni, il personale della birreria aveva portato giustacuori e bolerini verdi, bluse e sottane di foggia concepibilmente bavarese; ma questo scrupolo stilistico s'era rivelato, più che eccessivo, inutile. La gente ci veniva in ogni caso. Comuni giacchette bianche e comuni grembiuli neri erano così tornati a servire i comuni antipasti della cucina italo-piemontese, mentre l'incarico di rappresentare la Baviera restava affidato soltanto alla birra alla spina (fabbricata a Novara) e alle salsicce (fabbricate a Milano).

— Non saprei, — confessò imbarazzato il cameriere, — posso chiedere.

— Dai qua, — disse Lomagno, — fammi provare.

Pescò un'acciuga dal piatto dell'editore, la depose su una fetta di pane, e si cacciò in bocca il tutto con una spinta brutale.

— Perché le acciughe della Manica, — spiegò l'editore, — specialmente se non sono state pescate nel momento... ottimale...

— Quante storie per un'acciuga, — borbottò Lomagno a bocca piena. Se ne preparò un'altra, dicendo cameratescamente al cameriere: — Vai pure tranquillo, questo qua non ne capisce niente.

L'editore si strinse la barba con le due mani, come se volesse strangolarla.

— Come sono quei tuoi tomini, — chiese a Rossignolo.

— Così, — disse Mariarosa, che ne aveva appena assaggiato un pezzetto, — normali.

Con un colpo netto, l'editore tagliò a metà uno dei tomini di capra di Rossignolo e si portò la preda, in bilico sul coltello, fino al naso.

— Mmm, — fece fiutando. — Non li hanno lasciati abbastanza sulla paglia.

Francisco allungò sorridendo due dita e prese un'oliva nera dal piatto di Mariarosa.

Verso le due del mattino, quando s'erano ritrovati tutti insieme sulle panche durissime della Birreria Bavarese, avevano mangiato un bel piatto di agnolotti e basta; così era stato deciso dall'editore. Verso le tre, l'editore aveva ordinato frutta secca per tutti. E adesso era la volta degli antipasti, cui sarebbe seguìto, secondo che avesse dettato la sua sensibilità, un gelato o un brodo.

— Nella misura in cui c'è stato attentato, — disse Lomagno, — non può essere stato "chiunque".

— E tu che ne sai, — disse Mariarosa, — noi nemmeno c'eravamo.

— In ogni modo, un'area indefinita, — disse Rossignolo socchiudendo gli occhi. Sorrise, e prese una cipollina dal piatto di Francisco.

— Ma che indefinita! — disse Lomagno. — Un fascista liquidato dai fascisti. Una volta tanto, non potranno attribuire l'attentato alla sinistra.

— E perché?

— Troppo sofisticato.

— Allora secondo te, — lo rimbeccò Mariarosa, — la sinistra non è abbastanza sofisticata. Non è capace di preparare un cero al plastico.

— Non dico questo. I compagni che hanno scelto la lotta armata possono preparare anche un elefante alla dinamite, se vogliono. Ma il punto è che non vogliono. Quando attaccano il sistema, lo fanno in modo più aperto, non hanno motivo di ricorrere a tecniche così...

— Barocche?... — mormorò Rossignolo.

L'editore, che stava per prendere un carciofino dal piatto di Lomagno, rimase con la forchetta a mezz'aria ma non disse niente.

— Sì, cincischiate, barocche.

— Non sono d'accordo, — disse Mariarosa, prendendo un peperone dal piatto dell'editore. — Putkammer teorizza espressamente il ricorso all'effetto-beffa, lo Spotteffekt, nell'azione rivoluzionaria.

— Io non vedo nessuna beffa, — disse Rossignolo. — È vero che il Pezza lo potevano far fuori anche col mitra, ma nel caso concreto, se si voleva eliminare soltanto lui senza fare un'inutile strage, allora io dico che il cero al plastico è stata una scelta pratica, pulita e intelligente.

— Cosa che esclude automaticamente i fascisti, — ringhiò Lomagno, — e ripassa la responsabilità alla sinistra. Mentre tutto sta a dimostrare...

— Ma che ne sai tu! — gridò Mariarosa. — Ma stai zitto!

— Sull'ideologia del Pezza, — disse Rossignolo, — abbiamo discusso due ore e possiamo andare avanti per altre due. Ma quello che...

— Giusto, — disse l'editore, — la riunione per quei nastri l'anticipiamo a domattina. E ci servirà naturalmente anche Monguzzi, che ha seguìto la cosa dal principio.

— Domattina quando? — disse Rossignolo dopo un silenzio, guardando l'ora.

— Alle undici... e... ventotto, — concesse magnanimo l'editore, — dato anche che è sabato. Ma Monguzzi ci pensate voi a ricuperarlo?

— Non c'è problema, — disse Rossignolo, — quello il sabato viene da sé per il carteggio. Ma quando saprà del cero gli verrà un colpo, bisognerà stare pronti col tabrium.

— Perché? — disse Mariarosa.

— Perché voi non lo sapete, ma lui quel cero l'ha preso in mano.

L'editore smise di masticare. Tutti, meno Francisco, smisero di masticare.

— Quando? Stasera? — chiese Lomagno in un sibilo.

Rossignolo lo guardò stupito.

— No, ieri.

Gli altri s'erano sporti in avanti sul tavolo di legno grezzo, segnato da innumerevoli cerchi di bicchieri.

— Non fate gli stronzi, — disse Rossignolo, abbassando però involontariamente la voce. — Io sono sempre stato con lui, e comunque il cero glielo aveva messo in mano il prete.

Fissò pensieroso i due *murales* 1936, sulla parete opposta, raffiguranti contadini e contadine bavaresi che ballavano tra montagne e ruscelli al suono di una fisarmonica.

— No, è assurdo. Per fare il suo show, il Pezza ha spento la lampada a pila... ha preso il cero ai piedi della scaletta... l'ha acceso... e con quello siamo andati su. Poi, scendendo, l'ha passato a Monga, che l'ha lasciato non so più dove...

— Lo stesso cero?

— Sì, cioè lo stesso che qualcuno ha poi sostituito. Quello vicino alla scaletta.

Francisco prese un fagiolone dal piatto di Lomagno.

— Hai detto una cosa gravissima, — mormorò l'editore, — non so se ti rendi conto che sei vivo per miracolo.

— Ma fammi il piacere.

— L'assassino può aver sostituito il cero già diversi giorni fa, magari fin da sabato scorso, se la storia della polizia è vera.

— Ma perché ti devi fregare tutta la mia frittata, scusa? — disse Mariarosa.

L'editore prese un'aria birichina e il triangolo di frittata verde sparì nel folto della sua barba.

— Se quello di ieri, — disse Rossignolo, — era già il cero al plastico, come mai non è scoppiato?

— Si vede che l'esplosivo era più giù e la fiamma c'è arrivata solo stasera.

Rossignolo lo guardò con ironia.

— Tutto questo andrà benissimo in sede teorica, — disse, — come in sede teorica poteva andar bene la teoria del passaggio segreto. Ma la cosa più verosimile è che l'attentatore abbia sostituito il cero all'ultimo momento, appunto per evitare che potesse venire usato da qualcuno che non fosse il Pezza.

— Tu stesso però dici che ieri il Pezza l'ha acceso solo per farvi il suo show. È chiaro che normalmente usava la torcia elettrica, e che normalmente il cero sarebbe rimasto spento fino a ieri sera. La vostra visita di giovedì è stata del tutto fortuita, né l'assassino né il Pezza né nessun altro poteva prevederla.

— Tranne te, — disse Lomagno, — che ce li hai mandati.

— Ma a mia volta io, — disse l'editore con un fine sorriso, — non potevo prevedere che il Pezza avrebbe acceso il cero per accompagnarli sulla torre.

— A parte che Monguzzi poi non è nemmeno salito, — disse Rossignolo.

Tutti si sporsero di nuovo in avanti.

— Hai detto una cosa gravissima, — sussurrò l'editore, — che aggrava notevolmente la posizione di Monguzzi, non so se te ne rendi conto. Monguzzi era stato il solo ad avere contatti con la vittima, ha maneggiato il cero...

— Ma dopo, dopo! — soffiò esasperato Rossignolo.

— Ha maneggiato il cero, non è salito insieme alla vittima col cero acceso, in ufficio si è comportato in modo molto strano...

— Ma dài!

— Si è comportato stranamente, e poi, dopo aver cercato ogni scusa per non venire a Santa Liberata, è filato via, è scomparso prima, parecchio prima, dell'attentato.

Rossignolo si chinò ancora più avanti.

— E va bene, — sussurrò, — sono cose gravissime, e adesso ti voglio dire un'altra cosa gravissima.

Gli occhi a un palmo da quelli dell'editore, gli domandò, staccando le parole:

— Pochi minuti prima della funzione, tu te ne sei andato per conto tuo e a un certo punto ho visto benissimo che t'infilavi sotto l'impalcatura della torre, proprio in direzione della scaletta. Si può sapere cosa sei andato a fare lì sotto?

L'editore, che teneva tra due dita una fetta di salame presa dal piatto di Francisco, la lasciò cadere nel piatto di Mariarosa.

13.

(Dalla stanzetta della Pietrobono)

Dispongomi andare letto dopo nottata faticosa ma emozionantiss., pensò automaticam. la Pietrobono, caricando la sveglia e lasciandola sulle otto come al solito (una futura ispett., specialmente con quest'afgana, non poteva star lì a lesinare sugli straordinari).

S'infilò nel suo origin. pigiamino azzurro a righe lucide e opache, *ton sur ton*, e poi nel suo divano-letto. Chissà, pensò spegnendo la luce, con che dormiva la sua amica Thea? Magari in qualche specie di sacco ma che le stava a meraviglia, a giudicare da come si vestiva di giorno. Mentre sua madre, ci si poteva scommettere la testa, portava favolose e trasparenti camicie da notte. De Palma invece... S'intenerì ripensando a De Palma che se ne andava finalmente a dormire sul serio ("Tutti a letto, Pietrobono!") e immaginandoselo in bagno, smunto e disfatto, che si lavava i denti in un pigiama a rigoni qualsiasi, praticamente da carcerato. Solo Santamaria era ancora in ufficio con Biazzi, per le consegne ai sottufficiali, ma presto se ne sarebbe andato anche lui. L'unico a non tornarsene a casa sarebbe stato lo Scalisi, che lei non aveva ancora mai visto.

L'unico?

Santamaria, mentre lei usciva, aveva ritelefonato personalmente ai carabinieri; sia al comando di piazza Carlina che a quelli di Rivoli, per sicurezza. Ma la Volkswagen niente, non era venuta fuori, nessuno ne sapeva più niente.

14.

Quando infine, sulla via di casa, il commissario si fece condurre a Santa Liberata e scese dall'auto e si trovò faccia a faccia con la chiesa, non provò nessun senso di delusione. Era uno dei pochi vantaggi del suo mestiere.

Luoghi e persone di cui s'era troppo sentito parlare, attorno ai quali s'erano moltiplicati gli echi, i riflessi, le variazioni, le fantasie, apparivano poi sempre opachi e scheletrici, visti da vicino. Ma non alla polizia che correva semmai il rischio opposto di trasfigurare le cose verso il basso e cercare a priori lo scadimento, il divario negativo.

Secondo quell'ottica, quell'estetica parsimoniosa, Santa Liberata si presentava come un luogo del delitto di rispettabile levatura. La famosa facciata barocca era prevedibilmente più piccola e qualunque di quanto non fosse suonata in questura, e la neve che ora cadeva rada e minuta le stendeva davanti un velo di diserzione. C'era un agente infagottato che camminava in su e in giù sul breve sagrato, e che all'arrivo della volante si fermò aguzzando lo sguardo, sperando che fossero venuti a dargli il cambio anzitempo. Deluso, riprese il suo lento andirivieni e il commissario adottò automaticamente lo stesso passo per addentrarsi nei vicoli attorno all'edificio, sbriciolando qua e là pezzi di vetro scagliati lontano dall'esplosione.

Incontrò un'altra sentinella che montava inutilmente la guardia davanti al portoncino laterale, rimasto chiuso per il pronto intervento di Muzzoli e Urru, e la cui chiave micidiale avrebbe fatto storia nel campo delle armi improprie. Per quella viuzza erano fuggiti i misteriosi aggressori del Pezza, una settimana fa.

Più in là si apriva sulla destra uno spiazzo, con qualche auto parcheggiata e un pullmino grigioverdebianco con la targa della polizia, forse lo stesso che qualche ora prima aveva contenuto Dalmasso e il suo sparuto servizio d'ordine. Qui, ai piedi di

questa anacronistica bagnante spolverata di neve, erano state
fermate le due Guidi sulla Porsche.

Girò la cantonata e vide un terzo agente infreddolito e anche
lui anacronistico, perlomeno rispetto all'attentato, che accennò
a mettersi sull'attenti quando riconobbe Santamaria.

— Cos'è questa porta? La canonica?

— Sissignore.

— C'è ancora qualcuno dentro?

— No, dottore. Se ne sono andati anche quelli della Scientifica.

La porta non era chiusa. Il commissario spinse il vecchio
battente, fece un passo nell'oscurità più fitta, si girò.

— Hai una pila?

— Sissignore.

Già. Non c'era la luce elettrica, avevano disdetto il contratto.
Chissà quanto aveva complicato la vita anche ai suoi devoti, la
scintilla primigenia.

Salì una rampa di pietra, seguì un corridoio che girava ad
angolo retto, ridiscese pochi gradini, si trovò in una specie di
entrata dalle larghe mattonelle esagonali, dove si intrecciavano
come secolari ragnatele odori di cucina e di chiesa. Fra due
porte chiuse c'era una stufa tarchiata e un po' meno primigenia,
a cherosene.

Il fascio di luce illuminò un passaggio sulla sinistra e il commissario lo percorse fino alla porta in fondo. Il gabinetto. Verso
l'ufficio parrocchiale e la chiesa doveva esserci da qualche parte
un altro corridoio di comunicazione.

Tornò indietro, si fermò al centro degli esagoni bianchi e neri
ispezionando le pareti e gli angoli. Non c'erano che porte, e un
silenzio dentro il quale un tarlo avvitava le sue incalcolabili
gallerie.

Il commissario aprì a caso una porta. La stanza da letto:
lenzuola e coperte tirate su alla meglio, dei pantaloni gettati su
una sedia, un lavandino in una rientranza del muro, un lume a
petrolio, una...

Il tonfo, netto ma assorbito, diluito dallo spessore dei muri,
gli fece scattare il dito sul pulsante della torcia. Cos'era? Un
blocco di neve scivolato da un davanzale. Una trave, un telaio
di finestra schiantato dall'esplosione e che ora finalmente aveva

ceduto. O il rumore veniva da più vicino, forse dalla stanza accanto?

Riaccese la torcia e tornò cauto nell'entrata. Non si sentiva più niente, e del resto se n'erano andati tutti, aveva detto quel ragazzo là fuori... Aprì deciso un'altra porta. Cucina deserta. Un'altra. Un armadio. Un'altra.

Ai margini dell'alone giallognolo di un lume a petrolio, ritta davanti a una libreria aperta, una figura d'ombra reggeva un grosso volume fra le mani guantate di nero. La testa bianca si girò, il profilo si riaffermò finemente, le labbra ammisero il più discreto dei sorrisi.

— Lei penserà, — disse Sua Eminenza, — che le sto rubando il mestiere.

I polmoni del commissario ripresero a funzionare, la sua mano ritirò colpevolmente la torcia brandita come una Smith & Wesson, il suo cuore batté colpi indulgenti all'indirizzo di Muzzoli e Urru. C'era mancato poco a una seconda e più imperdonabile gaffe.

— Sono passato dalla porta della canonica, — disse. — Credevo che non ci fosse più nessuno.

L'altro ripagò questa mezza giustificazione della stessa moneta, senza dubbio per indicare che date le circostanze non si considerava padrone di casa: era sempre stato mattiniero, alla sua età si dormiva comunque poco, aveva un impegno stamattina molto presto, gli era parso che una visita, un momento di raccoglimento nella chiesa, dopo lo sciagurato incidente... Ma c'erano novità? L'inchiesta aveva fatto progressi?

— L'attentato era diretto contro il parroco personalmente. Il cero che teneva in mano era pieno di esplosivo.

— Signore, — mormorò Sua Eminenza chinando la testa, ma col tono di uno specialista che si senta annunciare un caso per lui banale, di routine. — E... si sa chi sia stato?

— Stiamo cercando... Ma sinceramente, abbiamo poco in mano... Per questo ho pensato anch'io a una visita, per vedere di farmi una qualche idea, sentire l'aria della chiesa, dell'ambiente, per così dire... Al punto in cui siamo qualsiasi cosa può servire.

L'arcivescovo rispose con un'occhiata apertamente misuratrice. Quanto poteva dire? Quanto avrebbe compreso quest'uomo

che viveva tra i ladroni, gli assassini, gli spergiuri, le meretrici
e tutti i personaggi meno presentabili delle Sacre Scritture?

— Eminenza, — lo pregò sottovoce Santamaria, — a che punto
è la notte?

Sua Eminenza sorrise.

— Sediamoci.

Andò col suo librone spelacchiato, che doveva essergli caduto
di mano poco fa, verso il tavolo dov'era posata la lampada, e
il commissario notò che aveva smesso il travestimento "borghese", portava la tonaca a bottoni cremisi e un mantello nero dalle
soffici pieghe, dai morbidi, costosi riflessi.

— Isaia ha molte immagini splendide. *Custos, quid noctis?*...
.-- E come continua?

Un cenno smemorato della mano nera.

— Dopo la notte verrà il giorno... Non è certo a che cosa si
riferisca tutto il passo, gli studiosi divergono. Ma l'interpretazione corrente è che si tratti di un oracolo sulla caduta di
Babilonia.

— La predica di stasera era su questo tema, mi hanno detto.

— Sì, Babilonia la fine del mondo, l'Apocalisse... — ci fu un
altro cenno forse annoiato, un sospiro forse impietosito, — un
certo... millenarismo, che di questi tempi, in bocca a un forte
predicatore, a una personalità di spiccata... — i guanti neri strinsero l'orlo del tavolo. — Lei che cosa sa di don Pezza?

— Avevamo un piccolo dossier sulle sue svariate attività più
o meno progressive e sociali. Ma ci serve a poco, è tutta roba
superata... A un certo punto sembra che ci sia stato un cambiamento, come una svolta non so di che genere, un qualche fatto
che ha modificato il suo atteggiamento, diciamo, la sua posizione
forse perfino rispetto alla Chiesa, alla religione.

Sua Eminenza annuì con le palpebre.

— Lei è religioso?

— No, — disse il commissario senza fierezza, — e ricordo molto
poco di catechismo e storia sacra, devo dire. Ma da alcuni
particolari...

Sua Eminenza annuì come prima.

— Anche la Curia teneva... seguiva don Pezza da qualche
tempo. Sapevamo di questo suo... acceso ritorno alla più antica

simbologia della luce e delle tenebre: la spintera o *spintèr* (in greco è maschile) come scintilla primigenia... il *logos* come fuoco purificatore... il *pneuma* in quanto soffio, spirito vitale, contrapposto all'inerzia e oscurità della materia... Tutti simboli più antichi del cristianesimo, ma entrati a far parte del suo patrimonio... allegorico e figurativo, direbbe un non credente.

Il commissario ringraziò con un cenno. Sapeva che il cardinale gli avrebbe detto quel tanto che gli voleva dire, e non una parola di più. Tuttavia provò a insistere:

— Ma lei mi diceva che gli Eoni, per esempio, non rientrano nel...

L'altro batté la mano sul vetusto tomo che aveva davanti.

— No, — si decise, — gli Eoni e gli Arconti, come il Pleroma e l'Eterno Ciclo, sono un'altra cosa, appartengono a speculazioni teologiche che la Chiesa ha dovuto combattere per secoli. Appartengono a un'eresia.

Santamaria un po' se l'era aspettato, un po' rimase a bocca aperta.

— Il Pezza era... un eretico?

Sia pure in quel luogo, in quella notte, e in presenza di quella porpora, la parola suonava incongrua e quasi farsesca, aveva lo stesso anacronistico sentore della lampada a petrolio che fumigava lì accanto.

— Diciamo che negli ultimi tempi don Pezza dev'essersi lasciato... attrarre, — ammorbidì il cardinale, — da certi aspetti... io credo soltanto superficiali, soltanto esteriori... dell'eresia gnostica, la grande nemica di Ireneo vescovo di Lione... — accennò al volume che aveva davanti, poi ai ripiani dove s'accatastavano altri tomi squinternati, probabile lascito di precedenti parroci, — e di Epifanio, di Ippolito, di Eusebio da Cesarea...

La voce si allontanò, gli occhi percorrevano le sbucciate rilegature della libreria, erravano lungo i polverosi dossier del nucleo anti-eresie, della squadra anti-gnostica.

Ma quei nomi solenni e suggestivi non suggerivano niente al commissario. Ricordava vagamente dai tempi della scuola l'eresia di Ario, il concilio di Nicea (o di Antiochia?), la controversia di Pergamo. Che c'entravano col Pezza quelle remotissime faccende? Cosa diavolo era l'eresia gnostica?

— Che cos'è, — disse sopprimendo il diavolo, — l'eresia gnostica?

Sua Eminenza riportò lo sguardo su di lui comc se, tornando da un travagliato viaggio teologico, stentasse a riconoscere
la stazioncina da cui era partito, non sapesse da che parte
prendere le curiosità semplciotte dei rimasti a casa.

— La gnosi... — allargò le sue dieci dita nere. — Ma lei che è...
agnostico, saprà tuttavia che al centro di ogni religione c'è
l'idea, l'intuizione, di una verità occulta, di un segreto soprannaturale,
di una... trama divina nella quale si spiega il mistero
della vita, dell'universo. Un grande filosofo ha definito l'uomo
religioso come colui che riconosce e accetta il mistero, che ha
sempre presente il sentimento del mistero.

Ho il sentimento del mistero? si chiese Santamaria sentendosi
di colpo sminuito. Quella voce pacata, amichevolmente metafisica,
lo faceva dubitare della sua carriera, passata a dannarsi
l'anima fra meschine trame, fra misteri da quattro soldi.

— Gnosi non è altro che conoscenza di questo segreto, la
risposta all'enigma che sta sopra di noi... E quindi, lei comprende,
ci sono molte risposte, molte gnosi diverse, una gnosi
platonica, una gnosi pitagorica, una gnosi zoroastriana... e c'è
anche una gnosi cristiana, beninteso, poiché la parola di Cristo
è appunto rivelazione, le Scritture costituiscono ciò che la Chiesa
chiama appunto verità rivelata.

Raddrizzò impercettibilmente la testa, le fragili spalle come
per indicare che la festa dell'imparzialità era finita.

— Qui sta la meravigliosa superiorità... oggi si direbbe la
novità rivoluzionaria... della concezione cristiana, che non esclude
nessuno dalla rivelazione, che non nega a nessuno l'accesso
al mistero, che offre a tutti la salvezza e la grazia. È in questo
senso profondo, essenziale, che Cristo si può chiamare... — liquidò
con un sorriso la definizione prima di pronunciarla — una
grande figura democratica, lei comprende?

Il commissario comprendeva, ma per un suo ancestrale e qui
forse superfluo timore d'essere catechizzato, ritenne prudente tornare
al punto.

— Mentre l'eresia gnostica sarebbe piuttosto... aristocratica?

— Aristocratica, e nel contempo anarchica, lei comprende?

Per lo gnostico, soltanto gl'illuminati, gli eletti, sono al corrente del segreto attraverso una rivelazione diretta, una visione, un contatto privilegiato con la divinità, e a loro volta li trasmettono a una cerchia ristretta di iniziati, a una setta chiusa e fanatica.

— E don Pezza aveva avuto questa rivelazione?

A quell'accento incredulo rispose un accento misericordioso.

— Così credeva, forse, nella sua povera mente.

O cercava di far credere.

— Ma che genere di rivelazioni?

Il taglio del libro venne sfogliato, a un angolo, come un mazzo di carte dal pollice di un giocatore professionista.

— È difficile dire, perché qui interviene l'elemento anarchico della gnosi, come le dicevo. Queste sette erano innumerevoli e ognuna aveva la sua visione, la sua misteriosofia particolare, che considerava l'unica valida. Si tratta di una dottrina... fluida, arbitraria, caotica per definizione, anzi, di una non-dottrina. Non c'erano delle scritture codificate, ortodosse, che gli gnostici seguissero come i cristiani la Bibbia o i musulmani il Corano... Oltre ai tanti vangeli apocrifi come quelli di Eva o di Maria, come il Libro Segreto di Giovanni o i cosiddetti Atti di Tommaso, c'erano la farraginosa *Pistis Sophia* e i deliranti *Libri di Jehu*, dove lo stesso Gesù forniva agli adepti un'interminabile e grottesca parola d'ordine, *zezophazazza* o qualcosa di simile, che bastava conoscere per salire in cielo... E c'era una quantità di anonimi scritti alessandrini, siriaci, copti, oltre alle opere di Carpocrate e di Valentino, di Marcione e dell'infame Basilide, come lo chiama Ireneo, di cui molti frammenti ci sono stati tramandati dagli avversari cristiani della gnosi.

— E quando è successo tutto questo? — s'informò il commissario, come avrebbe chiesto dove si trovava ieri sera l'infame Basilide tra le nove e le dieci.

— Il periodo di massima diffusione del contagio è il secondo secolo dopo Cristo, un secolo in cui la Chiesa corse un pericolo mortale, come lei comprende... Le sette gnostiche, per il loro rifiuto di una gerarchia secolare, di un corpus dottrinale riconosciuto dall'intera comunità cristiana, avevano in sé il germe della disgregazione, proliferavano con un moto centrifugo inarrestabile... Se la Chiesa non fosse intervenuta con tutta l'energia e l'autorità intellettuale dei suoi grandi dottori... e con l'aiuto dello Spirito Santo...

— Del Santo Pneuma, — non resistette il commissario.

— ... il Cristianesimo rischiava di scomparire sbriciolato nell'arbitrio e nell'insignificanza esoterica. Ma entro il sesto secolo la battaglia era vinta, la Chiesa era salva.

— E dopo? — chiese il commissario, figurandosi gli ottimistici titoli dei giornali del sesto secolo, sgominata l'ultima banda gnostica, braccati i capi del clan siriano, Eusebio di Cesarea dichiara al nostro inviato...

— Oh, — disse indulgente il vincitore, — queste cose continuano una loro vita marginale, sotterranea, sono forme d'irrazionalismo connaturate, per così dire, al fondo più fragile dello spirito umano, e tendono quindi a ricomparire in forme più o meno esplicite, soprattutto nelle epoche di grave turbamento e disordine sociale... Si tratta in genere di puro fanatismo, di culti deliranti come quelli ora diffusi in America, o d'una ripresa di credenze magiche, astrologiche, perfino alchimistiche, con molte commistioni e contaminazioni a volte suggestive... Periodicamente c'è infatti un risveglio d'interesse accademico per la gnosi, eruditi come padre Orbe, il Puech, il Quispel, il Jonas, hanno condotto ricerche di notevole levatura, soprattutto per quanto riguarda fonti, contatti con il misticismo orientale, prestiti persiani, rielaborazioni greche...

La voce delicata e un po' monotona del Cardinale Arcivescovo era riuscita a operare un vero e proprio occultamento di cadavere. A colpi di millenni, di riti dimenticati, di civiltà scomparse, il Pezza s'era volatilizzato in Oriente.

— Ma in sostanza, — disse Santamaria muovendo pedestre verso l'Occidente, in particolare Torino, — in che cosa credevano gli gnostici? Ci saranno pur stati dei punti in comune, fra tutte quelle sette?

— Certamente, certamente, — disse premuroso il cardinale. — Noi troviamo allegorie, parole e numeri magici, figurazioni che ricorrono di secolo in secolo, pur con molte varianti. L'esasperazione del contrasto luce-tenebre e spirito-materia, la dicotomia ordine-caos, il serpente come simbolo di perfezione in opposizione al serpente tentatore dell'Eden, altri animali simbolici

come il leone, il grifone, il coccodrillo, l'aquila... E l'insistenza
sul pneuma, la potenza, o per meglio dire il potere sovrumano
di cui è dotato lo gnostico... Di qui la loro distinzione tra *uomini
pneumatici*, ossia gli eletti, *uomini psichici*, gli adepti potenziali
o ancora imperfetti, e *uomini somatici*, o carnali, incapaci di
conoscenza e quindi di redenzione...

Parlava ora quasi divertito, come se stesse descrivendo da un
elicottero le stravaganze di alcune formiche sulla cupola di
San Pietro.

— E non posso darle un'idea della loro... burocrazia soprannaturale, c'è un'infinita gerarchia di entità e di potenze maligne
e benigne, sempre in movimento tra il Nulla, l'Abisso, il Logos,
e imparentate con gli Eoni, che lei già conosce, e che in molte
sette sono trentasei, ma possono anche essere dodici o trecento-
sessantacinque o chissà quanti, senza contare gli Arconti della
luce e delle tenebre, e le Sentinelle o Doganieri che controllano
non so quali confini di quante sfere celesti, o i nostri destini,
oppure lottano contro simmetrici avversari dai nomi segreti...
E beninteso, — aggiunse salendo a una quota di ventimila metri
sopra le formiche, — tutte le sette negano l'incarnazione di Cristo, per ragioni evidenti. Secondo alcuni la vera crocifissione è
avvenuta nelle sfere superiori, e quella del Golgota non ne è che
un riflesso; altri vedono Cristo come un... attore, un impersona-
tore, o un fantasma che ha preso a prestito un corpo trascurabile per illudere gli uomini...

— Interessante, — disse Santamaria, pensando al non trascurabile, non illusorio corpo di don Alfonso Pezza. — E piuttosto
complicato, a quanto vedo.

— È un mondo confuso, anarchico, come le dicevo, e io poi
non posso certo dire di conoscerlo, i miei sono ricordi di seminario, o quasi... Ma se l'argomento le interessa sarò ben lieto
di farle avere qualche pubblicazione non troppo... specialistica,
credo che esistano dei compendi sufficientemente divulgativi, il
Jonas, forse, o anche il vecchio Leisegang... che le daranno
un'idea più ricca di questa eresia, cui non si possono negare
certe... estrosità curiose, fantasiose, a considerarle da un punto
di vista... estetico, se lei vuole.

— Per me, vorrei, — sorrise il commissario. — Ma in questo

momento devo purtroppo tener conto del punto di vista...
criminale.

Il bianco, affabile, dotto signore parve tutt'a un tratto cosciente del gelo della stanza, si guardò in giro con un brivido
come cercando una stufa, una scintilla di calore qualsiasi, e
Santamaria si sentì in obbligo di osservare.

— Fa molto freddo, qui dentro.

Sua Eminenza si alzò e andò a rimettere Ireneo tra altri tomi
(Ippolito? Epifanio?) della stessa massiccia consistenza.

— Anch'io mi meraviglio, non creda, — disse voltandosi pensoso, — che da questa vecchia biblioteca, da queste pagine ormai così lontane da noi, dal nostro mondo... Ma una coincidenza perversa, un caso maligno ha voluto che l'incontro col
vescovo di Lione portasse un parroco d'oggi a questo stravol-
gimento, a questa profonda e sconcertante obnubilazione del-
l'intelligenza... Soltanto il Signore, — sospirò rassegnato, — può
sapere che cosa sia accaduto in quella povera mente sconvolta.

Per non sembrare impudente, il commissario non disse che
sperava di arrivare presto o tardi a saperlo anche lui; ma cercò
di precisare i confini di quella profonda obnubilazione.

— Sì, senza dubbio è molto sconcertante, e la spiegazione
ultima è probabilmente di natura psicologica... per non dire
psichiatrica.

— Lo temo anch'io.

— Ma nel nostro mestiere dobbiamo accontentarci della superficie. Vede, Eminenza, la mente di don Pezza sarà certo
stata sconvolta, ma il fatto è che non si è suicidato, è stato
ucciso.

L'arcivescovo studiò diffidente il lume a petrolio che aveva
ripreso in mano.

— Una candela esplosiva, lei mi dice.

— Un candelotto esplosivo.

Mormorando tra sé Sua Eminenza si avviò alla porta col lume
alzato, e di lì tutti e due si volsero per un'ultima occhiata allo
studio del Pezza e dei suoi predecessori. E il commissario ebbe
la fugace impressione di due ladri notturni, due spie, due agenti
di servizi segreti rivali, che s'erano imbattuti uno nell'altro nel
corso delle loro missioni, neutralizzandosi a vicenda. Lui certo

non era venuto qui per una vera perquisizione, ma poteva dire
lo stesso del porporato? Poteva escludere che quella fragile figura
si abbassasse a sottrarre delle carte compromettenti, a inquinare
delle prove decisive? Le pieghe di quel mantello potevano am-
piamente nascondere voluminosi dossier, interi cassetti di documenti più o meno gnostici. Il sostituto del grande Ireneo, pensò,
poteva essere stato più svelto di lui.

Ma tutto passò quando, per altri anditi bui, raggiunsero la
sacrestia e la chiesa. Le lampade della Scientifica non c'erano
più, e qua e là erano stati riaccesi ceri e candele. I banchi apparivano in grande disordine, alcuni rovesciati, travolti dalla
folla in fuga, e nelle navate si vedevano sedie in frantumi e
pezzi di vetrate sui quali si andava depositando di sbieco la
neve. Un giovane prete inginocchiato in uno dei primi banchi
alzò la testa e fece per rimettersi in piedi; ma Sua Eminenza
lo fermò con un gesto, andò a posare il lume sulla balaustra e
precedette il commissario verso la torre e la sagoma del corpo
precipitato. Sul marmo la Scientifica non aveva potuto usare il
gesso, e se l'era schematicamente cavata con del nastro ade-
sivo blu.

— È caduto qui, — disse l'arcivescovo.

Si fece il segno di croce e il commissario prese per qualche
momento accanto a lui un appropriato contegno funebre, prima
che entrambi levassero lo sguardo verso la sommità della torre.

— Simone il Mago, — disse Sua Eminenza. — Il volo di Simon
Mago. È difficile non pensarci... — mormorò. E notando l'incerta occhiata del commissario continuò. — Era un famoso mago,
probabilmente orientale d'origine, vissuto a Roma nel primo secolo. È dal suo nome che deriva il cosiddetto "peccato di simo-
nia". Gli *Atti degli Apostoli* raccontano che era invidioso dei
miracoli compiuti dai Cristiani, e offrì a questi del denaro in
cambio del segreto del loro potere. Secondo la leggenda, Simone
sfidò poi i... rivali a un pubblico confronto, riuscì a sollevarsi
da terra fino a grande altezza... — il guanto nero lievitò fino alla
testa del commissario, — ma le preghiere dei Cristiani presenti
lo fecero precipitare...

— Ed era un mago... gnostico?

— Certamente.

Il commissario stentava sempre più a restare coi piedi nel suo secolo, nella sua città, nel suo lavoro. Girò attorno al perimetro del mago caduto e guardò quasi sbigottito il Cardinale Arcivescovo.

— Ma è una... cosa che si sta diffondendo? A lei risulta che ci siano altri parroci, altri religiosi che attualmente, in Italia o altrove...

— Lei intende... se oggi l'eresia gnostica rappresenta di nuovo un pericolo per la Chiesa?

— O almeno un segnale di pericolo.

— Lo escluderei. Don Pezza è il primo caso di cui abbiamo avuto notizia, e si tratta a mio avviso di un caso... patologico, senza rapporto col tessuto della comunità cristiana.

— Ma potrebbero esserci dei rivali, delle sette concorrenti?

— Tutto è sempre possibile, nella sfera gnostica, lei comprende. C'è una gnosi ascetica che predica il rifiuto del mondo, la mortificazione della carne, la spiritualità assoluta. E c'è una gnosi che partendo dallo stesso rifiuto giunge alla conclusione opposta: il corpo è ignobile, la carne è vile per definizione, ed è quindi dovere dello gnostico, lei comprende, infangarla e calpestarla, è suo dovere peccare, coprirsi di abominio e abiezione, commettere di proposito le bassezze e i delitti più atroci in nome della sua fede allucinata... La gnosi non conosce la speranza cristiana, è un credo d'angoscia o di esaltazione, d'isterismo solitario o di cupa follia criminale. La sua premessa fondamentale non lascia dubbi in proposito, del resto. Non lascia scampo.

Quale premessa? Quale scampo? Il commissario sentiva una specie di gelida paralisi salirgli su per le gambe dal marmo del pavimento, e invadergli le vene, la mente; e intanto intorno a lui nulla più sembrava essere al proprio posto, il lieve e perpetuo tremolio delle candele falsava tutte le prospettive, tutte le stabilità, con la sua ondulante e giallognola geometria.

Lo salvò l'aspro, terreno, sferragliante passaggio del primo tram del mattino.

— Quale premessa? — chiese saltando a volo su quel rumore agnostico.

— Gli gnostici credono... — la voce di Sua Eminenza esitò incerta fra l'intonazione dotta e la vibrazione inorridita. — Secondo gli gnostici, la Creazione è stata un male, il mondo, l'universo sono un errore, e Dio... il Dio della Bibbia, Jahvè, il nostro Dio... è una divinità inferiore, colpevole di aver turbato l'equilibrio celeste creando il mondo in cui viviamo. È lui l'Eone Nero, quel 36° Eone a cui s'oppongono l'Eone 1°, Bythos l'Ordinatore, e soprattutto il 14°, l'Eone Nascosto, il cui compito è di riassorbire ciclicamente la creazione nel Pleroma...

L'erudizione neutralizzava lo sgomento e lo sdegno, la stessa assurdità di quelle figurazioni ne attenuava il carattere blasfemo.

— Abbiamo dunque, lei comprende, un credo distruttivo, nichilistico, un'avversione alla Creazione in tutte le sue forme meravigliose. La setta degli Ofiti venerava il serpente ciclico... l'Ophis, appunto, l'animale pneumatico per eccellenza... raffigurato nell'atto di mordersi la coda e inghiottire se stesso: simbolo del Creato che si riassorbe e annulla in quel vuoto, in quel Logos negativo e astratto, che per la gnosi è pienezza suprema.

— E don Pezza, — disse Santamaria, — si considerava il profeta di questo ciclo? Era a quel vuoto che voleva salire, con la sua torre?

— Chissà, forse.

— In un certo senso, si può dire che c'è arrivato, — disse Santamaria guardando la sagoma disegnata sul marmo.

Il giovane prete s'era alzato dal banco e stava adesso a qualche metro da loro, dall'altra parte della balaustra. Non appena riuscì a incrociare lo sguardo del superiore, dette un'occhiata significativa al suo orologio.

— Già, — sorrise l'arcivescovo, — a che punto è la notte? Dev'essere quasi giorno, ormai.

Dai finestroni infranti della chiesa, orlati di aguzzi spuntoni di vetro, cominciava a colare qualcosa che non era ancora luce ma una torbida trasudazione della notte, un siero opaco; e stridori di tram, rombi di motori, cominciavano a traversare quel fallimento d'alba.

Sua Eminenza porse la mano al commissario.

— Devo andare.

— La ringrazio, non so come ringraziarla per le sue preziose spiegazioni. E le assicuro che le indagini...

— Non le ho spiegato niente, per carità. Non sono uno spe-

cialista. Ma cercherò di farle avere qualche pubblicazione più
esauriente, anche se...

S'interruppe con un piccolo gesto impotente delle mani guantate, si guardò intorno. E Santamaria, per contagio o per effetto
di una spossatezza che ormai si faceva sentire, assorbì anche lui
il torvo, miserabile, insensato disordine che lo circondava, anche lui si scoprì disarmato, sopraffatto.

L'altro lo fissava ora con preoccupata sollecitudine.

— Se ne avrà bisogno per necessità dell'inchiesta, non esiti
a venire direttamente da me. Ora però mi permetta un consiglio, — si sforzò di sorridere, — vada a prendere un po' di riposo,
ho paura che come guardiano, potrà averne bisogno. Non so se
sia la gnosi, o la follia, o quale altro mistero... ma la notte potrà
essere lunga, lei comprende.

Si girò in fretta e si allontanò col suo accompagnatore per la
navata centrale. I loro passi non suscitavano echi.

15.

Il venditore di matite aveva aperto gli occhi già da un momento, ma non riusciva a capire che cosa fosse lo schermo
biancastro, rettangolare, vagamente luminoso, che aveva davanti
a sé nella semioscurità. Doveva essersi addormentato guardando
la televisione, e adesso, sull'apparecchio rimasto acceso, l'immagine era sparita per qualche disturbo. O i suoi occhi, forse, erano
ancora troppo annebbiati per metterla a fuoco. Eppure distingueva perfettamente sotto lo schermo, a sinistra, la piccola spia
rossa che indicava...

No, la spia del televisore era bianca, o forse azzurra, lui in
ogni modo la televisione non la guardava mai, s'era deciso a
comprarla soltanto per sua moglie, che da tempo non stava
bene, e che la sera... Improvvisamente si ricordò. Le immagini,
almeno in parte, diventarono comprensibili.

Il motore era spento ma il contatto non era stato tolto, la
spia indicava che la batteria si andava scaricando... Ma come
aveva fatto a tornare in macchina? Ricordava bene di averla
parcheggiata su una piazzola della provinciale, dopo il caval-

cavia, piuttosto distante da... Cercò di vedere qualcosa fuori, ma il fitto strato di neve sul parabrezza non lasciava trasparire niente, salvo un alone di luce che sembrava quello di un lampione, più avanti sulla strada, benché sulla provinciale non ricordasse di aver visto lampioni. Anche i finestrini laterali – che intravedeva appena, non riuscendo a girare la testa – erano schermati di bianco.

Aveva il braccio sinistro sul volante, scoprì, e il corpo inclinato in avanti, trattenuto dalla cintura di sicurezza che qualcuno doveva avergli allacciato, perché lui non l'allacciava mai. Del resto sulla vecchia Volkswagen, in origine, le cinture non c'erano neanche; le aveva fatte mettere per far piacere a sua moglie, come pure la medaglia di San Cristoforo sul portacenere... L'altro braccio doveva averlo contro il fianco, con la mano sul sedile, ma non sentiva né il braccio né la mano, da quella parte non sentiva niente. Di tanto in tanto, anche, non vedeva più niente. Poi il rettangolo del parabrezza tornava a disegnarsi, la piccola luce rossa a brillare sul cruscotto, il lampione a...

Ma sulla provinciale non c'erano stati lampioni, ne era certo. E allora dov'era? Provò a muovere il braccio sul volante e a poco a poco riuscì a spostarlo in avanti, la mano arrivò al parabrezza, scese ai pulsanti del quadro. Avrebbe dovuto girare la chiave e togliere il contatto, gli venne in mente, se non voleva che la batteria si scaricasse del tutto. O piuttosto, meglio accendere il motore per avere meno freddo, pensò premendo l'avviamento.

L'auto sobbalzò. Scatoloni di matite Jucca, malamente ammonticchiati sul sedile posteriore, precipitarono. Una marcia era rimasta ingranata, evidentemente, e il venditore, che non poteva arrivare al cambio con la sinistra, rinunciò a mettere in moto. Il sobbalzo dell'auto aveva un po' modificato la sua inclinazione; girando gli occhi, adesso, poté vedere che il sedile accanto a lui era vuoto, gli scatoloni che di solito l'ingombravano non c'erano più, dovevano essere stati ammucchiati dietro con gli altri. Erano quelli, probabilmente, che aveva sentito cadere. Dov'era? si chiese di nuovo, tastando con la mano qua e là per cercare la chiavetta del tergicristallo.

Una campana non distante batté le ore — uno... due... tre...
quattro... cinque... — con un suono chioccio e stentato, rugginoso,
che al venditore di matite sembrò familiare. Era un suono che
sentiva spesso, pensò, mentre girava la chiavetta che aveva finalmente trovato. Le aste del tergicristallo si mossero lentamente,
liberando due stretti spicchi di parabrezza, poi, sebbene il motorino continuasse a ronzare, si fermarono. La neve era troppa,
la batteria doveva essere già mezzo scarica. Ma attraverso i pochi centimetri di cristallo liberi, il venditore poté vedere una
strada, un lampione in fondo alla strada, e restò a guardarli
stupefatto.

La strada era via delle Fuchsie, al Brussone. Il lampione in
fondo — da questa parte ce n'era un altro ma con i vetri rotti,
spento da mesi — era quello davanti al numero 18.

L'orologio della chiesa batté un colpo. Le cinque e mezzo...
O forse s'era ancora assopito — mentre pensava, mentre si sfor-
zava di capire — e intanto erano suonate anche le sei? La luce
del lampione sembrava più pallida. Ma nessuna finestra era ancora illuminata in via delle Fuchsie, né, per quanto era possibile vederne, in via dei Rododendri. Il motorino ronzava sempre, ma più piano. Sul cruscotto, la piccola luce rossa cominciava a tremolare.

Ormai nella batteria non doveva esserci più niente, rifletté il
venditore, che soltanto adesso, col braccio impedito dalla grossa
manica del giaccone, la mano infilata tra due raggi del volante,
s'era messo a cercare la leva degli interruttori. L'idea gli era
venuta troppo tardi. Quando gli riuscì di afferrare la piccola
asta e girarla, solo un barlume sulla neve, davanti alla macchina,
indicò che i fari s'erano accesi; quando la spinse in dentro,
tutto il suono che uscì dal claxon fu una specie di fischio sommesso, di fioco e lontanissimo richiamo che lui stesso fece fatica
a distinguere.

Ma ormai, pensò, era troppo tardi comunque.

Ricominciò a nevicare. I due spiragli del parabrezza a poco
a poco si cancellarono, via delle Fuchsie sparì. Il venditore restò
immobile, col respiro pesante e gli occhi che s'annebbiavano, a

fissare lo schermo biancastro. L'avrebbero trovato lì e avrebbero creduto che... non avrebbero pensato a... a meno che...

Districò con fatica il polso dallo stretto triangolo dei raggi, portò la mano al petto, palpò con dita rigide il blocco copiacommissioni che teneva nella tasca interna. Ma il giaccone di finta pelle era strettamente abbottonato e la cintura di sicurezza, sulla quale pesava con tutto il busto, gli avrebbe in ogni modo sbarrato la strada. Tanto peggio, si rassegnò. Aveva pensato di lasciare due parole anche a sua moglie, ma... E poi — gli venne da ridere, si mise a ridere — non aveva neppure una matita sottomano. Tossì. Respirare era difficile, aveva il fiato sempre più affannoso, davanti a lui l'interno del parabrezza s'andava appannando. "Cara Delia, sappi che... noi sottoscritti... in data..." Ormai anche i pensieri si confondevano.

No, pensò all'improvviso, di nuovo lucido, fissando il vetro appannato. Due o tre parole soltanto. Un messaggio breve da lasciare scritto lì, dove l'avrebbero sicuramente trovato, cercando le... Riportò con uno sforzo il braccio in avanti, toccò il vetro gelido, si fermò. Un messaggio breve ma quale, se lui stesso non conosceva il nome del posto, né delle persone, e nemmeno che cosa significasse tutto quel... tutti quei... E il Brussone? Era partito di lì, era tornato lì, ma non poteva dire come c'entrasse... Del Brussone lo sapevano anche gli altri, in ogni modo, e sapevano anche della chiesa... non questa, l'altra, Santa Liberata... ma lui doveva spiegargli, diocristo, dirgli in poche parole che...

Bestemmiò anche la Madonna e si pentì, non era questo il momento, a sua moglie sarebbe particolarmente dispiaciuto e in fondo non si sapeva mai. Ma doveva far presto, doveva trovare, maledizione, anche una sola parola, un segno, qualche cosa. Qualche cosa doveva esserci, era sicuro che c'era, bastava pensarci, e invece, la sola cosa che continuava a tornargli stupidamente in mente era il numero civico di via delle Fuchsie, che gli altri conoscevano come lui e che non serviva a niente. Poi aveva nella testa questo ronzìo d'insetto, fisso e insistente, che lo tormentava. Ma non era un insetto e non era nella sua testa, si rese conto, era il motorino del tergicristallo incantato, che non la smetteva di ronzare. Mosse le dita verso la chiavetta... e seppe tutt'a un tratto quello che doveva scrivere. Sarebbe bastato quello, sorrise ringraziando la Madonna. Un messaggio breve. Brevissimo.

Adesso il motorino non ronzava più. La spia rossa sul cruscotto s'era spenta. La mano era ricaduta e s'era rattrappita sul volante, nel momento stesso in cui il venditore aveva smesso di respirare. Ma sull'interno del parabrezza, ancora un po' velato, le lettere del messaggio erano perfettamente leggibili:

TOPOS

VII

UN PAIO DI GALOSCE NERE, A STIVALETTO

1.

Un paio di galosce nere, a stivaletto, rilevate qualche tempo prima da un'altra bambina del Brussone che aveva ormai il piede troppo lungo, fu causa di un furioso litigio tra le due gemelle. Smisero solo quando la mamma stabilì con dura mano che una le avrebbe portate la mattina, l'altra il pomeriggio; la più avida e vanitosa scelse il primo turno, la più astuta e calcolatrice finse di rassegnarsi al pomeriggio, che durava di più e non aveva la scuola.

Si affacciarono timide sul paesaggio trasformato in una silenziosa, ignota landa televisiva. Aveva smesso di nevicare e quella con le galosce abbandonò subito i pochi sentieri tracciati qua e là da isolati operai usciti all'alba e si avventurò negli intatti strati di bianco. L'altra la seguì, orma su orma.

Non c'era niente come la neve. Pioggia, vento, sole, nebbia, venivano e se ne andavano lasciando le cose come prima. La primavera faceva spuntare le foglie sugli alberi e nelle siepi, ma ci metteva molto tempo. Solo la neve era una sorpresa vera, un regalo per subito, e che per giunta somigliava irresistibilmente alla panna montata, alla ricotta, allo zucchero filato, alla granita...

Concentrandosi sul gusto di queste cose, le due gemelle ne assaggiarono piccole manciate. Poi ne fecero palle, se le tirarono addosso sbagliando sempre il bersaglio, sollevarono a bracciate e a pedate tempeste in miniatura.

Riconobbero con stupore un tubo di cemento, una panchina rotta, un monticello di terra, gli stessi di ieri e di sempre eppure ammantati di una solitudine nuova e solenne. Corsero verso morbide linee di tetti, saltarono soffici muriccioli, dimenticarono le cartelle in mezzo a una sterminata steppa, le ritrovarono a pochi metri da un porticato. Misurarono la profondità della neve, prima col dito e la manica, poi col doppio decimetro di plastica. Videro più avanti una duna candida, riconobbero un'automobile, corsero a misurare. Il tetto era troppo in alto per le loro braccia, ma più giù le superfici s'incurvavano a conchiglia, scrissero là sopra i loro nomi, alcuni numeri, tracciarono qualche confusa figura geometrica. Da un lato del parabrezza, a fianco del tergicristallo, un triangolo di neve cadde sfarinandosi. Le gemelle riconobbero l'uomo che ieri gli aveva regalato le matite, addormentato al volante, e scapparono via temendo di averlo svegliato.

A una certa distanza si voltarono; ma l'uomo non uscì arrabbiato, né l'automobile diede altro segno di vita.

Le due gemelle s'interrogarono brevemente sul sonno del guidatore, poi riconobbero in lontananza le loro compagne Carmela e Samantha che correvano colorate verso la scuola, e compresero che quella cosa sfuggente e misteriosa che era il tempo le riportava a una delle sue tante scadenze, quella da tutti chiamata "otto-e-trenta". Cominciarono a correre gridando i nomi delle compagne nella immobile vastità invernale del Brussone.

2.

(*Dal diario della Pietrobono*)

Città completamente paralizzata dalla neve, 18 cm. caduti, non succedeva dal 1743 per cui vecchi pantaloni da sci (gabard. giallolimone, un po' stretti, ma chi se ne frega), stivaloni ct via a piedi, nessuna voglia mettere catene Mini, tram et bus scomparsi da circolazione, bella camminata, 2 briosce nel bar davanti alla Q.

Capi ancora a nanna salvo Cuoco reinstallatosi S. Liberata per ulteriori perquisiz. et accertam. – Comunica che ing. Vicini presentatosi spontaneam. lì et trattenuto a disposiz.

Telefonata da capitano Scarampi dei CC: sappiamo qualcosa della VW? No, e lui? No. Promette piena e leale collab., se noi da parte nostra. Ha in giro varie macchine a cercare, ma con questa neve città compl. paralizz. ecc.

Arrivo busta bianca indirizzata Commiss. Santamaria, personale, ma chiusa solo da gancetto. – Dentro, volumetto intitolato *La Gnosi* di H. Leisegang. Sempre creduto gnosi far parte malattie veneree-pelle, ma risulta invece faccenda religiosa. Ignoranza

di noi ragazze! Stampata da editore in collana Grandi Temi, ma
vol. non mandato da lui. — Dedica autografa: "Al guardiano della
notte, con l'augurio di vedere presto il mattino, dal suo umilis-
simo prigioniero". Firma di "quella persona" preceduta da crocetta. — Che nuovo mistero è questa +? Che c. c'entra? O è
analf. e allora firma con la +; ma se poi mette la firma? O vuol
dire che è stato un altro a firmare per lui?

Telefonata da S. Lib., brig. Ortona (nostro sottuff. a disposiz.
Cuoco): giunta lì anche prof. ubriacona, s'è rimessa bene, è in
condizione di, attende. Attenda.

Telefonata da v.questore: è arrivato sost. procuratore, attende
DP aut S.maria. Attenda.

Telefonata da ospedale, piantone Leone Nero: L. N. sveglio
e apparentem. normale ma in attesa controllo medico, non potrà
essere interrogato prima ore 11 causa sciopero aut città compl.
par. neve aut tutte e 2.

Giornale mattino riproduce "belliss. facciata barocca" (?) S.
Lib. — Ritagliata foto per incollarla diario ma finito colla. — Ricordarsi chiederne altra a maresc. Biazzi.

Arrivo commiss. S.maria compl. par. sonno. Messo al corrente
quanto sopra. Tento eccitarlo con mistero crocetta, ma eccito
solo benevolo compatimento, in quanto crocetta prima di firma
est antico privilegio vescovi, niente a che fare con analf.

Ignoranza noi rag.! — Decido farmi cultura cominciando subito da gnosi. Intanto lui andato di sopra da sost. proc. dopo
triste occhiata a pant. giallolimone. Chi s. n. f.

3.

Non c'era poi una gran differenza, considerò il commissario Santamaria guardando sfilare la città dietro il finestrino dell'auto,
tra quei pochi spazzini incappucciati che sospingevano qua e là
il denso strato di fanghiglia, e lui stesso, ufficialmente impegnato
(come dicevano i giornali sul tavolo del questore, come ripeteva
il questore in persona parlando al telefono con Roma, come ri-
masticava il sostituto procuratore, poco fa) a indagare "in tutte
le direzioni".

Ma il gesto solerte del magistrato, la mano aperta ottimistica-
mente a ventaglio, si riduceva, stringi stringi, a quest'unica direzione, la direzione di Santa Liberata, davanti alla quale radi
curiosi sostavano qualche momento a osservare l'andirivieni scon-
troso dell'agente di guardia sul sagrato.

Nell'interno, ecco la stessa aureola di scoraggiata incertezza
attorno alla figura di Priotti, che nella navata sinistra stava spaz-
zando "in tutte le direzioni" calcinacci e vetri rotti, e che interruppe subito il suo lavoro, salutando di lontano, sperando che il
commissario fosse venuto a toglierlo dall'ingrata routine. E laggiù, vicino all'altar maggiore, ecco la routinesca figura di Cuoco,
che fra tutte le famose "direzioni" aveva scelto, stringi stringi,
proprio questa, era anche lui venuto a rimasticare proprio qui.

Mentre Santamaria si avvicinava, il collega si affacciò alla balaustra giocherellando con un grosso cero.

— È questo?
— Sì, è il gemello.

Un lungo foro regolare era stato praticato a un'estremità del
cero, e in quella cavità Cuoco infilava e sfilava oziosamente il
pollice.

— Dov'era messo, esattamente?

Cuoco fece strada fra le sottostrutture della torre e sistemò
poi il cero nel supporto, ai piedi della scaletta.

— Non solo qui lo può aver preso, tolto, sostituito chiunque,
ma nella chiesa ne abbiamo trovati una quantità uguali a questo,
sistemati un po' dappertutto. Chiunque si poteva servire da sé,
era un vero supermarket.

— Dove li prendeva, il Pezza?

— La provenienza è una fabbrichetta vicino a Varese, e qui
a Torino abbiamo parlato col grossista, uno che rifornisce tutti
i negozi di arredi sacri intorno alla Consolata. Li vende a casse
di 48 pezzi.

Tornarono verso l'altare. Cuoco s'era ripreso il suo cero e continuava a maneggiarlo familiarmente, come un attrezzo ginnico.

— Il foro come l'avete fatto?

— In laboratorio, col trapano elettrico. Ma è facilissimo. Al
limite, con un po' di pazienza e un punteruolo, un cacciavite, un

qualsiasi strumento un po' acuminato e lungo, se lo poteva preparare in casa anche la classica vecchietta.

Si fermò davanti a uno scatolone accostato alla balaustra e
contemplò l'ammasso di bianchi spezzoni che conteneva.

— Ceri disinnescati, — rise sarcastico. — Li abbiamo segati uno
per uno. Se ce n'erano altri preparati in quel modo, tu pensa la
sorpresa alla prima processione. Non potevamo rischiare.

— E l'esplosivo? Porta Palazzo?

Cuoco alzò le spalle. Il commercio di esplosivi vari, in belle
confezioni da 5 o 10 candelotti, fioriva ormai nei vicoli attorno
a Porta Palazzo come quello delle sigarette di contrabbando.

— E qui dentro hai trovato nient'altro? — disse Santamaria.

Cuoco si decise a lasciar cadere il cero "modello attentato"
nello scatolone.

— Vieni, ti faccio vedere.

Attraversarono la sacrestia, dove un agente appollaiato su
un'alta sedia scura leggeva un giornale sportivo, e un uomo sulla
quarantina, biondiccio, scolorito, andava su e giù appoggiandosi
a un bastone. Portava guanti quasi gialli e un soprabito blu, di
taglio cerimonioso.

Si girò sentendoli entrare, aprì la bocca, ma Cuoco lo prevenne.

— Un momento, un momento, — disse sospingendo il collega
nel corridoio che portava all'ufficio parrocchiale e alla canonica.

— È l'ingegnere — soffiò.

— L'hai già sentito?

Cuoco fece una smorfia.

— Dice che ieri notte era in casa tutto il tempo, ma non s'è
accorto di niente perché aveva staccato il telefono e si era messo
i tappi nelle orecchie. Può essere una balla, ma tocca a noi dimostrarlo.

Fece un'altra smorfia, e la mano gli frullò intorno allo stomaco, poi gli salì fino al mento.

— Non so, poi te lo senti anche tu, è uno che parla molto,
uno con... uno di questi che hanno i problemi, le crisi, sono
pieni fino a qui di...

Aprì la porta dello studio del Pezza.

— Ecco, guarda.

Sul tavolo presso il quale, poche ore fa, Santamaria e Sua

Eminenza s'erano gnosticamente intrattenuti, stavano ora radu-
nati i reperti nel chiarore fumoso del lume a petrolio. Un vecchio
registratore, con una mezza dozzina di nastri in cassette di plastica azzurra, che Cuoco aveva trovato in cucina. Una busta a
sacchetto, zeppa di fogli, lettere, appunti, dépliants pubblicitari
di vario genere, cartoline illustrate e altro materiale eterogeneo
di scarso interesse, già esaminato ma da ripassare a fondo. Uno
spinterogeno e una candela d'auto. Un largo foglio a quadretti
con un disegno senza senso.

— Il registratore ha ancora su il nastro con la prova della predica. La voce è quella del parroco, mi dice la Caldani.

— Come sta la Caldani?

— S'è abbastanza rimessa, direi. Ha l'aria normale. Sta di là
con l'economo spirituale, una specie di parroco d'emergenza che
è venuto a tappare il buco e a decidere varie faccende riguardo
alla chiesa, le riparazioni, la riapertura eccetera. E intanto dà
anche un'occhiata ai registri e all'amministrazione del Pezza.

Santamaria tirò su una delle cassette azzurre.

— Preparava sempre le sue prediche col registratore?

— No, non sembra. Comunque su queste non c'è niente, i
nastri non sono incisi. In tasca gli abbiamo trovato questi fogli,
la calligrafia è la sua, il testo dovrebbe corrispondere a una recita, una scenetta che precedeva la predica vera e propria, ieri
sera. E sempre in tasca aveva questa candela d'auto, che dovrebbe
essere una faccenda più o meno simbolica, mi dicono.

— Sì, è per via della scintilla, come anche lo spinterogeno e
quel fuoco di là, in chiesa, — disse Santamaria. — Tutta roba altamente spirituale, altamente complicata.

— Ecco. E poi c'è questa specie di prospetto, questo organigramma o cosa diavolo...

Santamaria capì alla prima occhiata: il segno tracciato rozza-
mente tutto attorno al foglio voleva raffigurare un serpente, il
grande cerchio del serpente gnostico occupato a mangiarsi la coda. All'interno del cerchio, la stessa mano incompetente o impaziente aveva disegnato con la stessa matita blu una casella centrale contrassegnata col numero 1, e una raggera di caselle più piccole numerate fino al 36. La costellazione degli Eoni. Il Pleroma.

— Che roba è, la mappa di qualcosa? — disse Cuoco, diffidente. — Una variante del gioco dell'oca o degli obbiettivi da far saltare in aria con i ceri?

— No, sono altri giochetti mistici, credo, — disse Santamaria. — Simboli anche questi.

Ma notò che una delle caselle era vuota, senza numero. E che il numero mancante era il 14, quello del 14° Eone, l'Eone Nascosto.

— Saranno pure giochetti, — fece Cuoco, — ma quando finiscono come ieri sera, io proprio non vedo lo spirito.

— Il pneuma, — lo corresse Santamaria, sedendosi al tavolo. — Va be', facciamoci coraggio, mandami l'ingegnere.

Cuoco se ne andò, con un'ultima smorfia.

E l'atteggiamento, la voce, la pelle, gli abiti, le parole di questo Vicini si combinavano in modo tale — si rese conto il commissario quando l'ebbe di fronte — da rendere la smorfia quasi obbligatoria. L'uomo emanava una floscia sgradevolezza, come una lozione dopobarba.

Strisciante e viscido? si chiese Santamaria lasciando cadere l'occhio sul diagramma degli Ofiti davanti a lui. No, non era questo. Veniva piuttosto da pensare a un serpente che, disponendo di un vasto assortimento di altri cibi, scegliesse tuttavia sempre la propria coda, a un serpente che si autodivorava *per gusto*. Il pronome "io" non era mai molto lontano dall'ingegner Sergio Vicini.

Che aveva, confermò, passato la notte in casa a dormire, perché io ho dei problemi di equilibrio, io ho un sonno capriccioso, devo prenderlo quando viene, e quando viene io ho un bisogno anche psicologico di chiudere totalmente, no? di una barriera assoluta tra me e il mondo attivo, cosciente, e ho constatato che con le palline di cera...

Ma intanto erano già due, rimasticò Santamaria, che non avevano sentito telefoni, campanelli, colpi alla porta. La Caldani aveva tirato su la sua barriera isolante col vino, questo qua con le palline di cera. E tutti e due erano usciti dalla chiesa poco prima dello scoppio.

— Perché? — disse Santamaria. — Lei non ci teneva a sentire il resto della predica?

L'ingegnere spiegò che lui (io) ieri sera era stato preso da un senso di grande stanchezza, no? di grande accasciamento sia fisico sia mentale, come gli capitava di frequente anche in ufficio o per strada, per esempio, e in quei casi lui (io, io, io,)...

Sì, sapeva bene dov'era piazzato il cero, lui stesso l'aveva preso in mano forse due o tre volte, non certamente di proposito, solo perché il parroco o qualcuno gli aveva chiesto di tenerlo un momento... Del resto era lì, alla portata di chiunque.

Allungò la mano, prese una delle cassette azzurre, e se la fece ballare nel palmo, quasi a dimostrazione di quanto fosse facile impadronirsi del cero.

— Ma lei come è venuto in contatto con Santa Liberata, come ha conosciuto don Pezza?

Vicini (io, io) s'interessava, aveva sempre portato molto interesse a tutte le manifestazioni aperte, vitali, spregiudicate, alle forme di rinnovamento sociale e spirituale che... e insomma alcuni anni fa aveva casualmente saputo di questa messa speciale, la cosa l'aveva molto colpito, favorevolmente colpito, perché adesso erano posizioni ormai accettate da tutti, ma allora no, allora c'era solo don Pezza capace di organizzare una coraggiosa messa speciale per Nostra Sorella Immondizia.

— Per i netturbini municipali? — chiese il commissario.

No, proprio per l'Immondizia, il Pattume, la Spazzatura, in un senso naturalmente allegorico, francescano, come Sorella Luna, Fratello Sole... E questa visione di un mondo traboccante di rifiuti, di scarti, era stata per lui, Vicini, in quella particolare fase della sua vita...

Lasciò cadere la cassetta azzurra, ne tirò su un'altra a caso.

Santamaria colse l'occasione per informarsi sulle due "fasi" della dottrina del Pezza, e l'ingegnere confermò il mutamento evolutivo, negando però la frattura, negando che ci fosse contraddizione, in quanto il passaggio dal Sociale, dal Secolare, dal Pattume, a una visione più alta che inglobava anche il Sacro, lo Gnostico, o piuttosto, rovesciando il concetto...

— Ma che cosa è successo per fargli cambiare idea? Che lei sappia, c'è stato un fatto preciso in seguito al quale don Pezza si è per così dire... convertito?

No, Vicini non sapeva di nessun fatto preciso, traumatico, era stata semplicemente la scoperta inevitabile che il primo polo, l'Immondezza, conteneva in sé il polo opposto, e che quindi...

A proposito di fatti traumatici, Santamaria s'informò sul pestaggio del parroco, venerdì scorso. Ma Vicini escluse (nervosamente?) che l'episodio fosse legato a questioni di carattere religioso, escluse la rivalità di altre sette gnostiche, e molto improbabile gli pareva una vendetta di ex esponenti del Pattume che si fossero sentiti traditi dalla evoluzione del parroco. E poi, che vendetta, che pestaggio? Una baruffa, un pugilato da osteria, causato forse da una provocazione dei Bortolon, che durante il servizio d'ordine non facevano troppi complimenti col pubblico. Una volgare zuffa di quartiere, secondo il modesto parere dell'ingegner Vicini.

— E lei ha qualche parere, qualche idea, — gli chiese il commissario, — sull'attentato di ieri sera?

— In che senso? Su come è avvenuto?

Voleva guadagnare tempo, era decisamente nervoso, le sue dita non smettevano di manipolare la cassetta azzurra.

— No, circa il movente, dicevo.

Ah, io non so, io sono sconvolto, io non riesco a crederci, io non vedo assolutamente... Lui (io, io, io,) vedeva bene che il mondo stava attraversando una crisi di valori gravissima, dove la violenza... e solo in questo contesto più generale si poteva tentare di comprendere un assassinio così assurdo, così pazzesco, così follemente gratuito, un vero incubo, dal quale lui (io, io, io,)...

Era scappato via dalla chiesa poco prima del delitto. Era nervoso, forse spaventato. La sua mano andava adesso formando una piccola catasta con le scatolette azzurre dei nastri, tac, tac, tac...

— Ma perché lo trova tanto assurdo? — lo interruppe Santamaria. — Questa non era mica una qualsiasi parrocchietta di campagna, c'era un tipo di predicazione molto vicino all'eresia, c'erano questi simboli più o meno misteriosi, e don Pezza aveva un passato piuttosto movimentato, era un prete abbastanza diverso dal solito...

Certamente, certamente. Vicini non negava la forte personalità del parroco, che anzi personalmente aveva identificato con la figura del padre, severo, se vogliamo tirannico, dato che lui (io, io, io,)...

Il serpente ricominciava a mangiarsi la coda di buon appetito, e il commissario si distraeva a guardare il diagramma gnostico con le sue trentacinque caselle numerate e la vuota casella del numero 14...

4.

Anche la Pietrobono, nonostante telefonate, intrusioni e scocciature burocratiche varie, s'era addentrata nel labirinto gnostico, compreso dal Leisegang in 244 paginette tascabili, ed era giunta all'inizio di pag. 66, dove appunto si dava conto per sommi capi della dottrina circolare degli Ofiti.

"La Creazione, la produzione della materia e del mondo da parte dell'Ultimo Eone è dunque un male, in quanto svuota, indebolisce la Pienezza divina", lesse avidamente.

Poi gridò "Avanti!" senza alzare la testa.

Lesse ancora: "Con l'aiuto di Bythos (il 1° Eone, il Massimo Ordinatore), il 14° Eone (l'Eone Nascosto) provvede perciò a 'far rientrare' la materia, per cui il Ciclo si chiude col totale riassorbimento della produzione nel Pleroma". E infine si decise a guardare chi era entrato.

— Ah, — disse, — sei venuta con le arance o con la lima?

Thea andò a spalancarle la borsa sotto il naso.

— Solo le sue sigarette.

Si riempì i polmoni e disse: — È ancora qui, come ha passato la notte, tu l'hai visto, come sta, è stanco, ha mangiato?

Alla fine della sventagliata fece arrossendo la domanda cruciale.

— Non posso vederlo un momento?

La Pietrobono si mise le mani nei capelli.

— Caschi male, ragazza mia, qui tra l'inchiesta, il candido manto di neve e l'afgana non c'è rimasto praticamente nessuno che ti possa autorizzare a...

— Ma tu?

Le dita della Pietrobono si fermarono meravigliate, come se

tra i riccioli avessero tastato un anomalo grillo, una nocciola.

— La sottoscritta, — disse come leggendo le norme di legge sull'uso degli ascensori, — non solo non è autorizzata a autorizzare niente, qui dentro, ma non ha la più pallida idea di dove...

Ritirò a un tratto le dita dai capelli e si piantò l'indice alla tempia come un succhiello.

— Lui però è venuto, — mormorò ispirata, — l'ho ben visto passare.

— Chi?

— Biazzi.

— Chi è?

— Il maresciallo Biazzi, — dichiarò la Pietrobono alzandosi, — è l'uomo più importante della questura, nessuno di noi riuscirebbe a combinare niente senza di lui.

— E secondo te questo Biazzi potrebbe...

— Biazzi può tutto. Ma il difficile è trovarlo, è sempre in giro, tutti hanno sempre bisogno di lui... Vieni, proviamo.

Thea si trovò a camminare su e giù per i corridoi e le scale del palazzo, la Pietrobono davanti a far domande e lei dietro in un silenzio di rimorchiata. Hai visto Biazzi? Era qui adesso. È dal capo di gabinetto. È andato all'autoparco. L'hanno chiamato in armeria. È appena uscito, stava correndo di sopra. Era qui due minuti fa, sarà andato di sotto.

Di sopra, di sotto: in questura, questo sembrava essere il sistema d'orientamento normale.

— Ma lo troveremo, — disse la Pietrobono che allungava il passo dopo ogni inversione di marcia. — Abbi fede.

Thea sorrise arrancando. Non era certo la fede che le mancava. Sapeva che Graziano doveva essere dietro una di queste innumerevoli porte, e concentrando al massimo il pensiero su di lui voleva sperimentare se avrebbe "sentito" qualcosa, un segnale qualunque, un palpito, un brivido, mentre passava davanti alla porta giusta. Non che lei credesse alla telepatia, ma si poteva mai dire?

A volte la difficoltà stava nel leggere non tanto il pensiero altrui quanto il proprio. Vicini era uscito dalla stanza, la Caldani era entrata, ma il commissario Santamaria stentava a mettersi in comunicazione telepatica con se stesso, a dare un senso alle sue impressioni.

Andandosene alla Fiat (io devo fare un salto in corso Marconi, io il sabato mattina, io come dirigente, io cosa vuole, io...) lo zoppo si era lasciato dietro una scia di lumaca, effimera ma persistente, appiccicosa (esisteva la setta della lumaca che si morde la coda?).

Un parlone, uno sbavone, certo. Ma anche un tipo sospetto, o meglio, la dozzinale caricatura del tipo sospetto. Sulla porta il commissario l'aveva pregato di restare a Torino nei prossimi due o tre giorni e (scherzosamente) di rinunciare ai suoi tappi di cera, nel caso ci fosse stato bisogno di mettersi in contatto con lui. Mai aveva visto un rossore più colpevole, seguito da un pallore più atterrito, seguito da un più affannoso balbettio affermativo. Chissà dov'era andato ieri sera, uscendo dalla chiesa prima dello scoppio. Chissà come l'aveva passata, in realtà, la notte...

La signorina Caldani, che aveva un "io" molto più sommesso, molto più discreto, si permise un colpo di tosse; e il commissario ricordò che poco fa, incrociandola in corridoio, Vicini aveva rivolto alla donna un mezzo sorriso ingraziante, e che lei non s'era degnata di ricambiarlo.

— Che cosa mi sa dire dell'ingegnere? — le chiese senza potersi staccare da quella traccia.

La Caldani non esitò ad alzare infastidita le spalle.

— Non posso dire di conoscerlo bene.

— Ma partecipava, collaborava alla vita della parrocchia, a quanto ho capito.

— Sì, per questo era abbastanza attivo, veniva quasi ogni giorno... e devo dire che don Pezza aveva una certa considerazione per lui, anche se gli dava parecchio sui nervi, alle volte.

— Perché?

— Lei gli ha parlato, no? Ha visto il modo di fare...

Con sorprendente bravura mimica, la donna assunse per un attimo la maschera querula, vacua, puerilmente infingarda del Vicini. Un ritratto impeccabile.

— Bisogna prenderli come sono, diceva sempre don Pezza...

— Lei li ha sentiti litigare, negli ultimi tempi?

— No, mai. L'ingegnere non è tipo da alzare la voce, soprattutto con un uomo come don Pezza. E poi, per che cosa avrebbero litigato?

— Per la gnosi? — azzardò il commissario.

Dopo Priotti e Vicini, ci si mise ora la Caldani a ridimensionare la fase gnostica del parroco. Tre persone diversissime, tre versioni diversissime, che però avevano verso la dottrina di Basilide un tratto comune: la tiepidezza.

Una specie di bizzarria personale del parroco, che la gente di buon senso, in particolare se piemontese, doveva prendere con indulgenza senza volerci capire troppo (Priotti). Un esperimento coraggioso, un tentativo di recuperare i valori del Sacro, che andava seguìto con interesse da chiunque fosse sensibile alla crisi della società materialistica ecc. ecc. (Vicini). Un salutare, indispensabile ritorno all'ordine e alla disciplina, nonché una iniziativa che dava un lustro speciale alla parrocchia, attirava sempre nuova gente a Santa Liberata (Caldani).

Erano i tre più stretti collaboratori del Pezza, eppure gli Eoni e gli Arconti, il Pleroma e la Scintilla, non sembravano aver incendiato il loro animo, pneumatico o meno che fosse. Ma allora, a meno che le tre versioni riduttive non fossero concordate, dov'erano i settari, dov'erano i fanatici?

— Lei insomma mi sta dicendo, — riassunse il commissario, — che don Pezza era più o meno il solo a credere in queste cose. La gente veniva qui per curiosità, come a uno spettacolo, e voi della parrocchia lo seguivate per attaccamento personale, più che per convinzione.

— Sì, — ammise stancamente la donna, — lui era solo, in fondo.

— Ecco, ma non capisco che cosa si aspettasse da tutto questo. Aveva una sua strategia? E come pensava di realizzarla, con un seguito così scarso? Non le parlava mai delle sue... ambizioni a lunga scadenza?

La donna sospirò, lasciò arrivare alle labbra la punta di un sorriso.

— Non si scopriva mai troppo, non con me, almeno. Ma aveva degli accenni, pensava di andare lontano, che i tempi gli avrebbero dato ragione, prima o poi... Qualche volta parlava di... Roma. Non sul serio, naturalmente... Però non erano solo sogni, sono quasi sicura che ci credeva davvero, diceva che mi avrebbe portato con sé...

Il Pezza in poche parole, si vedeva già papa, un papa gnostico. Dettaglio che l'economo spirituale, di là, non avrebbe mancato di riferire a Sua Eminenza, e che Sua Eminenza non avrebbe mancato di inserire nella sua valutazione del caso: per una mente obnubilata, esaltata dalla megalomania, il Vaticano era la meta d'obbligo. Ma chi poteva aver interesse a far fuori un povero pazzo perduto in un suo sogno di grandezza? Un altro pazzo? La stessa Caldani, per esempio?

Di nuovo il commissario si sforzò di leggere nei propri confusi pensieri... Che impressione gli faceva la donna? Un'infelice, un povero relitto, certo. Una figura patetica, che s'era aggrappata alla chiesa per non affondare del tutto. A tratti il suo sguardo veniva fuori dagli occhi arrossati come una mano che si muovesse a tentoni, insicura, tra gli infausti mobili della stanza, l'armadio, lo scaffale, la nera libreria tarlata, le poche sedie con l'imbottitura di cuoio grattugiata dal tempo.

Ma a tratti il piglio appariva deciso, il portamento era dignitoso, la voce conservava tracce di fierezza, e in quelle mani fragili e tremanti doveva esserci abbastanza forza per maneggiare una lima, un lungo cacciavite... Movente? Follia, evidentemente. Delirio alcolico. Vendetta per qualche torto immaginario. Gelosia. Un contorto amore, forse...

— E don Pezza non aveva nemici, rivali, che lei sappia?

Come Vicini, la zitella affermò che il pestaggio di venerdì scorso non aveva niente a che fare con la gnosi, a suo parere. Che l'idea di una rissa provocata dalle intemperanze dei Bortolon era molto plausibile. E di suo aggiunse che il Pezza, malgrado il carattere impetuoso e a volte collerico, era un uomo buono, generoso e amato da tutti.

— Proprio da tutti no, — disse Santamaria. — Chi poteva avere un motivo per ucciderlo, secondo lei?

L'anziana signorina si portò una mano al cuore in un gesto rituale e insieme dolorosamente spontaneo.

— Non so... non riesco ancora a capacitarmi... è questo che mi...

Il commissario comprese che una crisi di pianto era in arrivo e si affrettò a chiedere una scatola, un contenitore qualsiasi per raccogliere il materiale gnostico.

— È questione di qualche giorno, — disse ripiegando il foglio con le 36 caselle, — poi le restituiremo tutto.

Non aveva concluso niente, fiutato niente, salvo una indefinibile aria di reticenza (o pudore? o riserbo?), e un senso di sproporzione tra la bassa temperatura mistica di Santa Liberata e la fiammeggiante figura di eresiarca evocata in questa stessa stanza dal cardinale, a colpi di Basilide e Ireneo.

Seguì la donna nell'ufficio parrocchiale, si fece dare l'indirizzo dei Bortolon, disse che sarebbe passato anche da questo Domenico Serralunga.

— Come sta? — s'informò la Caldani con una premura che sembrava autentica. — Quando lo dimettono dall'ospedale?

— Non so, me lo diranno là... Che tipo è questo materassaio?

La donna si diede subito a ridimensionare il "matto del leone", bravo artigiano e ottima persona, un pochino suggestionabile ma del tutto innocuo, cui i discorsi del parroco avevano dato un tantino alla testa...

— Me lo saluti, — si raccomandò. Gettò un'occhiata all'economo, puntigliosamente immerso nel suo lavoro di controllo tra cassetti spalancati e carte sparse. — Gli dica... che lo aspettiamo tutti e che stia tranquillo.

Uscì a cercare la scatola, e il prete, certo don Zeri, alzò la testa dal tavolo guardando il commissario come se volesse dirgli qualcosa. Ma non andò oltre un leggero raschiamento di gola e si rimise all'opera in silenzio.

Dopo cinque minuti la Caldani portò una cassetta di cartone ondulato, in cui tutto il materiale entrava anche troppo facilmente. E portando sotto il braccio, in quell'urna banale, le ingloriose reliquie dell'eresia di Santa Liberata, il commissario riprese a cercare in tutte le direzioni.

5.

Graziano sorrideva e sorrideva, ma non diceva niente.

— Diciamoci almeno qualcosa, — disse Thea. — Dài.

Graziano disse: — Come stai?

Ma poi, per farle capire che non era una frase qualsiasi, che s'informava veramente, aggiunse: — Hai poi dormito?

— Io sì, — disse Thea. — E tu?

Lui accennò al fondo del corridoio da cui era sbucato insieme al poliziotto.

— Un po', su una sedia. Ma mi sento benone.

Aveva una faccia da far paura, pallida, con la barba lunga, gli occhi pesti; e non sapeva dove mettere le mani, le infilava in tasca, le toglieva, le esaminava, le lasciava ciondolare, come se finora se le fosse tenute in grembo, immobilizzate dalle manette.

— A che ora vi hanno fatte uscire? Molto tardi?

— No, verso le due. Ci hanno perfino accompagnate a casa.

— Ah, menomale. Nevicava, stanotte.

— Sì, però ora ha smesso.

Sembrava una telefonata dopo una serata a teatro, al conservatorio. Ma dove erano finite tutte le altre parole, l'intero vocabolario della lingua italiana in due volumi? Una specie di orribile selezione naturale sembrava far sopravvivere soltanto quelle banalità, indistruttibili come i topi e gli scarafaggi.

— E come sta tua madre? S'è molto spaventata?

— No, non troppo, — si stupì Thea.

Ma poi capì che lui voleva sapere come andavano le cose in famiglia, se c'erano state tragedie, telefonate a papà, e simili.

— No, la mamma sta bene, grazie. Solo un po' preoccupata, per forza.

— Allora falle i miei saluti. Dille che mi dispiace per... per...

Voleva dire per la pistola, per la Porsche, per tutto.

— Va bene, glielo dico.

Discorsi da funerale, silenzi da funerale. Morivi di fame nel deserto, ti frugavi disperata in tasca, e non venivano fuori che briciole di tabacco, pallottoline di carta, la metà di un bottone. Ecco cos'erano le parole quando sarebbero servite davvero.

— Senti, ma adesso cosa succede? — si ribellò. — Non potranno mica tenerti qui all'infinito, no? Hai un avvocato? L'hai chiamato? Qui ti danno qualcosa da mangiare, o vuoi che me ne occupi io?

Graziano sorrise, ma in modo diverso da prima.

— No, sta' tranquilla, esco presto.

— Quando?

— Non so ancora, ma dato che non c'entro niente...

— Oggi?

— Be', non so, dipende, dovrò ancora parlare con questi, con l'avvocato...

— Chi è?

— Non so ancora. Me ne manderanno uno.

— Comunque digli che mi telefoni, dàgli il mio numero, insomma organizza le cose in modo che io sappia sempre tutto.

— Sta' tranquilla.

Nel corridoio c'era altra gente che passava o si fermava a parlare; e il poliziotto che l'aveva condotta lì e poi era andato a prendere Graziano, si teneva a qualche metro da loro e cercava di regolare un accendino arancione avvitando e svitando qualcosa con l'unghia.

— Non hai bisogno di niente? Non vuoi che ti porti qualcosa?

— Un rasoio.

Restando ferma dov'era, Thea si animò tutta, come se stesse già correndo per le strade e le piazze della città.

— Vado subito, qui davanti ho visto un...

— Ma no, — rise Graziano, — dicevo così. Chi se ne frega.

Si passò una mano sulle guance.

— Devo essere conciato male, — disse, — un vero avanzo di galera.

Thea allungò d'istinto la mano, ma si trattenne in tempo. Se ora gli faccio una carezza, pensò, muoio. Lo toccò bruscamente, tecnicamente, proprio solo per saggiare la lunghezza e durezza della barba.

— Ti punge?

— Un po', — disse Graziano grattandosi il mento. — Tu invece sei tutta... Sei veramente...

Fece una smorfia ammirativa, guardandola dalla testa ai piedi. Ma il poliziotto era infine riuscito ad abbassare l'altissima fiamma a un livello normale, e cominciò a venire verso di loro facendo scattare a ogni passo l'accendino. E soltanto allora Thea si rese conto di non essere mai stata così calma, felice, e in pace con l'intero universo, come in questi pochi minuti, in questo corridoio, vicino a questa finestra. Era già finito? S'erano già detto tutto quello che potevano dirsi?

— Be', allora... — disse Graziano.

— Quell'avvocato, — disse Thea, — mi raccomando, dàgli il mio numero.

— Sta' tranquilla.

— E se per caso hai bisogno di qualcosa, non so...

— Va bene, grazie.

— Ah, ma che stupida!

Aprì la borsa, tirò fuori due pacchetti di sigarette della marca che fumava Graziano.

— Vi lasciano fumare, almeno?

— Certo, — disse Graziano prendendo i pacchetti. — Grazie mille, grazie.

Il poliziotto era a un passo, e Thea fu presa dal panico. Graziano poteva pensare che lei fosse venuta per dovere, per aiutarlo in quel pasticcio, perché si sentiva responsabile di averlo trascinato lei in quella chiesa, perché non era bello piantare così la gente e non farsi più vedere.

— Senti, — disse.

— Sì? — sorrise Graziano.

Briciole, bottoni rotti, scarafaggi, topi, pensò Thea con angoscia. Banalità indistruttibili... Eppure dovevi servirtene, solo a quelle potevi aggrapparti in una corsia d'ospedale, o in un viale di cimitero, o in un corridoio di questura...

Il poliziotto accennò a prendere Graziano per un braccio, ma non lo toccò.

— Ciao, — disse Graziano, indietreggiando di un passo. — Ci vediamo.

— Sì, — disse Thea.

Se ora glielo dico, pensò, muoio, mi metto a piangere. Ma l'orizzonte della questura, del mondo, era di uno sterminato, feroce livore, tempeste incombevano da ogni parte, e Thea trasmise il breve messaggio a cui tutti s'erano affidati prima di lei, e che a lei sembrò, in quel momento, appena inventato, intatto, luminosissimo, unico.

— Ti amo, — bisbigliò.

Graziano non rispose niente, si girò soltanto a guardarla prima di sparire dietro l'angolo del corridoio. Thea si asciugò un paio di lagrime che le stavano simmetricamente scendendo dagli occhi, e subito dopo, mentre tornava dalla Pietrobono, le venne un giubilante accesso di riso. Il poliziotto che l'aveva accompagnata da Graziano, e che gliel'aveva portato via un momento fa, era il maresciallo Biazzi, l'introvabile maresciallo Biazzi da lei inseguito su e giù per mille scale. E adesso si accorse di non ricordare la sua faccia, la sua figura, la sua voce, niente, assolutamente niente di lui, tranne il suo accendino dalla lunga fiamma.

6.

Nella corsia, a causa di uno sciopero, non c'erano né infermieri né dottori; c'erano invece i parenti degli ammalati, una folla che andava e veniva parlando a voce alta, si affaccendava tra i dodici letti con sporte, pacchi, bottiglie, tornava indietro per un ultimo gesto di sollecitudine.

Seduto su una sedia metallica accanto al letto di Serralunga Domenico, il commissario provava un vago disagio per essere venuto a mani vuote, e un disagio specifico all'idea di doversene andare a mani vuote. Il "matto del leone" rispondeva a tutte le domande, ma brevemente e allusivamente, come se tra complici, al corrente di un vasto segreto, non ci fosse bisogno di sprecare molte parole.

— Dove ha la bottega? — chiese Santamaria, studiandogli le mani, vuote come le sue, e in continuo movimento lungo l'orlo del lenzuolo.

— Dietro la chiesa. In fondo a un cortile.

Era forse il caso di aggiungere all'indagine "in tutte le direzioni" anche una perquisizione dal bravo artigiano, se Cuoco non ci aveva già pensato lui. Frammenti di cera, punteruoli o lunghi aghi da materassaio sporchi di cera, potevano saltar fuori sotto i mucchi di lana e di crine. E quanto al fanatismo, alla follia, qui, dietro questi occhi spiritati, sembrava essercene per tutte le esigenze.

— Ha dei lavoranti, degli apprendisti?

Il materassaio scosse la testa. Da diversi minuti teneva la faccia quasi di profilo e sporta in avanti, come se stesse spiando il suo visitatore da dietro lo spigolo di un muro.

— Lei ci passava molto tempo, in chiesa? Ci andava spesso?

— Spesso, sì.

— E questo leone nero... Un uomo barbuto, mi ha detto?

— Sì, tutto vestito di nero.

— Ecco. Ma lei prima non l'aveva mai visto? Non era mai venuto, prima?

Il collo scarno e grinzoso ruotò verso la porta della corsia, dove ciondolava l'agente mandato per il piantonamento durante la notte. Nel corridoio, dei ricoverati in pigiama ciabattavano in su e in giù, fra le gesticolazioni, le risate, le sigarette dei parenti.

— Non c'è pericolo, — disse il commissario, senza convinzione. — Qui c'è la guardia. E poi, lei mi diceva che questo leone viene solo di notte.

L'uomo agitò improvvisamente le coperte come se fossero ali e mise fuori un piede magrissimo.

— La signorina ha detto che mi aspetta?

— Sì. E di star calmo.

L'uomo si ritirò dietro il suo spigolo, un sorriso spaurito e astuto sulle labbra.

— Ma lui potrebbe tornare stasera, col buio.

— Per ora la chiesa è chiusa al pubblico. E sorvegliata dalla polizia.

Il sorriso si ridusse a una contrazione impercettibile e astutissima.

— Ma lui potrebbe mandare i suoi... lavoranti.

— Ha dei lavoranti?

Domenico fece scorrere il pomo d'adamo lungo la gola non rasata prima di emettere un sogghigno carico di sottintesi.

— Accoliti, — sussurrò alzando l'indice e il medio. — Due.

— Erano con lui ieri sera in chiesa?

La testa dietro il muro fece segno di sì.

— Con l'uomo barbuto?... E cosa facevano con lui?

Domenico si drizzò tutto, gonfiando il torace e allargando le spalle a impersonare il leone nero.

— Lo guidavano, — rivelò passandosi la lingua sulle labbra.

— Erano già venuti prima a spiare.

Con l'indice adunco invitò il commissario ad accostarsi all'invisibile spigolo, a porgere l'orecchio.

— Io conosco i nomi, — soffiò, — i nomi falsi.

— Hanno dei nomi? — sussurrò il commissario chinandosi paziente verso il folle.

Si aspettava qualcosa come Napoleone e Hitler, al massimo San Pietro e San Giovanni. Quando sentì i nomi di Rossignolo e Monguzzi, vennero anche a lui due occhi spiritati.

Telefonò a Rossignolo da una cabina. Non c'era nessuno. Cercò sull'elenco Monguzzi (di cui ignorava il nome di battesimo) ma di fronte a cinque possibili professori e dottori, preferì chiamare la casa editrice. Rispose una flebile voce maschile.

— C'è qualcuno?

— Lei chi è, scusi?

— Il professor Santamaria. E lei?

— Sono Annibale, professore.

— Ah, bravo. Per caso è venuto qualcuno, stamattina?

— Saranno tutti qui fra poco, c'è una riunione alle 11,28.

— Anche il professor Monguzzi?

— Penso di sì.

— Quanto si trattengono?

— Oh, — fece l'evanescente Annibale, — fino alle due almeno. È un picnic di lavoro, devo preparare la...

— Bene, grazie, semmai richiamo dopo.

Picnic di lavoro, eh? pensò il commissario risalendo in macchina. Bene, benone. Così li avrebbe beccati tutti insieme, gli specialisti dello pseudo-barocco e della falsa testimonianza, i coltivatori di fermenti culturali e gnostici, i marpioni del...

Si accorse di essere irritato con se stesso, perché non ricordava come esattamente avesse formulato le sue domande a Rossignolo e all'editore. I due gli avevano davvero mentito, ieri sera? Forse non si trattava di falsa testimonianza, né di reticenza; forse i marpioni avevano semplicemente *omesso* di parlare dei loro precedenti rapporti col Pezza. Anguille. Serpenti, che invece di mordersi la coda sgusciavano agili tra le maglie di un interrogatorio forse lacunoso, giocando sulle parole. Ma quel silenzio era senza dubbio "interessante", quel nuovo personaggio, Monguzzi, era certamente da vedere e sentire.

Guardò l'orologio e calcolò che gli restava tutto il tempo per chiudere con la "direzione" di Santa Liberata prima di autoinvitarsi al picnic di lavoro. Dette all'autista l'indirizzo dei Bortolon, che abitavano nella cintura urbana, da qualche parte tra il Nichelino e Borgaretto, insieme alla cognata Romilda.

Solo quando la volante si fermò davanti al cancello di una casetta indecisa tra un'originaria vocazione di rimessa e successive velleità di chalet svizzero, si chiese: ma cognata in che senso, di chi?

L'uomo, a parte che era un bell'uomo, gentile e distinto, aveva alla prima occhiata tutte le caratteristiche di un Gemelli, non senza probabilmente influssi di Giove. Con la timidezza tipica del suo segno, fece un mezzo passo per andarsene non appena lei gli ebbe detto che i fratelli non c'erano, erano fuori a lavorare e di solito tornavano la sera lasciandola sola tutto il santo giorno. Ma Romilda fece subito due passi indietro aprendo di più la porta e invitandolo ad accomodarsi con molte scuse per il disordine. Fortuna che era a posto, aveva appena finito di levarsi i bigodini e truccarsi, e coi pantaloni verdeprato aderenti e il maglioncino nero scollato preso a quei saldi di via Garibaldi, sapeva di fare la sua discreta figura.

Vide benissimo che l'uomo la esaminava dalla testa ai piedi, e che guardicchiava allo stesso modo anche l'ingresso, la porta semiaperta della stanza matrimoniale, la cucina.

Chi era, un cliente? No, uno della polizia, un commissario.

Romilda ci restò un po' male, nel senso che un Gemelli di solito faceva altre cose, più sul genere intellettuale come professore o contabile, a meno però che ci fosse stata una congiunzione tra Saturno e Luna alla nascita. Ma non osò chiedere, e del resto, ora che lo guardava meglio, le pareva piuttosto un Toro. O anche un Capricorno, a pensarci bene.

— Lei è la cognata?
— Sì.

— Ha sposato uno dei due?

— Avevo sposato un terzo fratello, al paese. Sono cinque fratelli, tutti maschi. Io avevo sposato Giovanni, ma poi è mancato e così sono venuta a star qui con Pietro e Paolo.

L'uomo non fece il solito sorrisetto, ma lei se l'era aspettato e arrossì lo stesso.

— Mi hanno tanto aiutato, io ero rimasta proprio a terra, — spiegò. — E loro qui avevano questa attività bene avviata, è dal '65 che si sono trasferiti a Torino.

— Ho capito.

— E per che cosa li voleva? — disse Romilda, più che altro per cambiare discorso.

— Lei sa che i suoi cognati andavano in quella chiesa in centro, a Santa Liberata?

Altroché se lo sapeva. Come se non avessero di meglio da fare. Lei era religiosa, va bene, ma a un certo punto certe cose potevano anche dare fastidio. Una volta l'avevano portata a una di quelle messe con le puttane e quegli altri degenerati, e a lei l'ambiente non era piaciuto, non s'era trovata, e glielo aveva detto chiaro, ai fratelli... Sì, aveva conosciuto anche il parroco, e non le era piaciuto neanche lui, un tipo... mah!

— Che tipo?

Romilda non poteva dirgli che il prete era un Sagittario, e che lei di quel segno s'era sempre fidata poco.

— Be', non lo so, un'impressione...

— Lei sa che è stato ammazzato ieri sera?

Ecco, hai visto, pensò Romilda. Ma disse, cosa mi dice, e spiegò che non ne sapeva niente, non sprecava soldi col giornale, e alla radio sentiva solo i programmi musicali... No, nessuno della parrocchia le aveva telefonato stamattina, e i fratelli erano usciti prima che lei si alzasse. In piena chiesa! Con la dinamite! Ma senti che roba! E Pietro e Paolo dov'erano mentre succedeva quel casotto?

— È quello che vorrei sapere da lei, — disse il commissario.

— Ah, — disse Romilda, un po' sulle sue, — ecco il motivo per il quale...

Tanto valeva fargli vedere come stavano le cose, e lo portò di là, prima nella camera dei fratelli, coi due letti uguali, e poi in camera sua, dove di letti ce n'era uno solo.

– È la mia stanza matrimoniale, me la sono portata giù dal paese. E ci dormo da sola.

Lui lo fece adesso, il sorrisetto.

– Tutte le notti?

Sfacciato. Pesci.

– Ieri notte sì, – rispose togliendosi un capello dalla manica.

– E non li ha visti, quando sono rientrati?

– No, dormivo, non ho sentito niente. Mi devo mettere le palline di cera nelle orecchie per via dei cani.

– Ah, – disse il commissario, – si mette le palline anche lei?

– Perché? Chi altro? – disse Romilda.

Indicò la finestra, che si apriva su una spelacchiata barriera di piccoli abeti: al di là, cominciava una vera foresta di casette separate da minuscoli cortili, giardini, garage.

– È pieno di cani, vanno avanti tutta la notte.

Si tolse un altro capello dal seno, che con le nuove coppette Form-a-tex faceva la sua discreta figura.

– E a mezzogiorno non tornano qui a mangiare? – disse il commissario.

– Non c'è pericolo, – sorrise lei. – Qualche volta vengono, ma quasi sempre mangiano sul lavoro oppure in quell'osteria della Penna Nera. Stanno molto fuori, mi piantano qui...

Mentre si guardava nella grande specchiera del guardaroba si passò le mani sui fianchi. E sempre nella specchiera incontrò lo sguardo del commissario e gli sorrise. Ma doveva essere proprio un Gemelli, timido e riservato e influenzato da Nettuno, perché si fece soltanto spiegare dov'era questa osteria e se ne andò lasciandola di nuovo sola coi suoi conigli.

Farete un incontro interessante, diceva l'oroscopo di Romilda per quella settimana. E da un lato aveva ragione, dall'altro no.

7.

Ed eccomi qua, pensò l'ingegner Vicini levando gli occhi sui due palazzi Fiat di corso Marconi, squadrati e allineati come due

cassette di acqua minerale nel retrobottega di un bar. Aveva parcheggiato a fatica, con rabbiose slittate tra i solchi di neve dura
del controviale, ma ora non si decideva a staccare le mani dal
volante.

Quel commissario, ricominciò a pensare. Ma subito si auto-
censurò, si riscosse, scese con l'aria di chi non ha un minuto da
perdere, oltrepassò la fila d'alberi su cui la neve s'era fermata
solo per accentuarne le insipide ramificazioni, s'infilò nella via che
separava i due fabbricati simmetrici, numero 10 a destra, numero 20 a sinistra.

Il cortile sul retro del numero 10 era stato accuratamente liberato dalla neve e lavato a getti d'acqua, per accogliere le macchine di quegli alti dirigenti che venivano in ufficio anche il
sabato; ce n'erano infatti tre, due blu e una argentea (tutte Fiat),
due con dentro l'autista, una con dentro un canelupo; e nella
via, piazzate con discrezione lungo il marciapiede, sostavano le
macchine delle scorte armate, dei gorilla in giubbotto nero. Sequestri di persona e attentati terroristici avevano imposto queste
precauzioni, che alcuni tolleravano con bonomia filosofica, altri
con nervosismo, altri con distratta indifferenza, ma che i più
portavano come un simbolo del loro potere.

Meschinità aziendali, pensò Vicini. Entrò nel cortile, dove gli
uomini della Comec stavano scaricando da due furgoni rossi e
blu sacchi di zucchero e caffè istantaneo, dolciumi e bottigliette
varie. La Comec era la ditta appaltatrice dei distributori automa-
tici di merendine e bevande sparsi ai vari piani, e durante il fine
settimana provvedeva al loro rifornimento nonché (erano guasti
la metà del tempo) alla loro manutenzione.

Impugnando risoluto il bastone, Vicini si accodò a due portatori di terrose focaccine e gommosi croissant, superò i labili
controlli al di là della porta, raggiunse l'ascensore e di lì il suo
piano. Non aveva fatto tre passi nel corridoio che da una decina
di porte sbucarono le teste o i mezzi busti di altrettanti colleghi.

— Oh, sei tu Vicini, salve illustre, come va *amigo*, hai visto
che neve, meno male che non sono andato a sciare, pensa se fossi
andato a sciare, tu non sei andato a sciare?

Ipocrisie aziendali, pensò Vicini salutando col bastone i più
lontani, stringendo la mano al gruppetto uscito a salutarlo. Nes-

suno di costoro aveva mai avuto la minima intenzione di passare la mattina del sabato sui campi di neve, di golf, di tennis o in qualunque altro posto. Venivano qui inventando per la forma montagne di lavoro arretrato da sbrigare, urgentissime relazioni da completare, ma ciò che li attirava in corso Marconi, sabato dopo sabato, era esclusivamente la speranza di esser visti, notati, ricordati da uno o dall'altro degli altissimi dirigenti. Visti però chini sulla scrivania, non già a chiacchierare oziosamente in corridoio. Ed ecco infatti che ciascuno cominciava ad arretrare verso il proprio ufficio, a riguadagnare il proprio posto di vedetta, dietro la porta semiaperta.

— Io mi prenderei un caffè, — annunciò Vicini cercando di coinvolgere uno qualsiasi dei colleghi.

Prendere il caffè non era considerata un'attività in contrasto con gl'interessi vitali dell'azienda, che dopotutto forniva essa stessa le apposite macchinette. Nondimeno Bovis obbiettò:

— I distributori sono vuoti, ho visto di sotto quelli della Comec.

— Ma no, scusa, appunto, a quest'ora hanno rifatto il pieno, guarda là, — disse Vicini.

Laggiù, in una rientranza della parete, c'era un uomo nella tuta rossa e blu della Comec che armeggiava attorno a un distributore.

— Dài, andiamo.

— No, io proprio non posso, — fece Bovis, liberando il braccio, e tirandosi giù le punte del panciotto.

Vicini giocò l'ultima carta per trattenerlo.

— Sai mica se c'è Musumanno? — chiese con la dovuta *nonchalance*.

Secondo un'antica leggenda, originata da un usciere ora in pensione, il dottor Musumanno veniva in ufficio quasi ogni sabato mattina; ma ad ore così imprevedibili, per vie così eccentriche, che nessuno dei suoi sottoposti era mai riuscito a incontrarlo davvero.

— No, non l'ho ancora visto, — disse Bovis, con pari *nonchalance*.

Ma il ghiotto argomento (presenza o meno di Musumanno, villa di Musumanno a Santena, moglie di Musumanno, recenti tratti di spirito di Musumanno, cravatte di Musumanno, collere di Musumanno, servilismo di vari colleghi nei confronti di Musumanno) non sembrava aver presa, stamattina. Bovis fece l'ultimo mezzo passo verso la soglia del suo ufficio.

— Allora ciao, — disse, — io me ne torno alla catena.

— Ciao, — disse Vicini, — ci vediamo.

Proseguì fino alla sua porta, entrò lasciandola socchiusa, gironzolò fra i quattro muri, e infine si tolse il cappotto e sedette alla scrivania.

Non c'erano più scuse, pretesti, appigli. Quel che c'era da pensare andava pensato.

Quel commissario, pensò Vicini con un lungo brivido, non mi ha creduto.

8.

La porta della saletta delle riunioni si aprì; ma era soltanto Annibale che faceva strada al ragazzo del bar, recante il frullato di banana e pompelmo per l'editore e il caffè per tutti gli altri.

— E va bene, — disse l'editore consultando la sua grossa cipolla d'oro, — chi c'è c'è, e chi non c'è peggio per lui.

Gli rispose un silenzio sardonico: peggio di un picnic di lavoro al sabato mattina, non c'era che un picnic di lavoro alla domenica mattina.

— Proviamo ancora una volta, — disse Rossignolo, falsamente dinamico.

S'era tirato il telefono sul tavolo ovale, e per la quinta o sesta volta in venti minuti compose il numero di Monguzzi e alzò il ricevitore perché tutti sentissero il segnale suonare invano.

— Niente, non c'è, — disse con aria falsamente delusa, rimettendo giù.

— O non risponde, — masticò Lomagno senza alzare la testa dal "Topolino" che stava leggendo con ostentata beatitudine.

— Che si sia sentito male? — azzardò Mariarosa.

— No, sarà piuttosto andato a casa sua, a Valenza Po, — disse l'editore. — Avrà avuto qualche impegno di famiglia. Comunque, questo non impedisce a noi di portare avanti un'analisi approfondita di quelle che... di quello che... insomma dei cosi.

Si perse a rimestare nel suo bicchiere grigiastro, gli occhi fissi distrattamente su Francisco.

— Hai ragione, dev'essere andato a Valenza, — approvò Rossignolo falsamente obbiettivo. — Ma secondo me c'è andato per non venire qui, ha tagliato la corda.

— Come è possibile, se non sapeva nemmeno... voglio dire, quando lui se l'è filata dalla chiesa, noi non avevamo ancora deciso... non sapevamo noi stessi che stamattina...

— Il Monga queste cose le fiuta, — disse Rossignolo. — Se lo sentiva che tu avresti indetto una riunione per i nastri. Ha una specie di seconda vista quando c'è all'orizzonte un'analisi approfondita.

L'editore arrossì, picchiò con le nocche sul registratore che aveva portato lui stesso da casa (sottraendolo, più precisamente, dalla camera della figlia, mentre lei era in bagno).

— Questo comunque non c'impedisce affatto...

Non era vero. La latitanza di Monguzzi creava una curiosa paralisi attorno all'apparecchio e alla dozzina di cassette azzurre che lo circondavano, uno strano effetto di scadimento, di disinteresse. Sia perché Monga era ormai agli occhi di tutti l'"esperto" in polidialoghi che avrebbe risparmiato agli altri la fatica di ascoltarli e seguirli veramente; sia perché nessuno aveva voglia di sostituirlo nella prosaica bisogna di inserire e togliere le cassette, regolare il volume, trafficare coi tasti. In simili condizioni, la riunione d'ascolto e di analisi approfondita minacciava di tramutarsi in autentico lavoro.

— Io d'altra parte mi chiedo, — disse Mariarosa rivolgendosi con franchezza a Rossignolo, — se sia giusto ascoltare il materiale senza di lui. Anche ammesso che abbia avuto, come tu dici, una crisi di defilamento, resta comunque il fatto che, a un livello più alto, una nostra appropriazione di quello che in sostanza rappresenta per Monga una...

Non si seppe mai che cosa rappresentassero per Monguzzi i polidialoghi. Annibale entrò (dopo aver come al solito bussato così piano da non farsi sentire) e annunciò in un sussurro:

— C'è il professor Calamassi.

Trotterellando sulle gambe arcuate Calamassi penetrò nella saletta come un piccione viaggiatore.

— Carissimo! — gridò l'editore tendendogli le braccia da lontano.

Non lo poteva soffrire, per via di un difetto, di una mania, di una... cosa, insomma, che ora non ricordava (l'alito cattivo? il vizio di mangiarsi le unghie?). Ma in questo momento critico era Dio in persona che glielo mandava.

— Salve... salute... oh, come va?... oh, ci sei anche tu? — faceva il piccione beccando le facce attorno al tavolo una dopo l'altra.

Aveva in testa un colbacco di astrakan nero e a tracolla una grande borsa da viaggio di nailon.

— E Monguzzi? Non vedo il vecchio Monga.

— Sai qualcosa di Monguzzi?

— No, io no, — si stupì Calamassi. — L'ho cercato al telefono e ho pensato che fosse venuto qui.

— Ti aveva detto che veniva?

— No, ma di solito... cioè, dato che ieri sera...

Seguì un'approfondita chiarificazione, essendo tutti i presenti affetti non tanto da pignoleria quanto dall'incapacità di ascoltare i discorsi altrui. Calamassi, rientrato la sera prima da Cosenza, via Pisa, aveva saputo da sua madre che Monguzzi era passato a ritirare i polidialoghi; stamattina era di partenza, via Bologna, per Trieste (dove si apriva il convegno su "Reazione e seduzione") e aveva pensato di far due chiacchiere con Monguzzi anche a proposito degli atti del convegno di Napoli su "Terrorismo: fenomeno moderato?", che il buon Garbarino... Comunque, anche in assenza di Monguzzi, si poteva ugualmente puntualizzare...

L'editore saltò sulla parola. Se c'era da puntualizzare, spiegò, lui non era mai stato tipo da tirarsi indietro; ma ora la puntualizzazione più urgente riguardava non già l'ottimo Garbarino, bensì l'ambiguo Pezza e i suoi polidialoghi, che c'era qualche motivo per ritenere connessi con l'attentato di ieri sera.

Calamassi, che non ne sapeva niente perché leggeva soltanto "Le Monde" di due giorni prima (a causa del disservizio postale) ascoltò il racconto annuendo a ogni parola, come se sapesse già tutto. Alla fine sentenziò oscuramente:

— Classica criminalizzazione.

Si tolse il colbacco, posò in terra la borsa da viaggio e sedette anche lui al tavolo.

— Ora io avevo pensato... — cominciò l'editore.

— Ho capito perfettamente, — lo fermò Calamassi alzando una mano. — Tu ritieni che un'analisi approfondita dei nastri e delle istanze in essi contenute potrebbe mettere in luce il retroterra sociale e culturale in cui l'attentato, la motivazione di fondo dello sbocco esplosivo...

— La motivazione di fondo, — disse debolmente l'editore, — ma anche forse il movente vero e proprio.

— Scusa, ma qui non ti seguo, — sorrise Calamassi. — Lo sbocco esplosivo è già inscritto con molta evidenza nella spirale dialettica di queste assemblee, dove la violenza verbale collettiva rappresenta chiaramente la maniglia detonante che...

Era questo il difetto di Calamassi? Il suo esasperante vezzo di non stupirsi mai di niente, di accogliere qualsiasi fatto come cosa nota, prevista, già sviscerata, catalogata, e beninteso superata da uno studioso come lui?

Ora, sempre parlando, aveva cavato di tasca gli occhiali e un fascio di fogli fittissimamente dattilografati.

— Del resto, in previsione, avevo appunto portato per Monguzzi l'indice che mi ero preparato a suo tempo sul materiale.

Guardò possessivamente la schiera di cassette azzurre, sventolò compiaciuto i suoi fogli.

— Data la complessità e varietà degli interventi assembleari ho dovuto ovviamente adottare il sistema di classificazione a griglia, in modo che i contenuti, in qualsiasi momento...

— E te li sei sentiti tutti? — disse ammirato Rossignolo, tentando un estremo sgambetto.

Ma uno come Calamassi non si lasciava sgambettare (era questo il difetto?).

— Tutti, per forza. È un riassunto indicizzato e completo. Sono circa diciotto ore d'ascolto.

Inforcò di prepotenza gli occhiali e cominciò a leggere:

— Nastro 1A. Contesto ecclesiale. Voci dialoganti: animatore principale (parroco), animatore secondario n.i. (non identificato), quattro voci maschili n.i. Elementi di scenografia acustica: martelli, catene, incudine, probabile lastra lamiera o bidone. Tematica generale: rottura liberatoria e simbolica vincoli odio-amore con famiglia tradizionale. Valore impatto globale 5...

Si abbassò gli occhiali sulla punta del naso.

— È una mia graduatoria, — puntualizzò, — una specie di voto dall'1 al 10 che assegno alle assemblee secondo la loro tensione interna, cioè considerandole in termini di efficienza psicodrammatica, di traiettoria emotiva...

— E la media com'è? — chiese l'editore che s'era andato rapidamente incupendo.

— Nel caso di Santa Liberata è piuttosto bassa, ho paura... vedo qui molti 5... dei 3... un paio di 6... ma siamo lontani dalle punte di certe grandi assemblee spontanee che negli anni passati, fuori dalle strutture del...

Una pappa, insomma, una broda, una barba mortale, pensò l'editore ripiegando la propria barba contro il petto. E in quel preciso momento, quando era ormai troppo tardi, ricordò.

— Dunque, — riprese Calamassi. — Nastro 1A... tematica generale... animatore secondario... Ecco. Subtemi: emarginazione grande città (vedi anche nastri 2A e B, 3B, 4A, 6A e B), sradicamento culturale e trapianto da civiltà contadina (vedi anche nastri 3A e B, 5A, 8B), equazione lavoro = carcere (vedi anche...).

Una volta partito, Calamassi non mollava più, per nessuna ragione. Era questo il suo difetto. L'editore si sentì tutto a un tratto pieno di spasmodici pruriti alle gambe, alle mani, alla bocca dello stomaco. Non Dio, pensò, ma il diavolo gli aveva mandato questo flagello, questo dettagliato e inesorabile puntualizzatore, che nulla avrebbe potuto fermare tranne uno sbocco esplosivo, un cero alla dinamite.

9.

Non fu facile trovare la Penna Nera in quel labirinto di strade, stradine e viottoli semicancellati dalla neve, nella scacchiera di piccoli orti, terreni incolti, vasti e deserti cortili di fabbriche e magazzini, lungo cadenti muri di pietra, siepi, steccati, cancellate nuovissime e grigi bastioni di cemento. Ma quando il commissario Santamaria fu davanti alla vecchia insegna, non gli fu difficile capire perché un posto simile potesse attirare Priotti e i suoi colleghi di Santa Liberata.

Era una vecchia cascina bassa e lunga, col rustico in rovina e il tetto pericolosamente ondulato; ma una vite ancora si abbarbicava all'intonaco chiazzato di verderame, da un comignolo usciva il fumo di un fuoco di legna, sul retro c'era sicuramente un pergolato coi tavolini di ferro, un gioco di bocce, una roggia che scorreva tra salici e gelsi. Non era difficile immaginare Priotti che veniva qui la domenica con suo padre, da bambino, e più tardi coi compagni di fabbrica e le ragazze, a bere quartini e passeggiare nei prati circostanti mentre i "vecchi" cantavano le canzoni degli alpini.

L'insegna sopra la porticina risaliva a quegli anni lontani, 1930 o giù di lì: una penna nera troppo lunga infilata in un cappello da alpino inartisticamente dipinto sulla latta, il primo proprietario essendo probabilmente stato un reduce della Grande Guerra. Ma l'interno non si poteva dire accogliente. Il tirchio bagliore del caminetto era schiacciato dalla luce di tubi al neon, e i tavoli, le sedie, il bancone in fondo, tutto era di plastica vermiglia. Una decina di clienti alzarono appena la testa all'ingresso del commissario, per poi rimettersi a quello che stavano facendo, mangiare, bere, giocare a carte.

Unica donna presente era la serva o padrona, una donna di mezza età che girò la testa anche lei e sorrise cordiale. Ma in un posto così fuori mano, in una giornata così brutta, una faccia nuova avrebbe dovuto suscitare più silenzio, più stupore. Il telefono a muro spiccava accanto alla cassa, e il commissario si chiese se Romilda Bortolon non avesse avvertito i cognati del suo arrivo.

— Cercavo i Bortolon, mi hanno detto che forse li trovavo qui.

La donna, che gli era venuta incontro tra i tavoli, si pulì le mani nel grembiule.

— Sono quei due là, vicino al caminetto, quelli senza giacca.

Al loro tavolo sedeva un terzo uomo, con una logora giacchetta di velluto e una sciarpa scozzese attorno al collo. I fratelli, omoni sulla quarantina, uno castano e uno bruno, portavano invece spinosi e unti maglioni di colore indefinibile, come le loro grosse mani piene di cicatrici.

— Bortolon?

— Comandi.

— Possiamo parlare un momento?

L'uomo dalla sciarpa scozzese, un secco con gli occhiali e una ricciuta moquette di capelli grigi, si alzò con riluttante discrezione e andò a sedersi a un altro tavolo. I fratelli continuarono a mandar giù la loro trippa al pomodoro, più sbrigativi che avidi, e risposero a bocca piena quando il commissario spiegò chi era e che cosa l'aveva portato fin lì.

— Sì, l'abbiamo letto adesso nel giornale, — disse il Bortolon castano accennando vagamente dietro di sé.

— Io non so cosa succede a questo mondo, — disse il Bortolon bruno.

Erano due voci rauche e piuttosto sul grugnito, ma una volta partite, abbastanza sciolte. I fratelli confermarono di essere andati direttamente a casa uscendo da Santa Liberata, salvo una sosta in una pizzeria di via Tunisi (il commissario ne prese nota) e di aver trovato la casa buia e Romilda già a dormire. Romilda non guardava la televisione? Sì che la guardava, ma ieri sera non l'aveva guardata perché... perché... chissà perché. Forse aveva litigato con loro? Litigare, litigava sempre, era una brava ragazza, ma li mandava continuamente in mona, si lamentava della casa, dei cani, dei conigli, e che era sempre sola, e che non aveva niente da fare, e poi invece se aveva la luna non gli faceva neanche da mangiare, per quanto loro mangiassero sovente alla Penna Nera appunto per facilitarle le cose.

A parte le usuali bestemmie venete (il ricorrente "dioserpente" valeva la pena di essere riferito alla Pietrobono), i due avevano il vezzo o tic di scrollare i testoni verso l'alto, come rinoceronti, e soprattutto questo dava un'impressione di brutalità. Ma anche di una certa animalesca innocenza.

— E ieri sera in chiesa, cosa avete combinato? Perché la signorina Caldani vi ha rimandati a casa? — disse il commissario cogliendo nella propria voce una sfumatura paternalistica.

Le teste si abbassarono contrite. Loro non avevano colpa, credevano di fare il loro dovere di controllo, specialmente dopo le botte del venerdì prima, che ne avevano prese un bel po' anche loro e pertanto ieri sera erano stati solo un po' più attenti coi disturbatori, e la signorina, che era nervosa come Romilda, se l'era presa a male. Ma era lei che esagerava, perché loro in fin dei conti non avevano fatto niente di grave, dioserpente.

Il commissario faticò a convincerli che lo scopo della sua visita non era di rimproverargli i loro eccessi, ma di farsi raccontare certi dettagli, risalendo anzi al giorno prima, al giovedì pomeriggio.

— Giovedì pomeriggio?

I due testoni ruotarono lentamente l'uno verso l'altro in muta consultazione.

— Ma giovedì pomeriggio noi eravamo in chiesa a lavorare, e non è successo niente.

No, ma qualcuno era venuto, dei visitatori...

Sì, veniva sempre gente a Santa Liberata, a pregare, o in sacrestia per delle pratiche, o a parlare col parroco...

Ecco, appunto. E non c'erano state due persone, due uomini, che il parroco aveva accompagnato sulla torre?

Le due fronti corrugate si spianarono, le due mani smisero di grattare le due teste.

— Ah, quelli, — disse il Bortolon bruno.

— Chi erano? — disse il commissario. — Com'erano?

Le fronti tornarono a corrugarsi volenterose, l'interrogatorio proseguì sotto la protezione di un valzer che l'uomo dalla sciarpa scozzese aveva flebilmente cominciato a suonare su una fisarmonica. Poi la donna si avvicinò al caminetto recando una bracciata di legna, e mentre alimentava il fuoco con un paio di pezzi si mise a canticchiare in dialetto. Altri allora qua e là per la stanza ripresero in coro le parole del valzer, ripetendo più volte il ritornello, stonati, rauchi, rossi in volto, eccitati.

Il Bortolon castano sembrò infine accorgersene e provarne fastidio.

— Cos'è questo casotto! — gridò picchiando il pugno sul tavolo e guardandosi intorno minaccioso.

Ma il commissario aveva saputo ciò che voleva sapere e si alzò.

— Non importa, non importa, tanto devo andare.

— Non beve un bicchiere con noi? — disse il castano levando in alto il fiasco.

— Lucia! — urlò il bruno, — un bicchiere!

La donna accorse, ma il commissario rifiutò ancora con fermezza, ringraziò, ripassò in fretta tra i tavoli dei cantori, lanciati in un altro sgangherato ritornello piemontese che lo seguì oltre la porta, nel freddo e nel preponderante squallore della periferia.

Voci, pensò, nel deserto. Ma oltre alle loro stonature gli sembrò di percepire una stonatura più profonda e generale, come se la Penna Nera, il suo camino, i suoi fiaschi, i suoi ruvidi e gioviali clienti, fossero partecipi, o prigionieri, di una contraffazione, di una messinscena ideata da qualche organizzatore di scalcinati spettacoli folk. C'era qualcosa che non persuadeva. Un'ombra di inautenticità. Un sospetto di forzatura.

A meno che, si disse il commissario risalendo in macchina e dando un'ultima occhiata alla tetra cascina, a meno che quel decrepito, anacronistico fondale non nascondesse niente, che sotto quel rudere misteriosamente tollerato dalla città non ci fosse nessun mistero e quegli uomini non fossero in fin dei conti altro che ciò che sembravano.

10.

Finito l'ultimo girotondo, cantata l'ultima canzoncina, le due gemelle uscirono dalla loro scuola del Brussone in mezzo a una diaspora urlante. Paolino tirò un pugno a Cinzia, Anna tirò il berretto verde da sciatore di Luca, Ivan e Pasquale tirarono palle di neve a Vito e Stefano, che le stavano tirando a Crocifissa e Tiziana. Per cinque minuti le gemelle parlarono con i compagni quel linguaggio convulso, ma per loro chiarissimo, fatto di strilli, spinte, corse, strappi, gomitate, calci, sgambetti, sputi e rovinose cadute. Poi, diradandosi la folla dei bambini, anch'esse si avviarono verso casa, fermandosi ogni tanto per fissarsi con gli occhi esageratamente spalancati. Avevano saputo stamattina che il coccodrillo, essendo privo di palpebre, non può mai chiudere gli occhi, e la cosa gli era parsa comica ma anche un po' inquietante. Chissà che cosa si provava, in condizioni simili? E veramente si poteva dormire con gli occhi aperti?

Rimuginando vaghi propositi sperimentali, realizzabili mediante pinzette per il bucato, elastici o strisce di cerotto, giunsero in vista di una gibbosità nevosa e le loro palpebre sbatterono più rapide, incontrollabilmente.

L'immagine del venditore di matite che dormiva appoggiato al volante gli tornò in mente all'improvviso, come una bambola sepolta sotto una catasta di altri giocattoli. Senza esitare, ma con un istintivo raccorciamento del passo, le gemelle deviarono dal loro percorso, si avvicinarono caute alla macchina e sbirciarono dalla finestrina che loro stesse, stamattina, avevano aperto nella neve del parabrezza.

Il venditore di matite era sempre al suo posto e dormiva ancora.

Le gemelle restarono per un po' a osservare il suo rigido riposo, poi si guardarono in giro. Molto lontano, sulla sinistra, tre bambini camminavano in fila indiana. Dalla parte opposta, due donne erano ferme a parlare e un camioncino strisciava faticosamente all'orizzonte fra bassi semicerchi di case. Le case più vicine sembravano disabitate, c'erano delle pale appoggiate presso i portoncini ma nessuno entrava o usciva, e nessuno stava affacciato alle finestre. Il cielo era livido, basso, pesante, e le gemelle provarono qualcosa che somigliava molto alla paura di aver toccato un delicato congegno proibito ai bambini, di aver causato senza volerlo un guasto gravissimo, dalle conseguenze inimmaginabili.

Nessuno, per fortuna, le aveva viste. Oppresse dal silenzio, a testa china, resistendo all'impulso di correre, si allontanarono come due piccoli automi spaventati dall'uomo che continuava a dormire ma forse invece stava molto male. E forse addirittura era diventato un morto, era passato a quell'incomprensibile popolo dei morti.

11.

Da oltre un'ora la voce di Calamassi sgorgava monotona e compatta, ignorando mormorii d'insofferenza, periodiche aperture di finestre, telefonate, arrivi di caffè e spremute.

— Nastro 11B. Prosegue tematica 11A (vedi anche 9A, 6A, 2B) su rottura catene consumistiche. Subtema: igiene personale.

Voce femminile 3, n.i., annuncia intenzione non lavarsi ulteriormente capelli in quanto uso shampoo arricchisce grandi corporations prodotti bellezza. Voce bisessuale 2, n.i., riprende subtema nocività shampoo chimici (quinto inserimento proto-ecologico, vedi anche 3B, 4A e B, 7A e B). Voce femminile 4, n.i., spezza catene pubblicità condizionante (vedi anche polemica anti-media al 2A, 5B...).

Vedi anche, pensò l'editore, era tutto un vedi anche. E lui era tutto un prurito, gli prudevano persino gli organi interni, la milza, il cuore. E la barba gli si era trasformata in un crudele cilicio.

Guardò con orrore, con odio intensissimo, i nastri dei polidialoghi sparsi sul tavolo. Come avevano potuto credere i due polimbecilli Rossignolo e Monguzzi che lì dentro ci fosse qualcosa d'interessante, di vivo e vitale? Con che faccia tosta il polidisertore Monguzzi aveva suggerito e praticamente imposto questa massacrante e inutile riunione d'ascolto?

Mezz'ora fa, strangolato dalla rete di puntualizzazioni di Calamassi (un uomo capace di far sembrare astratta una bistecca al sangue, una bottiglia di barolo), l'editore aveva chiesto di poter sentire qualche brano dei polidialoghi con le sue orecchie. Non certo per curiosità, soltanto per uscire un momento da quell'indice o griglia o schema o riassunto chilometrico. Ma la realtà s'era rivelata anche peggiore del riassunto. Le voci n.i. fiacche e irreali. I rumori d'accompagnamento ridicoli. Le spontanee confessioni dei partecipanti, una sequela di luoghi comuni, di polverosi sfoghi polemici contro il lavoro, i padroni, la scuola, i tabù sessuali, gli Stati Uniti, la società borghese... Acqua passata, roba superata, che aveva inoltre il torto di destare nell'editore una sequela di ricordi imbarazzanti, legati all'epoca non lontana in cui anche qui, attorno a questo tavolo, si tenevano continue analisi approfondite sul lavoro, i padroni, gli Stati Uniti, la società borghese...

Qualcosa era mutato nella saletta.

L'editore riportò gli occhi dal soffitto al livello umano, mentre le sue orecchie prendevano atto di un silenzio drammatico. Non drammatico, gioioso, festoso, come il silenzio che precede il prorompere delle campane la mattina di Pasqua.

Calamassi s'era alzato, si calcava il colbacco in testa.

— Il treno, — sorrise. — Ma vi lascio la griglia, potete conti-
nuàre anche senza di me.

— Ma naturale! — proruppe l'editore. — Grazie, grazie mille!
Sei stato assolutamente... hai fatto un lavoro assolutamente...

Schioccò le dita.

— Di prim'ordine, — offrì Rossignolo.

— Di primissimo ordine, un contributo veramente...

Il piccione aveva già saltellato fino alla porta.

— E salutatemi Monga, quando lo vedete. Ditegli che mi farò
vivo io, non questa ma un'altra settimana.

— Certo, certo, gli diremo, ciao, arrivederci, buon viaggio.

Non sembrava possibile, non sembrava vero. Tutti si rivoltola-
rono per un po' nel silenzio come in un letto di piume. Poi Lomagno fischiò.

— Io, — disse, — ho una fame...

— Be', — disse l'editore senza badargli, — comunque è stato un
contributo prezioso, un'analisi molto... approfondita.

— Adesso non vorrai, — sogghignò Lomagno, — farci fare l'analisi dell'analisi, spero? Io ho una fame...

— Annibale ha preparato le crudités, — disse seccamente l'editore. — Questo è un picnic di lavoro, fino a prova contraria.

— Annibale se le può mettere dove dico io, le crudités. Io ho
fame, e quando ho fame devo mangiare sul serio, non perdere
tempo a rosicchiare delle verdure per di più inquinate dai pesti-
cidi e dai conservanti.

— Ma quali conservanti!

Lomagno si alzò bellicoso.

L'editore si alzò minaccioso.

Annibale bussò pianissimo e spalancando la porta annunciò:

— C'è il professor Santamaria.

— Cariss...! — gridò l'editore di slancio.

Ma spense la voce, abbassò le braccia accoglienti, e ripiegò
d'urgenza su un segnale d'avvertimento ai suoi.

— Oh, commissario... Come va?

Prima che da quei cinque volti sbalorditi, il commissario fu
colpito dalla vista delle cassette, azzurre foglie cadute in disordine dal registratore. Le stesse di Santa Liberata? Una coincidenza?

— Non vorrei disturbare, — disse cercando con gli occhi il possibile Monguzzi, — vedo che state lavorando...

— No, per carità... e del resto abbiamo... siamo... ci eravamo riuniti per... nel senso che... per una...

— Riunione? — disse Santamaria.

— Per un'analisi approfondita che ora appunto...

Con queste anguille, con questi serpenti, era meglio precisare subito.

— Abbiamo fatto anche noi un'analisi approfondita, — disse brusco, — e ci risulta che la vostra presenza ieri sera in chiesa non era affatto casuale. Ci risulta che eravate da tempo in contatto con la vittima.

Dalla barba di Lomagno uscirono, sommesse ma nitide, le sillabe della parola "stronzo".

— Lomagno! — lo richiamò l'editore.

— Non dicevo a lui, dicevo a te, — puntualizzò feroce Lomagno. — No, perché scusa: bisogna essere totalmente idioti, totalmente stronzi, per regalare alla polizia un pretesto di provocazione che...

— Io non ho regalato niente a nessuno, — balbettò l'editore, — io e Rossignolo ci siamo...

— E come mai questo sta qua, allora? Cosa gli avete raccontato ieri sera, che cavolo di versione gli avete...

— Noi abbiamo risposto con la massima franchezza, — intervenne Rossignolo, — a tutte le domande che ci sono state fatte, e non vedo come tu...

— Non vedi che sei uno stronzo, non vedi che con la polizia la sola linea da tenere è quella di dire sempre tutto, vuotare il sacco fino in fondo, batterli sul tempo con la ve-ri-tà anche più scomoda, fregarli proprio sul loro terreno, che è quello della distorsione, del travisamento, della deformazione pretestuosa. Se gli dai il minimo appiglio, fai obbiettivamente il loro gioco. Questa è sempre stata la mia posizione.

— È la posizione, — disse Mariarosa, — dell'informatore.

Lomagno saltò in aria, come trafitto da una supposta di pepe.

— È la posizione di chi non ha niente da nascondere! — urlò sdegnato. — Non la posizione di una stronza che non sa respingere le provocazioni!

— Sei pregato di ricordare, — si sdegnò a sua volta l'editore, —
che qui siamo tra persone civili e che Mariarosa è pur sempre
una donna.

— Come sarebbe, pur sempre! — strillò Mariarosa. — Cosa dice
questo stronzo! Perché allora io, in quanto donna, non avrei il
diritto a farmi dare della stronza?

— Ma che stronzi, — disse Rossignolo scrollando il capo.

— Tu sta' zitto, stronzo!

La parola sbatacchiava come un passero entrato per caso nella
saletta fumosa e incapace di uscirne. Santamaria ricorse al semplice espediente di andare a spalancare le due finestre, e l'af-
flusso di aria gelida, insieme ai clamori del traffico, bastò a rista-
bilire un'astiosa quiete.

— Bene, — disse scrutando le facce alterate dei quattro liti-
ganti, — bene...

Il quinto era uno spilungone che non aveva mai smesso di
tacere e sorridere.

— Lei è Monguzzi?

Sorridendo, lo spilungone fece segno di no.

— No, lui è Francisco, è cileno.

— Ma cosa dici! Francisco è boliviano, è un esiliato boliviano.

— Non un esiliato, un profugo. È molto diverso. E comunque
è ecuadoriano.

— Ma fammi il piacere!

— Cose da pazzi, ma dico: vuol che non lo sappia proprio io...

— Già, perché tu avresti...

— Ma lui, — disse Santamaria, — non lo saprà?

Da come si volsero a guardarlo, stupiti e sollevati, comprese
che la sua parte, qui dentro, non era quella del poliziotto, era
quella del maestro di scuola. Se non della monitrice di asilo nido.

12.

Il padre delle gemelle, operaio in una fabbrica di profilati, il
sabato e nelle ore libere arrotondava il salario facendo il deco-
ratore. A tavola raccontò infervorandosi le difficoltà del suo attuale lavoro, che consisteva nel ridipingere i locali di una lavan-

deria. Ma il muratore era un ubriacone e un chiacchierone, l'elettricista non si faceva mai trovare, e il falegname aveva lasciato a mezzo molte rifiniture e dava la colpa a lui della lentezza con cui procedevano le cose. Stamattina la padrona della lavanderia era andata su tutte le furie e lui le aveva risposto che, primo, non era il caso di alzare tanto la voce; secondo, con degli artigiani di quel genere non ci si poteva aspettare di più; terzo, era tutta questione di organizzazione; quarto, se gli si chiedevano anche delle prestazioni da stuccatore, allora la cifra del preventivo...

Sua moglie ascoltava la narrazione di quelle dispute con un orecchio solo, sia perché erano sempre uguali, sia perché la persistente calma delle gemelle cominciava a impensierirla. Non era normale che non interrompessero il padre ogni due minuti, non si alzassero da tavola con mille pretesti, non giocassero con bicchieri e posate, non si bisticciassero clamorosamente. E mangiavano adagio, malvolentieri.

Che cosa avevano?

Niente, niente.

Ma sentivano dei dolori alla testa, alla pancia, alla gola, alle orecchie?

No, no.

Era chiaro che stavano covando un serio malanno, forse l'influenza "afgana", di cui pareva ci fosse una nuova ondata al Brussone. Quella taciturna passività era senz'altro allarmante.

Si sentivano stanche? Volevano mettersi a letto?

No, no.

O non avevano per caso, chiese il padre, combinato qualche guaio a scuola?

No, no.

Avevano spaccato qualcosa, erano state rimproverate?

No, no.

Ma la negazione era balbettata, le due facce sotto i capelli nerissimi scattarono al rosso acceso.

Cos'era successo? Cos'avevano fatto, ancora?

Niente, niente. Solo che l'altro giorno avevano incontrato un uomo gentile dentro una macchina, che gli aveva regalato una matita per ciascuna.

La madre delle gemelle impallidì mortalmente.

E dopo? disse il padre con la gola secca. Avevano rivisto quell'uomo?

Sì, stamattina presto, mentre andavano a scuola.

E cosa gli aveva fatto, quell'uomo?

Niente, perché dormiva nella sua macchina. E adesso, tornando a casa, lo avevano visto ancora, sempre lì, sempre addormentato sotto la neve.

Come, addormentato?

Così, dissero le gemelle.

Si afflosciarono contro l'orlo del tavolo, le braccia abbandonate e la testa reclinata, duplicando con crudele, perfetta sincronia l'immagine di un corpo inequivocabilmente senza vita.

13.

Dopo un quarto d'ora avevano vuotato completamente il sacco, erano degli informatori nati. Bastava metterli e tenerli saldamente sulla giostra dell'analisi approfondita, impedire che si tirassero l'un l'altro i quaderni e le righe, per ottenere ciò che si voleva e anche qualcosa di più (la visita dell'ingegner Vicini, per esempio, e la "magra" dell'editore; la presenza in chiesa anche di Lomagno e della pur sempre donna, entrambi noti alla questura, a Cuoco, per loro fiera ammissione).

Annibale fu inviato a impacchettare le cassette dei polidialoghi con relativa griglia (un indice) a cura del prof. Calamassi (vita, opere e indirizzo torinese del predetto vennero da sé); e in attesa del suo ritorno l'editore si fece premura di chiamare di persona Monguzzi, come se a un tocco più autorevole il telefono fosse in grado di stanare infine l'assente. Ma Monguzzi (vita, opere, indirizzo torinese) proprio non rispondeva, e aveva sempre tenuto segreto (be', insomma) l'indirizzo di Valenza Po, che poi non era esattamente Valenza Po, ma un piccolo paese in quei dintorni, che si chiamava, come si chiamava?

Smemoratezze e labilità credibili, pensava Santamaria, vuoti di memoria e digressioni che non avevano nulla di sospetto. Gli tornò in mente la Penna Nera, con quei rudi mangiatori, quei rochi canti popolari. Quale dei due gruppi era meno convincente, meno autentico, nel pauroso falsetto dei tempi? E la cellula gnostica di Santa Liberata aveva forse maggiori titoli di credibilità? E la *connection* mafiosa era forse più plausibile?

Mentre sorrideva a questi servizievoli intellettuali, Santamaria rifletté che a poco a poco, nel corso della mattina, si doveva essere insinuata in lui una specie di rassegnazione al delitto collettivo, all'idea che il Pezza non fosse stato assassinato da un singolo, ma "giustiziato" collegialmente, come del resto il modo stesso della sua morte suggeriva.

Devo accettare l'ipotesi più ovvia, pensò, devo accettare l'attentato e l'ignoto tribunale che l'ha deciso.

Ma prendendo il ben confezionato pacchetto coi polidialoghi dalle mani di Annibale, e stringendo le mani (non tutte) che lo accompagnavano alla porta, si chiese se una (una sola) fra queste persone potesse avere un motivo del tutto privato, del tutto individuale per procurarsi un cero, un candelotto esplosivo e un lungo cacciavite, e cominciare con pazienza uno scavo approfondito.

— Dove andiamo, dottore? — disse l'autista.

— Non so, — sbadigliò Santamaria, pensando a Vicini, a Monguzzi, ai controlli da fare su Lomagno e la donna, sul profugo cileno o boliviano, pensando alla noia di un ristorante e alla triste funzionalità di una tavola calda, — non so, portami in ufficio, poi vediamo.

14.

— Là, — disse una delle gemelle.

L'altra puntò l'indice verso la macchina, ferma al posto di prima.

Il padre gli ordinò di starsene dov'erano e andò avanti da solo. Doveva essere una cosa importante, una cosa urgente, pensarono le gemelle, se si era fatto guidare fin lì da loro senza nemmeno prendere il caffè. Ma adesso temevano che il venditore di matite non ci fosse più, si fosse nel frattempo svegliato con un lungo sbadiglio e se ne fosse andato da qualche parte a mangiare. In quel caso le aspettava una grossa sgridata, nessuno avrebbe creduto che non s'erano inventato tutto.

Seguirono il padre a piccoli passi titubanti, lo videro sbirciare attraverso il parabrezza, spazzar via con la mano tutta la neve, rialzarsi, pulire in fretta il finestrino sinistro, guardare nell'interno anche da quella parte.

Poi fece per impugnare la maniglia dello sportello, si fermò senza toccarla. I suoi occhi cercarono di qua e di là, passando sopra le teste nere delle gemelle che erano ormai a pochi metri. Dalla sua bocca uscì un grido come se fosse molto arrabbiato.

— Nino!

Nino, un conoscente che stava entrando al numero 26, se ne venne verso di loro con un sorriso sempre più striminzito. Il padre delle gemelle lo fece guardare dentro la macchina, e quello ripartì di corsa, dicendo che andava a telefonare.

Allora il venditore c'era. E allora era davvero diventato un morto. O perlomeno un feritograve.

Le gemelle cominciarono ad avvicinarsi per vedere e il padre cominciò a dirgli di stare lontano. Ma un minuto dopo c'era già attorno alla macchina un gruppo di tre, quattro, dieci persone, spuntate come di sotto la neve. Anche Nino tornò col fiato grosso e la moglie che gli trotterellava dietro.

— Non toccate, non toccate niente! — si mise a gridare alla maniera dei poliziotti nei telefilm.

E poi ecco infatti, come nei telefilm, arrivare slittando l'auto blu dei carabinieri del Brussone, che prima di fermarsi lanciò due o tre molli colpi di sirena. Scese il maresciallo, che le gemelle conoscevano appunto sotto il nome di "maresciallo", seguito da un altro carabiniere, e insieme si accostarono alla macchina, ci guardarono dentro, e infine aprirono lo sportello e stettero un minuto curvi sul venditore.

Il maresciallo si rialzò e guardò la gente come se cercasse chi gli aveva tirato una palla di neve. Andò a togliere la neve dalla targa, copiò il numero su un taccuino e ritornò alla sua auto.

— Deve avvisare il comando, — disse qualcuno.

Infatti parlò brevemente dentro una specie di telefono vicino al volante, e poi andò a piazzarsi col suo lungo pastrano nero e

la faccia ancora più nera davanti all'auto del venditore. L'altro
carabiniere aveva allargato le braccia e sospingeva indietro le
persone, che pian piano, in silenzio, si decisero a lasciar libero
un semicerchio tutto pesticciato e fangoso, simile alla pista di
un piccolo circo.

Le gemelle stavano ferme in prima fila, piene di curiosità e di
una malsicura fierezza. Sentirono alle proprie spalle qualcuno che
chiedeva a voce bassa, "Cosa succede?" e un altro che rispondeva, a voce ancora più bassa, "C'è un morto". La prima voce
disse "Chi è?", e l'altra voce disse, "Non so, un uomo".

Le gemelle rabbrividirono eccitate. Loro sapevano. Loro non
solo avrebbero potuto spiegare che si trattava di un venditore di
matite, ma inoltre che erano state le prime a trovarlo morto. Non
aprirono bocca, però, intimidite dal parlottio segreto dei grandi,
dal silenzio che s'era concentrato in quell'angolo del Brussone
come un densissimo banco di nebbia. Cosa sarebbe successo ora?

Il padre, che era rimasto a confabulare con Nino e il maresciallo, le cercò con gli occhi, le indicò col mento agli altri due.
I tre uomini le fissarono accigliati, severi, scambiarono altre parole sommesse, tornarono a fissarle.

Le gemelle si strinsero l'una all'altra precipitando in un im-
buto di terrore. La premonizione che tutta la colpa andasse a loro
s'era dimostrata giusta. Inutile dirsi, e dire ai tre uomini, che le
matite erano state un regalo, che stamattina avevano giocato un
momento attorno alla macchina del venditore, ma senza "toccare" niente. Sapevano che fra tutte le cose e gli avvenimenti del
mondo correvano fili tortuosi e occulti in cui un bambino inciampava di continuo, provocando con un ginocchio, con un mi-
gnolo, crolli di grattacieli, inondazioni, disastri ferroviari, terribili scontri sull'autostrada. L'idea che il venditore fosse morto
per qualche loro millimetrica trasgressione era perfettamente plausibile, come era fatale che la trasgressione fosse stata scoperta.

Di tra le ciglia abbassate videro il padre venire verso di loro,
e in quel preciso momento furono salvate, risucchiate dalla folla
che faceva largo a tre auto ringhiose e fulminee come leoni, poi
a due motociclette, un'ambulanza, un grosso furgone blu, altre
motociclette. Nell'isterico fracasso di motori, sportelli, sirene, ordini, richiami, le gemelle pensarono di essere state dimenticate e

si confusero tra le gambe della gente che ora una mezza dozzina
di carabinieri col mitra appeso alla spalla ricacciava indietro, più
indietro, via, via, sgombrare.

Si sentirono circondare il collo, appena sotto la nuca, da una
larga mano adulta, e senza voltarsi capirono che era la mano del
padre e che la stretta era protettiva, non punitiva. Dunque per
questa volta non erano entrate in corto circuito con lo smisurato,
col terrificante; non avevano colpe; quel morto era morto per
conto suo.

Furono sospinte nella pista del circo, ora molto più ampia e
chiusa dagli automezzi disposti come i carri dei pionieri nei telefilm con gl'indiani. Sbrigativamente benevolo, il maresciallo le
invitò a star buone e avere pazienza, eh?, che il tenente gli voleva poi parlare. Intorno alla macchina del venditore c'era una
quantità di uomini in uniforme e in borghese, che si scostarono
per far passare un signore in loden verde, barbetta nera e una valigetta pure nera. Il dottore. Questo voleva dire che il venditore...
Dal varco le gemelle lo rividero un istante, sempre nella stessa
posizione, e poi il muro di corpi si riformò compatto davanti
a loro.

Arrivarono dei fotografi con i loro apparecchi e le loro luci,
cominciò una discussione concitata. Il tenente, giovane e bello
come un attore, venne fuori dal muro e disse alle gemelle che
qui prendevano freddo, ora ci pensava lui a trovargli un posticino riparato, per esempio nella cabina del furgone, venite, andiamo, e le installò sul largo sedile accanto all'autista-carabiniere. Parlandogli attraverso il finestrino abbassato si fece dire
quando avessero visto il venditore la prima volta, e dove, e se
era solo o con qualcuno, e poi di stamattina alle otto-e-trenta,
e se l'auto avesse avuto per caso i fanali accesi. E che altro sapevano o ricordavano.

Poco dopo venne un altro ufficiale, e alle stesse domande le
gemelle dettero le stesse risposte, ma con minor diffidenza e un
minor numero di monosillabi. A un uomo alto e grigio, in borghese, sceso da una volante celeste della polizia, ripeterono tutto
di fila, quasi distrattamente.

Dal loro comodo palco lassù non perdevano un solo particolare dello spettacolo. La folla s'ingrossava e premeva, c'erano

cento persone, o forse tremila, e là in mezzo anche la mamma, che non le vide e non rispose ai loro frenetici saluti con la mano.

Avevano freddo? No. Stavano bene? Sì. L'autista-carabiniere trovò in una tasca un'unica gomma da masticare, che spezzò in due, metà per ciascuna, gusto all'arancio, e spiegò che, ecco, adesso stava arrivando la televisione, quelli erano i fotografi dei giornali, quella l'autogru, quegli altri gli specialisti che prendevano le misure negli incidenti. Era stato un incidente? Sì, una disgrazia.

Molti compagni delle gemelle apparivano e sparivano qua e là tra la gente, alcuni le scorsero lassù e agitarono le braccia, e Gennaro e Dario, più quella scema di Sabrina, vennero a fare smorfie e boccacce fin sotto il loro naso e furono meritatamente allontanati da una sentinella. La folla si apriva e richiudeva su auto blu e celesti in arrivo e in partenza, e dentro una c'infilarono un uomo che abitava lì vicino e che due carabinieri avevano tirato fuori dal portone numero 18, tenendolo per le braccia. Un arrestato. Perché era stato arrestato? Perché forse era colpa sua della disgrazia. Ma loro lo conoscevano, una volta le aveva prese in braccio davanti alla chiesa, dandogli anche delle caramelle. Non era un cattivo, era un buono. Be', poteva sempre essere un cattivo travestito da buono, no? Ma lo portavano in prigione? No, dovevano solo chiedergli un po' d'informazioni.

Si avvicinò al furgone un uomo con baffi neri e denti bianchissimi, e negli occhi un'aria come se stesse per fare uno scherzo. Chi era? Un commissario della polizia.

— Siete voi le prime testimoni? — scherzò questo commissario dal finestrino.

Le gemelle non si lasciarono fare altre domande, raccontarono il resto tutto d'un fiato, e alla fine, sullo slancio della propria eloquenza e lusingate dalla rivelazione di essere delle testimoni, osarono chiedergli se era davvero stata una disgrazia, come aveva detto poco verosimilmente l'autista-carabiniere. Sì, una brutta disgrazia. Ma il morto era un morto qualsiasi o un mortoammazzato? Il commissario dovette convincersi che a due testimoni non si poteva mentire, perché disse di sì, era un mortoammazzato. Ma era un buono o un cattivo? Un buono. E chi era il cattivo? Forse l'uomo portato via poco fa? Non si sapeva ancora. Ma

c'era comunque un nemico, un assassino? Sì, c'era, e i carabinieri e la polizia l'avrebbero preso. Come nei telefilm? Come
nei telefilm.

Una delle gemelle si frugò improvvisamente nella tasca della
giacchetta a vento imbottita, e tirò fuori la matita avuta in
regalo dal venditore. Spiegò con una sfumatura di compatimento
che la sorella aveva già rotto la sua, ma lei no, e se il commissario voleva poteva tenerla. Lui la prese, la rigirò con interesse, e
disse grazie, grazie, l'avrebbe consegnata al giudice che doveva
arrivare da un momento all'altro. E che cosa veniva a giudicare
il giudice? Be', che tutto fosse a posto, quando c'era un morto
il giudice veniva sempre a controllare. Eccolo, quello era il
giudice.

Le gemelle se l'aspettavano vecchissimo, rugoso, con un lungo
manto di velluto, mentre questo aveva anche lui un loden verde
e camminava svelto, non pareva affatto rugoso. Sparì subito in
mezzo agli altri e il commissario disse all'autista-carabiniere di
spostare il furgone, che forse lì dava noia, e l'altro rispose già,
sì, forse è meglio, accese il motore e cominciò a girare il volante
guardando nel retrovisore per non schiacciare nessuno. Manovrando un po' avanti e un po' indietro andò a fermarsi qualche
metro più in là, di sbieco, e le gemelle si trovarono di fronte un
largo ricciolo di case oltre il quale si aprivano a ventaglio gli
spazi deserti e bianchi del Brussone.

Si sporsero dal finestrino, ma ormai dietro di loro il mortoammazzato dovevano averlo tirato via dalla sua macchina, l'ambulanza stava partendo e l'autogru si avvicinava rombando.

Al centro della pista da circo cominciarono le strette di mano
e i saluti militari, il medico si staccò frettoloso dal gruppo, poi
due o tre ufficiali con le spalline d'argento, poi il giudice. I fotografi e quelli della televisione si rifecero allora avanti, scattando
e filmando da tutte le posizioni, e intanto i carabinieri aggancia-
vano l'auto del venditore alla gru, e la gru piano piano la solle-
vava per il paraurti anteriore.

Lo strato di neve accumulato sul tetto si mosse e prese a scivolare all'indietro, liberando anche il lunotto posteriore. Le gemelle distinsero gli scatoloni di matite dietro i finestrini e le
scritte pubblicitarie Jucca appiccicate ai vetri; e ora l'autogru se

338 A CHE PUNTO È LA NOTTE

ne andava lentamente, seguita da una lenta colonna di macchine; ora la folla si disperdeva lasciando quel miserevole tondo di fango giallo; ora mamma e papà s'incamminavano verso il furgone, insieme al maresciallo e al commissario coi baffi, dietro i quali veniva una fila di carabinieri col mitra capovolto.

Era tutto finito, il venditore era proprio morto, mai più avrebbe regalato matite, né a loro né ad altri bambini, e le gemelle saltarono giù dal furgone senza l'aiuto dell'autista e corsero dalla mamma, che gli toccò le mani e gli chiese se avessero freddo ai piedi. Solo allora quella che avrebbe dovuto mettersi le galosce al pomeriggio si ricordò del suo diritto e scoppiò in un pianto di protesta. La mamma disse che domani le avrebbe portate lei dalla mattina alla sera, e la bambina si consolò un po', ma sentiva che non era la stessa cosa.

Il maresciallo le accarezzò la testa, e così fece anche il commissario, ringraziandola ancora per la matita, anche a nome del giudice. Erano state due bravissime testimoni, e tutto quello che avevano raccontato era stato scritto parola per parola in un libro. E c'era ancora una cosa che lui voleva sapere: il venditore, quando loro l'avevano visto per la prima volta nella sua auto, stava nello stesso posto di oggi?

Le gemelle si consultarono con uno sguardo riconciliato e dissero di no, l'auto stava messa per così invece che per così, e poi più lontano, dall'altra parte.

— Là, — disse una delle due.

L'altra chiese dove stessero portando l'auto del venditore, e che fine avrebbero fatto tutte quelle matite negli scatoloni. Le loro facce si allungarono disperatamente quando il padre gli spiegò che negli scatoloni non c'era niente, che il venditore non era un vero venditore. E chi era, allora?

— Era un carabiniere, — disse il maresciallo, — un maresciallo.

— Vero?

— Vero, — disse il maresciallo, — come me.

VIII
IL LUNGO SERPENTE DELLA PROCESSIONE

1.

Il lungo serpente della processione riapparve altre due volte
sempre più lontano, le automobili sempre più piccole, sfilando tra
gli scaglionati blocchi del Brussone come tra le povere quinte
di un povero teatro. Un funerale che se ne andava verso il cimitero, pensò Santamaria, mentre lui passava in chiesa a sistemare
le ultime cose col parroco. Non Shakespeare, ma la grigia prosa
del ministero avrebbe commemorato l'uscita di scena del maresciallo (non principe, non re) Genovese Aurelio, anni 44, co-
niugato (la moglie era a casa, in stato di choc), due figli piccoli
(accolti da una vicina), caduto nell'adempimento del dovere.

Sul quale dovere restavano ora alcuni particolari da chiarire
con l'aiuto del locale parroco.

— Eccolo là, è quello con la barba, — disse il maresciallo della
locale stazione CC, che accompagnava Santamaria. Andavano a
piedi, per non creare nuovi assembramenti con un arrivo "ufficiale" in macchina.

— Come mai non è venuto a vedere il morto?

— Non l'avrà saputo, sarà stato in giro, è uno che si dà molto
da fare.

— Che tipo è?

Il maresciallo alzò le spalle.

— Ci vediamo appena.

Il maresciallo, il parroco, il dottore, il farmacista, la maestra
elementare, tutti i personaggi della vita di villaggio erano ancora lì, ma sperduti, spaesati, figurine di presepio finiti per sbaglio in uno scatolone pieno di rettili, vampiri, draghi, mostri.

La chiesa, di tralicci e pannelli prefabbricati, era disperatamente moderna, solo due pezzi di ferro in croce la distingue-

vano da un padiglione di fiera, da un supermarket, dai gabinetti
di una stazione di servizio sull'autostrada. Il parroco, don Feliciani, s'era disperatamente adeguato anche lui, portava stivali da
mandriano, un eskimo blu, un maglione, una lunga sciarpa colorata, la barba di uno troppo occupato per radersela. Stava parlando con un gruppetto di persone, ma non appena capì che il
maresciallo e Santamaria stavano venendo da lui, liquidò frettolosamente i parrocchiani e scomparve dentro la chiesa.
   Una fuga?
   No. Li aspettava tre passi oltre la porta, l'occhio dolente, la
voce compunta, le mani alzate a deprecare, ho saputo, mi hanno
detto, che tempi, che cose, la società, la violenza, il mondo.
   Sì, certo, il mondo, pensò Santamaria; ma anche l'oscuro imbecille, l'anonimo e funesto burocrate che aveva escogitato, de-
cenni prima, l'istituto del soggiorno obbligato per i mafiosi veri
o presunti.
   Chissà com'era stato fiero della sua invenzione, chissà come
gli era parsa geniale l'idea di allontanare quei criminali dal loro
habitat in Sicilia e in Calabria, costringendoli a vivere nei piccoli comuni attorno alle metropoli del nord, dove l'ambiente li
avrebbe domati, se non addirittura redenti. A questo colossale
errore di valutazione, che aveva sparso la mafia per tutta l'Italia
come la rete di assistenza Fiat, si poteva far risalire la morte
di Genovese.
   La legge vietava ai mafiosi trapiantati di avere un telefono
proprio, come se non esistessero dovunque telefoni a gettone.
La legge gli vietava inoltre di riunirsi in locali pubblici, come
se non esistessero, fra l'altro, le chiese. Tutti sapevano che certe
case di Dio erano frequentate in ore tranquille da gruppetti di
credenti dediti a strane avemarie, a sussurri e confabulazioni
non destinate all'orecchio dell'Onnipotente. Genovese, che s'era
avvicinato troppo col suo, ci aveva rimesso la pelle.
   — Veniva qui spesso, lei lo conosceva, sapeva chi era?
   — Sì, cioè, passava qualche volta, e mi aveva lasciato capire
molto alla lontana... ma chiaramente io non ero, non sono in
grado... è in primo luogo un'ingenuità pensare che un parroco,
e per di più oberato di lavoro come sono io...
   Sì, era stata un'ingenuità da parte di Genovese chiedere a

questo prete di fargli da informatore, l'epoca in cui i carabinieri dell'anima collaboravano coi carabinieri dell'Arma era finita da un pezzo. E semmai don Feliciani, da come si teneva sulle sue, da certe inflessioni ironiche, irritate della voce, doveva stare piuttosto dall'altra parte, essere uno di quei sacerdoti che in ogni delinquente vedevano un fratello ignorato, come il Pezza prima maniera.

Il maresciallo reagì con uguale bruschezza.

— Che cosa le aveva detto, esattamente?

Il prete si guardò in giro nella chiesa deserta, che mirando a una sobrietà neo-francescana, aveva raggiunto a forza di mattoni, putrelle e vetrocemento, un perfetto squallore di garage.

— Cose vaghe... sospetti... contatti... movimenti... Io del resto non ci tenevo affatto ad approfondire, capisco certe esigenze ma io a mia volta ho le mie, ho i miei doveri, a parte il fatto che, come dico, mi sarebbe materialmente impossibile...

Fece scendere fino in fondo la cerniera del suo eskimo, poi la ritirò su d'un colpo in un secco gesto di chiusura.

— Lei conosce Cagliuso? Annibale Cagliuso?

— Cagliuso... Cagliuso... — la cerniera ridiscendeva lentamente. — Quello che ha perso due dita in una pressa?

— No, quello che è qui da tre anni in soggiorno obbligato. Abita in via delle Fuchsie. Al 18. Lei lo conosce?

— Ah, quello! Sì, certo, come no.

— L'abbiamo fermato. Il cadavere del maresciallo Genovese è stato trovato là, quasi davanti a casa sua.

— Davvero?

— Lei non può dirmi niente su Cagliuso?

La cerniera risalì decisa.

— Per me, fino a prova contraria, è un parrocchiano come gli altri. Anzi, in coscienza, migliore di molti altri. È un buon cristiano, che assiste regolarmente alle funzioni e segue anche le nostre attività sociali e ricreative. Non ha mai dato scandalo né disturbi di nessun genere, fa una vita molto ritirata, e mi risulta che in varie occasioni ha avuto dei gesti di... notevole generosità, notevole bontà.

Era un classico ritratto di mafioso, ma don Feliciani sfidava chiunque a dimostrarlo.

Guardò l'ora, spazientito dai riduttivi, superati schemi cui ancora si attenevano i rappresentanti dell'ordine. Che diamine, una prostituta era anche un'ottima cuoca, uno stupratore sadico suonava con sentimento la chitarra, un ricettatore manteneva una sorella paralitica, un grassatore omicida giocava bene a pallone, un mafioso era un buon cristiano. C'erano più cose al Brussone, Orazio...

— Parliamoci magari un po' più chiaro, — disse Santamaria.

Gli occhi, le membra del prete, si disposero al combattimento. Uno sportivo, un lottatore.

— Benissimo, dica.

— Il maresciallo Genovese seguiva da circa due mesi la traccia di un traffico di droga...

Risata amara.

— Qui la droga circola come l'acqua fresca, ogni anno è peggio. Anche noi cerchiamo di fare qualcosa, abbiamo organizzato dibattiti, film, cerchiamo di sensibilizzare i genitori, vogliamo aprire un centro antidroga. Abbiamo anche chiesto alle autorità più controlli, più sorveglianza, ma a quanto pare mancano i mezzi.

Colpo basso.

— Non è questo. Genovese seguiva un... movimento di una certa importanza, a quanto pare, che riguarda tutta la cintura torinese e che sembra fosse collegato ai mafiosi in soggiorno obbligato. Ai quali fa qualche volta comodo riunirsi in chiesa. Anche nella sua.

Risata aggressiva.

— Guarda guarda! E io povero innocente che non lo sapevo...

— Lei non lo sapeva? Genovese non gliene ha parlato?

— Non lo sapevo e non lo so. Il parroco non può sapere quello che fanno i suoi tremila o cinquemila o ventimila parrocchiani, non li conosce nemmeno tutti, e quando entrano in chiesa non può andargli a dire, scusate, siete qui per una riunione mafiosa, allora sgombrate, prego. Fino a prova contraria, un uomo che viene in chiesa ci viene per pregare o raccogliersi un momento col Signore, e il parroco non...

— Ma qui erano in parecchi, a raccogliersi col Signore. Cagliuso ne convocava sempre sei o sette da altri comuni.

— Se lo dice lei.

— E lei non lo dice.

— Io dico soltanto che dei piccoli pregiudicati meridionali, della gente il più delle volte sospettata, semplicemente sospettata, di appartenere ad associazioni criminali, e cacciata da casa sua, praticamente esiliata a migliaia di chilometri dalla propria famiglia, dalla propria terra, in base a una legge che non ha riscontro in nessun altro paese civile...

— Nessun altro paese civile ha la mafia, — disse il maresciallo.

— E di chi è la colpa? Che cosa è stato fatto in cento anni per il Mezzogiorno? Lei lo sa che il reddito pro-capite della Calabria...

— Cagliuso è un mafioso siciliano.

— Ma dove sta scritto? Chi l'ha detto? Cagliuso non ha mai avuto una condanna in vita sua, è sempre stato assolto per insufficienza di prove.

— Quante volte, padre? — sorrise Santamaria.

La foga ideologica di don Feliciani sbollì di colpo e nei suoi occhi tondi e miti dilagò qualcosa di assai meno battagliero, assai meno rivoluzionario: una fottuta paura. Dunque il presepio si ricostituiva, il personaggio rientrava nei suoi panni tradizionali. Dunque, pensò Santamaria riconoscendolo con sollievo, don Abbondio era sempre don Abbondio.

— Non si preoccupi, padre, — gli disse con simpatia, — ci rendiamo conto. Questo è un quartiere difficile.

L'altro sospirò.

— Tremendo. Un quartiere tremendo, glielo garantisco io.

— E non solo il suo. Lei avrà letto dell'attentato a Santa Liberata.

Il falso lottatore vacillò come sotto il colpo di un professionista del ring, se avesse avuto una cerniera tra le labbra avrebbe chiuso anche quella.

— Lei conosceva la vittima, conosceva don Pezza?

— No! — esplose don Feliciani.

— Sapeva delle sue attività parrocchiali, della sua predicazione un po' eterodossa?

— No, niente!

— Seguiva quella sua pubblicazione, quel giornaletto "Appartenere"?

— Non ho mai un momento libero, non ho tempo di leggere niente.

— Ma ne ha sentito parlare?

— Forse, non ricordo, non so. Riceviamo tante pubblicazioni...

— Da certi elementi, — disse Santamaria, non senza crudeltà, — si può pensare che sia stato un attentato mafioso, capisce perché insisto? Non lo dico per lei, ma è chiaro che noi non escludiamo un collegamento tra don Pezza e altre chiese, altri parroci.

Il prete stavolta chiuse perfino gli occhi.

Santamaria tirò l'ultimo colpo alla cieca.

— Senza contare tutto il problema degli eoni, che forse avete anche qui?

Lo stupore allarmato del prete fu assolutamente identico a quello del maresciallo.

— Gli eoni? Cos'è, una nuova banda?

— Una nuova droga?

Santamaria si girò verso la porta, che il prete corse a tenergli aperta.

— No, niente di grave, per ora è solo un fatto diciamo di costume, una moda limitata a certi ambienti ristretti.

Fuori c'era la volante in attesa, ma nessuno le faceva cerchio, gli abitanti del quartiere-modello avevano già perso interesse.

— Qui per caso, — disse Santamaria, accennando col mento alle bianche tetraggini del Brussone, — non ha mai circolato un certo Basilide, l'infame Basilide?

— Basilide... Basilide... Non è tra i miei parrocchiani, che io sappia.

— È un marsigliese? — s'informò il maresciallo.

— No, — disse sorridendo Santamaria, — dev'essere un greco.

E mentre salutava le due figurine che malgrado tutto tenevano duro nello stravolto eppure sempre uguale presepio, pensò con tenerezza: Basilide, chi era costui?

2.

(*Dal diario della Pietrobono*)

Nera ingratitudine Capi che dopo mio frenet. interessamento VW
et almeno 200 telef. fatte aut ricev. in merito mi lasciano qui
quando finalm. VW trovasi. Solita emarginaz. — Intanto loro por-
tatisi pz. Carlina (comando CC) per grande partita scopa (alias
vertice) con predetti CC. — Ragionam. generale (mamma, il rombo di quei cervelli al lavoro arriva fin qui!): VW visto ultima
volta (poveretto) mentre seguiva nostro maf. Graz. et Thea; VW
indagava su mafia-droga; VW ritrovata davanti domic. noto
mafioso. Ergo, mafia supera di scatto infame Basil. et estremismo sinistra in classifica sospetti. Ergo, posiz. Graz. (et Thea)
improvvis. aggravata. — Graz. spedito pz. Carlina (ma est nostro asso, non lo molliamo) per nuovi interrog. collegiali. — Thea
riprelevata casa et in arrivo qui per ulter. accert. confronti ecc.

Probab. (e comprensib.) posizione CC: VW era nostro uomo,
padre famiglia, caro collega ecc., priorità assoluta ricerca suo
assass., nulla fregaci delitto Pezza. — Probab. posiz. nostra: giusto, ma delitto Pezza forse collegato, attentato stile mafioso, Pezza
forse traffic. aut collab. mafia.

Posizione Pietr.: mi sbarbo, mi faccio le unghie, incollo foto
S. Lib. (nuova colla attacca maliss., informare Biazzi).

3.

La piazza che a Torino viene familiarmente chiamata Carlina è
ricca di monumenti e contraddizioni. Sebbene sia intitolata a
Carlo Emanuele II di Savoia (1634-1675), il folto, gessoso gruppo
che sorge nel suo centro non celebra, come ci si potrebbe aspettare, le imprese di quel duca, ma la gloria del conte Camillo
Benso di Cavour (1810-1861) cui si deve l'unità d'Italia e sulla
cui lungimiranza politica i torinesi di stretta osservanza nu-
trono oggi serie perplessità.

Per ragioni allegoriche (ma secondo gli storici più pettegoli,
non tanto allegoriche) il conte appare attorniato da un certo numero di donne seminude, analoghe per l'essenziale a quelle ri-

tratte nella bacheca pubblicitaria di un locale di spogliarelli che
si affaccia su un lato della piazza. Un altro lato presenta un palazzo barocco eternamente in sfacelo, eternamente in restauro,
opera dell'architetto Amedeo di Castellamonte (1610-1683). Un
altro, la chiesa barocca di Santa Croce, opera dell'architetto
Filippo Juvarra (1678-1736). Un altro, un edificio settecentesco
che nel 1814 vide nascere l'Arma dei Carabinieri, e che ne ospita
oggi il Comando di Legione. È qui che talvolta si tengono quelle
riunioni ad alto livello note sotto il nome di "vertici", nel corso
delle quali i predetti CC e le altre forze di polizia si scambiano
informazioni, impressioni, ipotesi, sospetti, insieme a qualche
eventuale bugia e occasionale malignità.

— Circa tre mesi fa la droga era praticamente scomparsa da
Torino, non se ne trovava più, non ne arrivava più un grammo.
Il capitano del nucleo antidroga rivelò questo fatto, di cui
tutti i presenti erano stati a suo tempo informati per dimenticarlo
al più presto, nel tono enfatico di un tossicomane che rievochi
una lunga astinenza.
— Sono cose che succedono periodicamente, o perché noi abbiamo bloccato qualche grosso carico, o per qualche manovra
speculativa dei trafficanti. Ma di solito tutto torna come prima
dopo una settimana, dieci giorni al massimo. Invece questa volta...
— Droga pesante? — lo interruppe il colonnello dei carabinieri.
— Sì, ovviamente.
— Eroina, cocaina...
— Soltanto eroina, — disse il capitano. — Qui la cocaina non
ha quasi mercato, è come a New York.
Il commissario Santamaria, con gli occhi fissi sulla donna in-
ginocchiata e discinta (l'Italia) che col pretesto di offrire una
corona d'alloro a Cavour lo stava abbracciando ambiguamente,
borbottò suo malgrado:
— New York?
— La cocaina è una droga eccitante, una frustata, — elaborò
il capitano non credendo alla propria fortuna, — ed è diffusa
soprattutto in California, per ragioni a quanto mi dicono clima-
tiche, umidità, pressione bassa, eccetera. Mentre a New York

avviene il contrario, il clima è elettrico, la gente vive in un'atmosfera eccitata, nevrotica, e preferisce l'eroina che è una droga ad azione, diciamo, tranquillante, calmante, sedativa.

Nessuno espresse compiacimento all'idea di avere quel punto in comune con la maggiore metropoli del mondo. Duchi, conti, architetti barocchi non erano serviti a niente, dopotutto, la bianca neve vegetale cadeva ormai anche qui come sui grattacieli al di là dell'oceano.

— Non abbiamo mai saputo il vero motivo di questa lunga... carestia, i nostri informatori parlano di nuove spartizioni del mercato italiano, nuovi centri di smistamento della droga pura, di guerre a livello dei grossi distributori, insomma niente di concreto. Comunque, dopo circa un mese, in cui tra parentesi abbiamo avuto una trentina tra suicidi e tentati suicidi... — il capitano parlava come se le vittime fossero state agenti del suo nucleo, —... la droga è ricomparsa a Torino in grande quantità, qualità buona e a prezzi addirittura leggermente più bassi di prima.

Fece una pausa, come in attesa di un generale sospiro di sollievo.

— Ma il fatto è che non sappiamo di dove viene, — riprese, — tutti gli spacciatori intermedi sono tagliati fuori, la fonte sembra essere completamente nuova.

— Ma la provenienza originale... — disse il colonnello.

— Ovviamente l'origine è sempre estremo-orientale. Ma dopo il primo balzo verso l'Europa non sappiamo più cosa succede.

— È qui che Genovese, — intervenne il tenente di Rivoli che era stato suo superiore diretto, — ha cominciato a sospettare che qualcuno avesse impiantato una fabbrica, un laboratorio chimico, a Torino stessa.

— Ah, ecco, — disse il colonnello.

— Genovese era convinto che il laboratorio si trovasse da qualche parte nella cintura e che fosse gestito direttamente o indirettamente dai mafiosi in soggiorno obbligato nei piccoli centri attorno alla città.

— Se fosse venuto da noi, — disse il capitano dell'antidroga, — gli avremmo detto che la cosa è altamente improbabile.

— Ah, ecco.

— L'Italia è sempre stato un paese di transito, non una base di lavorazione. Le attrezzature, che sono più complesse di quello che non si creda, sono state per anni a Marsiglia, poi in Olanda, poi sembra in Svizzera, poi di nuovo a Marsiglia. Mai in Italia.

— Genovese era stato anche lui nell'antidroga, no? — disse il commissario De Palma.

— Sì, a Genova, cinque anni fa, — disse il tenente di Rivoli, — e aveva lavorato molto bene all'epoca della prima ondata sudamericana, e contro i marsigliesi. Ma da quando è stato trasferito da noi si è sempre occupato d'indagini d'altro tipo. Era un ottimo elemento, molto preparato e pieno d'iniziativa.

— La copertura delle matite era stata un'idea sua?

— Sì, tutto autentico. È un suo cugino che le vende ai mercatini.

— Comunque, l'idea di una fabbrica di droga a Torino...

— Vi ha informati, — ribatté il tenente di Rivoli, sventolando un fascio di fogli. — Abbiamo copia del rapporto col quale vi metteva al corrente.

— Ah, ecco, — disse il colonnello.

Il capitano dell'antidroga allargò le braccia nel gesto universale del burocrate sommerso dai rapporti, e dopo una pausa comprensiva il colonnello emise la sentenza d'assoluzione.

— Sono un po' mancati i collegamenti, — disse con un sospiro. — Resta il fatto che Genovese è stato ucciso mentre svolgeva la sua indagine tra i nostri amici di là...

Accennò verso la porta, oltre la quale, in qualche ufficio, si stavano raccogliendo tutti i mafiosi in soggiorno obbligato nella cintura di Torino, quelli almeno che le varie tenenze locali andavano via via reperendo, prelevando e trasferendo al comando di piazza Carlina.

— Vogliamo rivedere un momento l'itinerario? — disse il colonnello, cui tutto era già stato spiegato a grandi linee.

Il tenente di Rivoli riprese in mano il copiacommissioni autentico che Genovese, nel suo commovente perfezionismo mimetico, aveva usato per annotare giorno per giorno i suoi spostamenti, e che gli era stato ritrovato nella tasca interna del giubbone.

— Ieri alle 14,30 era all'angolo di via delle Fuchsie, e sorvegliava l'abitazione del fermato Cagliuso Annibale.

— È lì che l'hanno visto per la prima volta quelle due bambine.

— No, le bambine l'hanno visto il giorno precedente, giovedì, più o meno allo stesso posto e circa alla stessa ora. Ieri, venerdì, non ci risulta per ora che l'abbia visto nessuno, ma troveremo certamente dei testimoni. In ogni caso, l'annotazione qui dice: "ore 14,30. Fuchsie 18. C. esce. Seguo". È la prima annotazione del foglio. Sopra c'è solo l'indicazione "Pom.", pomeriggio.

— Ah, ecco.

— Segue il nome di un locale della cintura, tra Lanzo e Venaria, il "Pussycat". Poi due iniziali: S.A., che potrebbero corrispondere a due dei nostri residenti obbligati, Sante Albarello o Spatara Alfio. Solo che entrambi negano qualsiasi...

— Sono già arrivati? — chiese il colonnello.

— Sì, sono i primi che abbiamo rastrellato. Ma negano di aver partecipato alla riunione di ieri, dicono di avere degli alibi controllabili e...

— Potrebbero anche essere, — disse Santamaria, — le iniziali di una chiesa, Sant'Antonio, Sant'Agnese...

Il colonnello esitò un istante, poi scelse la generosità.

— Giusto, molto giusto. Controlliamo se esiste una parrocchia con queste iniziali lungo il presumibile percorso di Genovese. Anzi, di Cagliuso, dato che Genovese seguiva Cagliuso.

— Forse basterebbe chiedere a Cagliuso, — disse De Palma.

Invece del "molto giusto" venne questa volta un silenzio imbarazzato.

— Comunque Genovese, — continuò il tenente, — arriva alla "Mezzaluna", un locale tra Grugliasco e Rivalta, e si apposta sul piazzale annotando man mano gli arrivi sul suo libretto. Cinque persone in tutto, il che non significa...

— Che non ce ne fossero già altre all'interno, — disse il capitano Scarampi, che aveva sottolineato lui questo punto mezz'ora fa e che voleva conservare i suoi diritti d'autore.

— Esatto. Questi cinque, inoltre, erano tutti noti a Genovese, che infatti li ha indicati soltanto con iniziali o mezze parole. Stiamo lavorando sull'elenco.

— E a questo punto, — disse il colonnello, rivolgendosi con un sorriso a De Palma e Santamaria, — arrivano i vostri.

— Esatto, — disse il tenente. — Arrivano i due sulla Porsche. Genovese non li aveva mai visti, ma quando lo Scalisi lascia dopo un'ora la Mezzaluna, decide di mollare tutti gli altri e seguire la Porsche. Con la sua idea in testa, può aver pensato che questi due fossero il nuovo contatto, che l'avrebbero portato alla fabbrica.

— All'ipotetica fabbrica, — precisò l'antidroga.

— Invece i due colombi, — intervenne De Palma per prevenire la digressione chimico-industriale che si profilava, — lo portano al motel "Le Betulle", e di lì, dopo un'altra oretta, a Santa Liberata. Dalmasso, vai avanti tu.

Il brigadiere Dalmasso, che fino a questo momento risultava essere l'ultima persona ad aver visto Genovese vivo, raccontò ancora una volta i fatti. Ieri sera, alle ore 21,05, una VW chiara con le scritte Jucca era venuta a parcheggiare proprio davanti al suo pullmino con gli uomini a bordo, fermo in una viuzza presso Santa Liberata. Un agente era sceso per far allontanare il guidatore, e questi si era qualificato, chiedendo che cosa stesse succedendo nella chiesa e per quale motivo ci fosse lì la polizia. Dal canto suo, aveva ritenuto d'informare brevemente Dalmasso della riunione alla Mezzaluna, nonché del successivo pedinamento, nonché del numero di targa, colore e ubicazione di parcheggio della Porsche, nonché della probabile appartenenza del pedinato e della sua compagna alla mafia. Non aveva detto di essere in pericolo né appariva spaventato o ansioso. La sua intenzione, espressa al momento di ripartire, era di seguire i due pedinati all'interno della chiesa, nonché di continuare il pedinamento quando ne fossero usciti, sempreché nel frattempo non si fossero verificati disordini, nel qual caso, appunto, pregava lui, Dalmasso...

— Era stato informato, — interruppe il colonnello, — che all'interno della chiesa avevate altri due uomini in borghese?

— Sì. Ma lui non conosceva né Muzzoli né Urru. E in ogni caso non ci teneva a esser visto insieme a loro, date le circostanze.

— Giusto, molto giusto. E questi... Muzzoli e Urru non l'hanno visto, notato, in chiesa?

De Palma coprì lealmente i suoi insoddisfacenti guardiani.

— Non lo conoscevano, e in mezzo a quattrocento persone era difficile che lo notassero.

— Li abbiamo interrogati anche noi, — disse Scarampi, — gli

abbiamo mostrato quella fotografia, – accennò alla foto di Genovese in divisa, col berretto, che era servita anche per i giornali, – e gli abbiamo descritto com'era vestito. Ma non se lo ricordano.

– Quindi in pratica, – disse il colonnello, – nessuno ha visto Genovese in chiesa.

– Finora no, – disse De Palma con un'occhiata a Santamaria, – anche se naturalmente ricontrolleremo coi nostri testimoni.

– Ma al limite potrebbe addirittura non essere neppure entrato in chiesa.

– Infatti, – disse Scarampi facendo scattare il pollice. – Può aver notato altri elementi sospetti mentre cercava un parcheggio intorno alla chiesa, e aver seguito questi elementi. – Fece scattare l'indice. – Può essere stato accostato da qualcuno che in qualche modo l'ha convinto, o costretto, a seguirlo. Stiamo controllando anche i bar della zona, perché, – fece scattare il medio, – questo eventuale incontro potrebbe essere avvenuto in un bar.

– Ma resta sempre la possibilità, – disse De Palma, – che sia entrato effettivamente in chiesa e che l'incontro sia avvenuto lì.

– Giusto, molto giusto. E in questo caso...

– In questo caso, – concesse Scarampi, senza far scattare più niente, – potrebbe anche aver visto qualcosa o qualcuno connesso in qualche modo con l'attentato in cui ha perso la vita don Pezza. Almeno, questa è l'ipotesi di lavoro dei nostri colleghi della questura.

– Ah, ecco, – disse il colonnello.

Era chiaro che i suoi uomini non credevano a una simile connessione.

Ci fu un silenzio, ci fu l'occasione di allontanare la minaccia, ma Santamaria era troppo stanco per coglierla a volo. La cortese, spassionata, fatale domanda venne.

– Ma questo don Pezza... che cosa faceva esattamente? Chi era?

De Palma sfiorò Santamaria con uno sguardo che nascondeva, sotto un innocente pagliaio, un sottilissimo ago di malizia.

– È un personaggio interessante, – disse. – Ma l'esperto in materia è Santamaria, ve ne parlerà lui.

Avanti, raccontagli un po' a questi dell'infame Basilide.

Il commissario tossicchiò penosamente. E se ora, ricapitolò inorridito, comincio dal Grande Mafioso? Se gli dico che quello potrebbe essere il filo improbabile, invisibile, tra il Pezza e Genovese, tra lo scalcinato Ottocento di Santa Liberata e lo scalcinato Moderno del Brussone? Che l'Altissimo Mandante, il Supremo Basista è ben capace di aver trovato un ruolo per tutti nel suo piano tenebroso: per l'Arcivescovo e per l'Editore, per la Caldani e per il Vicini, per il vaso della Guidi e la chiave di Priotti, per la Fiat e la Mafia e l'Elisir d'Amore e il Terrorismo e la Droga e la Gnosi? Se li metto al corrente di Eoni e Spintera e Logos? Se faccio rapporto sull'infame Basilide? Se gli chiedo A Che Punto È La Notte?

Non c'era neanche da pensarci, a questi severi guardiani bisognava raccontare il meno possibile. Preparandosi al suo ruolo di teste reticente, il commissario Santamaria chiese se non si potesse avere un bicchier d'acqua e un caffè. In certe occasioni, i Fratelli Branca facevano paura anche a lui.

4.

Dopo nemmeno tre minuti che sedeva su una panca in questura, rimuginando inquieta su quella convocazione, Thea vide sbucare dal fondo del corridoio un uomo fra i trenta e i quaranta, che trascinava un pesante impermeabile e due grosse scarpe inglesi appoggiandosi a un bastone. La faccia, lentigginosa, insulsa, sotto i capelli biondicci, non le sembrò ignota, era forse uno dei tanti poliziotti incontrati stamattina in questi stessi corridoi mentre cercava Graziano. Forse il maresciallo Biazzi?

Anche l'uomo sembrò riconoscerla, venne verso di lei, si fermò, le fece una specie di sorriso impacciato, ansioso.

— Lei... — disse. — Ma non ci siamo già visti?

— Sì, mi pare, ma non mi ricordo dove. Forse qui?

— No, — fece lo zoppo, — è la prima volta che ci metto piede.

Guardò il corridoio in su e in giù, rigirando nervosamente il bastone tra le mani. Non un poliziotto, dunque.

— Devo parlare al commissario Santamaria, — spiegò l'uomo sospirando. — Lei permette?

— Certo.

Lui si sedette.

— Questo posto mi deprime, — disse col naso in aria, come fiutando, — non so se ho fatto bene a venire. C'è troppa differenza, troppa distanza tra...

Thea non lo sollecitò a continuare, ma non era un tipo che ne avesse bisogno.

— È vero che il nostro mondo interiore, il nostro vero io, non è mai esprimibile, — meditò il tipo, — ma qui... questa miseria, questi muri... — li indicò col bastone, — ...come possono capirti, qui dentro, come possono... non so, è come recitare l'*Amleto* in mezzo a una tribù di selvaggi.

L'angelo!

Non più deformata dalle luci delle candele, la faccia appariva diversa, ma non ci potevano essere dubbi sulla voce. E il bastone!

— Lei ieri sera, — disse Thea, eccitata e intenerita da quel ricordo che le pareva appartenere a lontani, felici tempi, — non recitava la parte dell'angelo a Santa Liberata?

L'angelo arrossì violentemente.

— Sì, ero io, — deprecò senza guardarla. — È stata l'esperienza più umiliante di tutta la mia vita, e Dio sa se...

— Mannò, perché? Io ho trovato la recita molto interessante.

— No, no, — fece sconsolato l'uomo, picchiando col bastone sul pavimento, — ho proprio toccato il fondo. Ma non avevo scelta, e del resto la mia vita, se io volessi computerizzare la mia vita da un punto di vista...

Una porta si aprì e la Pietrobono mise fuori la testa. Vide i due sulla panca e arrivò di volata.

— Il signore è il vostro avvocato? — chiese a Thea.

— No, sono l'ingegner Vicini, Sergio Vicini. Ho parlato a Santa Liberata stamattina col commissario Santamaria e volevo...

— Il dottor Santamaria è fuori. Le aveva dato appuntamento?

— No, sono venuto di mia iniziativa, spontaneamente.

— Per che cosa?

L'uomo guardò la Pietrobono come se fosse un'ancella beduina.

— Volevo semplicemente chiarire un particolare di natura in ultima analisi morale, che non c'entra affatto con l'inchiesta in corso...

— Quale inchiesta?

— Quella su ieri sera, sull'attentato. Ma è una questione mia, del tutto privata. Un mio scrupolo di coscienza, dato che stamattina parlando col dottor Santamaria, ho evitato, ho sorvolato... per pudore, soltanto per un mio legittimo pudore... su un certo fatto.

— E non lo può dire a me, questo certo fatto?

— No, mi scusi, preferirei parlarne direttamente a lui, è una questione un po' delicata che, ripeto, riguarda soltanto me. Lei non sa quando torna? Potrei aspettare qui.

— Sarà impegnato per tutta la giornata. Prendo nota e vedo di farla richiamare, va bene?

— Benissimo, io sono in casa e ci resterò anche stasera: ingegner Vicini Sergio, corso Rosselli 27. Il telefono è: otto sette tre... comunque lo trova sull'elenco.

— Abbiamo il suo indirizzo.

L'ingegnere salutò semi-militarmente col bastone e se ne andò zoppicando.

— Cosa ti stava a raccontare? — chiese la Pietrobono guidando Thea verso l'ufficio di De Palma. — Ha l'aria del re dei rompitori.

Thea le raccontò del viandante e dell'angelo, e la Pietrobono si divertì immensamente. Poi però si fece ripetere tutto, prese degli appunti su un suo quaderno.

— Perché? Serve?

— Non si sa mai. So che è stato interrogato solo stamattina perché prima era sparito, l'abbiamo cercato inutilmente tutta la notte... ma mi dicevi dello straccio rosso: lui l'aveva dimenticato?

— Sì. E quell'altra gliel'ha portato.

— Fantastico. E poi ha fatto il fanciullo.

— Sì. Devo dire, era talmente nauseante che ho ancora il dubbio che lo facesse apposta, che sia in realtà un grandissimo attore.

Parlarono di teatro, di cinema, di televisione, e via via la con-

versazione diventava sempre più volubile, sempre più garrula.
E sempre più forzata.

La interruppe Thea, a bruciapelo.

— Allora, che succede?

La Pietrobono richiuse il suo quaderno e prese la sua decisione.

— Hanno ammazzato un carabiniere, forse l'hai già sentito
alla radio. Quello che non avrai sentito, è che l'ultima volta che
è stato visto stava seguendo voi due a Santa Liberata. Vi veniva
dietro dalla Mezzaluna.

— Ah, — disse Thea.

— Quindi tu capisci...

— Capisco. E Graziano dov'è?

— L'hanno portato in piazza Carlina, al comando dei carabinieri, naturalmente.

— Naturalmente, — disse Thea.

— E non fare quella faccia, no? Devono solo rivedere un
momento...

— Capisco.

— Be', ma scusa, è un fatto nuovo, bisogna rivedere tutte le
deposizioni e i movimenti alla luce di questo secondo delitto,
qui si va avanti in questo modo, sempre tutto daccapo, è un
lavoro fatto così. Anche a te, ti dovranno per forza interrogare
un'altra volta, possono saltar fuori elementi nuovi, particolari
diversi, che ne so?

— Capisco. E mi porteranno in piazza Carlina?

— No.

— Non ci posso andare per mio conto?

— No.

— E lui resta là, lo tengono i carabinieri?

— Mannò, mannò, è nostro, l'abbiamo beccato noi, figurati se
glielo regaliamo a loro. Sta' tranquilla che lo riportano qui.

— Quando?

— E lo chiedi a me? Tra un'ora. O stanotte. O domattina. Che
ne so io? È un vertice, stanno tutti a discutere al massimo livello, dicono cose serie, prendono decisioni importanti, cosa vuoi
che stiano a preoccuparsi di noi povere donnette?

Thea Guidi scrutò Luigina Pietrobono.

— E non fare quella faccia, — disse.

— No, ma scusa, è enorme, — partì la Pietrobono, — dimmi tu se...

S'interruppe e si mise a ridere.

— Ah, si vede, eh?

— Altroché.

— Sto incazzata nera. Scusa, ti pare giusto che quando finalmente succedono le cose mi lascino chiusa qui a... a... — mosse un po' di fogli sulla scrivania.

— A fare la calza?

La Pietrobono fece il saluto femminista.

— Cenerentole, — disse, — ecco che cosa siamo.

5.

Il Pezza non aveva avuto successo, faceva morte a sé. Il suo passato d'impegno politico, o quantomeno populistico, la sua nuova predicazione autoritaria, i suoi contatti con l'editore, i suoi nastri, la "lezione" che misteriosi nemici gli avevano dato una settimana fa, tutto questo non aveva prodotto altro che reazioni di educato disinteresse da parte dei carabinieri. I quali s'erano un pochino ravvivati alla parola "setta" (non che Santamaria si fosse azzardato a chiamarla gnostica), per via di una possibile analogia di struttura con una cosca mafiosa o un gruppo terroristico.

Ma poi il capitano Scarampi, che le parole impressionavano poco, aveva giudicato assai improbabile un nesso di quel genere; e il capitano dell'antidroga aveva sottolineato che a Santa Liberata, non erano state trovate tracce di smercio o consumo di droga, né tantomeno (colpo di tosse) di una fabbrica della medesima.

Chi aveva ucciso il Pezza, allora? E perché?

Ah, si trattava senza dubbio di un delitto molto complesso, dai risvolti molto oscuri, ma i carabinieri non avevano voglia di pensarci, ognuno si doveva risolvere da sé il problema della macchia d'umido sul proprio soffitto.

Il replay ricominciò. Genovese tornò sul piazzale della Mezzaluna, seguì di nuovo Graziano e Thea fino a Santa Liberata; di nuovo parcheggiò la sua VW davanti al pullmino, da cui di nuovo scese un agente per invitarlo a sgombrare. Ora la VW girava l'angolo, spariva nel vicolo. E per circa dodici ore, fino a stamattina, quando le due bambine del Brussone l'avevano notata andando a scuola, nessuno sapeva dove avesse circolato.

— È qui da noi, — chiese il colonnello in tono affermativo.

— Sì, è qui sotto, ci sta lavorando la Scientifica, — confermò Scarampi.

— Il chilometraggio?

— Sappiamo che ieri ha percorso 134 chilometri, Genovese annotava ogni mattina il chilometraggio di partenza. Ma ovviamente il problema è di riuscire a calcolare all'incirca quanti ne ha fatti *prima* di arrivare a Santa Liberata, e quanti *dopo*. La sola cosa di cui siamo sicuri è che Genovese non è stato ucciso sull'auto.

L'arma impropria, spranga o bastone o chiave inglese o mattone o altro, con cui era stato massacrato non poteva essere maneggiata efficacemente all'interno di una macchina, l'assassino non avrebbe avuto spazio per sferrare i suoi colpi. E all'interno della VW non c'erano segni di lotta né schizzi di sangue.

— L'arma classica della mafia, — disse dubbioso il colonnello, — è pur sempre la lupara.

— In Sicilia, — disse Santamaria. — Qui usano qualsiasi arma, come ben sappiamo. Dal coltello al tritolo.

— Comunque, — disse Scarampi, — tornando all'ipotesi dell'incontro fuori della chiesa, cioè ammettendo che Genovese non sia poi nemmeno entrato a Santa Liberata...

Seguì un nuovo replay dei possibili movimenti di Genovese attorno alla chiesa. Ma l'incontro con l'assassino o gli assassini doveva per forza essere stato casuale, non poteva trattarsi di un appuntamento, di una trappola in cui il povero maresciallo fosse andato a cacciarsi senza sospetti.

— In primo luogo, data la sua scrupolosità, avrebbe segnato l'appuntamento sul taccuino. In secondo luogo non si sarebbe fatto sorprendere così. In terzo luogo, se era un tranello, l'assassino avrebbe usato un'arma da fuoco, più sbrigativa e più sicura. Quindi: incontro occasionale. Ma con chi? Dobbiamo cercare...

— A mio avviso, — lo interruppe il colonnello, — dobbiamo restringere il campo agli ambienti della droga. Genovese lavorava sulla droga, e in questa fase mi pare inutile estendere... – estese lo sguardo a includere De Palma e Santamaria, – le indagini in altre direzioni.

Ciò premesso, la palla passava all'antidroga. L'assassino poteva essere: 1) un tossicomane in preda a una crisi violenta; 2) uno spacciatore sorpreso mentre faceva una grossa consegna; 3) un informatore – magari per giunta tossicomane – scontento, o strapazzato, o minacciato da Genovese; 4) la mafia, o meglio, *una* mafia.

– Il difficile sarà farci dire dai nostri amici di là, – intervenne De Palma, – se c'è qualcuno che ce l'ha con loro in questo momento, con chi sono in guerra.

Le facce si allungarono.

Nel corso di questi vertici, accadeva spesso che certi punti acquisiti, certe ovvie verità da tutti chiaramente percepite all'inizio, andassero via via ricoprendosi di altre parole, altre considerazioni, altre catene logiche, fino a scomparire completamente sott'acqua; solo dopo un'ora o due la barca della discussione tornava a cozzare contro questi scogli irriducibili tra la generale e amareggiata sorpresa. Uno scoglio del genere era rappresentato da via delle Fuchsie.

– Ah, sì, certo, – disse Scarampi con un sinistro scricchiolio del timone, – c'è il fatto di via delle Fuchsie.

Ci fu un breve, deluso silenzio. Era stato bello avere in fondo alla testa la vaga sensazione che mentre qui si parlava, "di là" si andavano accumulando i mafiosi della cintura tra i quali indagava Genovese, connessi quindi da vicino col delitto, anzi implicati, anzi responsabili, anzi colpevoli... Invece no, il punto era già emerso, il ragionamento era già stato fatto: non era plausibile che quelli della cintura, dopo aver ammazzato il maresciallo, l'avessero trasportato proprio in via delle Fuchsie, davanti all'abitazione di uno dei loro, e lasciandogli anche in tasca il libretto con le annotazioni. Non stava in piedi.

– Ora li sentiremo, – disse pacato il colonnello, – vedremo chi può avergli fatto uno sgarro del genere.

Lo sgarro, l'insulto, consisteva anche nel fatto che Genovese era stato rimesso al posto di guida e infilato nella cintura di sicurezza. Un tocco di umorismo nero tipicamente mafioso.

– Come il cero al plastico, – disse Santamaria a mezza voce.

– Quale cero? Ah, il vostro cero. Già... effettivamente c'è una certa coincidenza, – e con questa parola che godeva di una pessima fama tra le forze dell'ordine, Scarampi ricacciò prontamente il Pezza nel paese delle ombre. – Ma a voler provare troppo si rischia di confondere. A noi il vostro Scalisi interessa perché era seguito dal nostro Genovese.

– Solo che noi purtroppo, – disse De Palma, – al nostro Scalisi possiamo fornirgli un alibi di ferro: è rimasto in chiesa per tutta la funzione e appena è uscito l'abbiamo arrestato.

La barca scricchiolò contro il nuovo scoglio. Le facce si allungarono.

– A questo punto, – disse il colonnello, – mi sembra che l'unica sia di far entrare quei signori.

6.

– No, non c'è, non c'è neanche il dottor Santamaria, non so quando torna, – disse brusca la Pietrobono. Sbatté giù il ricevitore e nello stesso tono continuò. – No, non esiste, non ci credo, sono tutte balle.

– Ti dico che esiste, – disse Thea. – Vuoi?

– Tenk you, – disse la Pietrobono prendendo la sigaretta. Accese, poi storse le labbra con disprezzo. – Niente, sono solo parole. Gas puro. Ma tutti fanno finta di crederci, continuano a menarla, come se ci fosse, e così perpetuano la magica illusione.

– Non è affatto un'illusione.

– Se tu mi parli d'infatuazione, – concesse con un largo gesto la Pietrobono, – allora d'accordo. Io per esempio m'infatuo continuamente, sono praticamente sempre in stato d'infatuazione, – sorrise con serena autoindulgenza. – Ma è una cosa ben diversa.

– È diversa sì! So anch'io cos'è un'infatuazione.

– Non che le infatuazioni siano tutte uguali, – chiarì dottamente la Pietrobono. – Io le divido per mio uso e consumo in due grandi categorie: l'infatuazione sentimentale e l'infatuazione, diciamo, fisica. Onestamente, non ho ancora capito quale delle due preferisco.

Restò un momento pensosa e il telefono suonò.

— Il dottor De Palma?... Ah, scusi, sì, il dottor De Palma... no, mi dispiace, è fuori... non ho idea di quando rientra, non saprei proprio, può riprovare più tardi... ecco, mi spiace, buonasera...

Mise giù adagio il telefono, poi si riscosse dal suo torpore.

— Ma tutto dipende dal fatto, — rivelò alzando l'indice, — che ci sono in me due nature, due personalità contrastanti: c'è la Luigina romantica e c'è la Luigina che io chiamo sensuale. E il contrasto è poi ancora aggravato dal fatto che io mi trovo mettiamo con un lui su una spiaggia al chiaro di luna, no?, c'è il rumore del mare, il profumo dei pini, la sabbia ancora calda, insomma tutta una situazione che ti fa sognare, l'atmosfera adatta alle piccole confidenze, alle piccole tenerezze, no? E invece a quel punto lì, — la sua mano guizzò come un pesce, — ecco la manina che cerca di arrivare alla mutandina. Sberla. Ze end.

— Sono errori che si fanno, — disse Thea.

— Ma io faccio spessissimo anche quello contrario, becco uno che mi piace, ci ballo avvinghiata, mi appiccico, me lo liscio apertamente, gli faccio anche la risata vogliosa, così no? — dette un rapido esempio di risata vogliosa, — riesco a portarmelo nel castagneto, mi sdraio sull'erba fregandomene del vestito chiaro appena stirato, e il predetto mi prende dolcemente la mano e mi confida che ha questo complesso d'inferiorità nei confronti di suo fratello Giovanni.

— Bisogna incontrare l'uomo giusto, — disse Thea.

— E io cosa ho fatto, finora? L'ho sempre cercato, ho sempre indagato in tutte le direzioni, cosa credi? Una che non mi conosce intimamente potrebbe anche dire, ah, la Luigina qua, la Luigina là, la Luigina è una cinica che cerca solo il divertimento, il piacere dei sensi. Ma si sbagliano di grosso, il mio vero scopo è sempre stato di trovare qualcuno che mi facesse sentire... provare veramente quel... un senso di...

Sospirò scoraggiata.

— Notare, — aggiunse, — che la sottoscritta ha provato emozioni fortissime, è stata tremendamente infelice e gelosa, ha pianto, ha sofferto, ha telefonato, si è stramangiata il fegato Dio sa quante volte. Ma intanto però... Cioè, era tutto vero, io veramente in quel momento stavo male, oppure mi sentivo all'incirca in paradiso, secondo il caso, ma nello stesso tempo una parte di me... come dire... capisci?

— Lo so, lo so. Ci mettevi del tuo.

— Ecco, hai capito? Collaboravo, spingevo, davo sempre una mano alla faccenda. Ci mettevo l'alito dei Caraibi, hai capito? Per un bel po', dato che studiavo anche psicologia, mi sono sentita in colpa, mi dicevo sarai fredda, sarai senza cuore, avrai paura di dare tutta te stessa, sarai troppo intellettuale, sarai... insomma, c'è in te un mistero, qualcosa che distrugge. Ma poi alla lunga mi sono stufata e ho concluso che erano gli altri a raccontare balle, romanzi, cinema, giornaletti, pubblicità, poesie, tutti d'accordo a parlare di una cosa che non esiste, tipo sol dell'avvenire.

Suonò il telefono.

— No, Santamaria non c'è!... E che ne so?... E non dire stronzate!

Rimise giù, si prese il mento tra le mani, in silenzio.

— Invece, — disse sottovoce, — secondo te esiste.

— Esiste, — disse Thea, — giuro.

La Pietrobono allungò il collo come sporgendosi su un precipizio.

— E com'è?

— Ah, — disse Thea.

Guardò sorridendo i miseri muri, lo spento arredamento dello Stato, le opache finestre.

— No, ma per esempio, adesso tu in questo preciso momento che cosa provi?

Thea cambiò radicalmente faccia, come un paesaggio in un giorno di vento e di grandi nuvole.

— Un vuoto spaventoso, — disse con una voce perfettamente controllata, — un'agitazione spaventosa.

— Come i drogati, — diagnosticò la Pietrobono.

— Già, immagino.

— Lui la prende, la droga? Te ne ha mai offerta?

— Mannò, cosa ti viene in mente?

— No, dicevo, dato il mestiere, se è lecito dire.

— Il mestiere non conta niente. La persona non conta assolutamente niente.

— Come sarebbe? Se dicevi che ci vuole l'uomo giusto?

— Ah, — disse Thea, — come faccio a spiegarti?

— Non volevi correre a piazza Carlina? Non m'hai detto che andresti in galera al posto suo?

— Ma sì, certo.

— E allora vedi che lui è importante. Fra l'altro è anche un bel ragazzo, se è lecito notare. Sei sicura che non sia un'infatuazione fisica?

— Oh, no, potrei benissimo farc a meno di... mi basterebbe poterlo vedere, stare con lui anche solo così...

La Pietrobono fischiò tra i denti.

— Ma è terribile.

— Ma è normale, — disse Thea. — È proprio com'è scritto nei libri. Dal vero è molto più... travolgente, si capisce, molto più violento. Ma insomma, più o meno lo sapevi, te lo aspettavi, corrisponde alle descrizioni. No, la cosa strana, la cosa difficile da spiegare, è che nello stesso tempo...

— Ci metti del tuo, di' la verità, — interruppe la Pietrobono scuotendo la testa.

— No, no, assolutamente. Anzi, una vorrebbe quasi frenare, trattenere...

— Fa paura?

— Un po' sì... Forse perché sono solo agli inizi, non ho ancora capito bene. Ma ho già capito che il punto essenziale...

Il telefono suonò.

— No, non c'è, non c'è nessuno! — urlò la Pietrobono nel ricevitore.

Se lo tenne contro il petto, coprendolo con la mano.

— Dimmi in fretta il punto essenziale, per l'amor di Dio.

— Be'... — si concentrò Thea. — Quello che provi, che ti senti dentro, è così enorme che non può riguardare soltanto te, soltanto lui. Non è logico. È come se una lampadina... due lampadine... credessero che l'elettricità di tutte le centrali esiste solo per loro, che è una loro faccenda particolare.

— E allora? — disse la Pietrobono a bocca aperta.

– Non so ancora, ma penso che lui... per quanto se mi dicessero che dovrà restare dentro io muoio, d'accordo?

– D'accordo, ma vedrai che...

Thea saltò su.

– Perché, dici che lo rilasciano?

– Io non dico niente, vai avanti con le lampadine.

– Stare senza di lui è una tortura, d'accordo? Ma nello stesso tempo lui non conta, in un certo senso. È un pretesto, potrebbe essere stata qualsiasi altra cosa, proprio letteralmente una cosa, come quest'accendino o quel telefono...

– Mmm, – fece la Pietrobono perplessa. – Sarebbe una specie di interruttore, un clic.

– Una specie.

– Non so se mi piace l'idea. Perché poi come spieghi che certi lo trovano e altri stanno tutto il tempo a tastare il muro?

– Chi lo sa? Il caso. Quando succede succede.

– A chi tocca tocca? Indipendentemente dal merito, dalla buona volontà?

– Di questo sono sicura, è troppo al di sopra di noi.

– Che cosa?

– Ma la cosa, questa cosa che si accende. È come un'illuminazione, no? Oppure chiamala rivelazione, estasi, stato di grazia, chiamala come vuoi, tutti gli danno un nome diverso ma dev'essere sempre la stessa cosa.

La Pietrobono mise giù il ricevitore con precauzione e fissò Thea con pupille poliziesche.

– Come dire una scintilla che viene giù a caso, e tac, il fortunato che se la becca si ritrova in paradiso.

– Già, più o meno.

– Un contatto privilegiato.

– Infatti.

– Gli eletti e i non eletti, eh?

– Mettiamola così.

La Pietrobono si coprì la faccia con tutte e due le mani.

– Sant'Ireneo, – mormorò da lì dietro, – ma questa è gnostica!

7.

La guerra ligure-jugoslava, l'alleanza siculo-marsigliese, l'armistizio di Vinovo, la coalizione turco-pugliese-marocchina, l'intervento sardo, il compromesso di Nizza, il patto còrso-piemontese...

Il vertice stava dando nello storico e il conte di Cavour, pensò Santamaria, non si sarebbe dopotutto trovato a disagio tra quella mala organizzata. Le facce, certo, e gli abiti, l'avrebbero un po' sconcertato, ma più per la trasandatezza, il generale grigiore, che per qualche sgargiante nota folcloristica. Dov'erano gli anelli e le catene d'oro, i brillanti, le camicie di seta, i soprabiti di cammello? A parte Graziano, che aveva una certa spiegazzata eleganza, gli altri parevano dei piccoli commercianti venuti a una riunione condominiale.

E il tono dei loro discorsi, lamentoso, vittimistico, recriminatorio, creava (mirava a creare) la stessa impressione. Isolati, tagliati fuori da tutto, lontani dalla loro terra, insidiati da nemici potenti e aggressivi (l'offensiva calabro-napoletana, l'invasione lombardo-argentina...) ridotti alla mera sopravvivenza, venivano ora anche accusati di un omicidio che non li riguardava in nessun concepibile modo. Don Feliciani non avrebbe saputo dir meglio.

— Ma voi conoscevate il maresciallo, — persistette Rivoli, a cui spettava di mandare avanti questa parte dei preliminari.

Sì, come conoscevano altri marescialli e brigadieri e appuntati e semplici militari dell'Arma che nei vari comuni della cintura controllavano quella loro vita (ma era vita quella?) di poveri cristi, e con i quali intrattenevano rapporti amichevoli, sì, cordiali e amichevoli, perché i carabinieri sul posto sapevano con chi avevano a che fare, conoscevano le difficili situazioni personali, non facevano di ogni erba un fascio.

E come mai allora Genovese (povero maresciallo! una persona così per bene!) era stato ritrovato praticamente alla porta di uno di loro?

Non l'affranto Cagliuso, ma un altro ometto incolore, dimesso, paziente, espose l'incongruenza del particolare, lo rovesciò in decisiva prova a discarico.

— Decisiva fino a un certo punto, — intervenne De Palma, —

perché se Genovese aveva scoperto qualcosa su di voi e voi l'avete fatto fuori...

Dinieghi, proteste, invocazioni al cielo di quei piccoli commercianti in droga, prostituzione, contrabbando, giochi d'azzardo eccetera. E tuttàvia, sapendo che dopo la morte di Genovese la legge avrebbe comunque guardato prima di tutto nel loro angolino, questi cordiali amici del maresciallo potevano benissimo aver lasciato la VW in via delle Fuchsie, proprio contando sull'inverosimiglianza di una simile auto-incriminazione.

— Giusto, molto giusto.

I cordiali amici dell'Arma tacquero addolorati. Che cosa si poteva ribattere a tanta tortuosità di spirito?

Scarampi sollevò formalmente la questione della "Mezzaluna".

Formalmente, venne la prima risposta: un casuale incontro fra compagni di esilio.

Il tenente di Rivoli alzò formalmente le spalle ed ebbe la seconda risposta: un posto come un altro per fare due chiacchiere e una partita a carte.

L'antidroga sbuffò, ed ebbe il terzo chiarimento: una riunione per definire i particolari di un matrimonio, regali, bomboniere, inviti, menù del banchetto...

Nessuno ci credeva né pretendeva di essere creduto. Ma come al congresso di Vienna, pensò Santamaria tenendo d'occhio il conte di Cavour, negazioni, ammissioni, ritrattazioni ed evidenti menzogne, non si potevano saltare a piè pari, facevano parte del protocollo.

Escludendo Graziano, che aveva senza parere scostato un po' la sua sedia (possibile che tutto avesse davvero un significato tra questa gente?) la "delegazione di cintura" era formata da quattro uomini: Cagliuso, accasciato, i gomiti sulle ginocchia aperte, la testa china e spelacchiata; l'ometto incolore; un tipo con lunghe basette nere, la faccia (da carogna) tutta sudata, pieno di una vitalità tenuta a freno a forza di tic; e un anziano con gli occhiali, la cravatta, un degradato cappello marrone tra le mani.

Come al solito, non si capiva chi fosse il più influente, né addirittura se ce ne fosse uno più influente degli altri, questi quattro dando a turno l'impressione di essere goffi portavoce di lontani imperatori (ma lo zar, l'Eone Nero, il Grande Mafioso, poteva invece trovarsi a pochi passi, nascosto tra i dieci o dodici lasciati nella stanza accanto).

Inaspettatamente Cagliuso (era lui, dunque?) si prese la testa fra le mani, tragicamente.

— E diglielo, va'! diglielo! — fece con voce strozzata.

L'ordine era per Graziano, ma non venne eseguito da lui. Gli altri tre si intromisero con nuove lamentazioni, deprecazioni, appelli a santi e madonne, e alla fine, tra sospiri e amare risate, rivelarono che Graziano era la prova vivente della loro assoluta estraneità nel fatto del maresciallo.

Come? Perché? Perché in seguito a... certe voci (nuovi abbietti sospiri, nuove luttuose esclamazioni) loro s'aspettavano un'imminente discesa della Finanza e della Tributaria. Altro che carabinieri! E avevano convocato d'urgenza Graziano in quanto esperto commercialista. La riunione alla Mezzaluna era stata indetta (Gesù! Gesù!) per concordare una linea comune in merito all'Iva e ai redditi d'impresa. S'era trattato di una riunione fiscale.

Questa, pensò divertito Santamaria, era già più difficile non crederla.

Graziano cominciò a destreggiarsi fra ambiguità, reticenze, mezze-verità di tutt'altro tipo: i ristoranti, i club, le pizzerie, i dancing, i motel della cintura gestiti o controllati dai suoi amici, qui, erano praticamente tutti passivi, avevano pesanti spese generali, carichi sociali gravosissimi, imposte locali e tasse nazionali insopportabili; d'altra parte le leggi fiscali mutavano in continuazione, nessuno riusciva più a trovare un filo logico tra la 704 e la 1121, tra il secondo comma della 92b e la modifica 4 al quadro c8...

Nessuno lo seguiva in quel labirinto di trappole e astrusi trabocchetti, ma lasciarono che andasse avanti per un po': in parte era fumo destinato agli inquirenti, in parte esibizione di dottrina di fronte ai suoi, ma in parte era autentico orgoglio professionale. Si vedeva che come ogni specialista, aveva in certa misura perduto di vista le origini e i motivi del suo lavoro, e che la costruzione di un edificio contabile interamente fittizio e minuziosamente coerente, lo appassionava di per sé.

— E poi beninteso, — annuì grave De Palma a un certo punto,
— non potete dedurre le spese militari.

Il colonnello scoppiò a ridere, si controllò.

— Giusto, molto giusto. Ma direi di lasciare alla Finanza ciò
che è della Finanza, no?

Dopodiché passò lui stesso a interrogare Graziano, e Graziano
ripercorse le tappe del suo pomeriggio con Thea, negò di aver
mai notato la VW che lo seguiva, affermò di essere entrato direttamente in chiesa con la ragazza, negò di aver avuto contatti con
qualcuno nel breve percorso tra la Porsche e la porta di Santa
Liberata.

Il tenente di Rivoli menzionò il laboratorio di droga e a Santamaria parve che la reazione dei quattro fosse più pensosa che
energica. No, loro non ne sapevano niente, non gli risultava, non
ne avevano sentito parlare, anche perché di certe cose non si oc-
cupavano né mai s'erano occupati; ma avrebbero ovviamente
cercato di saperne di più, si sarebbero informati, avevano tutto
l'interesse a vederci chiaro. Perché questa fabbrica, sempre che
esistesse, poteva bene essere alla base dello sgarro subìto, dell'af-
fronto che gli avevano fatto mettendogli il povero maresciallo
sulla porta di casa. Vero che in un certo senso questo scherzo
ignobile (ma chi l'aveva fatto l'avrebbe pagato caro!) costituiva
una prova decisiva a...

No, niente affatto, obbiettò di nuovo De Palma.

C'era in questi vertici una specie di circolarità gnostica, la discussione, dopo aver fatto un gran giro, tornava sempre a mordersi la coda.

Chi poteva avergli fatto lo sgarro? Chi aveva interesse a metterli in cattiva luce presso le autorità, e proprio quando loro se
ne stavano tranquilli, buoni buoni, rintanati nelle loro meschine
esistenze lontano da casa ecc.?

La lezione di storia ricominciò, ma le verità imbarazzanti, come
in ogni storia di partito, appartenevano sempre a contesti superati, a retroscena ormai senza valore, accuratamente staccati dal-
l'oggi; e la casistica degli "sgarri" era tratta da memorie e an-
nali ormai di dominio pubblico. Più in qua non si arrivava.

Ovvia prudenza, rifletté Santamaria. Ma qualcosa era cambiato
anche nel loro mondo, c'era un'accelerazione di tutto, armistizi

e violazione di trattati, spartizioni e sconfinamenti, alleanze, guerre, tradimenti, c'era una fluidificazione sempre più rapida, una mutevolezza frenetica in cui essi stessi dovevano stentare a racapezzarsi di giorno in giorno. Anche loro, che pure ne erano gli abitatori tradizionali, dovevano chiedersi a che punto fosse la notte.

Suonò un telefono, Scarampi rispose, ascoltò, mise giù con impassibilità eccessiva e inutile, perché un attimo dopo si chinò a riferire nell'orecchio del colonnello. Questi non perse tempo a fare l'impassibile, si alzò in tutta fretta.

— Sospendiamo un momento, — disse.

Fece segno a De Palma e Santamaria che potevano seguirlo, e seguendo a sua volta Scarampi lasciò l'ufficio. Nessuno dei quattro mafiosi diede il minimo segno d'interesse.

8.

Il tenente di Rivoli ne faceva una questione d'onore. Come superiore diretto del povero Genovese, era stato al corrente di tutte le sue indagini e aveva letto tutti i suoi rapporti. Gli sembrava impossibile di non trovare una spiegazione, ripeté arrovellandosi.

Sempreché, azzardò il medico legale, qualcosa da spiegare ci fosse. La vittima era uscita dal coma. Aveva ripreso coscienza per qualche istante. Su questo, non pareva che ci fossero dubbi. Ma chi poteva dire che cosa fosse passato per la mente di un uomo in quelle condizioni? Forse un mero vaneggiamento con radici nell'inconscio, senza la minima relazione con...

Scarampi e il capitano dell'antidroga scossero con impazienza la testa, e i due commissari tossirono educatamente (un sottufficiale dell'Arma restava un sottufficiale dell'Arma in qualsiasi circostanza, non si sarebbe mai permesso di vaneggiare). Anche il maggiore della Scientifica fece segno di no.

— No: proprio perché era in quelle condizioni, — disse togliendosi gli occhiali e ripiegandoli, — la cosa dev'essergli costata uno sforzo considerevole. Un atto dunque, — batté un secco colpetto sul bancone sormontato da ganci, grosse lampade, apparecchiatura fotografica, — deliberato e cosciente.

— Ah, — disse il colonnello, — ecco.

— Vogliamo rivedere un momento? — disse De Palma.

Sul bancone, il parabrezza smontato della Volkswagen s'era disappannato e non mostrava più che il bianco riflesso delle lampade agli alogeni.

— Rivediamo, — disse il colonnello.

L'assistente tornò col suo apparecchietto, il maggiore si rimise gli occhiali, Santamaria guardò affascinato la scritta che riappariva a poco a poco, in negativo lucido, sul vetro vaporizzato e opaco:

TOPOS

Dall'attiguo garage giungevano fragori di metallo, insistenti stridori meccanici, ma nella lunga stanza dalle inferriate grige l'atmosfera era da ospedale, da sala anatomica. Altri carabinieri s'erano avvicinati in silenzio per rivedere anche loro, lasciando i banconi dov'erano sistemate altre parti dell'auto.

— Topos, — articolò a mezza voce, in tono sbigottito e quasi riverente, un appuntato in uniforme da fatica.

Il maggiore lo guardò con le sopracciglia alzate ma lasciò correre, si mise a riepilogare le spiegazioni già date. La scritta, come provava un'impronta ben chiara alla base della *P*, era stata tracciata dalla vittima con l'indice sinistro: ovviamente perché l'altro braccio...

Il medico legale annuì. L'esame delle lesioni collimava con l'ipotesi che il braccio e anzi tutto il lato destro fossero paralizzati.

Il che, continuò il maggiore, sarebbe già bastato a dimostrare che la scritta era posteriore all'aggressione. Ma i grumi di sangue che la lente (esibì la lente) rivelava sulla *T* e anche sulla prima *O*, non lasciavano altri dubbi. Offrì la lente al colonnello.

— Molto giusto, — disse il colonnello declinando, — ma questo purtroppo non ci illumina su... Non chiarisce, voglio dire, il significato di...

— Potrebbe essere una sigla, — disse Scarampi.

— O il nome di una banda? Tipo Tupamaros, non so, — propose senza entusiasmo il capitano dell'antidroga.

De Palma, che aveva finito per prendere lui la lente, si mise a studiare il vetro a destra della S, dove c'era un'impronta confusa. Non poteva essere, chiese, il principio di un'altra lettera?

No, quell'impronta lì sembrava lasciata da un guanto di pelle, spiegò il maggiore, come altre che erano state rilevate sul sedile anteriore e sui vetri degli sportelli. Ma naturalmente era possibile che la scritta fosse incompiuta. La vittima, dopo aver tracciato con un ultimo sforzo la S...

Fece una pausa significativa, e il medico legale annuì di nuovo: l'uscita dal coma doveva essere stata seguita a brevissima distanza dal decesso. Grosso modo intorno alle sei. Perché naturalmente, aggiunse, il nuovo sviluppo non cambiava niente quanto all'ora della morte, mentre su quella dell'aggressione non si poteva dire più niente di preciso. Un'ora prima? Due? Al limite, anche dieci.

— Cioè, teoricamente, anche prima di entrare a Santa Liberata, — disse De Palma. — Se c'è mai entrato.

— O a Santa Liberata stessa, teoricamente, — disse maligno Scarampi.

9.

Los Topos, pensò Santamaria con una smorfia, mentre il sottufficiale di scorta riammanettava Graziano. Sarebbero andati bene in un libretto di De Palma, come la figlia del sagrestano e il segreto del confessionale. (EL TOPO, accendendo un cero alla dinamite: "Questo è per Don Alfonso. Poi ci vendicheremo di quel maresciallo". CORO DE LOS TOPOS: "Venganza!" EL TOPO: "Sì, venganza, tremenda venganza!...") Grottesco.

Fece salire Graziano nella volante, salì dopo di lui.

Ma sempre meno inverosimile, si ripeté, meno pazzesco e allucinante, di un'altra idea che gli era venuta subito e che non gli riusciva di scacciare: "*O* (articolo singolare maschile, se i suoi ricordi di scuola erano giusti) *topos*". Anche De Palma doveva averci pensato, a giudicare dalla sua occhiata quando il colonnello...

— Torniamo in questura? — chiese l'autista.

— Come? Ah, sì.

"Topografico, topografia, toponomastica: tutte derivazioni dalla parola *topos*, che in greco significa 'luogo'", aveva osservato dottamente il colonnello. Ma l'aveva fatto in tutta innocenza, senza lontanamente sospettare che i suoi ospiti della P.S. si arrabattavano col greco da due giorni, vivevano in una ridda, in un incubo di parole greche: dal pneuma alla spintera, e dagli eoni, che non erano leoni, al logos... il quale poi non era il luogo come credeva Priotti, perché "luogo", invece, si diceva topos... Da uscirne matti.

— E lascia stare, spegni, non serve, — disse all'autista, che nell'ingorgo di via Giolitti aveva messo la sirena.

In confronto con l'infernale, inestricabile labirinto greco, la "pista" spagnola (ma i topos c'erano veramente, in spagnolo? e erano topi o che altro?) sembrava plausibile e addirittura promettente. Cagliuso e quegli altri, quando il capitano dell'antidroga gli aveva infilato la domanda, non s'erano affatto sorpresi. Una banda di spagnoli o sudamericani con quel nome? No, a nessuno di loro risultava che ci fosse, ma poteva esserci senz'altro, poteva essere arrivata da poco. E ne avevano anzi approfittato per rilanciare le "trattative" arenate: se gli davano fiducia, loro si sarebbero informati anche di quello, avrebbero collaborato lealmente e fino in fondo per scoprire, nell'interesse di tutti, chi...

A questo punto il "vertice a tre" s'era nuovamente ristretto. Carabinieri e P.S., in mancanza di qualsiasi meglio, avevano deciso congiuntamente di accordare la fiducia. Poi De Palma era rimasto per perfezionare l'accordo ("Non ci farete mica," s'era insospettito Scarampi, "lo scherzo di riarrestarli voi?"), mentre Santamaria s'era prudenzialmente riportato via Graziano.

L'ingorgo del tardo pomeriggio infittiva. L'autista bestemmiò e mise due ruote sul marciapiede, cercando di districarsi verso via Bogino.

— Lascia stare, — disse Santamaria. — Non c'è fretta.

Graziano era riuscito a pescarsi in tasca le sigarette. Stava rigirando il pacchetto con discrezione, guardando fuori.

— E tu fuma, se vuoi fumare.

Tirò fuori le sigarette anche lui. Accese.

— Sicché questa fabbrica ce la trovereste voi. E anche i sudamericani, se ci sono. E bravi, – disse passando l'accendino a Graziano che non trovava il suo.

L'altro ringraziò con un cenno e restò un po' a fumare in silenzio, sorvegliando i tentativi di una grassona col casco, in motorino, per pedalare avanti tra due file di macchine ferme.

– Ma quali sudamericani, – disse alla fine. – Se ci fossero si saprebbe. O magari sennò sono politici.

Santamaria se l'era già detto e aveva pensato a quel Francisco (argentino? cileno?) che era venuto a Santa Liberata con l'editore (e Lomagno). Si poteva risentire Cuoco.

– E la fabbrica?

– Quella non lo so, per esserci ci può essere. Ma allora sarebbe un affare da miliardi. Tutto un altro giro anche lì.

Il sottufficiale di scorta alzò gli occhi dal giornale che s'era messo a leggere.

– Perché voi, – disse voltandosi, – lavorate per quattro soldi. Tirate la vita coi denti. No?

L'autista approfittò d'un mezzo spazio libero per risterzare sul marciapiede, traversò via Lagrange con la sirena, finì per sboccare in piazza San Carlo. Di lì, due vigili motociclisti riuscirono a fargli largo per un tratto di via Alfieri.

– Oh, menomale! – sbuffò, voltando con impazienza per via XX Settembre. Accelerò.

– Ecco, bravo, fermati qui, – disse Santamaria.

– Ma non tornavamo in...?

– Fermati qui.

La volante si fermò all'incrocio con via Arcivescovado, all'angolo del vecchio e lungo edificio dalla facciata irregolare, prima a tre piani e poi a due, che dà il nome alla strada. Santamaria guardò l'orologio e restò un momento incerto, con la mano sulla maniglia. Si voltò a Graziano.

– Della tua posizione ne parliamo dopo. Ma insomma, a sentire te, non ci guadagneremmo niente a mettervi fuori.

– Non lo so, gliel'ho detto... – disse Graziano. Alzò le spalle. – Io parlo contro il mio interesse, ma cosa vuole che troviamo? Noi, ormai, è tanto se controlliamo quei due o tre giri che ci sono rimasti. Non siamo attrezzati, non siamo organizzati, non contiamo più... – sorrise ingraziante al sottufficiale di scorta, che s'era girato minaccioso, – quasi niente.

Non era che parlasse contro il suo interesse, capì benissimo il commissario. Anzi. Ma tutto considerato, non c'era ragione di dare più fiducia a Cagliuso che a lui.

– Va bene, ne riparliamo più tardi, – ripeté scendendo. – Per il momento mettetelo nel mio ufficio, – disse al sottufficiale che era sceso anche lui per sedersi al suo posto.

Aspettò che l'auto ripartisse e s'avviò lungo il muro intonacato di giallo, immune per miracolo da graffiti (o lo ridipingevano tutti i giorni?) verso l'alto portone.

Mah. Non sapeva bene che cosa andasse a fare – si mentì – e soprattutto si chiedeva come sarebbe stata giudicata la sua iniziativa: cervellotica? indebita? prematura? Certo non era stato lui a insistere per contatti personali "se necessario per l'inchiesta". Ma non era ancora detto, anzi pareva sempre di meno, che l'assassinio di Genovese c'entrasse qualche cosa con Santa Liberata. E comunque dov'era la necessità?

Predestinazione, si giustificò, davanti al portone chiuso ma in cui una porticina si apriva in quel momento per lasciare uscire due suore. Se l'autista avesse continuato per via Alfieri, invece di girare verso via Arcivescovado...

Si tirò indietro per scansare un'altra suora e poi tutta una piccola folla, mista di laici e religiosi, che usciva frettolosa abbottonandosi cappotti e aggiustandosi sciarpe, con l'aria un po' proterva, un po' vendicativa, di ogni personale impiegatizio alla fine di una giornata di lavoro. Non era più neanche l'ora, rifletté. E cercò nel portafogli, entrando, per assicurarsi di avere un biglietto non ufficiale da visita.

ARCIVESCOVO: vedi Segreteria dell'Arcivescovo
VESCOVO AUSILIARE: vedi Piano Pastorale

Il cartello di fòrmica bianca, con lo schema dei piani e degli uffici, indicava subito a destra l'accesso al Piano Pastorale (Scala 1). Per la Segreteria dell'Arcivescovo bisognava proseguire sotto un portico semibuio, a fianco di un malandato cortile adibito a parcheggio, fino alla portineria della Scala 4.

DOTT. FRANCESCO SANTAMARIA: vedi Squadra Mobile

sarebbe stato più chiaro ma meno delicato, pensò il commissario mentre l'anziano prete in tonaca, seduto al tavolo della portineria, scrutava con lunga perplessità il suo biglietto.

— Il segretario di Sua Eminenza? Ma non è l'ora, non è l'ora, — disse alla fine il prete, con voce così piena di dubbio da risultare addirittura dolorosa. — È per cosa urgente?

— Dovrei parlare con Sua Eminenza, — disse compunto Santamaria. — Sua Eminenza sa di che si tratta.

L'altro guardò un momento il telefono, poi s'alzò con improvvisa sollecitudine e l'aria di deprecare l'angustia, la scomodità del locale, dove non c'erano altri sedili che una panchetta addossata al muro.

— Venga, — disse guidando il visitatore per un breve tratto di corridoio. — S'accomodi. Ora vediamo.

Il commissario si ritrovò ad aspettare in una stanzetta identica, ma con due panche invece di una e un ornato tavolinetto, in stile anticamera da dentista.

Ma non dovette aspettare molto. Un prelato in clergyman (non mons. Ceci, un segretario in sottordine, probabilmente) venne a prenderlo e l'accompagnò in ascensore al primo piano, poi, per una fila di anticamere, a un salone di rossi velluti, di rosse poltrone, dove Sua Eminenza era già a colloquio col sig. Questore e il gen. Croveri-Gariglio, dei CC.

10.

Ammesso con premura alla riunione, fatto accomodare in una rossa poltroncina, munito di una tazza di tè che lo stesso Arcivescovo gli versò con le sue mani, Santamaria ci mise un momento a capire che quest'altro vertice si stava concludendo su una nota di disagio, per non dire di tensione. Alla domanda di Sua Eminenza, se fosse venuto anche lui per informarlo "dell'altra sciagura", sentì anzi svanire i suoi dubbi, i suoi timori di poco fa.

Sì, fu sul punto di rispondere avventatamente: benché il legame tra le due sciagure fosse problematico, era venuto anche lui per... Poi qualcosa (le labbra un po' strette del Questore?

l'aria troppo distaccata del Generale?) gli consigliò maggiore cautela.

No, non proprio, disse con un imbarazzo che non ebbe bisogno di simulare. Aveva approfittato della bontà e, se osava dire, della simpatia già dimostratagli da Sua Eminenza, per... – tossicchiò, sorrise scioccamente – per venire a... istruirsi meglio... sulla singolare eresia professata a Santa Liberata.

Questore e CC gli lanciarono un'occhiata sbalordita. L'Arcivescovo lo guardò un attimo con curiosità, poi si voltò agli altri due.

Ecco, annuì, il signor commissario era giunto molto a proposito per testimoniarlo. La Curia Metropolitana, nell'ambito delle sue competenze, non si trincerava dietro silenzi né rifiutava chiarimenti di sorta. In particolare, e per doloroso che fosse, non faceva mistero di certi gravi, gravissimi traviamenti del defunto parroco sul piano dottrinale.

Il commissario non ebbe bisogno di testimoniare. Gli altri due si contentarono di esprimere con sguardi accorati, di muta partecipazione, il loro totale disinteresse per i traviamenti dottrinali del Pezza.

E c'era di più, aggiunse Sua Eminenza con brutale franchezza: secondo informazioni tuttora al vaglio della Curia, lo sventurato sacerdote s'era macchiato di brutte colpe *contra sextum*. Ma, continuò senza dar tempo a nessuno di chiedere che cosa fosse il *sextum*, ma fin qui si trattava di violazioni del solo codice ecclesiastico. Ora invece l'autorità giudiziaria avventurava l'ipotesi che la nuova tragedia – l'uccisione di un inquirente – fosse legata a trame criminali in cui lo stesso parroco sarebbe stato coinvolto. Ebbene, no: questo era un terreno sul quale la Curia non poteva essere sospinta, erano congetture su cui non le si poteva chiedere di pronunciarsi.

L'autorità giudiziaria abbassò colpevolmente gli occhi, incassando senza fiatare, e il commissario si rallegrò della propria prudenza. Che diamine però, pensò mentre la pausa si prolungava, il Questore (l'iniziativa di questo vertice doveva averla presa lui, con l'appoggio esterno dell'Arma) c'era andato con una pesantezza da elefante...

La Chiesa, riprese equanime l'Arcivescovo, non escludeva che un pastore di anime cadesse e si degradasse fino al delitto. Il canone n. 2354 prevedeva espressamente il caso del parroco accusato di omicidio, di furto, di usura, di prevaricazione. Ma prevedeva anche una rigorosissima separazione, in questo caso, tra l'inchiesta giudiziaria e le eventuali indagini dell'autorità ecclesiastica.

Incrociò meditativo le dita, le disincrociò, finì per poggiare le palme sui braccioli della poltrona.

— Loro, — concluse in tono di rammaricato congedo, — comprendono.

Quando affabile e sorridente s'alzò, gli ospiti erano già scattati militarmente in piedi, compreso il commissario con la sua tazza bevuta a metà e il suo piattino, che non sapeva dove poggiare.

— Errare humanum est, — disse con bell'*à propos* il Questore. E cominciò a scusarsi con profusione a nome di tutti, mentre il segretario, ricomparso in silenzio, restava in deferente attesa.

Ma no, ma come, ma era anzi la Curia a doversi scusare, si schermì Sua Eminenza. E quanto a lui personalmente, porgeva ringraziamenti vivissimi per essere stato informato con tanta prontezza, consultato con tanta fiducia.

— Con fiducia filiale, — disse il gen. Croveri-Gariglio.

Il presule allargò le braccia in un gesto paterno, di saluto pastorale, che ebbe l'effetto di convogliare verso il segretario e la porta i due ospiti di maggior riguardo, ma da cui lo stupito Santamaria si trovò escluso.

— Si sieda, la prego, signor commissario, — disse qualche istante più tardi Sua Eminenza, tornando a sedersi lui stesso. — E mi dica. Questa gnosi, — sorrise, — continua a turbarla, se ho bene inteso?

Il sorriso, capì il commissario, era di indulgenza per la piccola bugia (o mezza verità: un peccato veniale, comunque) che lui gli aveva probabilmente raccontato in presenza dei superiori. E il dott. Francesco Santamaria, che aveva passato metà della vita a raccogliere confessioni, si sentì magicamente riportato ai tempi in cui (a dodici anni? a tredici?) ancora si confessava lui stesso.

— Continua in un certo senso, Eminenza. In un altro, dovrei

forse dire che comincia. Tutto dipende da un curioso particolare,
da una strana parola che...

Abbassò gli occhi. In quel contesto di assolata e nebulosa infanzia, la "strana parola" gli suonava d'un tratto come scon-
veniente, come sconcia addirittura, e per associazione di idee
gli venne in mente che il *sextum* era certo il sesto comandamento: quello degli "atti impuri" che un tempo (quanti secoli
fa?) erano stati così difficili da confessare... Si riscosse. La difficoltà adesso era un'altra.

— Devo specificare, — premise, — che si tratta di un particolare relativo all'altro omicidio.

Il volto del confessore si offuscò. Il penitente seguitò a
premettere.

— Ci vuole tutta la mia ignoranza, d'altra parte, per fantasti-
care di un certo nesso tra i due omicidî... sulla base del particolare in questione... Per cui non so, veramente, se... — s'interruppe in attesa di incoraggiamento.

— Continui, — disse l'altro dopo una pausa. — Dopotutto, — tornò moderatamente a sorridere, — niente ci vieta di considerare i
fatti.

Il commissario espose i fatti. Ma al momento di pronunciare
la parola, preferì tirar fuori il taccuino, tracciò uno schizzo del
parabrezza e della scritta, e lo porse all'arcivescovo.

Ogni traccia di sorriso sparì. La pausa, questa volta, durò
mezzo minuto buono.

— Suppongo che loro, — disse alla fine Sua Eminenza con
voce neutra, — abbiano già cercato... nelle varie direzioni possibili? Una sigla, un cognome, non so?

— Abbiamo cercato in tutte le direzioni, Eminenza. Non abbiamo trovato niente.

— Salvo la coincidenza col greco. Altrimenti lei non sarebbe qui.

La sfumatura di cortese ironia autorizzò il commissario a un
tono più leggero.

— Devo ammettere che in questura, — scherzò, — stiamo facendo curiosi progressi in quella lingua. — *Topos* in greco sarebbe un posto, un qualsiasi "luogo" in generale, no?

Senza staccare lo sguardo dal foglio, il cardinale annuì.

— Ecco, — continuò Santamaria. — Ma la coincidenza sarebbe

ancor più curiosa se topos, come pneuma, logos e le altre parole
che lei ha avuto la pazienza di spiegarmi, fosse anche per caso...

— ...uno specifico termine gnostico? Sì, — disse il cardinale alzando gli occhi. — Nel linguaggio gnostico, *topos* non è un luogo
qualsiasi, ma "il luogo" per eccellenza. È la sfera suprema e puramente intelligibile in cui si riuniscono le Potenze, gli Arconti,
gli Eoni.

Nell'impossibilità di fischiare, il commissario si limitò a un
"Ah!" di meraviglia.

— Una specie di vertice, insomma? Un po' come il pleroma? —
chiese.

— Topos e pleroma sono praticamente sinonimi. Solo che pleroma, come il latino *plenum* che usiamo ancora oggi, mette l'accento sulla plenarietà della riunione, mentre topos ne sottolinea
la sublimità, il carattere appunto di supremo vertice.

No, non era possibile, era pura follia. E lui — decise Santamaria mentre se ne tornava a piedi in ufficio — doveva smetterla
una volta per tutte con questa gnosi. Se non altro per rispetto
al maresciallo ucciso. Di gnosi — si ripeté per l'ennesima volta —
un carabiniere non ne sapeva e non ne voleva sapere assolutamente nulla. Ma metti caso avesse pedinato un Eone, un Arconte,
una Potenza in persona; metti caso avesse sorpreso un Pleroma
in piena attività; l'ultima idea che gli sarebbe venuta, sarebbe
stata di riferirne ai suoi superiori in termini gnostici. Nelle sue
stringate segnalazioni, un carabiniere si atteneva a elementi banali e di routine, ma perfettamente concreti: nomi, cognomi, so-
prannomi, connotati, località, indirizzi. Per cui se — mettiamo
sempre — avesse voluto segnalare il vertice mafioso a quel ri-
storante-dancing, avrebbe scritto semplicemente MEZZALUNA, o per
brevità ½ LUNA, anche se gli fosse risultato che la mafia di cintura s'era convertita in blocco alle dottrine di Basilide.

Per quanto anche lì, se si andava a caccia di coincidenze...
La mezzaluna — aveva chiesto all'arcivescovo — non era mica
un altro di quei simboli? Ma certamente. Altroché. Presso mol-
tissime sette le fasi lunari e in particolare il "crescente" (*menis*
in greco) simboleggiavano l'eterno ripetersi del ciclo gnostico di

andata e ritorno, emanazione e riflusso, creazione e riassorbimento, allo stesso modo del "serpente circolare" degli Ofiti.

In realtà – l'aveva messo in guardia Sua Eminenza – a qualsiasi parola, a qualsiasi insensata accozzaglia di lettere, si poteva trovare un corrispettivo nella sterminata e delirante terminologia delle duemila e passa sette gnostiche. Bastava cercare. Molti termini, poi, potevano avere significati diversi e distantissimi tra loro, come del resto lo stesso *topos*: che era il "luogo intelligibile" (*topos noetikos*) in tutte le sette influenzate dal neoplatonismo e da Plotino ("Un altro infame?" No, s'era messo a ridere il cardinale: all'altissimo pensiero di Plotino s'erano accostati anche molti Padri della Chiesa, e Sant'Agostino in particolare); mentre presso Carpocrate (l'abominevole Carpocrate) aveva ripreso (ma più spesso al plurale: *oi topoi*) il senso anatomico e ippocratico di "parti" (sottinteso pudende) della donna, e come tale era stato divinizzato.

Ma non bastava ancora. Dato il sistema greco per cui le lettere erano anche numeri, ogni parola poteva tradursi immediatamente in una cifra di cui la *ghematrìa* (o "scienza mistica dei numeri e delle lettere") s'incaricava di scoprire gli arcani significati. Per esempio, ecco, aveva detto Sua Eminenza scrivendo il calcolo di suo pugno sul taccuino del commissario, ecco, guardi:

$$
\begin{array}{rcl}
T &=& 300 \\
O &=& 70 \\
P &=& 80 \\
O &=& 70 \\
S &=& 200 \\
\hline
TOPOS &=& 720
\end{array}
$$

Nel quale 720, aveva commentato, la maggior parte delle sette avrebbe istantaneamente riconosciuto un doppio ciclo (2 × 360) di produzione da parte del 36° Arconte (alias Eone Nero) e riassorbimento da parte del 14° (l'Eone Nascosto)... Per non parlare, aveva aggiunto animandosi (e rasserenandosi, era parso al commissario, man mano che i "significati" proliferavano e si confondevano), per non parlare delle sette influenzate dal neopitagorismo, presso le quali ogni lettera corrispondeva non soltanto a un numero, ma a una nota o a un gruppo di note musicali...

Follia, delirio, si ripeté il commissario fermandosi al bar di piazza Solferino, con la speranza che un buon caffè gli schiarisse il cervello. Ma mentre il barista manovrava le sue lucide manopole, si ritrovò a considerare affascinato la scritta in rilievo sulla macchina degli espressi. F A E M A non era per caso...?

11.

(Dal diario della Pietrobono)

Novità NN. — Passata oretta piacevole conversaz. con mia indiziata amica T. — Preso tè con s.detta. — Successivam. s.detta morta sonno addormentasi sedia. — S.scritta ripreso interessantiss. lettura infame Bas., mangiucch. b.bons offerti da s.ten. di passaggio. — Ma che c. combinano a questo vertice del c.? Potrebbero anche degnarsi tenere un tantino al corr. umile s.scritta.

Telef. a pz. Carlina cercando ottenere indiscrez. — Secondo mio informatore CC maresc. Z. (ricordarsi ricambiare) vertice conclusosi poco fa buco acqua, salvo indizio non precisato (ma importante) trovato su VW. — Circa maf. et Graz., cose sembrerebbero mettersi bene per T.: tutti, a q. pare, verrebbero rilasciati tra poco per insuff. indizi.

Sottuff. ignoto riportato Graz. con istruz. tenerlo qui fino nuovo ord. — Nessuna traccia capo S.maria et capo DP. — Incredib. dirsi: cuore non avvertito T. presenza suo G.! S.detta continua dorm. tranquillam. sua sedia con testa su mio tav., mentre suo maf. da sedia presso termosif. còvala sguardi estrema melensagg.!

DP telef. dicendo non ripasserà uff. (tanti sal.!) et chiamarlo casa se necess. — Detto avvertire S.maria che nulla osta rilascio G. qualora ritengasi utile fini inchiesta. — Aggiunto che Finanza est incazzatiss. fuga notizie (?) ma conferma versione maf.

Ma che fine fatto S.maria? — Svegliata da focosi sguardi maf. aut da telef., T. cominciato emettere sua volta luminosi sorr. et sguardi teneriss. causando insosten. aumento temperatura uff. — Trovomi situaz. imbarazzantiss.

S.maria passato volata autorizzando rilascio G. poi sceso uff. Digos (inchiesta orienterebbesi politicam.?) lasciando s.scritta situaz. ancor + imbarazz. – Senso pudore (ricordarsi, a prop., avvertire S.maria passaggio tizio Fiat) vietami descrivere particolareggiatam. scena miei addii con T. – Ma colpa non T., bensì natura inguaribilm. romant. et sentiment. s.scritta. – Basti dire che sembrato ritrovarmi matrim. mia sor. Ida quando sposi, dopo cerim. et rinfr:, partiti viaggio nozze. – Baciata et abbr. T., asciugatami furt. lacrima et praticam. rimasta sventolare fazzol. mentre coppia allontanavasi verso suo oscuro dest. aut + vicina pizz.

S.maria rimasto Digos pochi min. et risalito pess. umore. – Io chiesto imprudentem.: "Indizio VW non funzionato?" – "Et tu come sai indizio VW, P.bono?" detto subito lui. – "Intuiz. femm." detto io (beffardam.) – Poi però dovuta mettermi praticam. ginocchio per farmi spieg. tutta incredib. faccenda topo su parabrezza. (Forse vero topo, et s inizio altra parola? aut effettivam. luogo gnost. ± pazzescam. connesso con genitali femm.? aut talpe? Secondo Uff. Stranieri topos = "talpe" in spagn., ma presso Uff. Politico non risultano bande terror. questo nome operanti It. aut estero.) – Informato mia volta S.maria passaggio strano ing. V. et suo senso pud. che impeditogli finora raccontare particol. non però connessi inchiesta. – Forse connessi con genit. femmin. aut + probabilm. masch.? – Speculaz. su piccante argom. interrotte da piantone annunciante madre Thea. – Ma guarda che sfort.! Proprio adesso che stabil. rapporto leale et intima collaboraz. mio Capo, doveva venire gent. sig.ra rompermi I topoi. – Lui poi con scusa disordine nostro uff. pieno spinterog. nastri, frat. ignor. et altro mater. gnost., andato ricevere sig.ra altro uff. et ancora non rivedesi. Aspetto ancora 10 min. mass.

Basta. Vado casa. Galante commiss. fottasi pure gent.ma sig.ra su divanetto aut tavolino uff. attiguo. (Spiacente per Thea, ma sua dist.ma mamma sembra confermarsi +ttosto putt. – Brig. Dalmasso non poi così cret.)

IX
DUE MORTI E IL BUIO COMPLETO

1.

Due morti e il buio completo, come alla finestra. Due morti e il confuso intorpidimento delle indagini, la stanchezza bene insediata nelle ossa, nel cervello rimbombante di topos e logos. Due morti, e questa signora elegante, riposata, avvolta da suggestive morbidezze d'ogni genere, che gli stava parlando con voce glaciale.

— Insomma, l'avete rilasciato.

— Sì.

— Da un'ora.

— Sì, circa.

— E Thea è andata con lui.

— Be', lei comprende, non avevamo motivo né...

Adesso mi metto anche a parlare come il cardinale, pensò Santamaria. Se ci fosse stata un'algebra delle incazzature, questa che si sentiva crescere dentro a velocità esponenziale...

— Già, capisco, — disse la scurissima disapprovatrice. Poi s'illuminò d'astuzia. — Ma l'avete fatto per... c'è qualcuno che li sta seguendo?

— No.

— E perché? — intimò lei con un crepitio di fuoco.

Santamaria si alzò e se ne andò alla scura finestra. Cosa pretendeva questa mamma corrucciata, cosa credeva? Che la Questura seguisse le regole di un collegio svizzero, che il direttore, lui, non lasciasse uscire sua figlia se non accompagnata da un'istitutrice? L'ingratitudine di certa gente era...

— È maggiorenne, — disse sforzandosi di non alzare progressivamente la voce, — è libera, può fare quello che vuole, mi pare che lei le lasci fare quello che vuole, no?

— Io non sapevo niente, non avevo idea che frequentasse quel tipo, altrimenti sarei intervenuta prima.

— Come?

— Non lo so, ma in ogni modo mi aspettavo da parte della Questura...

— La Questura non è un collegio svizzero.

— Oh, sa, anche i collegi svizzeri oramai...

Santamaria respirò profondamente.

— Cosa avrei dovuto fare secondo lei? Me lo spieghi.

La signora lo guardò come un giardiniere tonto.

— Avvertirmi, — spiegò con un devastante gesto della mano. — Telefonarmi.

— Non ci ho pensato, va bene? Avevo altro per la testa, va bene?

— Ma non è il caso, — disse con simpatia la signora Guidi, — che lei si senta in colpa. Quello che mia figlia combina fuori di qui, non è certo una sua responsabilità, lei non deve assolutamente pensare che io...

— Non mi sento affatto in colpa, la prego di credere, — disse secco il commissario.

— Ecco. Perché io mi rendo ben conto delle vostre difficoltà, e anche se naturalmente una telefonata mi sarebbe stata molto utile, avrei apprezzato enormemente, con questo non pretendo...

— Non ho telefonato, — tagliò corto Santamaria, — e non mi sento in colpa.

L'essenza, invece, la radice quadrata della sua incazzatura, stava proprio nel fatto che si sentiva in colpa, che questa donna, come il 95% delle donne, era riuscita a farlo sentire in colpa quando lui non aveva né voglia né tempo di sentirsi in colpa, e non meritava obbiettivamente di sentirsi in colpa, perlomeno rispetto a lei.

— E dove saranno andati?

— Non ne ho la minima idea.

La signora rifletté.

— In quel motel dove sono stati ieri sera, prima di venire in chiesa?

— Forse.

— Come si chiama?

– Le Betulle.

– Le cose sinistre che si fanno quando si è innamorati, – disse lei con un brivido di maniera. Si alzò. – Lei sa dov'è?

– Cosa? Il motel?

– Sì.

– Ci vuole andare?

– Lo so, non servirà a niente, probabilmente non sono nemmeno lì, e se anche li trovassi non vedo bene... Ma tutto è meglio che starsene a casa ad aspettare che qualcuno si faccia vivo, non trova?

Santamaria andò al telefono scuotendo la testa, si fece cercare e passare il numero delle Betulle dalla Pietrobono, chiese se i due avevano preso una stanza lì, disse "Bene, grazie, non importa", e riattaccò. – Non ci sono.

– Ah. Strano.

– Perché?

– Mah... Io la vedo soprattutto come una cosa fisica, e allora pensavo...

– Saranno a casa di lui, – disse il commissario. Frugò tra le carte sul tavolo. – Aspetti, se vuole vediamo qui l'indirizzo...

– No, da lui non c'è mai voluta andare, me l'ha detto.

– E perché?

– Per difesa, credo. Per un resto di prudenza. Per cercare di tenere la cosa su un piano più... casuale, più leggero, meno... compromettente. Si figuri che andavano in un mezzanino, una specie di ufficio che lui ha in via Sacchi.

– Vuole che passiamo a vedere lì? – si sentì dire il commissario.

Iniezione di colpa. Diffusione della stessa nel sistema, e sua trasformazione in desiderio di riscatto, con automatica offerta di aiuto cavalleresco. In una parola, pensò Santamaria, mi ha fregato.

– No, – disse lei accettando come ovvia l'offerta, e subito criticandola, – pensi la noia se li troviamo. Cosa direi a Thea, rimettiti le calze e andiamo? No, sarebbe una scena troppo... assolutamente... insomma pazienza, tornerò a casa e aspetterò lì, prima o poi dovrà pur comparire.

– Venga con me, – disse il commissario prendendo il cappotto.

— Dove?... Lei sa dove sono? Li va a cercare?

— No, dicevo, io comunque esco, devo ripassare a Santa Liberata, controllare ancora due o tre cose, e se lei ha la pazienza di aspettarmi mentre io...

Si beccò un sorriso grato e affascinante.

— Ma sarebbe meraviglioso! L'idea di starmene su una sedia senza far niente mi terrorizza un po', le confesso. È un po' un momento... difficile per me, e se lei mi dice che la mia presenza...

— Stia tranquilla, la sua presenza va benissimo. Venga.

Le aprì la porta.

Un senso di colpa che stentava a morire? Una cavalleresca offerta di aiuto? Un doveroso interessamento per un caso umano? Forse, ma arrivando in cortile il commissario pensò che era stato davvero fortunato a non farsi sorprendere dalla Pietrobono mentre scortava per i corridoi del collegio quel particolare tipo di "caso umano".

2.

Nell'ufficio a vetri in fondo alla rampa ellittica dell'autorimessa, davanti alle rosse spirali di un radiatore elettrico, Thea pensava imbambolata al destino. L'impiegata si preparava a uscire, riponeva fogli e cartelline nei cassetti della scrivania, chiudeva a chiave uno schedario, infilava un cappuccio sulla macchina da scrivere; e Thea pensava, ecco, avrà più o meno la mia età, potrei essere al suo posto, potrebbe essermi toccata la sua faccia, la sua vita.

Dalla rampa dipinta a violente strisce oblique, gialle e turchine, scendeva uno stillicidio di macchine da cui i clienti sgusciavano frettolosi e che un omino in tuta e stivali di gomma veniva via via a raccogliere e sistemare in questo o quel punto della rimessa, secondo un ordine noto a lui solo. Laggiù, in un altro chiosco di vetro seminascosto da un pilastro grigio, Graziano e un uomo in cappotto scuro parlavano in piedi, fumando.

E con questo? E perché no?

La Porsche era rimasta in mano alla polizia, Graziano aveva

bisogno di una macchina, era normale che fosse venuto a noleggiarne una in un garage. L'uomo in cappotto era il proprietario, e ora stavano semplicemente parlando di macchine disponibili, forse discutevano sul prezzo.

L'impiegata (potrebbero essermi toccati i suoi grossi fianchi, pensò Thea, il suo collo corto) se ne andò senza salutare, tutta presa da ciò che l'aspettava fuori, pettinatrice o fidanzato o scuola serale o una mamma brontolona, arcigna; una vita certo monotona, certo ingrata, ma trasparente. Mentre io è come se fossi gelosa, si rese conto Thea, qualsiasi cosa Graziano faccia o dica potrà sempre avere un secondo significato, un doppio fondo. Dietro Graziano ci sarà sempre Scalisi Graziano.

Lo vide uscire dal chiosco pieno di neon, sparire dietro un gomito del garage insieme al proprietario. E un minuto dopo arrivava rombante e ilare al volante d'una specie di utilitaria, e Thea andava a sederglisi accanto, e lui infilava la rampa velocissimo, ingolosito, come se stesse manovrando un giocattolo.

— Bella macchinetta, — disse poi accelerando e frenando sulla neve del viale. — Un'A 112 Abarth.

Thea pensò: gli devo chiedere chi è l'uomo del garage, altrimenti è finita, non ritroveremo mai più il passo giusto.

— È il tuo garage?

— No, — si stupì lui, — io abito tutto da un'altra parte, in corso Unione Sovietica, te l'ho detto.

— E perché sei venuto fin qui?

— Mimmo è un amico.

— Ah.

Thea si morse il labbro.

— Che genere di amico?

— Come, che genere di amico? Un amico...

Dallo stupore passò a una mortificata, impacciata comprensione.

— No, ma senti, adesso non devi pensare... Mimmo ha un autosalone, compra e vende macchine usate, non la robetta, grosse cilindrate, e poi ha il garage, l'hai visto, sono quasi quattrocento posti, gli rende bene, non devi credere che...

Dio, pensò Thea, è già la voce del marito infedele, non si può, non posso sopportarlo.

— Ma non me ne importa, — disse cercando la nota leggera,

sbarazzina, — anche se le ruba, le sue grosse cilindrate, e poi le ridipinge e le rivende agli arabi, non me ne importa niente.

Graziano rise con scarsa naturalezza.

— Povero Mimmo, magari lo facesse.

E allora il povero Mimmo usava l'autosalone come facciata, commerciava in droga, gioielli, carichi di TIR rubati, oppure organizzava i sequestri di persona, le grandi rapine alle banche, era il basista, il cervello.

— Dài, ti riporto a casa.

— No.

— Sei stanca, sei nervosa, è meglio che stai un po' con tua madre, e intanto così io...

— No.

— Ho da fare, devo vedere della gente, è molto meglio se tu...

— No.

S'erano già detti le stesse cose uscendo dalla questura; ma allora era stata pura retorica, una specie di formalità tra due calamite che sapevano benissimo di non potersi staccare. Perché adesso era diverso?

Thea intravide con spavento la possibilità che la vita di una persona innamorata somigliasse soprattutto a quella di un meteorologo, imprigionato giorno e notte nel suo ufficio a studiare incessanti variazioni di venti e temperature, contrasti di alte e basse pressioni, minacciose formazioni di nuvole e banchi di nebbia.

— Dove andiamo di bello? — disse gettando indietro la testa, i capelli.

Graziano la seguì subito su quella strada fittizia.

— Hai fame? Vuoi che facciamo un salto da...

— No, grazie.

Fame, sete, sonno, la gente si aggrappava volentieri a questi bisogni. Un buon caffè, e dopo ci pensiamo. Una bella dormita, e poi si ragiona. E si sentivano solidi, maturi, saggi, quando invece si trattava solo di rimandare. Era la paura, non la saggezza, a fargli nascondere la testa sotto quelle sabbie.

— Allora io direi... passiamo un momento da un tale che conosco, e poi vediamo.

— Va bene.

Graziano le strinse affettuosamente il ginocchio e lei gli sorrise, si abbandonò contro lo schienale come ieri sulla Porsche. Ma i sedili della "macchinetta" erano più stretti, più scomodi, e più distanti l'uno dall'altro. O così parve a Thea.

3.

— Un suo sex-appeal indubbiamente lo aveva, — disse la signora Guidi. — Io ho perfino fatto un sogno più o meno erotico dove c'entrava anche lui, l'altra notte.

— Tzè, — fece l'appuntato Cottino che guidava la volante.

Questa esclamazione sprezzante non sottintendeva che per lui tutte le signore fossero delle puttane e tutti i preti degli sporcaccioni.

— Cottino, il semaforo è verde, — disse Santamaria.

L'appuntato Cottino era affetto da depressione nervosa, e questo faceva di lui un guidatore taciturno, chiuso in se stesso, e lentissimo. Già da tempo perciò, e sentito anche il consulente psichiatrico della polizia, era stato tolto dagli equipaggi operativi e assegnato all'autoparco, come meccanico tappabuchi e autista di fortuna o di rappresentanza. Pacioso, adiposo ("in certi casi la depressione fa mangiare di più, cosa ci volete fare") Cottino non sembrava molto mortificato dal cambiamento, e dopo aver pregato superiori e colleghi di considerarlo comunque un uomo finito ("ma no, Cottino, cosa dici, io avevo una cugina che...") s'era messo a praticare un suo stile di guida olimpico e, secondo lui, terapeutico.

— Cottino, tocca a te, c'è il verde.

— L'ho visto, dottore, non si preoccupi, vado.

Faceva parte del suo sistema calpestare i propri diritti di precedenza, fermarsi per concederli a macchine ancora lontanissime, e soprattutto trattare il verde del semaforo come un colore infido, pericolosissimo, che imponeva una sosta di scettica riflessione.

— E andate, andate... — borbottava con sarcastica bonomia

all'indirizzo dei guidatori d'altra scuola. — Cosa ve la prendete tanto...

Il suo personale limite di velocità era di circa trenta all'ora, su qualsiasi strada e in qualsiasi situazione circolatoria.

— E passa, passa, chi se ne frega... — borbottava magnanimo.

— È a me che me ne frega, se permetti, — disse Santamaria.

— Ha parlato, dottore?

— Sì, Cottino, quando ci fai arrivare a Santa Liberata? Domani?

— Dottore, un momento, lasciamo sfogare questi fanatici.

La depressione alzava tra lui e i trasportati una sorda barriera, come uno di quei vetri divisori dei vecchi tassì, dietro la quale Cottino non sentiva niente, non s'interessava di niente che non fosse la nausea di ogni cosa, la vanità del mondo, la morte che tutti avrebbe falciato inesorabilmente, i campioni di formula uno non meno di lui (quelli, anzi, prima di lui).

Era questo il significato del monosillabo "tzè" che gli saliva ogni tanto alle labbra dal fondo delle sue cupe meditazioni.

— Ma lei perché, — disse al commissario la signora Guidi, — mi chiedeva di don Pezza sotto quel profilo? Loro pensano a una vendetta per gelosia? A un uomo che...

— O a una donna che. Benché, certo, sia più difficile pensare a una donna che prepara un cero al plastico.

Tzè, disse Cottino. E la Ciullo Maddalena?

— Chi è la Ciullo Maddalena, Cottino?

— Quella l'ha ben fatto fuori, un carabiniere. A Venaria due anni fa. L'ha massacrato con una scure, altro che storie. No, dottore, quelle sono capaci di tutto!

— Ma era il marito!

— Ma faceva il carabiniere. Lei in tre minuti li ha liquidati tutti e due, lui e la nipote, e non era nemmeno una donna cannone, io l'ho vista. Secca come la fame, tzè!... E bravo, lampeggia, lampeggia, — brontolò a un automobilista che segnalava la propria presenza a uno stretto incrocio, — dacci dentro, che hai i lampeggi contati anche tu.

— Comunque, — riprese il commissario, avendo in mente l'espressione grave di Sua Eminenza, — don Pezza non doveva limitarsi a semplici frequentazioni femminili, o a un'amica più o meno fissa. Secondo un mio autorevole informatore...

Continuò a parlare mentre la volante, non per colpa di Cottino, moltiplicava rallentamenti e fermate. I vecchi vicoli attorno a Santa Liberata lasciavano filtrare il traffico goccia a goccia; una massaia con la sua sporta, un artigiano fuori della sua bottega, una coppia allacciata, avevano qui il potere di far segnare il passo alla civiltà, di rimettere al loro posto macchine e motori. Le colpe "contra sextum" sembravano meno ridicole, in quell'aria antica, e pareva meno incongrua l'idea che il Pezza fosse tornato al luciferismo dei Fibioniti o dei Barbelioti, alle orge senza nome praticate da Carpocrate e denunciate con raccapriccio da Sant'Epifanio...

— Solo che di preciso non c'è niente, per il momento è solo un'idea, — attenuò mentre Cottino riavviava il motore, che s'era spento.

Ma la curiosità della signora non poteva arrendersi così presto. Lui stesso l'aveva incoraggiata, eccitata, per malinteso senso d'ospitalità, perché quando uno è stanco diventa loquace, perché gli faceva comodo riflettere ad alta voce (o non forse perché si muoveva adesso anche lui in una insinuante ragnatela di *con-trasextum*?).

— Ma lei non può chiedere particolari a quel suo informatore autorevole?

— No, — sorrise il commissario, — purtroppo no. Dovrò cavarmela da solo.

— Insomma, — disse la signora, — se ho ben capito le servirebbe un rapporto tipo Masters e Johnson sul comportamento sessuale a Santa Liberata.

— Sì, — rise il commissario, — ma non sulla separazione degli uomini e delle donne. Quella doveva essere soltanto per i non adepti, per i non iniziati.

— Si potrebbe chiedere a Celestini, — disse lei.

— A chi?

— A quello che ripara le porcellane. Gliel'ho detto, ci stavo andando con un mio vaso quando mi è venuta la brillante idea di entrare un momento in quella chiesa.

— Ah, sì.

— Lui forse ne sa qualcosa, ha sempre abitato nel quartiere, e del resto è stato il primo a dirmi che quel parroco era un po' bizzarro.

— È un'idea, magari dopo ci passiamo.

— Tzè, — disse Cottino a macchina ferma.

— Cottino, — disse il commissario, — cosa fai; cosa aspetti?

— Siamo arrivati, dottore.

— Allora, io posso restare qui? — disse lei tutta implorante.

— Ma certo, — disse il commissario fingendo di non capire che la domanda era stata invece "Non potrei venire anch'io?".

— Buon lavoro. Buona fortuna.

— Tzè, — disse Cottino.

Erano ancora tutti lì, vide il commissario entrando: i Bortolon con Priotti che trafficavano nella navata sinistra, e la Caldani che toglieva un gran foglio di plastica dall'altar maggiore. O ci tenevano davvero alla loro chiesa, gnostica o altro che fosse, o la Caldani aveva su di loro qualche potere carismatico, malgrado la bottiglia, o l'"economo spirituale" aveva trovato altri argomenti per convincerli.

In ogni caso le vetrate stavano venendo rimesse, i banchi erano stati accuratamente riallineati, e il pavimento appariva spazzato e lavato a fondo. La stessa torre della tragedia aveva ripreso un'aria di impalcatura cantieristica, e il vaso pieno di garofani bianchi, nel punto dove era precipitato il Pezza, sembrava messo lì provvisoriamente, in attesa di una sistemazione sull'altare o sulla balaustra.

Una parrocchia qualsiasi, un sabato sera. La sola singolarità erano le candele (l'allacciamento Enel non ci sarebbe stato fino a lunedì, a essere ottimisti), che ora però erano raggruppate senza intenzioni liturgiche, nei punti in cui servivano di più. E i Bortolon, inginocchiati a tagliare un vetro, se l'erano cavata con un allacciamento esterno probabilmente abusivo e lavoravano sotto una lampada volante appesa a un rampino.

Alzarono le grosse teste, prima uno e poi l'altro, e restarono a guardare in silenzio il commissario, mentre Priotti sbuffava e si asciugava teatralmente la fronte con la manica, prima di prendere un'espressione di lieta sorpresa.

— Ha visto che bel lavoro abbiamo fatto, dottore? — disse ripiegando un doppio metro. — Don Zeri voleva che almeno per i vetri gli facessimo un preventivo, ma io dico quale preventivo, con don Pezza abbiamo sempre lavorato sulla fiducia, no?

Si diffuse sui lavori che avrebbero potuto fare per don Zeri e poi per il nuovo parroco, se anche questo gli avesse dato fiducia: dalla demolizione dell'impalcatura al ripristino dell'impianto elettrico, al restauro della cappella col camino. Ma in realtà, capì il commissario, stava prendendo accuratamente le sue distanze dal Pezza. Morto un papa se ne faceva un altro, e lui a quel posto di lavoro ci teneva, ne aveva bisogno per arrotondare la sua magra pensione, le bizzarrie del defunto, le sue eventuali trasgressioni (dottrinali o "contra sextum") non lo riguardavano.

La Caldani s'era fermata presso la balaustra stringendosi al petto il suo lenzuolo di plastica, e aveva l'aria di ascoltarli. Priotti, probabilmente, stava parlando più per lei che per lui, forse pensava che l'avrebbe ridetto all'economo. O le stava suggerendo le risposte, la linea da tenere, per il caso che il commissario fosse tornato per risentire lei?

— Bene bene, — disse asciutto Santamaria, mentre i Bortolon si rimettevano a tagliare vetri. — Don Zeri è ancora qui?

Sì, disse Priotti, fino a un momento fa era in ufficio e doveva esserci ancora, a meno che non fosse uscito dalla porta della canonica. Perché don Zeri, commentò, era un altro che col lavoro non scherzava, non s'era mosso un momento da stamattina, aveva sbrigato un mucchio di pratiche alto così.

Levò la mano a indicare l'altezza del mucchio, e il commissario notò per la prima volta che il sagrestano, come molti uomini di bassa statura, aveva qualcosa del galletto, una specie di continuo saltellio, un modo di gonfiare il torace, di tenere la testa indietro pronto a beccare. Poteva avercela avuta a morte col parroco per questioni di donne? o essersi voluto vendicare perché nelle orge gli toccava una misera parte di contorno?

— Vado a cercarle don Zeri, — disse Priotti premuroso, servizievole. — O se vuole che l'accompagni...

— Lasci, lasci, so dov'è, — tagliò corto il commissario.

Provò a raffigurarsi con verismo quel galletto invecchiato e i due Bortolon, col materassaio e magari la Caldani (perché no?) nudi e danzanti nella cripta intorno a un altare coperto di plastica nera, sul quale don Pezza giaceva gnosticamente con qualche adepta o neofita come (perché no?) la bella Guidi. L'immagine non veniva, ma non voleva dir niente: in quel campo le persone più impensabili ti riservavano le sorprese più incredibili. Senza contare che i Bortolon si spartivano (come? una notte per uno?) la cognata Romilda, e già un fatto simile si prestava a...

La Caldani era scomparsa. L'idea che se la fosse filata passando dalla canonica agitò spiacevolmente il commissario, che piantò lì Priotti e s'avviò in fretta verso la sacrestia.

Se questo era il "luogo", se Santa Liberata nascondeva tutto un sottofondo di perversioni sessuali da cui era nato il delitto (e al diavolo il nesso col Brussone!), soltanto la Caldani poteva dirgli qualche cosa di più. I Bortolon erano succubi di Priotti, e Priotti aveva già messo le mani avanti per tutti e tre, era troppo furbo per vuotare il sacco a rischio di compromettere se stesso. Mentre la Caldani poteva sapere e non entrarci, aveva già il vizio del bere, era difficile che ne avesse coltivato un altro di quel genere.

La trovò seduta al lungo tavolo dell'ufficio parrocchiale, le ossute mani in grembo, nel cerchio di luce fumosa della lampada a petrolio, ed ebbe l'impressione che lo stesse aspettando.

— Sappiamo, — cominciò senza preamboli, — che la Curia Arcivescovile è al corrente di certe pratiche, di certi esercizi... non propriamente spirituali, che si svolgevano qui. Lei non saprebbe dirmi qualcosa di più preciso?

L'anziana signorina chinò lentamente la testa, le mani si aprirono in un gesto rassegnato. Ma non disse niente. Dall'altra estremità del tavolo, oltre il cerchio d'ombra, venne un discreto colpetto di tosse.

— Buonasera, — disse l'economo spirituale, — signor commissario.

S'alzò per stringere la mano a Santamaria, poi s'accostò alla Caldani e le posò sulla spalla una mano rassicurante, protettiva.

— Una storia estremamente penosa. La signorina è molto provata, — disse col tono dell'avvocato che si prepara a tutelare i diritti di un cliente interrogato dal giudice. — Ma se lei crede, signor commissario, potremmo affrontare insieme... rifare insieme un discorso, che purtroppo...

Non un avvocato, capì allora Santamaria, ma un collega, funzionario di un'altra Mobile. Il terzo grado alla Caldani, che non per niente appariva così provata, doveva averglielo fatto lui; quella era stata la fonte d'informazioni della Curia.

— Potrei anzi esporre io, — aggiunse infatti dopo aver invitato il commissario a sedersi. — Sempre se lei crede, naturalmente.

— Mi dica, — disse il commissario.

In tema di *contrasextum*, decise, mentre il "collega" cominciava a esporre, poteva ben fidarsi di uno specialista.

4.

Verso le profondità della Terra scendeva a spirale un'altra rampa granulosa. Ma questa non era stata costruita per le automobili, e Thea, sorretta dal braccio di Graziano, metteva un piede dopo l'altro con un po' d'incertezza, un filo di apprensione. Lo stretto budello era illuminato da fioche lampadine, e dopo un po' di giravolte l'intonaco chiazzato d'umido cedeva il posto a nudi, vetusti mattoni.

— Strano posto, — disse Thea. — Che cos'è?

— Vedrai.

Una frase fatta le ballonzolava in testa: "Con lui andrei anche all'inferno". Senza discutere. A occhi chiusi. Succeda quel che vuole succedere.

Ma come molte risoluzioni eroiche e banali, anche questa già rivelava il suo difetto di fondo, che era la scarsa rispondenza dei fatti alle aspettative. Al posto dell'inferno c'erano stati finora una pizzeria del centro (dove Graziano aveva confabulato con un "amico" tra i modesti bagliori di un forno a legna), e il retrobottega di un negozietto di parrucche (dove un altro "amico", che a dire di Graziano faceva il prestasoldi, cioè lo strozzino, voleva ad ogni costo offrirle una chioma sintetica viola o rossa). E lui stesso, Graziano, sembrava impegnato a farle constatare quanto poco di infernale ci fosse nella sua vita, aveva preso un tono spigliato, garrulo, quasi da operatore turistico, come se fosse lì accanto a lei per intrattenerla, divertirla, ecco vedi che il mio mondo non ha poi niente di truce, di sinistro, anzi. E le raccontava animate peripezie amorose, buffi incidenti, tratti e battute caratteristiche di questo o quell'"amico".

Che questa sia la volta buona? pensò Thea continuando a scendere.

L'oscuro passaggio si avvitava in silenzio tra muffe e mattoni come per prepararla a una prova decisiva. Giù in fondo, nel ventre della città, avrebbe forse trovato un cerchio di lividi ceffi, una congrega di assassini e banditi intenti a spartirsi il bottino; e donnacce ubriache; e in disparte, un uomo pallido, con occhi crudeli e una cicatrice sulla guancia, il Capo.

Quando una stava per scegliere il diavolo, voleva almeno incontrarlo faccia a faccia, no, vedere com'era veramente, con tanto di corna, piede caprino, puzzo di zolfo. Possibile che Graziano non capisse che tutti quei suoi "amici" così simpatici e comuni le rendevano la scelta non più facile, ma enormemente più difficile?

La pendenza si attenuava, e dopo un ultimo ricciolo la galleria finì: davanti a loro si spalancò un sotterraneo che aveva la cupa imponenza di un tempio sepolto. Grandi archi di mattoni reggevano una successione di volte schiacciate da cui pendevano le solite lampadine, così rade e stente da sembrare anch'esse reperti archeologici. Graziano si fermò.

— Hai visto? — disse orgoglioso.

— Fantastico. Ma che cos'è?

— È un garage.

— E dove sono le macchine? — si stupì educatamente Thea.

— Non è per le macchine. Sta' a vedere.

Avanzarono di qualche metro, e Thea distinse dietro due archi lontani, contro un muro, una fila di carretti strettamente allineati, le stanghe verso il soffitto.

— È il deposito dei carretti di Porta Palazzo, — spiegò Graziano. — Dei banchi del mercato.

— Ma pensa. E di notte li tengono qui?

— Sì. Adesso ce n'è pochi, perché di sabato stanno fuori fino a tardi. Ma tra poco cominceranno a rientrare.

— Già, — disse Thea, — non ci avevo mai pensato, ma da qualche parte li devono pur mettere, i loro carretti.

— Nota che ormai molti sono passati al furgoncino col banco incorporato, non c'è più l'affollamento di una volta. Ma è interessante, no?

— Bellissimo, — disse Thea. — Veramente curioso.

— È un deposito vecchissimo, l'avranno fatto cento, duecento anni fa.

— Si vede.

E in quell'attimo tutto il sotterraneo s'illuminò a giorno, quasi ogni arco nascondeva un abbagliante tubo di neon. Thea sussultò come per uno scoppio.

— Matteo! — urlò Graziano.

— Bello! — urlò una voce.

Dall'intrico di archi e pilastri sbucò una storta figura d'uomo. Venne avanti di qualche passo per mettersi bene in vista, poi si fermò appoggiandosi a un bastone. Anche lui zoppicava come l'ingegnere-angelo (Vicini? sì, Vicini Sergio) ma in modo più complicato.

— Ci hai fatto la luminaria! — gridò Graziano.

— Dovere, — disse l'uomo.

— È un'amica! — gridò Graziano prendendo Thea per un braccio, portandola avanti.

— Bella anche lei! Fortunato!

Ci furono sorrisi, strette di mano, scambi di sigarette; poi insensibilmente, come seguendo dei movimenti di scena ripetuti mille volte, Graziano e questo zoppo, questo ennesimo "amico" gentile e qualunque, si staccarono da lei.

— Mi fai una telefonata?

— Dovere.

— È per il fatto del Brussone.

— Ho saputo.

Thea non sentì altro, i due amici erano a cinque passi, poi a dieci, poi erano spariti tra i ricurvi profili di mattoni.

Graziano ricomparve, solo, dopo qualche minuto.

— Bene, possiamo andare.

Un carretto precipitò nel sotterraneo con fragore di ruote e giunti sgangherati, di assi ballonzolanti, tra gli urli d'incitamento di due ragazzetti dalle guance cremisi.

— Bisogna stare attenti a risalire, — disse Graziano. — Tieniti bene a destra, vado io davanti.

Che facevano le donne di questi uomini, se non erano prostitute? Che facevano le mogli, le zie, le sorelle? Non si leggeva mai di donne abbattute con la pistola in pugno in un regolamento di conti davanti a un bar. I banditi, i disperati, quelli avevano a volte una compagna che partecipava al colpo. Ma Graziano e gli altri del suo mondo non facevano le cose così, le loro donne se ne stavano probabilmente a casa, tra elettrodomestici e televisione. Non sapevano mai niente. Aspettavano.

Sotto le tetre lampadine, strusciando ogni tanto con la manica contro il muro, Thea risaliva la rampa di quest'altro inferno mancato. Graziano non si voltò mai a guardarla, come un padrone sicuro del suo cane. O come un Orfeo, timoroso di perdere definitivamente la sua Euridice.

5.

Come le grandi filosofie del pessimismo, la depressa *Weltanschauung* dell'appuntato Cottino aveva virtù rasserenanti, la sua luttuosa conversazione suscitava per contrasto salutari energie, risvegliava istinti vitali. Alla signora Guidi, che era scesa dalla volante per sgranchirsi un po', gli orizzonti della situazione apparivano già meno cupi. La polizia era sulla buona strada, questo eccellente commissario avrebbe presto chiarito tutto, e per Thea, in definitiva, la brutta avventura sarebbe servita di provvidenziale lezione.

— E allora, — sorrise andando incontro al commissario che usciva, — ha avuto il suo rapporto sul sesso? Ha parlato con Masters e Johnson?

Santamaria annuì. Ma invece di tornare alla volante si girò a guardare verso il fondo del vicolo, dove, tra fragori di saracinesche che si chiudevano, c'erano vetrine di alimentari ancora accese.

— Venga, — disse dopo aver fatto segno a Cottino di aspettare, — e se si intende di erbe, pensi a una miscela plausibile. Un po' complicata, preferibilmente.

— Diosanto, — disse la Guidi seguendolo sulla piazzetta nevosa, — ma... una miscela erotica? Io a parte la menta e il tiglio, magari con dei fiori di biancospino, perché pare che i fiori di biancospino...

Scivolò, e il commissario la sostenne per un braccio, continuando poi, meno macchinalmente, a tenerglielo.

No, spiegò, la miscela era solo un pretesto. Si trattava di parlare con un vicino erborista, ex seguace del Pezza, la cui moglie era stata al centro di orge gnostiche.

— Non mi dica! — disse lei con gli occhi spalancati. — Però benissimo, le confesso che su una spiegazione del genere ci contavo.

— Per via di sua figlia e di quel suo amico?

— Sì, certo. Ma mi va anche bene come spiegazione in sé, se devo dire. L'idea di questi riti orgiastici, di questi parrocchiani scatenati sulla torre o nei sotterranei, a lume di candela, in fondo non mi dispiace affatto.

— La trova eccitante? — chiese il commissario, lasciandole il braccio per non scivolare lui stesso.

— Al contrario, riposante. Ormai tutti fanno tutto alla luce del sole, tutti si liberano, si disinibiscono, si espandono, si spogliano, abbattono tabù, sono di un naturalismo raccapricciante. Ecco gente, invece, che per certe cose ha ancora bisogno di tutto un rituale tenebroso e segreto. Non le sembra meglio? O lei è per l'orgia più aperta, tipo scampagnata aziendale?

Nella sua azienda non si facevano scampagnate, rise il commissario. E in ogni modo doveva deluderla. Al tempo dei polidialoghi... Ma lei non sapeva cos'erano i polidialoghi? quel Celestini non gliene aveva parlato?... C'era stato un tempo, comunque, in cui don Pezza si dedicava a un tipo di promozione umana... più disinibito, appunto, e soprattutto più promiscuo, con l'intervento di prostitute e perfino di travestiti. Lo spirito era insomma apertamente comunitario, e se anche c'erano state scampagnate, individuali o collettive, tutto s'ispirava a un principio di tolleranza evangelica, molti altri preti battevano la stessa strada. Mentre poi...

Erano arrivati in fondo al vicolo e il commissario girò a sinistra, guardando i numeri civici.

Mentre poi era venuta la gnosi, proseguì, con la sua geniale distinzione tra iniziati a cui tutto era permesso, perché "chi pecca in Dio non pecca", e semplici fedeli che dovevano invece, specialmente le donne...

— Lo so, — si mise a ridere la Guidi, — pensi che per tirarmi via dai banchi degli uomini, mi ha sollevata praticamente di peso. Ma lei diceva di dovermi deludere? Perché?

Santamaria le riprese il braccio per farla attraversare.

— Ecco, — disse indicando una vetrina stretta e male illuminata, dove un ometto in grembiule stava allineando dei barattoli di plastica trasparente. — Quello dev'essere il marito.

S'accostarono alla vetrina e l'uomo alzò un momento la testa a guardarli, attraverso le spesse lenti da miope.

— Non vedo la moglie licenziosa, — sussurrò la Guidi scrutando nella botteguccia.

Il commissario accennò alla scaletta a chiocciola, dietro il banco di fondo.

— Hanno l'alloggio e il laboratorio all'ammezzato. Se lei chiedesse una miscela un po' complicata, da preparare apposta, l'idea sarebbe di dare un'occhiata anche di sopra.

6.

La piccola auto filava a centocinquanta verso nord, sulla tangenziale sud. Graziano, che aveva visto un altro conoscente e fatto un'ultima telefonata da una discoteca di Moncalieri, guidava concentrato e taciturno.

— Ma insomma come va, come si mette? — disse Thea, rendendosi conto di aver parlato con quella certa volubile nasalità che sua madre usava in particolari situazioni mondane.

Graziano prese tempo, si concentrò ancora di più sulla strada, approfittando di un TIR articolato che entrava con prepotenza dalla rampa di corso Allamano.

— In che senso? — chiese mentre rientrava nella corsia di mezzo, l'occhio al retrovisore.

— Cos'hai saputo dai tuoi amici? Che ti ha detto quello della discoteca?

— Be', niente, — disse Graziano, piuttosto nasale anche lui. — Sembra che non ci sia niente, sono tutti molto stupiti, nessuno ci capisce niente, a quanto pare.

— Ma potrebbero mentire?

— Potrebbero, — strascicò Graziano, — e non potrebbero.

Anche tra mentitori e ingannatori di mestiere, capì Thea, dovevano esserci dei modi per intendersi, almeno su certi punti, e dirsi la verità, almeno fino a un certo punto. Ora Graziano stava andando da qualcuno (sempre un "amico", naturalmente) che avrebbe messo con lui (sempre, naturalmente, fino a un certo punto) le carte in tavola.

— Insomma non sarebbe una... carognata fatta da qualcuno per mettere te e i tuoi amici nei guai.

— No, non sarebbe, — sospirò Graziano. — Ma certo è strano che abbiano ammazzato proprio quel disgraziato che veniva dietro a me.

— Lo dice anche la polizia.

— Ah, per loro non ci sarebbe niente di strano. Quello mi viene dietro, poi sparisce, poi lo ritrovano ammazzato: o siamo stati noi per levarcelo dai piedi, o qualcun altro per inguaiare noi. Ma allora il prete come si spiega? Non è che per inguaiarci avrebbero ammazzato anche lui.

— Perché no? Magari gli è parsa un'idea divertente.

Graziano stette a pensarci un momento.

— No, è escluso, nessuno poteva sapere che io... E poi senti: se fosse uno scherzo fatto a noi, questo da cui vado adesso non solo lo saprebbe, ma me lo farebbe anche capire. Anzi me l'avrebbe già fatto capire al telefono.

Thea non disse più niente. Certo, rifletté con la gola stretta, la logica voleva che se uno faceva uno scherzo a un amico, poi in qualche modo glielo facesse capire. Sennò che scherzo era? Restava che nell'ambiente di Graziano, chiunque avesse ucciso il Pezza o il carabiniere, non era assurdo pensare a scherzi così.

S'accorse che avevano lasciato la tangenziale solo quando vide il cartello stradale all'entrata di Orbassano, con una freccia che indicava la circonvallazione. Graziano, neanche lui aveva più detto una parola. Ora guidava lentamente tra gli alti stabili della periferia, e Thea vide che non si ritrovava, cercava di orientarsi leggendo i nomi delle strade. Almeno con quest'amico di Orbassano, si consolò, non pareva che si conoscessero molto.

— Lo conosci poco? — non poté trattenersi dal chiedere, con un tono di così sforzata indifferenza da risultare addirittura rabbioso.

Graziano aveva trovato la strada, ora stava cercando il numero.

— Ma chi, perché? — scattò rabbioso anche lui.

Frenò da arrabbiato, parcheggiò da arrabbiato, scese da arrabbiato.

— Aspettami qui.

— Ah, no.

— Ti dico...

— No.

— E fa' come vuoi.

Cercò un nome su un quadro di citofono che ne conteneva una ventina, premette il campanello corrispondente, disse forte "Graziano!", e il portone si aprì. Era una casa semipopolare o ex pseudo "signorile", con due carrozzine per bambini nell'androne, il pavimento a spezzoni di marmo, una guida di moquette rossa coperta di impronte fangose, e diffusi odori di cucina. Salirono in silenzio al quarto piano in un ascensore d'alluminio graffito di oscenità quasi invisibili, e trovarono ad attenderli un'altra deludente creatura dell'inferno, un uomo sulla quarantina, coi pantaloni di gabardine verde, che si stava infilando una giacca color cammello. Era basso, grassoccio, la testa nera e spiccatamente rotonda. Baciò cerimonioso Graziano su entrambe le guance, e solo allora i suoi occhi pieni di premura presero atto di Thea. Ci fu tra i due uomini un'occhiata che metteva tutto a posto.

— Signorina... — disse l'uomo con un inchino misurato.

Ho la funzione di una bandiera bianca, pensò Thea, sono un segnale di non aggressione.

Seguirono il padrone di casa (aveva i piedi piatti, li gettava energicamente a destra e a sinistra) in un soggiorno equamente diviso tra mobili Rinascimento, tavolini d'acciaio, poltrone di cuoio e bambù. Sopra una di queste c'erano un mitra, un fulminatore spaziale, due pistole di plastica, e sul tappeto giaceva una giraffa di peluche con le gambe all'aria.

L'uomo (un padre) si chinò a raccattarla, si scusò per il disordine, offrì un aperitivo. Da una porta socchiusa filtrava la voce di un telecronista che elencava vertenze sindacali.

— Grazie, volentieri, — disse Thea nel modo tra sorpreso e deliziato che adottava la zia Casimira, una donna praticamente astemia, quando qualche contadino di sua conoscenza le proponeva un bicchiere alle nove e un quarto di mattina.

Mentre l'ospite andava a chiudere la porta, Graziano le fece un sorriso d'approvazione. Aveva indovinato, questo dell'aperitivo doveva essere un loro rito. Si trovò in mano un calice con un liquido biancogiallo, aromaticamente disgustoso, che le bruciò lo stomaco...

E di nuovo, insensibilmente, gli "amici" si trassero in disparte, mettendo tra se stessi e lei quella incolmabile distanza tipica dei ricevimenti alle ambasciate, dei consulti tra professori intorno al letto di un malato terminale.

D'un tratto un'altra porta si spalancò, e due nordafricani urlanti e vestiti di stracci si precipitarono dentro, bloccandosi poi in mezzo alla stanza come giocattoli giunti alla fine della carica. Il padrone di casa non si mosse, non si tolse le mani di tasca, ma sembrò gonfiarsi, divenne un minaccioso palloncino scarlatto.

Uno dei mori balbettò qualcosa in lingua araba, a quanto parve a Thea, accennando alle armi sulla poltrona. Il palloncino rotolò avanti e urlò poche parole nella stessa lingua. L'altro tentò ancora flebilmente di dire qualcosa, poi si girò andando a urtare il suo compagno.

Allora Thea vide cosa volesse dire un calcio nel sedere.

Con le labbra strette, i piccoli piedi divaricati, l'uomo dalla testa a palla avanzò fino al limite del tappeto, si tolse le mani di tasca per bilanciarsi meglio e fece scattare la gamba in alto. Tale fu la rapidità e l'inesorabilità del movimento, che Thea pensò a una ghigliottina capovolta.

L'arabo urlò di dolore, volò addosso al compagno cercando di aggrapparsi ai suoi cenci, non ci riuscì, cadde in ginocchio, e in un lampo era di nuovo in piedi e si girava a chiudere la porta da cui era entrato. La sua faccia impaurita, stravolta, in lagrime, lasciò Thea senza fiato.

Non c'era assolutamente niente da ridere, non era come nelle comiche del cinema muto. Ma se almeno Graziano e l'altro ci avessero scherzato sopra, sarebbe stato meglio, in qualche modo. Invece ripresero a parlottare come se niente fosse stato.

Solo dopo che si furono salutati (con un altro abbraccio cerimonioso) e loro due furono di nuovo soli in ascensore, Graziano la guardò con un'aria come se si fosse reso conto.

— Non badarci, cosa vuoi, — disse con una smorfia imbarazzata, alzando le spalle.

— Ma voi vi salutate sempre così? — disse Thea per cambiare discorso.

— Come così?

— Con abbracci e baci. Sembrava il segno di pace come in chiesa.

Graziano fece un'altra smorfia, sorrise.

— Be', più o meno è lo stesso. È come per dire... insomma è per far vedere che non siamo...

— Fai vedere anche a me? — sorrise Thea. — Facciamo vedere anche noi, che non siamo...

Ma la porta dell'ascensore già si apriva, automaticamente, davanti a una donna in pellicciotto di castoro. Uscirono. I segni di pace cominciarono a scambiarseli in macchina.

Graziano però, s'accorse Thea, non ci metteva un grande entusiasmo, benché non si fossero ancora baciati da quando avevano lasciato la questura. Si staccò per guardarlo, lo vide accigliato e distante.

— Cosa c'è? — chiese. — Che hai saputo da quel tizio?

— Che non c'entra nessuno del... giro. Che mi posso fidare assolutamente.

— E invece non ti fidi?

— Mi fido, mi fido... È a quell'altro, che sto pensando. A quello zoppo!

— Quello dei carretti?

— Dei carretti? Ma no, quello della chiesa! Quello che quando noi... Aspetta, s'è anche presentato, mi ricordo: un nome come Cerini, Savini.

— Vicini, — disse Thea, — ingegner Sergio Vicini. Corso Rosselli 27.

— Ah? Ma come lo sai?

— È passato in questura mentre c'ero anch'io. Ieri invece
era sparito e l'hanno cercato tutta la notte. Ma tu perché...

— Senti, — l'interruppe Graziano con una specie di risata feroce, battendole una gran manata sulla coscia, — ti ricordi di come
m'ha salutato, no?

— Vicini?

— Sì!

— Col segno di pace.

— Che è lo stesso identico saluto nostro, no?

— Sì, — disse eccitata Thea. — Ma allora?

Graziano aveva già avviato il motore e partì con un balzo,
slittando a S sulla fanghiglia gelata.

— Allora, — disse, — ecco a chi è andato appresso il carabiniere, dopo essere venuto appresso a me!

Thea lo guardò a bocca aperta, il fiato sospeso.

— E pensi che poi...

— Poi non lo so, — disse Graziano accelerando sulla circonvallazione. — Ma adesso andiamo a farcelo dire da lui.

7.

Ai fiori di biancospino la signora Guidi aveva chiesto di aggiungere quelli di luppolo, poi anche la ruta, l'angelica, la centaurea
e, con uno sforzo di memoria, la santoreggia, di cui un'amica
le aveva vantato una volta i poteri miracolosi. L'erborista aveva
suggerito da parte sua l'elenio officinale (come antianemico) e
la radice di *spondilium* (tonica) con una punta di *boldus* (rego-
lativo dell'intestino); e non aveva avuto difficoltà a far salire i
due clienti in laboratorio, dove una donna dagli occhi lagri-
mosi e dai radi capelli grigiastri, seduta su un basso sgabello
in un angolo, girava il manico d'una specie di pepiera o ma-
cinacaffè.

Il commissario, durante la preparazione della miscela, aveva
potuto curiosare nel laboratorio a suo agio, ma senza scoprire

niente di specialmente adatto alla confezione di ceri al plastico. Aveva anche, a un certo punto, sollecitato un parere sul *topos*, ma l'uomo s'era limitato a uno scettico borbottio (cos'era? una di queste nuove radici cinesi?) e la donna aveva continuato a girare sconsolatamente il suo manico.

Tutti e due invece sussultarono (il manico s'arrestò di colpo, del tritume di *spondilium* traboccò da un misurino) quando il commissario chiese di Santa Liberata. L'esplosione, chiese rivolgendosi anche alla donna, s'era certo sentita fin qui? O forse loro stessi s'erano trovati in chiesa, al momento della tragedia?

No, loro erano in casa e dormivano, non avevano sentito niente, in chiesa non ci andavano mai, disse l'erborista con una fosca occhiata alla moglie, che si rimise subito a macinare. Dopodiché non ci fu modo di cavargli un'altra sillaba, salvo, alla fine, la richiesta di un prezzo strabiliante per la miscela.

— Erano quelli i peccatori "contra sextum"? — disse la Guidi tra orripilata e incredula, mentre si riavviavano per la stradetta.

— Ho paura di sì.

— Diomìo, allora mi rimangio tutto quello che ho detto, allora viva le orge laiche! E gli altri chi sono?

— Ce n'è solo un altro, un materassaio, ma è ancora all'ospedale sotto choc.

— Lo credo bene. Ma dunque non erano vere orge? Se erano solo in tre, voglio dire.

Tutto dipendeva dal punto di vista, spiegò il commissario riassumendo il rapporto del suo collega ecclesiastico. Da un lato si trattava solo di un comune adulterio, del buon vecchio triangolo, anteriore a qualsiasi circolarità gnostica... Ma dall'altro pareva che i tre infelici, già deboli di mente per conto loro, si fossero lasciati tentare dal "serpente buono" di Carpocrate, lo gnostico maestro del Pezza, per il quale la comunità delle donne era un obbligo, l'adulterio un dovere religioso. Le colpe del parroco, per quanto indirette, erano dunque tanto più gravi in quanto...

— Ma che sciocchezza, — disse la signora Guidi, — se l'adulterio fosse un dovere, sarebbe molto meno... popolare, non le sembra?

Indicò un bar con telefono, si scusò, chiamò la Piera per sapere se Thea fosse rientrata.

— Niente, — disse, riprendendo lei il braccio al commissario, — non ha neanche telefonato. E adesso dove andiamo?

Il commissario inghiottì. Da un lato si profilava il comune adulterio, il buon vecchio triangolo, contro il quale non poteva dire di provare scrupoli insormontabili. Dall'altro lui era in servizio, questa vivace signora era pur sempre preoccupata per sua figlia, approfittare della situazione sarebbe stato di pessimo gusto.

— Ho un'altra visita da fare, — temporeggiò, pensando che per corso Rosselli, con Cottino alla guida, c'era almeno mezz'ora tra andata e ritorno. Lei in fondo non chiedeva che di essere distratta, portata un po' in giro.

— Un'altra visita dello stesso genere?

— Più o meno. Ma lei stavolta non potrà salire con me, dovrà aspettarmi in macchina con Cottino.

— Tzè, — disse la vivace signora.

— No, tu stavolta mi aspetti qui, — disse brusco Graziano aprendo lo sportello. Le sfiorò una guancia con due dita. — Capito, bellezza?

— OK, — disse Thea.

— Bene, — disse Graziano.

Scese, poi si voltò, si chinò a guardarla un po' incerto.

— Volevo dire, — sorrise intimidito, — che tu è meglio che resti qui.

— Ma avevo capito, — sorrise Thea.

Spesso incrociate e disincrociate durante il lento, laborioso attraversamento del centrocittà, le ginocchia della signora Guidi non aiutavano il commissario a concentrarsi sulle risposte. Ma come argomento di conversazione, quello delle indagini era ancora il più sicuro.

L'erborista? Sì, poteva anche essere stato lui: per una specie di rivalsa, di tardiva ribellione ideologica contro il responsabile della sua vergogna. Ma allora anche la Caldani.

Ma la Caldani non aveva detto di aver sempre disapprovato quell'aspetto della gnosi? Non aveva dato al commissario, anzi, l'impressione di essere la classica zitella ferocemente puritana?

Appunto. A quei livelli di esaltazione e di frustrazione, tutto era possibile. Infatuata com'era della sua missione accanto al Pezza, poteva essersi sentita tradita, infangata da quelle deviazioni per lei inammissibili, repugnanti.

E... la visita che stavano per fare adesso?

Il commissario non poteva riferire, e non riferì, il sintetico e diffamatorio giudizio della prof. Caldani Emilia sull'ing. Vicini Sergio, della Direzione Coordinamento Stoccaggi Fiat: "Un vizioso nell'anima, ma un impotente, un velleitario. Un mezzo uomo". Le spiegò invece del *topos*, che non era affatto un'erba, col risultato di spostare radicalmente (troppo radicalmente, forse?) l'interesse della signora dall'inquirente all'inchiesta.

Un nome?... Una sigla?... Un messaggio in codice?... La parola greca?... Una mezza parola?... Tutte le ipotesi già prospettate insieme a molte altre tipicamente femminili, tipicamente non correlate, riecheggiarono nella volante dall'inizio di via Sacchi fino al cavalcavia di corso Sommeiller.

— Topostop, — disse Cottino stoppando davanti a quel semaforo, che era ingannevolmente sul verde. — Tzè.

— Come ha detto, Cottino?

— topostop, mette lo stop ai topi, — elaborò Cottino.

— Ma cosa vuol dire? Cosa c'entra? — disse il commissario.

— Derattizzazione, — sillabò Cottino. — È una ditta che tre mesi fa ha derattizzato lo stabile dove abito io. Avevamo topi dalle cantine alle soffitte, sette piani in mano ai topi. Tutti si lamentavano e alla fine il padrone di casa ha chiamato questi della Topostop, che vengono a studiare la situazione e poi mettono dappertutto una roba bianca che sembra pasta da pizza. Un veleno potentissimo. Roba chimica.

— E i topi sono stati stoppati? — chiese la signora Guidi.

— Sì, sono spariti, — disse Cottino. — Ma nella casa accanto adesso ne hanno il doppio. Tzè.

— Topostop, eh? — disse il commissario. — È una ditta qui di Torino? Sai mica dov'è?

— No, ma posso sempre chiedere al padrone di casa. Vuole che m'informi, dottore?

— Infòrmati, — disse Santamaria mentre il semaforo ripassava al rosso. Al punto in cui sono, si giustificò di fronte a Basilide, Carpocrate e Plotino, non posso trascurare niente. Loro comprendono.

8.

Il commissario se n'era andato da due minuti, lasciandola con Cottino. E Cottino, rigirando tra le mani il berretto come Amleto il teschio di Yorick, le stava spiegando che per lui rientrare a casa presto o tardi, mangiare o saltare il pasto, guardare o non guardare la televisione, era ormai la stessa identica cosa, quando la signora Guidi sentì picchiare al vetro appannato della volante, e vide qualcuno che si chinava a guardare dentro.

— Mamma?

No, ma cos'era, il destino? Aprì lo sportello e uscì a misurare sua figlia dalla testa ai piedi.

— Finalmente ricompari.

— Mamma, abbi pazienza, abbiamo trovato una cosa che...

— No, scusa, abbi pazienza tu. Ti fai convocare in questura come una ladra o diosà che cosa, resti lì praticamente in arresto tutto il pomeriggio, e mentre io sto a piangere sulla spalla dell'avvocato Salle e gli rovino il pomeriggio del sabato, che per lui...

— Mamma, quando ho telefonato non c'eri.

— Ma stavo venendo lì! Quando la Piera mi ha detto che ti avevano riarrestata, io ho chiamato un tassì e sono volata in...

— Ma non mi hanno affatto riarrestata, mamma, tanto è vero che sono qui. E Graziano...

— E cosa ci fai qui? Non mi dirai che è il destino.

— Infatti, ho già spiegato al commissario che Graziano...

— Ah, — disse la signora Guidi, — è stato lui a ritrovarmi la figlia perduta. Ma allora lo sapeva, voleva farmi una sorpresa!

— Mannò, non sapeva niente, e quando m'ha trovato seduta sulle scale...

— E adesso dov'è, non capisco più niente, quali scale?

— È andato su anche lui, con Graziano.

— Ma perché continui a tirar fuori Graziano? Era insieme a te?

— No, era già salito, io l'ho aspettato un po' in macchina e poi sono entrata anch'io e mi sono seduta sulle scale.

— Non capisco più niente, perché continui a tirar fuori queste scale? Dimmi solo perché, mentre io ti sto cercando come una matta per tutta Torino, tu mi fai la bella sorpresa di...

— Ma anch'io, anch'io ho avuto la sorpresa quando ho visto il commissario! Ho creduto che ci fosse venuto dietro, o che gli fosse venuta in mente la stessa idea nostra, o che forse...

— Quale idea, quale idea, non capisco più niente, ha tutte le ragioni l'avvocato Salle a consigliarmi molto caldamente di prenderti per un orecchio e...

— Perché continui a tirar fuori l'avvocato Salle?

— Non confondiamo le cose, si può sapere sì o no che cosa facevi su queste famose scale, proprio nella stessa casa dove noi, dove Cottino, insomma dove il commissario...

— Non capisco più niente, — disse Thea. — Chi è Cottino?

La signora Guidi aprì lo sportello della volante come la porta di un riformatorio.

— Entra, — ordinò.

E poi disse:

— Cottino, le dispiace se ci mettiamo qui un momento con mia figlia? Vorrei cercare di farmi spiegare perché, mentre lei ci portava in giro per tutta Babilonia, mia figlia è saltata fuori proprio qui, come...

— Tzè, — disse Cottino scuotendo la testa. — Le ragazze.

— Allora, dimmi a che cosa dobbiamo questa felice riunione, se non è per il destino o per uno strano caso o per il commissario che già...

— Ma è per il bacio, per il bacio!

— Quale bacio? Chi hai baciato? Dove?

— No, non io, lui! Ci siamo ricordati che lui ha baciato l'angelo, sai l'angelo?, anzi veramente l'angelo ha baciato lui.

— Thea, fammi il piacere, non essere così convulsa. O stai parlando della Divina Commedia?

— Sto parlando di quella commedia, di quella recita dell'altra notte a Santa Liberata. Ti ricordi quel tale che faceva l'angelo, e il fanciullo, quello zoppo col bastone, quell'ingegnere?

— Ah, era un ingegnere, in realtà?

— Sì, della Fiat. Be', prima, quando noi siamo entrati in chiesa, lui è venuto a baciare Graziano.

— Ma tu pensa l'orrore.

— Tzè, — disse Cottino.

— No, no, cos'hai capito? Era un segno di pace, non capisci? L'ha abbracciato e baciato dicendo, scambiamoci un segno di pace. Così.

Abbracciò sua madre baciandola sulle due guance.

— Finalmente, — disse la signora Guidi, — un gesto affettuoso da mia figlia.

— Mamma, ti prego, non capisci? È molto importante, non capisci che è esattamente identico all'abbraccio tra... al bacio tipico dei... della...

— Di chi?

— Della mafia, — disse Cottino.

La signora Guidi tacque per un po', meditando.

— Mmmm... — fece alla fine. — Un ingegnere mafioso? Alla Fiat?... Io so che tutto è possibile nella vita, ma... Lei cosa ne dice, Cottino?

Thea si rivolse precipitosamente a lui.

— Non crede anche lei, non può essere che quel carabiniere abbia pensato a un incontro tra mafiosi, e che quell'altro era uno della fabbrica?

— Una fabbrica Fiat? — chiese la signora Guidi.

— Mannò, quella che cercava il carabiniere, che in quel caso, sempre che ci fosse venuto dietro in chiesa, ha poi seguìto l'ingegnere, per cui, dice Graziano, il problema è di sapere che cosa ha fatto quello dopo aver fatto l'angelo, se è rimasto fino alla fine o se è uscito prima, e se è uscito prima dov'è andato, perché Graziano dice: se il carabiniere avesse realmente pensato...

— Thea, — implorò la signora Guidi, — non essere così farfugliosa, cerca di spiegarmi un po' in sintesi che cosa vuol dire tutto questo.

— Che quel carabiniere che ci seguiva, lo sai, te l'hanno detto...

— Ma sì...

— Ecco. Forse l'ha ammazzato l'ingegnere.

— Non mi dire, — disse la signora Guidi. — Angelo, fanciullo, mafioso, e adesso anche assassino. Non le pare un po' tanto, per un ingegnere, Cottino?

— Gli ingegneri, — disse Cottino. — Tzè.

9.

Trepido e impudico, strisciante e sollecito, l'ingegnere si offrì ancora una volta di accompagnarli sul posto, e ancora una volta il commissario declinò. La "confessione" s'era rivelata, come l'individuo, laboriosa e sfuggente, le sue "precisazioni" stavano a metà strada tra una reticenza faconda e una spaurita smemoratezza. A che sarebbe servito portarselo dietro, ammesso che valesse la pena di controllare la sua sordida storia?

Il giudizio che ne aveva dato la Caldani corrispondeva. Un frustrato della perversione, un velleitario impotente che si limitava a girare, annusare, fiutare gli odori ai cantoni. Graziano sembrava piuttosto impressionato, subiva ora le smozzicate insistenze dell'individuo con l'aria di chi cerca invano una faccia nel casellario segnaletico della polizia. Non doveva aver mai conosciuto tipi del genere in vita sua, né udito discorsi così contorti.

— ... anche perché io stesso ci terrei a verificare se questa specie di sogno, no?, quest'incubo bianco... il mio rapporto con la realtà, che è sempre stato ambivalente... il fiume, no?, l'acqua e quei fuochi... risolvere la mia crisi di identità sul piano dell'umiliazione, no?, riscattare il...

Parlava esclusivamente a se stesso e di se stesso, come ormai una gran parte della gente. Vaniloquio puro. Traboccante mucillagine. Durante gli ultimi anni, si disse equanime Santamaria, quanti ne aveva sentiti di questi sfoghi, negli uffici della questura o sulle onde schiumose di radio o televisioni libere e non libere, pubbliche e private. Vicini non si poteva certo dire più sordido dei tanti adoratori del proprio lezzo personale, che invocando fratellanza si "aprivano", si "liberavano" in pubblico. Era il tipico individuo che prendeva il telefono nel cuore della notte e chiamava Radio Masoch o il Centro Problemi Vergognosi. Un caso umano, un caso pietoso, come ce n'erano a decine di migliaia.

E allora perché, si chiese Santamaria, questa impressione

di sproporzionata ripugnanza? Cosa c'era che non quadrava?

Il contrasto col fitto arredamento tradizionale dell'ingresso, forse. Con la schiacciante rispettabilità di stampe inglesi e tappeto persiano e cassettone antico e greve specchiera dorata. O forse ciò che prendeva alla gola era la nòia, la nausea proprio di quel contrasto? L'inappuntabile borghese era poi sotto sotto un ossesso sessuale. Capirai che interesse, capirai che scoperta.

Stava per intervenire in aiuto di Graziano, quando notò presso la porta un artistico vaso pieno di ombrelli e bastoni, e gli venne in mente che questo zoppo, in casa sua, non zoppicava affatto, s'era mosso per tutto il tempo senza bisogno di sostegni. Una possibile simulazione? Dovuta a chissà quale solitaria, gnostica civetteria. Il mondo si andava riempiendo sempre più di ipocriti che non avevano niente da nascondere, di imitatori senza modelli, di conformisti senza regole, di individualisti che non erano nemmeno più degli individui.

Fu questa parola a fargli dire duramente:

— No, guardi, lasci perdere, di lei adesso non ho proprio bisogno. Semmai invece... si faccia rivedere in questura lunedì, va bene?

— Perché? — balbettò l'individuo. — Io ho già detto... ho chiarito che la mia... che venerdì, nella mia passeggiata...

— Non è per la sua passeggiata, — disse il commissario guardandolo fissamente. E aprì lui stesso la porta, cominciò a scendere le scale seguito da Graziano.

— Ma l'ascensore... Chiamo l'ascensore! — invocò l'altro dal pianerottolo.

— No, grazie, lasci perdere, buonasera.

Non un uomo, un individuo. Per tutta la durata del colloquio, Santamaria aveva pensato all'ingegnere come a un "individuo", nel senso curiosamente anonimo e genericamente losco che la parola aveva sempre avuto nel linguaggio della polizia: individuo fermato mentre si aggirava sul ponte della Stura, individuo sorpreso ad armeggiare intorno a una Mercedes...

— Madonna santa, — disse Graziano. — Ma quello che razza di tipo è?

Ragazzo mio, stava per cominciare paternamente Santamaria. Invece disse:

– Mah. Comunque non mi sembra capace di far fuori due persone.

– E se è un drogato? L'occhio da drogato non ce l'ha, ma se invece fosse?

– Non lo so. Ma a parte questo, anche tutta la faccenda dell'abbraccio in chiesa mi persuade poco, devo dire.

Graziano protestò, l'ingegnere aveva ammesso il fatto, e anche se diceva di non aver notato nessuna Volkswagen durante la sua "passeggiata", anche se negava, naturalmente, di essere stato in qualsiasi modo in contatto col maresciallo ucciso, pure quella traccia meritava di essere seguita fino in fondo, era sempre possibile che il maresciallo, seguendo Vicini, avesse incontrato...

– Chi? – lo sfidò Santamaria.

– Non lo so, ma io voglio andare fino in fondo.

Santamaria sorrise.

– State messi come noi, a quanto pare.

La potente organizzazione che doveva portargli l'assassino o gli assassini di Genovese su un piatto d'argento, era ridotta a "non trascurare nessun indizio", a "indagare in tutte le direzioni". Dov'erano le notizie capillari, le informazioni di prima mano, dov'era il fulmineo, decisivo intervento dei temporanei "alleati" di Questura e CC?

– Non siamo stati noi, questo è certo, – disse Graziano imbronciato. – Ma per ora non sappiamo ancora chi è stato.

– Prematuro, eh? – disse Santamaria.

– Tutti gli altri si stanno muovendo, e mi muovo anch'io. Questa storia di questo ingegnere la voglio seguire fin dove porta. Sarà un matto, sarà uno stronzo, sarà solo un morboso, ma io voglio rifare la strada che dice di aver fatto, vedere un po' su questo ponte della Dora o della Stura che sia... Lei non ci sta, commissario? Non ci crede proprio?

– No, non molto, – disse Santamaria sbucando per primo nell'androne severamente borghese del palazzo.

Genovese batteva le parrocchie da mesi, doveva averne visti a decine, di "segni di pace" scambiati tra i fedeli secondo queste nuove liturgie. Era difficile che fosse stato specialmente colpito proprio da questo. Era improbabile che avesse mollato tutto per seguire l'ingegnere. Era inconcepibile che proprio quell'individuo fosse stato capace, avesse avuto un motivo per...

— Ma ci sto lo stesso, — decise. — Vengo a dare un'occhiata anch'io.

Per la polizia, dopotutto, un "individuo" era sempre, automaticamente, sospetto.

10.

Nelle condizioni di spirito in cui l'appuntato Cottino era precipitato da alcuni mesi, anche una conversazione tra Socrate, Plotino, Kant e Schopenhauer gli sarebbe sembrata un mero chiacchiericcio. Giudicò quindi con remota disapprovazione l'astruso tafferuglio che si svolgeva tutt'intorno a lui nell'abitacolo dell'auto. La ragazza apriva lo sportello per scendere, sua madre la ritrascinava dentro dicendo se tuo padre, il giovanotto Graziano diceva che sarebbe andato solo, la madre gli dava ragione e diceva che un certo avvocato Salle, la figlia s'infuriava e ripeteva che sarebbe andata con lui, lui insisteva a mandarla a casa con la madre, lei riapriva lo sportello, la madre ritirava fuori papà, il giovanotto la riagguantava per il braccio, tutti dicevano che poteva essere pericoloso, che era tardi, che dopo una giornata così, la madre ricominciava con questo avvocato Salle, e poi apriva lo sportello e usciva lei col giovanotto Graziano, la ragazza prima restava lì a muso duro col dott. Santamaria, poi si precipitava fuori anche lei e tornavano tutti dentro, a ridirsi da capo le stesse cose nella stessa successione di toni, minaccia, ribellione, preghiera, sdegno, comando, minaccia... Alla fine il dott. Santamaria li fece uscire tutti quanti, compreso lui, Cottino.

— Vedi quella macchina, Cottino? — gli disse, da uomo a uomo, indicandogli un'utilitaria marrone col tetto chiaro.

— Sì, dottore.

— Prendila tu, vienimi dietro fino al ponte.

Prima che Cottino avesse avuto il tempo di chiedere quale ponte, il giovanotto gli aveva messo in mano le chiavi, risalendo sulla volante col dott. Santamaria, che già la metteva in moto. Scrollando le spalle, Cottino s'infilò a sua volta nell'utilitaria, e solo allora capì che le due donne sarebbero venute con lui, stavano lì, davanti all'altro sportello, e gli facevano segno di aprire. Cottino allungò il braccio ad aprire e disse: — Tzè.

L'ingegner Vicini restò a lungo su una delle due poltroncine di velluto dell'entrata, rimuginando su quello che aveva detto, che non aveva osato dire, che non gli avevano lasciato dire. Esprimersi, scavare fino in fondo alle cose, a se stessi, era sempre difficile, all'atto pratico. Gli altri, quando li avevi lì davanti, ti intimidivano, ti sconcertavano, ti spaventavano, ti bloccavano... Quel giovanotto a cui aveva raccontato una prima volta la sua storia, era veramente della polizia? Ieri in chiesa non s'era qualificato e stasera l'aveva aggredito con durezza, se non con brutalità. Un duro. Ma quando era arrivato il commissario, questo duro aveva preso per un attimo un'aria sorpresa, perfino un po' turbata; e da quel momento non aveva più aperto bocca. Un sottoposto che era andato al di là degli ordini, che aveva preso un'iniziativa indipendente, come succedeva in ogni gerarchia? O qualcuno che non aveva niente a che fare con la polizia, qualcuno mandato da... da chi?

L'ingegner Vicini andò a passi lenti, assorti, ma non zoppicanti, a sedersi sull'altra poltroncina, quella piazzata accanto al telefono, un po' di sbieco.

Gli avevano creduto? Certo che gli avevano creduto, un'esperienza come quella da lui vissuta nella terribile notte di venerdì non si poteva inventare. E perché allora non avevano accettato di farsi accompagnare, guidare da lui? Ma proprio perché gli avevano creduto, perché la sua storia aveva lo straziato, lacerato accento della verità. E perché allora il commissario l'aveva riconvocato in questura per lunedì?

L'ingegner Vicini si sforzò di ricostruire, parola per parola, com'era andata la difficile confessione, e ora gli parve che all'atto pratico non fosse stata convincente, esauriente. Per forza. Era mancato il background generale della sua infanzia e adolescenza, il rapporto col padre, con le donne, con gli "altri", era mancato tutto il contesto Fiat, la cruciale ambivalenza con la gerarchia, il potere, era mancata la paradossale contraddizione di Santa Liberata, era mancato...

L'ingegner Vicini non esitò più. Tirò su il ricevitore e formò con impazienza un numero.

Thea infilò la testa tra quelle di sua madre e di Cottino, e ammonì:

— Hanno svoltato a destra.

— Lo so, ho visto, — disse Cottino.

— Ma se poi svoltano di nuovo, chi li trova più?

— Li troviamo, signorina, li troviamo...

— Ma non sappiamo dove vanno... O lei invece lo sa?

— Non lo so, — disse Cottino lasciando via Stradella e svoltando a destra anche lui. — Il dottor Santamaria m'ha solo parlato di un ponte.

— Sul Po? Sulla Dora?

— Chi lo sa. Stiamo a vedere.

— Rieccoli là? Sono loro?

— Mah? — disse Cottino. — Il dottore non ha messo il lampeggiatore, e da lontano...

— È quello che dicevo, — si agitò Thea. — Da lontano i fanalini rossi sono tutti uguali, basta che loro facciano due o tre sorpassi e...

Una macchina li sorpassò.

— Lei non sta andando troppo piano? Basta che tra loro e noi si infilino un altro paio di macchine, e non c'è più modo...

— Thea, — disse con fermezza la signora Guidi, — lascia guidare chi deve guidare, fammi la santa grazia.

— Ma per carità, — sorrise Cottino, con l'aria che nella vita noia più noia meno, sventura più sventura meno...

— Già dovresti ringraziare, — proseguì la signora Guidi, — che invece di spedirti a casa a dormire come sarebbe stato logico e doveroso...

— A casa non ci sarei tornata comunque.

— Ah, vuoi andartene da casa? E io allora ti dico...

— Mamma, non fare la mamma inflessibile che non capisce niente. Non ho affatto detto che me ne voglio andare da casa, ho solo detto che stasera comunque dovevo, devo assolutamente avere con Graziano un minimo di...

— Avete capito che... Vi siete resi conto che la cosa... — disse speranzosa la signora Guidi.

— Non abbiamo capito né ci siamo resi conto di niente. Solo che quando due persone... Eccoli là, dietro quel camion! Acceleri, acceleri, sono loro!

— Senti, non si può impunemente... — minacciò la signora Guidi. — Se non la smetti dico a Cottino di riportare a casa me, e buonanotte. Già mi hai coinvolta in questo inseguimento cervellotico, già stiamo a girare come due matte per queste strade dove non c'è un'anima sui marciapiedi... Guarda, è impressionante, non c'è un cane, non si vede letteralmente una sola persona.

— E chi si dovrebbe vedere?

— Ma non lo so, gente che va al cinema o a mangiare fuori, qualcuno che è andato a trovare dei parenti, che ne so... Invece tu guarda: è un deserto completo, hanno tutti paura.

— Hanno freddo, — disse Thea. — O hanno la macchina.

— Hanno paura. Una volta la gente girava tranquillamente tutta la notte, passeggiava anche d'inverno, è vero Cottino?

— Una volta... — sospirò Cottino evocando lontananze paleontologiche.

Le strade si succedevano come lunghi cassetti oscuri aperti frettolosamente nelle stanze della notte, i lampioni formavano file di maniglie mal lucidate.

— Da queste parti, — disse la signora Guidi, — abitava Calcia, sai quel tappezziere... Cioè, prima stava in via San Secondo, e poi s'era trasferito qui.

— Ah, sì? — disse Thea, ritraendo la testa e sedendosi più comodamente sul sedile posteriore, ora che Cottino tallonava fedelmente la volante.

— Sì, quello che aveva ricoperto il divanetto che c'era prima in camera tua e che adesso è nell'ex saloncino ma rifatto in bianco...

— Sì.

— Era una stoffa a fiori, carissima ma stupenda.

— A fiori? — disse Thea.

— Sì, erano fiori turchese su un fondo...

— Ma non era a fiori, mamma. Quella a fiori turchese era la

dormeuse che adesso è nella stanza ex di papà. Tu confondi con...

— Ma cosa dici, la *dormeuse* aveva quella seta a strisce opache e lucide alternate, tinta su tinta, tant'è vero che...

— Mi ricordo ancora quando ci giocavo, facevo finta che fosse una zattera e ogni foglia turchese era un pesce volante che io e le mie bambole...

— No, guarda, è impossibile, c'era la seta, ricordo perfino uno strappo proprio sotto lo spigolo, perché era una stoffa francese molto delicata e alla fine difatti...

— Ti confondi con un altro divano, quello che gli hai fatto togliere le frange, a un certo punto.

— E difatti le frange le aveva messe Calcia, erano la sua grande passione, e io per stanchezza certe volte non riuscivo a impormi, cedevo, e poi naturalmente... Ma comunque i fiori turchese erano senza discussione sul divanetto, aveva capito anche lui che in quel caso le frange...

— No, mamma, ti garantisco...

— Già, perché adesso tu, che a quell'epoca avevi quattro anni...

— Sei.

— Be', insomma, cosa vuoi più ricordare se un sofà aveva o non aveva...

— Ma sono le cose che una ricorda di più! Magari non ti resta niente di un viaggio a Venezia, ma i fiori della *dormeuse*...

— Thea, non fare la figlia freudiana che conosce il subconscio, quei fiori turchese erano certissimamente...

— Mi dispiace, ma ti sbagli.

— Già, perché adesso io sono svanita, adesso sono arterio...

— Si sono fermati!

Cottino rallentò senza metterci il cuore e finendo per arrestarsi almeno trenta metri oltre la volante, che era ferma davanti a un piccolo bar privo d'insegna. Graziano stava entrando.

Restò dentro pochi minuti e risalì poi accanto al commissario senza guardare né a destra né a sinistra.

La corsa riprese lungo viali sempre più larghi, aggiornati, indispensabili, come elenchi telefonici in cui non mancava niente tranne la vitalità di un errore, la suggestione del superfluo. Le aiole spartitraffico erano ancora coperte di neve brunita, ma nelle corsie, a parte i due margini di fanghiglia che lo listavano, l'asfalto aveva già ripreso il suo duro e uniforme dominio.

Il ponte infine si delineò, in leggera salita, sovrastato da grandi barre allo iodio. La volante procedeva ora lentissima, come sbigottita, su quelle imponenti, eccessive strutture che sembravano costruite in vista di flussi idrici immani. Il fiume stesso era invisibile, ma oltre il ponte, sotto i piloni di uno svincolo sulla sinistra, bruciavano i fuochi delle prostitute. La volante si fermò sul ciglio destro, e Graziano attraversò in fretta la strada in direzione di quelle sagome solitarie; il commissario venne verso Cottino, lo chiamò fuori col dito, gli parlò brevemente e se ne tornò verso la sua auto.

— Cosa le ha detto, Cottino? Cosa sta succedendo?

— Niente di speciale, — disse Cottino, — quel giovanotto sta prendendo informazioni.

— Ma vada un po' più avanti, ci faccia vedere.

— C'è poco da vedere. Sono le solite cose, puttane, camionisti... tzè.

La sagoma di Graziano lasciò il primo falò, scomparve quasi nel buio, riapparve più lontano nel cerchio del secondo. Il commissario fumava appoggiato allo sportello della volante, passavano camion, passavano macchine, alcune rallentavano e poi, vedendo la polizia, ripartivano colpevolmente.

— Che ambientino, — disse la signora Guidi.

— Mamma, Graziano...

— No, voglio solo dire...

Ma niente fu detto, Graziano tornava da quella frontiera di ombre e di fiamme, risaliva sulla volante, e la volante ripartiva lasciandosi dietro un gran pennacchio di fumo grigio. E Cottino diceva, con le mani in mano:

— Bisognerà cambiare il filtro dell'olio.

— Ma cosa aspettiamo? — gridò Thea.

— Vediamo se torna indietro, no?

Invece continuava, i due puntini rossi s'allontanavano nel buio.

— Cottino, la prego, la scongiuro, sia buono...

— Così poi ci vado di mezzo io.

— Ma perché, dove vanno?

— Non lo so... si sono rifermati, ecco. Vedrà che ora tornano.

Le luci rosse dei freni avevano brillato brevemente, ma l'auto laggiù non invertiva la marcia, non si muoveva.

— Cottino, ma stanno aspettando noi, non vede?

Cottino mise in moto, si avviò così adagio che si potevano contare i giri delle ruote. Da un viottolo sulla sinistra, a poca distanza dai falò delle prostitute, sbucarono i fari gialli di un veicolo tozzo, squadrato, che sostò un momento a vedere se la strada era libera, e poi di slancio passò sulla destra, raggiunse la volante, le si affiancò.

— Cos'è? Cosa fa?

— È una fuoristrada, — disse straccamente Cottino. — Una Land Rover o una Toyota... tzè.

Ora la fuoristrada continuava e la volante ripartiva e Cottino per inerzia seguiva e soltanto dopo un mezzo chilometro a bassa velocità, soltanto quando il primo veicolo svoltò in un viottolo sulla destra e il secondo lo imitò, soltanto allora fu chiaro che si seguivano.

— Un vero corteo, — disse la signora Guidi.

— Dove li sta portando? — disse Thea.

— Chi lo sa, — disse Cottino, — tornano giù verso la Stura, comunque.

Si fermò all'imbocco del viottolo, ma senza spegnere il motore.

— Li aspettiamo qui, va bene?

— Cottino!

— Là sotto c'è mezzo metro di neve, ci vorrebbe una Land Rover, ci vorrebbero almeno le catene...

— Ma loro non hanno mica le catene! Mamma, aveva le catene l'auto del commissario?

— No, non le ha, — disse Cottino, — ma se poi restiamo bloccati ci vado di mezzo io.

— C'è sempre la Land Rover per tirarci fuori, no? Su, sia gentile, andiamo, tanto ormai, arrivati a questo punto...

Cottino disse "tzè" e svoltò anche lui giù per il viottolo.

— Però mi tengo a distanza, signorina, eh?

— Va bene, va bene, vediamo solo dove vanno.

Andavano in un paesaggio ignoto, presunto, il greto bianco e le acque nere del fiume appena indovinabili sulla destra, ora lontane ora vicine, e altrimenti, sospinta via via dall'aratro dei fari, una terra accidentata e mutevole, dove si potevano identificare con ritardo un improvviso sperone di calcestruzzo, ammucchiate carcasse di automobili, reti metalliche sbilenche, una baracca di lamiera, lo scheletro ligneo di un'antica draga. Le due auto davanti a loro apparivano, sparivano, riapparivano secondo le curve e i dislivelli del sentiero, e infine, dopo aver scalato coi fari al cielo un'ultima pendenza, dopo essere state inghiottite da chissà quale precipizio, risbucarono fuori sulla sinistra, si fermarono fianco a fianco.

Cottino, che si rendeva conto di aver ceduto fino al punto in cui non poteva più rifiutare niente, si lasciò spingere a una distanza vagamente "ragionevole", spense i fari, e si lasciò mandare avanti a piedi, col pretesto di cercare un qualche spiazzo per girare la macchina. Ma appena se ne fu andato, la notte s'infittì paurosamente.

— Che posticino, — disse la signora Guidi. — Menomale che c'è la polizia.

— Senza la polizia, Graziano non avrebbe portato neanche me.

— Lo spero bene. Potrebbe benissimo esser questo il posto, il topos.

— Che topos?

— Non so, un posto che stanno cercando.

— Dove hanno ammazzato quel maresciallo? Ma perché lo dici in greco?

— Sono loro che lo dicono, non chiedermi perché. Certo non mi piace niente, è un vero posto da delitto. Ripensandoci, era meglio se Cottino...

— Hai paura? E la chiesa, allora?

— Che c'entra, quello è stato un attentato.

Una sagoma scura emerse da un monticello davanti a loro.

— Oh, signore... Non mi piace niente. Cosa facciamo?

— Ma è Cottino, chi vuoi che sia.

La signora Guidi accese i fari. Era proprio Cottino, che se ne veniva seguendo accuratamente i solchi tracciati dalle altre macchine sulla neve.

— Allora?

— Per far manovra bisogna andare fin là, prima non c'è maniera.

— E là cosa c'è?

— Una vecchia cava, una specie di grotta, con dentro un caravan. Loro adesso sono lì.

— Sul caravan? Ma con loro chi c'è, cosa fanno, ha potuto vedere?

— Dentro no. Ma fuori non c'è niente di speciale, dev'essere uno che ripara le biciclette, o una macelleria clandestina, non so. È tutto pieno di catene.

11.

In pochi minuti la stufa a cherosene aveva diffuso nel caravan un calore asfissiante, e la donna piegò la testa da una parte e si liberò della sua prodiga parrucca tizianesca.

— Prego scusare... — disse poi cominciando a sfilarsi dalla testa il pesante pullover, — ma io qui... devo alleggerirmi un tantino, altrimenti il salto dal freddo al caldo...

Sotto aveva una maglietta di lana bianca, ornata di piccole rose di nailon al centro dello scollo e sulle sottili spalline. E più sotto ancora traspariva un capace reggiseno nero.

— Questa Volkswagen, allora? — disse il commissario.

— Questa Volkswagen io non l'ho mai vista, né chiara né scura, né prima né dopo, — disse la donna aggiustandosi alla meglio i corti capelli castani. — Chi c'era sopra, la moglie che lo seguiva? Perché ce ne sono che vengono d'accordo con la moglie, alle volte la moglie è ben contenta di...

— No, non è sposato, — disse il commissario. — E le tue colleghe?

— Se l'hanno vista loro? Non lo so, posso sempre chiedere.

— Le prime tre, — disse Graziano, — non l'hanno vista. Tu informati un po' dalle altre della zona, va bene?

— Va bene.

— Se uno su una Volkswagen chiara s'è fermato lì vicino, se gli ha chiesto qualcosa, va bene?

— Va bene, — ripeté diligente la donna. — Prego notare però, che ieri sera con quella neve abbiamo lavorato poco, molte non sono nemmeno venute.

— E tu come mai c'eri? — disse il commissario.

— Perché io ho una clientela speciale che viene con la pioggia e col bel tempo, — rise la donna raddrizzando le spalle carnose, massicce, e flettendo un braccio da lottatrice. — Prego ricordare che mi chiamano la Frusta.

Da due anelli attaccati al soffitto del caravan pendevano fasci di catene di ferro e di bronzo, lunghe fino a terra e con gli anelli di varia misura e spessore; e a un ampio pannello di truciolato fissato a una parete erano inchiodati bracciali di cuoio e manette, a varie altezze, come attrezzi di palestra.

— E ieri sera hai avuto clienti?

La Frusta si rifece seria.

— No, — ammise, — e infatti ero anch'io sulla strada, come le altre... perché di solito me ne sto ad aspettarli qui, i miei abbonati. È un posticino... — aggiunse dando un'occhiata circolare al suo regno, — che si è fatta la sua rinomanza, non per dire.

— E invece ieri sera...

— E anche stasera, — disse filosoficamente la donna. — Prego scusare...

Appena entrata nel caravan s'era tolta gli stivali di gomma mettendosi a trafficare con la stufa a piedi scalzi; ora sollevò la breve gonna e cominciò a srotolarsi certi spessi calzettoni di lana a disegni di scuola scandinava.

— Il fatto è che quando fa così brutto, — spiegò onestamente, — anche i miei clienti ci pensano due volte a mettere il naso fuori di casa. E allora mi sta bene anche il marchettaggio volante, se si presenta un camionista qualunque che vuole solo togliersi il pensiero, non sono io che ci sputo sopra, mi spiego?

Si alzò nelle sue calze a rete dallo sgabello impagliato e malconcio, e s'intrufolò tra il commissario e Graziano che sedevano su una specie di panca.

— Eccole qui.

Riemerse con un paio di ciabatte scalcagnate e tornò al suo posto.

— Ma questo di ieri, era venuto a cercare te, sapeva di questo posto?

— No, è stato un caso, s'è messo a parlare con l'Annamaria

e quando lei ha capito il tipo gli ha detto di venire da me, che ero lì a due passi.

— Le dai una percentuale? — disse Graziano.

— E certo, no?

— Ti fai pagare prima?

— E si capisce, no?

Ma flettendo di nuovo il braccio muscoloso precisò:

— Soprattutto per abitudine, perché con me pagano sempre, prima o dopo, non gli passa neanche per l'anticamera del cervello di tentare lo scherzetto. Prego tener presente che la Frusta non ha paura di nessuno, ragni a parte.

— Che ora era? — disse il commissario.

— Un po' dopo le due, — disse lei, accennando a una sveglia sopra una mensoletta, — ho guardato.

— Cosa ti ha raccontato?

— Che se l'era fatta tutta a piedi dal centro. E doveva essere vero.

— Perché?

— Ma era bagnato fradicio, sembrava uno scappato dalla Russia, mi ha combinato un lago qui in mezzo, che...

Il commissario guardò il pavimento e poi le pareti, che non avevano però l'aria di essere state lavate di recente.

— Non t'ha detto perché aveva fatto quella camminata?

La Frusta alzò le spalle velate di sudore e sporse il grosso labbro:

— Solite cose, rapporto di qua, rapporto di là, il padre, la madre, la zia, la nonna, chi sono io, chi sono gli altri, l'umiliazione, la frustazione... Io, prego credere, non sto neanche a sentire cosa farfugliano, m'interessa solo se mi vogliono menare a me, o se sono loro che vogliono farsi menare. In quanto la tariffa è diversa, logicamente.

— E questo qui?

— Questo qui...

La Frusta prese tempo, concentrando il suo crudo faccione in un quadrato osseo.

— Questo qui.... be', dopo che s'è un po' asciugato e rimesso, perché gli ho offerto anche un bicchierino... a proposito...?

— No, grazie, — declinò il commissario.

— Insomma, gli ho fatto vedere l'apparecchiatura, no?

Si rialzò per andare a spalancare una tenda di cretonne dietro la quale apparve un vasto assortimento di funi e corde annodate, fruste da carrettiere e frustini da fantino, altre catene, cinghie e cinturoni neri, stivali, stivaletti e guantoni neri alla moschettiera, uncini e ferri di problematico impiego.

— È stato mezz'ora a toccare, a guardare, a far domande, non si decideva mai... e lì ho capito che, o faceva per farsi dire, per eccitarsi, mi spiego?, oppure non aveva esperienza. Allora gli faccio, dico, ma guarda che se vuoi si possono combinare le due cose, col dovuto supplemento. Stupro e punizione. Prima mi metti le catene a me, mi inchiodi qui per terra, o al muro, o dove ti pare, e ti fai il tuo stupro. Poi io ti lego a te, ti meno, ti faccio male, ti levo il senso di colpa, e tu te ne vai a casa tranquillo. Guarda che è un sistema abbastanza normale, gli faccio, non credere che sia chissà che cosa.

In piedi davanti ai ferri del mestiere, le mani sui fianchi robusti, un'inflessione apologetica nella voce, sembrava una fruttivendola che difendesse la qualità dei suoi aranci, davanti al suo banco.

— E lui?

— Be', lui è rimasto un po' lì. Ma, dice, come normale? in che senso normale? Be', gli faccio io, ho diversi e svariati clienti che me lo chiedono, e non per dire, ma tutta gente di una certa... dottori, avvocati, commercianti, dirigenti... E lui salta su, mi fa, dice, anche Fiat? E io così per ridere gli faccio, sì, come te, così per scherzare, perché io logicamente mica sapevo se lui era o non era della Fiat? E poi la mia regola, prego tener presente, è sempre stata che gli affari dei miei clienti...

— Certo, — disse il commissario. — E dopo?

— Dopo niente, — disse la donna. — S'è smontato.

— Non ha...?

— Niente di niente. Ma proprio zero. Io ho cercato un momento di tirarlo su di morale, in quanto aveva pagato e io non voglio rubare i soldi a nessuno, non voglio che poi vadano in giro a dire che la Frusta...

— Giusto, — disse il commissario.

— Perché i miei clienti alle volte, sa...? Insomma, gli ho detto così alla buona che avevo anche la tuta da sub, che mi potevo travestire da uomo, da colonnello tipo tedesco, o da suora, che gli potevo mettere su uno dei miei nastri...

— Quali nastri?

— Prego ascoltare, — disse la donna.

In un momento tirò fuori da dietro la tenda un registratore a pile, l'avviò, e il caravan si riempì di sospiri affannosi, equivoci muggiti, gemiti laceranti, intramezzati da sibili e forti schiocchi.

"Così!..." ansimò una voce d'uomo. "Puniscimi!... Spezzami!... Distruggimi!..."

— Molto incoraggiante, — disse il commissario.

— Vero? — disse la Frusta spegnendo l'apparecchio. — Ma lui niente, era proprio giù, mi fa, dice, no, all'atto pratico, questa è la mia maledizione, e tanti saluti.

— Quale maledizione?

— Non l'ha detto.

— Ha detto parole strane, in qualche lingua strana?

— Tutte le parole dei miei clienti, — rise la donna, — sono più o meno strane.

— Ha parlato di una chiesa, di un prete?

— No, io da prete non ho niente, tengo qualche rosario così, per il caso, e come dico ho una divisa da suora, con la cuffia, ma da prete niente.

— E poi l'hai riaccompagnato?

— Era il minimo, mica potevo mollarlo così, a rifarsi tutta la strada sotto la neve. Ho preso la Toyota e l'ho portato fino alla stazione Dora.

— E non hai visto nessuna Volkswagen? Neanche allora?

— No. Lui poi ha trovato un tassì e prima di partire m'ha ancora dato diecimila lire. Un tipo a posto, molto gentile... È della Fiat?

— Chi lo sa, — disse il commissario.

— Ma perché, che ha fatto, s'è ammazzato o cosa?

— Non ha fatto niente, è solo un controllo.

— Ah, volevo ben dire, perché a me m'è sembrato un tipo tranquillo, per bene, – disse la donna. – Uno di questi che magari si montano un po' la testa coi giornalini e il cinema porno, ma che poi sotto sotto... insomma, uno normale, no?

– Un criptonormale, – s'illuminò il commissario.

– Cripto?... Prego spiegare.

– Niente, – disse il commissario, – è un'altra di quelle strane parole.

12.

Quando vide i fari della volante che si riaccendevano, Cottino avanzò fino allo spiazzo davanti alla cava per fare manovra.

– Torniamo indietro, dottore? – chiese a Santamaria dal finestrino.

– Sì, tu vienimi appresso.

Ma Thea era già scesa, infilandosi tra lo schienale anteriore e lo sportello, e correva dalla parte di Graziano.

– Avevi ragione, allora? Avete trovato qualcosa?

Graziano aveva un'aria delusa e immusonita.

– Niente.

– Ma proprio niente, neanche la minima... – chiese Thea anche al commissario.

Santamaria, che aveva difficoltà con l'accensione, scosse la testa.

– Le candele, – disse Cottino dall'altra parte. – Il filtro dell'olio, tzè.

– E adesso dove andiamo?

Il motore aveva finito per avviarsi, salendo fragoroso e disordinato di giri. La risposta del commissario, se aveva risposto, si confuse nel rombo che riecheggiava dalla grotta. Thea tornò sull'altra macchina e l'ex corteo, senza più la Toyota, risalì fino alla strada, voltò verso la città. Ripassarono davanti ai fuochi delle prostitute. Riattraversarono il ponte.

La volante non faceva più fermate, adesso, ma continuava dritta e spedita verso il centro, badando solo a non seminare Cottino. Dopo la stazione Dora prese per corso Principe Oddone e corso San Martino, a Porta Susa girò, passò nel controviale di corso

Vinzaglio, e da via Grattoni – con Cottino a ruota – s'infilò nel cortile della questura.

Thea scese col cuore in gola, le gambe molli, il sospetto orribile che Graziano fosse di nuovo in arresto, ora che i suoi tentativi erano falliti. Ma lo vide allegro, avvicinandosi, e lo sentì ringraziare il commissario che l'autorizzava a riprendersi la Porsche.

– Grazie. Mi dispiace che sia andata male, ma domani mi rimetto in giro. Non è detto che sia finita qui.

– Infatti, – disse asciutto il commissario. – Dovremo riparlare della pistola, no?

Graziano allargò le braccia con fatalismo, poi seguì Cottino che l'accompagnava a ritirare l'auto.

Anche Thea ringraziò.

La signora Guidi, che era rimasta da una parte con un'aria incerta, venne a dare la mano al commissario. Ora che Thea e il suo amico avevano due macchine, scherzò, le sembrava difficile approfittare ancora di (fece una pausa impercettibile) Cottino, per farsi riportare a casa.

– Però mi dispiace, in queste vostre volanti è un piacere andare attorno. Ci si sente così... – fece una pausa meno impercettibile, – protetti.

– Finché non ci sparano addosso, – si mise a ridere Santamaria. – Perché noi, non è che siamo... – fece anche lui la sua pausa, – tanto più blindati degli altri.

Un funzionario integerrimo e soprattutto un gentiluomo, un uomo d'onore, si congratulò con se stesso mentre se ne tornava a casa a piedi.

Ma al punto di fare, con la disinvolta signora, la figura del casto Giuseppe?

Ebbe paura di sì. Col poliziesco, infallibile acume delle donne in quei casi, lei aveva certamente capito che il ritorno in questura e la restituzione della Porsche erano stati un modo per tirarsi indietro. Lei, l'aveva detto lei stessa, con lui si sentiva protetta; e non era difficile immaginarsi come sarebbe finita la protettiva serata se gli altri due, involandosi per le Betulle o simili, gliel'avessero lasciata su (praticamente tra) le braccia nella volante. Una situazione di cui un gentiluomo non poteva assolutamente...

A meno di essere pneumatico, pensò. O criptonormale. O un topos, magari, o chissà quale altra di queste specie venute fuori a un certo punto della notte. Mentre lui era rimasto, bene o male era rimasto, riconobbe quasi arrossendo, a una concezione antropomorfica dell'uomo.

X
UN FRUSCÌO MONOTONO NEL SOTTOFONDO

1.

Un fruscìo monotono nel sottofondo, e in primo piano un intermittente, metallico sgocciolio, avvertirono la Pietrobono che a
un certo punto della notte la pioggia aveva cominciato a cadere
sulla città.

Impiegando non più di due minuti a decidere cosa mettersi
(stivali e gonna scozzese o pantaloni grigi e maglione bianco?)
la ragazza si alzò, passò in bagno, si vestì con gesti accelerati
e sommesse imprecazioni. Invece di starsene in pace a dormire
fino alle undici, invece di spazzare e rassettare il suo piccolo alloggio mansardato, invece di telefonare a questo e a quello e
combinare un cinema o un qualcosa per il pomeriggio, ecco che
correva come una disperata in ufficio, si precipitava al lavoro
anche di domenica. Chi glielo faceva fare? Bisognava essere una
stupida fissata zelante come lei.

Contemplò con una smorfia il letto sfatto, il guanciale acciac-
cato, un collant e un reggiseno scivolati in terra. Il disordine
domestico non le piaceva, ma lasciò ogni cosa com'era; ancora
meno le piaceva il disordine, lo stato di caotica frammentazione,
in cui aveva lasciato il "materiale di indagine" sui tavoli di
Santamaria e di De Palma. E in questo spirito in qualche modo
casalingo, dette tre energici giri di chiave alla porta e s'infilò
giù per le scale. Sul portone si fermò per aprire l'ombrello di
sua madre. Fuori avrebbe potuto essere l'alba, per la luce che c'era.

Alla stessa ora (8,05) altre donne ancora dormivano, placide
o agitate, sprofondate nel nulla o visitate da mutevoli immagini,
sfiorate da labili apparizioni. La signorina Caldani si rigirava
nella sua camicia da notte di felpatino, i denti serrati, le labbra
che tremavano, ogni tanto, come per lasciar filtrare le sillabe di

una preghiera silenziosa. Romilda Bortolon, sola nel suo letto,
sognava di essere tra le braccia del marito, il terzo fratello, quando insieme andavano al ballo pubblico sulla piazza del paese nei
giorni di festa; ma intorno non c'erano altre coppie, c'erano solo
uomini, e tutti avevano facce di Bortolon, decine, centinaia di
Bortolon con gli occhi sgranati. La signora Guidi sorvolava ad
altissima quota la carta geografica dell'Asia, e dal finestrino del
jet riconosceva penisole, golfi, catene di monti, fiumi, deserti;
ma non riusciva a ricordare i nomi da sovrapporre in nero a
quei luoghi, non uno solo, per cui la hostess col frustino la
metteva in castigo. Sua figlia Thea dormiva un po' di traverso
nel cigolante letto matrimoniale del motel "Le Betulle", e la sua
mano sbucava di sotto il cuscino come un fiore rosa pallido; ma
questa similitudine non distrasse Graziano (che era sveglio e guardava la dormiente appoggiato a un gomito) dall'assorto stupore
con cui ne stava considerando un'altra, né lo aiutò a prendere la
sua decisione: allontanarsi ora senza far rumore, lasciando a
Thea un breve biglietto, o aspettare che si svegliasse e spiegarle
infine com'erano andate realmente le cose?

Erano le 8,23 quando la Pietrobono ordinò un cappuccino
con briosce in un bar di via Cernaia, dato che quello in corso
Vinzaglio di fronte alla Questura, la domenica era chiuso.

Alla stessa ora altri avvicinavano alle labbra bevande calde.
L'editore stava bevendo una tazza di tè russo (che non gli piaceva) senza zucchero né limone; gli era stata preparata e portata
a letto da sua moglie, perché oggi era domenica e la domestica
etiopica se ne andava al suo circolo etiopico a cucinare pasti
etiopici e (sospettava l'editore) a farsi mettere in testa strava-
ganti rivendicazioni da studenti etiopici. Priotti, anche lui a letto,
beveva il caffè che gli aveva preparato e portato la sua convivente. L'erborista beveva un decotto lassativo nella cui effica-
cia aveva smesso di credere, mentre sua moglie non beveva niente
e fissava con occhi arrossati, dolorosi, l'acqua che scrosciava sul
ballatoio da una grondaia rotta.

Alle 8,38 la Pietrobono accese la luce in ufficio. La questura,
come la città, era praticamente deserta, ma entrando dalla pioggia
e dall'umido in quell'ambiente caldo e familiare, la Pietrobono
non provò alcun senso di solitudine. Emise anzi un "oooh!" da

proprietaria soddisfatta, depositò l'ombrello gocciolante nel solito posto, e mettendo le mani a intiepidire sul termosifone, cominciò mentalmente a organizzarsi la mattinata.

Altri in quel momento si stavano più o meno organizzando. L'ingegner Vicini credeva di non aver chiuso occhio tutta la notte (in realtà aveva dormito per un totale di quattro ore e mezza) e attribuiva in massima parte a questo fatto la sua febbrile spossatezza, l'agitazione che lo faceva passare senza posa da una stanza all'altra, da una sedia a una poltrona. "Sfido," si ripeteva, "non ho chiuso occhio tutta la notte." Altrimenti sarebbe stato calmissimo, perfettamente padrone di sé. La grande decisione era presa: con gli stoccaggi Fiat, con Torino, con l'Italia, il mostro di Corso Marconi aveva chiuso. Avrebbe chiesto "a chi di dovere" un trasferimento all'estero, una sede il più lontano possibile, in Sudamerica, in Australia, dove si sarebbe rifatto una vita, riconciliato con la propria vera identità. Non potevano dirgli di no. Oltre i vetri rigati di pioggia si condensavano immagini di grandi viali assolati e bordati di palme, di sconfinate spiagge protette da barriere coralline. Una fuga? La chiamassero come volevano. Lui riconosceva solo quel bisogno urgente, viscerale, per non dire intestinale, di tagliare, cancellare, annullare tutto, di ritirarsi aldilà degli oceani per riprendere in mano i fili del suo destino.

Alle 8,42 la Pietrobono si mise a ordinare su un solo tavolo, previamente liberato da carte e cianfrusaglie estranee, tutti i reperti materiali e documentali relativi al caso Pezza.

— Ma cos'è, un banco di beneficenza? — disse l'agente Angelini che la stava osservando dalla porta.

Era venuto a farle una visita dal centro comunicazioni, dove, insieme al brigadiere Taddei, assicurava la "permanenza" domenicale.

— È per avere tutto sotto gli occhi, — spiegò indaffarata la Pietrobono. — Per avere le cose materialmente sottomano. Si lavora meglio.

— A chi lo dici! — fece subito Angelini.

Era un bravo ragazzo, e un bravissimo tecnico, ma aveva la mania infantilistica delle allusioni e dei doppi sensi, trovava sempre modo di stiracchiare il discorso in direzioni scollacciate.

— Ma quel coso non è uno spinterogeno?

— Sì.

— E che ci fa qui? Roba rubata?

— No, è un simbolo. Per via delle scintille.

— Scintille, eh? — gongolò Angelini. — Ma io scommetto che tu fai fuoco e fiamme anche senza spinterogeno, di' la verità!

Si avvicinò sornione al tavolo.

— Non toccare, — gli ordinò la Pietrobono.

Angelini la rassicurò ammiccando.

— Non tocco, non tocco, sul lavoro tengo le mani a posto, sta' tranquilla... Ma il "Fratello ignorato", chi sarebbe? Edizioni della Ghianda, eh?

— Non so, sono poesie di quel prete. Ho dato solo un'occhiata.

— E il prete è questo qui che si beve una birra?

— Sì.

Oltre alla foto che lo ritraeva sul camion di immondizie, forcone in mano, erano saltate fuori dalla raccolta del giornaletto "Appartenere" altre due immagini del Pezza. In una, Pezza l'operaista appariva in un cerchio di proletari in tuta, davanti ai cancelli di una fabbrica occupata. Il titolo diceva: *Il lavoro è un privilegio?* Nell'altra (che la Pietrobono, dopo averla mostrata a Santamaria, aveva ritagliato per incollarla nel suo quaderno) Pezza l'ecologo inalberava un cartello con la scritta "No alla caccia", su uno sfondo di salici tra cui zampillava una rustica fontana. Alla sua destra c'era una ragazza con in mano una gabbia da canarini aperta, alla sua sinistra un omone imponente che scrutava il cielo col binocolo, una matita tra i denti, e dopo di lui, ben riconoscibile, Priotti. Il titolo diceva: *San Francesco e la doppietta.*

— Insomma, — commentò Angelini, — la giornata dell'uccello. Se lo sapevo, partecipavo anch'io.

— Signore benedetto, — sospirò la Pietrobono. — Ma perché non te ne torni alla tua cuffia?

— A parte che di là c'è il bravo Taddei, mi dici cosa può succedere di domenica mattina con questo diluvio. Nessuno si muove, nessuno ha bisogno di noi, stanno tutti al caldo sotto le coperte, beati loro, a darci dentro con le doppiette.

— Uuuuuh! — fece la Pietrobono. — Senti, renditi utile, fammi funzionare questo registratore, se ci riesci.

Ma Angelini puntò l'indice sul volume del Leisegang.

— Cosa sarebbe la gnosi? Un nuovo tipo di ammucchiata?

— È una dottrina religiosa. Senti, vuoi farmi il favore di...

— E questo?

Si chinò sul foglio a quadretti dove il Pezza aveva ricostruito, in trentasei caselle, il complicato diagramma degli Ofiti.

— È un diagramma, ma sempre di cose religiose. Una specie di Trinità moltiplicata per dodici.

— Ma guarda! E qui per quanto è moltiplicata? — disse Angelini indicando l'indice-schema dei polidialoghi compilato dal professor Calamassi.

— Quello è l'indice delle registrazioni che ci sono lì, e anzi ti sarei...

— Ah, sono queste cassette che vuoi sentire?

— Prima vedi se il registratore va.

Angelini esaminò con sufficienza l'apparecchio del Pezza.

— Ferrovecchio. Se è guasto, non trovi neanche più i pezzi di ricambio. Le pile ci sono?

— Non lo so, vedi tu. C'è una cassetta già inserita.

Angelini avviò l'apparecchio e il nastro cominciò a scorrere con elettronici fruscii e mugolii, ondulati disturbi da cui le parole, basse in quel punto e senza enfasi, stentavano un poco a emergere: "...è questa l'istanza di fondo del discorso giovannèo... che ci invita..."

— Un ferrovecchio, te l'avevo detto! Ma funzionare, più o meno funziona... Cosa c'è in programma?

— Fammelo tornare indietro, voglio sentire dal principio.

Angelini eseguì.

Ma questa volta furono le parole, fu la voce irruenta e poderosa a travolgere, a spazzare via ogni disturbo, risuonando nell'ufficio silenzioso con una minacciosità da giorno del giudizio.

"Ed ecco, si fece un gran tremoto!... E il sole divenne nero come sacco di pelo, e la luna divenne tutta come sangue!... E i re della terra, e i grandi, e i capitani, e i ricchi, e i possenti..."

— Accidenti, — fischiò Angelini. — Che roba è?

— È una predica, — disse la Pietrobono, — e me la vorrei sentire in santa pace, se permetti. Dove si spegne? Qui?

Abbassò lo stop e la predica s'interruppe.

— Sentiamola insieme, anch'io sono un grande peccatore e ho tanto bisogno di...

— Va' via!

— Giuro che non dirò una sola parola e ti lascerò...

— Sciò, sciò, via.

La Pietrobono lo spinse materialmente fuori della stanza, poi riavviò il nastro e la voce riprese, tonante e minacciosa:

"...e ogni franco, e ogni servo, si nascosero nelle spelonche e nelle rocce dei monti! E dicevano ai monti e alle rocce: cadeteci addosso, e nascondeteci dal cospetto di Colui che..."

2.

La voce tonante e minacciosa dell'altoparlante ordinò allo scambista Fierro di portarsi al binario 16, e Monguzzi, che sedeva assorto e intirizzito su una panchina del binario 9, sussultò spaventato.

— Ellamiseria, — mormorò alzandosi, — ellamadosca...

La panchina era una lastra di marmo, e con la pioggia che s'infilava di traverso sotto la pensilina, col vento inesplicabile che sempre soffiava lungo i binari delle stazioni, coi treni vuoti e fermi come convogli funebri, e gli scarsi viaggiatori che circolavano in quella stillante desolazione, parve a Monguzzi di essere al cimitero.

Si calcò il basco in testa quanto era possibile, batté i piedi per terra e le mani una contro l'altra, ma col freddo-umido c'era poco da fare. Dal freddo-secco uno si poteva difendere, bastava che si coprisse, bastavano doppie maglie, doppie calze di lana, mutande lunghe. Ma il freddo-umido era un'altra cosa, il freddo-umido non perdonava. S'insinuava dentro le orecchie e giù per il collo, s'insediava nelle giunture delle ossa, s'installava nei bronchi, nei polmoni, nella pleura. In poche ore, eri pronto per reumatismi, otite, tracheolaringite, polmonite.

Sarebbe bella, pensò Monguzzi tremando, sarebbe davvero bella.

Scoprire quello che aveva scoperto, riuscire a non farsi beccare da "quelli" per trentasei ore, prendere la decisione che aveva preso, arrivare miracolosamente fin qui senza intoppi, errori o incontri pericolosi, e poi andarsene al creatore per una polmonite o una pleurite. Niente di più facile. Con la zia Adele era andata esattamente così.

— Ellaschifosa... — borbottò tirando su dal naso, — ellacarogna...

Si accorse di essersi imprudentemente allontanato di almeno dieci passi dalla panchina, e si girò di scatto; ma la grossa, rigonfia sacca di tela verdastra era sempre lì, nessuno gliel'aveva fregata. Con un gesto automatico si accertò se la seconda sacca, altrettanto rigonfia e scolorita, che portava a tracolla, gli pendesse sempre al fondo della schiena. Pendeva sempre. Bene. Le prove erano al sicuro.

— Comunicazione di servizio! — tuonò di nuovo l'altoparlante. — Lo scambista Fierro è pregato di portarsi immediatamente al binario 16!

Che succedeva al binario 16? Sembrava una cosa seria. Un qualche inconveniente tecnico, capace magari di bloccare tutti i treni in partenza, compreso il suo. Vero che il suo partiva tra un'ora e quarantasei, no, quarantaquattro minuti, e che non s'era ancora nemmeno formato; ma dalle ferrovie italiane ci si poteva bene aspettare qualsiasi scherzo. Uno scambio si guastava, e nessuno era in grado di ripararlo per ore e ore, se non fino all'indomani mattina. Niente di più facile.

Monguzzi afferrò la sacca e si avviò risoluto verso il binario 16 per vedere un po' la situazione. Ma giunto all'altezza del binario 14 si rese conto del suo gravissimo errore. Un annuncio di quel genere doveva per forza aver impensierito altra gente, oltre a lui; al binario 16 avrebbe trovato una folla di viaggiatori venuti a dare un'occhiata, a informarsi. E chissà che "quelli", attirati dal movimento, o magari addirittura calcolando che lui...

Sarebbe il colmo, pensò con un nodo in gola, sarebbe davvero il colmo.

Uscire di casa per così dire all'alba, battere tutti sul tempo approfittando della città deserta, arrivare in stazione con quasi tre ore di anticipo, quando a lui normalmente, per essere tranquillo, bastavano non più di trenta quaranta minuti, e poi andare a cascare come un pollo nella trappola del binario 16.

Deviò bruscamente verso l'edicola dei giornali, si nascose dietro una colonnina girevole di tascabili, mollò in terra la sacca e sbirciò attorno senza parere. Ma non era un buon posto, capì subito. Era anzi un posto molto pericoloso. La gente che veniva a comprare quotidiani e riviste arrivava da ogni direzione, il girevole non aveva in realtà nessun "dietro", non offriva nessun riparo globale. E diversi viaggiatori sostavano a lungo all'edicola, sfogliavano, sceglievano. Il classico posto dove "quelli" potevano mettersi per far passare il tempo tenendo d'occhio tutta l'infilata dei binari di partenza.

Monguzzi tirò su precipitosamente la sacca, tirò su dal naso, e prese a camminare senza meta quasi piegato in due, sia per il peso che gli slogava la spalla, sia perché era una buona scusa per tenere la testa china. Aveva assoluto bisogno di riscaldarsi un po', se non voleva fare la fine della zia Adele. Uscita testardamente in una domenica di pioggia come questa per andare a messa, una broncopolmonite se l'era portata via in tre giorni. Vero che aveva ottantasei anni, ma il freddo-umido non stava a fare distinzioni di età, sesso o ceto sociale. Il freddo-umido non guardava in faccia a nessuno.

Si fermò per cambiar di mano alla grevissima sacca. Dove trovare un riparo, anche momentaneo? Al bar della stazione, caldo e luminoso dietro le ampie vetrate, non c'era nemmeno da pensare, era il primo posto dove l'avrebbero cercato. Idem per la sala d'aspetto, senza contare che in quell'ambiente angusto, soffocante, una crisi di claustrofobia era il minimo che gli potesse capitare. Cosa restava? L'ufficio oggetti smarriti! Andar lì, far finta di aver perso un ombrello, un guanto, una cosa qualsiasi, frugare, insistere, guadagnare tempo... Girò sui tacchi, col naso che ormai colava ininterrottamente, e si trascinò verso l'altra estremità dell'atrio.

Non era preparato a trovare l'ufficio chiuso. Restò lì inerte davanti alla porta di vetro smerigliato, sotto la scritta dorata, e per la prima volta si chiese se la tripla dose di tabrium che aveva preso prima di uscire di casa fosse stata sufficiente. Per la prima volta cominciò a sentirsi un po' inquieto, un po' perso. Un po', diciamolo pure, ansioso.

3.

Il commissario Santamaria aveva capelli nerissimi (con una percentuale non decisiva di fili grigi), occhi nerissimi, baffi nerissimi, sopracciglia nerissime. E mentre informava avaramente la Pietrobono sugli sviluppi notturni dell'inchiesta, la sua espressione si poteva definire solo come nerissima.

— Ma non è una buona ragione, — protestò lei, — per non raccontarmi i particolari più eccitanti. Io dopotutto ieri sera mi sono...

— Quale buona ragione, cosa dici?

— Dottore, io la capisco, lei è...

— Pietrobono...

— Lei non ha trovato niente, non ha combinato niente, le cose stanno al punto di prima, e va bene. Ma non è una ragione per non riferirmi tutti i particolari, anzi. Io lo dico nel vostro interesse, tante volte da un piccolo dettaglio, da una cosetta che sul momento non sembrava...

— Pietrobono... — ripeté il commissario, basso e minaccioso.

— Com'era vestita la puttana con la frusta, per esempio? — fece lei, mordicchiando la biro. — Da domatrice o...

— Pietrobono, non mi va di scherzare.

— Lo vedo. Ma qui, se ci lasciamo prendere dallo sconforto...

Il commissario, che s'era accostato alla finestra, si voltò insospettito.

— Ma tu sfotti o dici sul serio?

La Pietrobono abbassò gli occhi.

— Sfotto, dottore.

— Ah, be'.

Santamaria riprese a guardare la pioggia che precipitava a matasse dai prodighi telai del cielo, le automobili che sfilavano rade in corso Vinzaglio con le luci prudentemente accese.

— Il commissario Fiora è guarito dall'influenza, — offrì volenterosa la Pietrobono. — Il dottor Cuoco ha detto che gli passa le consegne e poi se ne va a casa.

— Ah, sì.

— C'è anche il dottor Picco, in visita domenicale... Ah, e poi ha telefonato Cottino per il topostop, s'è informato dal padrone di casa, l'indirizzo è...

— Niente, ma quale topostop, ma siamo matti? Poi oggi è domenica e non troveremmo nessuno. Ricordamelo domani, casomai.

— Signorsì.

— E non mi rispondere signorsì!

— Eoni santissimi, — fece la Pietrobono a mezza voce, — ma siamo proprio neri, siamo proprio al morso che uccide la padroncina.

— Cosa borbotti, che padroncina?

— Niente, niente.

Santamaria voltò le spalle alla pioggia e tornò verso il tavolo dove la ragazza s'era installata fra i reperti del caso Pezza. Tirò su con due dita il volume del Leisegang, fece scorrere qualche pagina, lo lasciò ricadere con una smorfia sprezzante.

— Come setta gnostica faceva pena, non esisteva, erano quattro scalzacani che biascicavano quattro parole di greco senza neanche sapere cosa stavano dicendo.

Surrettiziamente, la ragazza rimise il volume nel punto preciso dove si trovava prima.

— E anche come riti e cerimonie orgiastiche, cosa salta fuori alla fine? Che era tutta una cosa da ridere, roba da peccatori di provincia.

— Ma a quanto pare in provincia ne succedono di tutti i colori. Io ho un'amica che vive a Como e mi racconta che lì c'è una...

— Lascia stare Como, il fatto è che qui a Torino, a Santa Liberata, anche come orge erano solo quattro gatti. Anzi tre. Tre vecchi gatti che... Insomma era molto più semplice di quanto...

— E l'ingegnere masochista? E la Frusta?

— Parrucca rossa, minigonna e stivali.

— Ah, grazie dottore!

La Pietrobono sorrise riconoscente e si chinò sul suo diario prendendo nota.

— Appena gratti un po', — disse il commissario raccogliendo la candela d'auto, — trovi una cosa più semplice. L'ordigno era una candela, il passaggio segreto non c'era, l'arma del sagrestano era una chiave, la Caldani è una povera diavola mezzo alcolizzata, e anche con l'ingegnere cosa abbiamo trovato? Che quello probabilmente è masochista come te e me, senza contare che se doveva andare fino alla Stura per sfogare le sue necessità immaginarie, abbiamo un'altra prova che a Santa Liberata non c'erano né fruste, né catene, né bordelli di...

— Le catene c'erano, — precisò la Pietrobono. — Le ho sentite io su questi nastri.

Santamaria posò la candela e prese una delle cassette dalla pila dei polidialoghi, tenuta insieme da due elastici gialli.

— Anche quella là tiene dei nastri sadomasochisti nel suo caravan.

— Nastri sad.mas. nel caravan, — disse la Pietrobono mentre scriveva l'annotazione sul diario. — Non potrebbe esserci un legame?

— Ma tu questi li hai poi sentiti?

— Dei pezzi qua e là. La predica del venerdì, cioè insomma la bozza, la prova generale del Pezza. È tutta sull'Apocalisse, la paura, la rovina di Babilonia...

— Lo so, quella l'ha già sentita Cuoco. Ma le catene dove sono?

— Un po' dappertutto, in quella specie di confessioni che facevano nella cappella operativa. Aspetti, che adesso gliele metto su.

Scelse un nastro, lo inserì espertamente nel registratore, premette il tasto d'avvio. Ai soliti fruscii e ritmici mugolii del nastro, dopo qualche secondo, si aggiunsero rumori e voci indistinte in secondo piano, poi una ruvida voce che sbuffava direttamente al microfono:

"Su, su, avanti un altro!"

— Questo è lui, è il Pezza.

Si udirono stridori, risuonarono clangori da officina meccanica.

"Spezza la tua catena, spezza la tua catena..." intonarono voci malcerte, femminili e maschili. Ci fu uno scroscio ferroso, un colpo di tosse in primo piano.

"Io spezzo la catena dello sfruttamento e del lavoro!" venne una voce semistrozzata, insieme a un forte colpo come di martello o mazza ferrata su un'incudine.

— Ecco l'ingegnere, — disse la Pietrobono.

"Io spezzo la catena della paura e dell'ipocrisia! Io spezzo la catena dell'egoismo e della violenza!"

La voce si rinfrancava, cercava di dominare il crescendo delle mazzate metalliche.

— Cosa succede, avete messo su un laminatoio? — disse il commissario Fiora, che era entrato in quel momento.

— Oh, ciao, sei guarito?

— Più o meno... Comunque non ho più febbre. O è una seduta spiritica?

— Quasi.

Si sentiva ora un ansito accelerato, e nel sottofondo il basso mugolìo che saliva e scendeva come una lontana, mistica cantilena.

"Chi sono io? Chi sono gli uomini e le donne che lavorano accanto a me?" chiese la voce in falsetto dell'ingegnere. "Se devo giudicare obbiettivamente la mia vita, mi rendo conto che il mio rapporto dialettico con gli altri, cioè nel senso di uno scambio interpersonale suscettibile di arricchire concretamente la mia esperienza di uomo tra gli uomini..."

Santamaria spense.

— Chi è? — disse Fiora.

— Uno della Fiat che stava col Pezza.

— Indiziato?

— Ma nemmeno. Non più di un altro.

— E che ci faceva col Pezza?

Santamaria si mise a girare la mano come una ruota.

— Parlava, si liberava... Il Pezza li faceva parlare tutti quanti in queste specie di confessioni collettive, sai com'è, no? Io ti do un'angoscia a te, tu mi dai un blocco a me. Intersbrodolate.

— E tu speri che dalle sbrodolate salti fuori qualche...

— Io non spero niente, fra l'altro questi nastri sono roba di due anni fa, ma devo pure attaccarmi a... Cuoco ti ha detto del *topos*?

— Sì, mai sentito. Ci stiamo informando, ma come gruppo politico finora non risulta. E finora nessuno ha rivendicato i due omicidi.

— È politico, è politico, — disse De Palma, entrando allegro e grondante. — Don Alfonso Pezza, prete estremista e rivoluzionario, finge di abbracciare la dottrina gnostica per meglio camuffare le sue attività terroristiche. Ma i suoi compagni lo sospettano di fare in realtà il doppio gioco, e una sera di venerdì... Ma voi ve li siete sentiti tutti, questi polidialoghi?

— Non ancora, dottore, — disse la Pietrobono. — Io ho sentito la predica e tutti i pezzi dove c'è l'ingegnere, secondo l'indice del Calamassi. Quattro interventi di pochi minuti.

— E cosa dice, cosa racconta?

La Pietrobono consultò appena il suo diario.

— Non si può nemmeno riassumere, è tutta una pappa molto personale, molto privata, e nello stesso tempo molto generica. Anche qualche altro pezzo che ho sentito è così, parlano parlano ma non si riesce a mettere il dito su niente.

— C'è qualche parola greca?

— Nessuna.

— Nomi?

La ragazza scosse la testa.

— Neanche, è proprio solo una pappa, stia a sentire quest'altro, — disse inserendo un altro nastro. — Questo sarebbe il polidialogo coi fratelli travestiti.

Ricominciò il fruscìo, si udì più distintamente del solito il basso lamento modulato su due toni.

— È il registratore, — spiegò la Pietrobono a un'occhiata interrogativa di De Palma, — Angelini dice che è un ferrovecchio, con le pile probabilmente mezze...

Martelli e incudini la interruppero, poi una voce stranamente liquida e generosamente artefatta, interregionalmente pugliese, si diffuse ad alto volume nell'ufficio:

"No perché al limite io posso anche concepire, posso anche ammettere che per il mio compagno la figura del Cristo... cioè, dato che il mio compagno ha subìto i condizionamenti che ha subìto, e in questa fase, prima della sua seconda crisi con me, ha sempre sentito moltissimo, ma veramente in modo, insomma la sua posizione verso di me era chiara..."

— Ma questo io lo conosco, — disse dalla porta il commissario Rappa, della Buoncostume. — Questo è la Marcella di via Ormea angolo via Lombroso, uno di Lecce che batte qui da anni.

— Pericoloso? — chiese Fiora.

— La Marcella? No, no, lo fermiamo ogni tanto per routine, ma sennò niente da dire. Tutto casa e chiesa.

4.

Sotto la grondante pensilina del binario 9, Monguzzi aveva ripreso il suo posto sulla lapide di marmo. Il treno non s'era ancora formato, mancavano 53 minuti alla partenza, e la pioggia continuava a cadere rabbiosa, ora dritta e ora di sbieco, tra le improvvise raffiche di vento gelato.

— Ellasaloppa, — mormorò Monguzzi. — Ellabastarda.

Un violento, inatteso sternuto lo squassò dalla testa ai piedi. Addio. Cominciava. Il suo organismo non ce l'aveva fatta, contro il freddo-umido. E all'idea che fra tre giorni tutto sarebbe forse finito, che i documenti in suo possesso sarebbero stati dispersi, le prove insabbiate, la verità occultata per sempre, Monguzzi ebbe un moto di ribellione. Doveva assolutamente fare qualcosa. Trovare un riparo a ogni costo.

Vide passare un lento convoglio di carrelli carichi di colli e scatoloni, trainato da una motrice elettrica, e raccolta in fretta la sacca gli si affiancò. Almeno da destra sarebbe stato invisibile. Suonando una sua trombetta il guidatore si fece largo tra la gente, si diresse a serpente verso l'edicola, piegò verso il bar, poi puntò verso il corridoio dell'uscita e s'infilò con una gran curva nel deposito bagagli. Monguzzi proseguì fino a una vetrata che immetteva in un corridoio e in un atrio deserto, a sua volta collegato da due passaggi laterali all'atrio della biglietteria. Ma fra i passaggi c'era una scala di marmo che saliva chissà dove, riparata, calda, e già utilizzata come rifugio da tre persone, due ragazzi e una ragazza che sedevano su un gradino, lassù, parlottando e fumando. Questo significava che per la scala non ci passava nessuno, doveva portare a qualche ufficio ferroviario, ovviamente chiuso di domenica.

Con un rantolo di sollievo Monguzzi salì qualche gradino, posò la sua roba e si sedette di schianto con le spalle al muro. Era morto. Non ne poteva più. E tremava come una foglia, o per l'agitazione o già per la febbre. Comunque, l'effetto dei tre tabrium era completamente svanito, questo sarebbe stato il momento di mandarne giù un altro.

Si tolse i guanti, si perquisì a due mani tasca per tasca, e alla fine pescò il rettangolo di carta metallizzata con le capsule bicolori. Ne restava una sola, la scorta vera e propria era nella scatola piena di medicinali che lui chiamava il "magazzino" e che purtroppo, per timore di dimenticarla, aveva messo nella sacca prima d'ogni altra cosa. Per cui ora stava proprio in fondo, per arrivarci avrebbe dovuto sbaraccare tutto.

Ma con una, pensò fiducioso, dovrei farcela, arrivare perlomeno fino alla partenza. Si rannicchiò tutto, e con le dita intorpidite prese a spingere la capsula fuori dal suo alveo.

— Ellavigliacca, — mormorava, — ellabestiaccia.

Ingobbito, accanito, non si avvide che i tre altri inquilini della scala se ne andavano a balzi leggeri. Non si avvide che dalla vetrata all'estremità del passaggio marmoreo un uomo lo stava osservando. Quando le sue dita tremolanti riuscirono a cacciarla fuori, la capsula si ruppe, ma il palmo di Monguzzi era pronto, miracolosamente, a ricevere la polverina bianca.

— Miracolo, — ridacchiò Monguzzi tra i denti, — miracolo del Signore.

— Documenti, prego, — disse una voce.

— Eh? — balbettò Monguzzi alzando la testa. — Eh?

Davanti a lui, al livello dei suoi occhi, c'era il ginocchio di un uomo divaricato sugli scalini che gli stava mostrando un tesserino e ripetendo:

— Favorisca i documenti. Nucleo antidroga.

— Ellaputtana, — rantolò Monguzzi.

Si portò sveltissimo la mano alla bocca, inghiottì la polverina e la mandò giù con quel poco che gli era rimasto di saliva.

5.

Inevitabilmente, tra un brano dei polidialoghi scelto e ascoltato a casaccio, un'ennesima occhiata alle sbiadite fotografie del giornaletto "Appartenere", un crepitio delle pagine del Leisegang sotto un pollice incredulo, mentre una mano posava il bicchiere

del caffè accanto alla candela d'auto, un'altra lasciava cadere
un cilindretto di cenere sul diagramma degli Ofiti, un'altra rigirava lo spinterogeno senza vera curiosità, inevitabilmente, tra
quegli uomini riuniti in nervosa, sospesa accidia attorno al tavolo, chi in piedi e chi seduto, chi uscendo per cinque minuti e
chi restando immobile alle spalle della Pietrobono o accanto
alle finestre rigate di pioggia, la sigaretta in bocca o dimenticata
tra le dita ingiallite, inevitabilmente finì per riproporsi la questione della buonafede o malafede del Pezza.

— Perché è questo che bisognerebbe sapere, — disse Fiora.
— Era un fanatico o era un dritto?

Come se, pensò Santamaria, fosse facile, fosse possibile, distinguere nettamente in ogni uomo, presenti compresi, l'egoismo,
il calcolo astuto, la passione acquisitiva, dallo slancio ideale, dal
fervore disinteressato. Non di lì bisognava partire, non era quella
la riduzione, la semplificazione che serviva.

— Va bene, — disse Rappa, — mettiamo che era un dritto, che
questa faccenda della setta era solo una montatura, una facciata.
Io chiedo subito: che cosa ci guadagnava? Soldi?

— Soldi no, non sembra, — disse Santamaria. — Ieri, tra me e
Cuoco abbiamo setacciato un po' di carte e documenti insieme
a quel prete mandato dalla Curia. I conti della parrocchia sono
in ordine, non sono saltati fuori assegni sospetti o spese strane.
E comunque è una parrocchia povera.

— E tra le sue carte in canonica?

La Pietrobono indicò la grossa busta a sacchetto, la tirò su.

— Non c'è moltissimo, sta tutto qui dentro. Corrispondenza
senza importanza, opuscoli di altre parrocchie, quaderni con le
brutte copie delle prediche, appunti e citazioni dalla Bibbia,
vecchi prospetti pubblicitari...

— Di che genere?

— Di tutti i generi, enciclopedie, elettrodomestici, viaggi.

— Non è roba tenuta con uno scopo, — disse De Palma, — è
roba non buttata via. Fondi di cassetti.

Prese la busta dalle mani della Pietrobono e la passò a Fiora.

— Te la riguardi per bene tu, noi ieri ci siamo fatti un...

— Lo so, lo so. Ci sono mazzette di assegni, aveva una sua
banca?

– Sì, – disse Santamaria, – e anzi domani puoi magari farci un salto. Ma ho già visto che il giro del suo conto era minimo, viveva con poco. Non è che in canonica tenesse delle tonache foderate di visone, o il libretto di una Rolls.

– Bene. Era un dritto ma soldi nix, – riepilogò Rappa. – E allora cosa? Ambizione? Potere?

Sì, certo, pensò Santamaria studiando il prete in stivaloni sul mucchio di rifiuti, il prete davanti alla fabbrica, il prete che liberava canarini accanto alla ragazza e al grosso ecologo che scrutava il cielo col binocolo, la matita tra i denti. Certo, l'ambizione. Il potere e la gloria.

– Si è sempre dato molto da fare, – disse De Palma accennando al libro di poesie, al programma di concerto per sega e carrucole, alla candela arrugginita. – Raccolta di carta e rottami per il Terzo Mondo, ecologia, musica, confessioni pubbliche... Ma come prete moderno e progressista non ha sfondato.

– Troppa concorrenza, – disse Rappa.

– O forse la gerarchia l'ha rimesso in riga, sarebbe bello poter vedere il dossier che tenevano su di lui, – disse De Palma guardando Santamaria.

– Ci posso sempre provare, – disse Santamaria, – se non salta fuori nient'altro.

– Ma quelli là non lo farebbero vedere neanche a San Pietro, sono peggio dei carabinieri... Fatto sta che a un certo punto il Pezza molla tutte le sue belle iniziative e si butta su questo pasticcio gnostico: il pneuma, la spintera, gli eoni...

– In malafede? – disse Fiora.

Ma che cos'era la malafede, si chiese Santamaria, perduto tra le caselle piene di nomi greci del diagramma degli Ofiti. Nel forziere del più cinico affarista, dall'affamatore di vedove e orfani al rifilatore di falsi cronometri svizzeri, sempre fiorivano gratuite primule di generosità, di abnegazione. E nella grotta dell'eremita, del poeta, del rivoluzionario più ascetico e puro, sempre sbatacchiavano i neri pipistrelli della vanagloria, dell'orgoglio sfrenato, della rivalsa personale. No, era vano restare su questo terreno, il problema andava posto in modo più essenziale, più schematico, bisognava chiedersi, ecco, se il Pezza fosse stato il primo di qualcosa di piccolo, o l'ultimo di qualcosa di grosso, se fosse stato ucciso dal basso, per così dire, o dall'alto, se la sua casella stava all'apice di una meschina piramide, o al fondo di una colossale...

Entrarono Cuoco, che non era poi andato a casa, e il commissario Guadagni, reduce anche lui dall'influenza.

— Ma benone, — li accolse De Palma, — così passiamo una bella domenica tutti insieme.

— A sentire l'opera? — disse Guadagni chinandosi sulla pila di nastri accanto al registratore.

— "Le grida, gli ululi di spose e madri..." — canterellò De Palma, — "sono una musica, sono uno spasso... pel nostro ruvido cuore di sasso".

E precisò: — Verdi. Coro dei *Masnadieri*. Ma a me i masnadieri servivano ieri, servivano venerdì notte, ci siamo fatti un...

— Lo so, lo so, — disse Guadagni. — Ma io ero a letto con l'afgana, mica con una svedese o...

— È vecchia, Guadagni, aggiòrnati! Aggiorniamoci, prego.

Rappa ricominciò: — Tenendo buona l'ipotesi che il Pezza era in malafede, e se escludiamo i soldi, perché i soldi non si vedono da nessuna parte, ci dobbiamo chiedere a cosa gli serviva quella sua setta, che strategia si proponeva.

— Quale setta? — disse Guadagni.

— Fatti spiegare dalla Pietrobono. Ormai ne sa più lei di tutta la Curia messa insieme.

— Ma era una cosa importante? Contatti con altre chiese, altri movimenti...

— No, — disse Santamaria, — la Curia ovviamente minimizza, ma...

— Quelli là, — disse De Palma, — minimizzerebbero anche la crocifissione, se succedesse oggi. Direbbero che quel povero cristo d'un falegname s'è inchiodato per disgrazia mentre montava uno scaffale sul Golgota.

— Comunque è un fatto che nella canonica e nella cripta, né Cuoco né io abbiamo trovato materiale di propaganda, e i collaboratori del parroco non erano informati di nessuna strategia, a quanto pare.

— Ma se aveva qualcosa da vendere, doveva pur avere un piano di vendite.

— Il pulpito, — disse Cuoco, — la torre. Come predicatore aveva successo, l'altra sera la chiesa era piena. Quindi un suo messaggio lo vendeva.

— Molto prudentemente, però, — disse Santamaria. — Ci andava piano, una parola qua, un'altra là. Non s'era ancora compromesso.

— Ma che cosa aveva in mente?

— E vai a sapere. Uno scisma, una rifondazione della chiesa, l'antipapa gnostico, chi lo sa?

— La Caldani, — disse Santamaria, — m'ha fatto un velato accenno a Roma, a San Pietro.

— E allora vuol dire che era un matto in buonafede, — disse Rappa. — Quando vogliono andare a San Pietro, non si scappa.

Santamaria sospirò, infilò nel registratore un'altra cassetta.

— Ma questo non è un difetto dell'apparecchio, è un concerto elettronico! — si ribellò De Palma quando il nastro partì coi suoi mugolii. — No, perché sai che era anche compositore, — spiegò a Fiora, — faceva concerti con carrucole, seghe, martelli, e magari anche coi nastri. Senti lì, senti se non sembra di quella roba che oggi hanno il coraggio di chiamare musica...

Per qualche secondo ancora risuonò lo spento ululato, come di lontanissimi treni nella campagna, e Santamaria avvertì il confuso risveglio di un'associazione, di un ricordo. Un viaggio nella notte, appunto? o cani nel plenilunio? o fischi di rimorchiatori, un porto di mare, Palermo, Marsiglia?

Poi scoppiarono i clangori da officina e il telefono suonò all'altro tavolo e la Pietrobono, che stava incollando la foto ecologica nel suo diario, tirò su il ricevitore e disse, sì, ah sì, ah bene, è qui, viene subito, e Santamaria si alzò e si sentì dire che alla stazione di Porta Nuova avevano fermato un certo Monguzzi Gianfranco che stava sulla lista dei ricercati, no?, ecco, e sebbene il Monguzzi apparisse in stato semiconfusionale e fosse secondo ogni probabilità sotto l'effetto di narcotici, nondimeno, dato che stava sull'elenco dei ricercati...

— Ma dov'è, dove l'avete messo?

— Qui da voi, dottore, l'abbiamo portato qui. Dobbiamo salire?

6.

Nessun cuore restò interamente di sasso quando il miserabile apparve sbilenco sulla porta e venne poi avanti come poté, sotto il peso antico delle sue sacche. Sette paia d'occhi lo fissavano da sette diverse angolazioni ed era come — pensarono per un momento sette teste — sparare con sette fucili su un esausto animale preso in un cerchio di cacciatori. Cautamente, come temendo di far saltare le rugginose articolazioni che bene o male lo tenevano insieme, il pellegrino si chinò a depositare in terra il suo carico, si tolse cautamente la zuppa calotta che gli copriva il cranio, e tirando su dal naso borbottò:

— Ellamiseria...

Terminò di raddrizzare la propria degradazione (quante volte s'era rialzato così da sotto un ponte, da un fosso, in un pagliaio?) e offrì ai suoi aguzzini uno sguardo rattrappito, disarmato. Fu De Palma a rompere il silenzio, toccava a lui dare addosso al randagio.

— Lei è Gianfranco Monguzzi? — disse nel tono meno persecutorio che poté. E aggiunse subito: — Pietrobono, vedi se ci cresce una sedia da qualche parte.

— Sì, — soffiò a fatica il fermato, stentando a uscire dal suo guscio d'illividita solitudine.

— Lei s'è fatto cercare per trentasei ore. Dalla notte di venerdì. Lo sa? — disse De Palma come rimproverandogli di aver così mancato una crociera alle Azzorre.

Il fuggiasco sternutì fragorosamente, mise mano all'umida palla del suo fazzoletto, poi prese la sedia che la Pietrobono gli tendeva e se la sistemò fra le sacche.

— Altro se lo so, — disse con la voce di chi risponde a se stesso nel cuore di una foresta.

— E dove è stato in tutto questo tempo?

La gola dell'eremita produsse un chiocciolio astuto.

— A casa. Non mi sono mai mosso di casa. Non rispondevo al telefono e non aprivo la porta quando venivano a suonare. Era l'unico modo.

— Già, infatti. E perché ha pensato di... chiudersi in casa?

Il chiocciolio si ripeté.

— Per non farmi incastrare da quelli. Li conosco bene, sono anni che lavoro per loro, e quando ho tagliato la corda dalla chiesa ho pensato che l'unico modo per salvarmi era di fare il morto.

Esplose una serie di sternuti convulsi e il commissario Santamaria ebbe la folgorante speranza che la semplificazione fosse arrivata, che questa fosse la casella risolutiva, cui si collegavano tutte le altre. Mentre Monguzzi Gianfranco è seduto qui davanti a me, pensò assurdamente, ci sono sopra di lui altri Dei che lo guardano, c'è l'Eone Nascosto.

— E chi sono — chiese quando la tempesta nasale si fu calmata — "quelli"?

Monguzzi lo esaminò, poi passò a esaminare tutti gli altri con aria via via più stupita. Forse grazie agli sternuti, doveva essere finalmente uscito dal suo nebbioso isolamento perché rispose in tono quasi bisbetico.

— Chi sono? Ma se mi cercavate anche voi, siete d'accordo con loro e lo sapete meglio di me! Volete prendermi in giro?

Inafferrabili collusioni tra mafia, editoria, polizia, terrorismo, curia, droga, fluttuarono come gas velenosi negli angoli della stanza.

— Quelli non possono sapere quello che ho scoperto, io l'ho scoperto solo venerdì. Ma se mi accusano di furto, di appropriazione indebita... È questo il pretesto che hanno trovato, eh? Un uomo senza scrupoli, un ladro, un farabutto traditore! Senti chi parla!

Il presunto traditore dette un calcetto tra affettuoso e sdegnato a una delle sue sacche.

— L'appropriazione c'è ma non è indebita, perché allora io dico: loro mi hanno mai dato quello che mi veniva, mi hanno mai rimborsato le spese? E io a questo punto dovrei mollare tutto, ridargli il malloppo, rientrare buono buono nel loro giro? E proprio adesso che sono saltate fuori le prove? Stai fresco, caro mio!

Sternutì bellicosamente, si tamponò il naso con la sua palla di cotone colorato.

— Ellamadosca...

De Palma si alzò e con passo ozioso si avvicinò alla sacca sospetta.

— E qui dentro ci sarebbero delle prove?

— Altro se ci sono.

— Prove relative a che cosa?

— All'attentato, no? — s'infervorò il Monguzzi. — Due particolari che lo incastrano, indirettamente ma sicuramente. È stata la barba a darmi la chiave. L'altra sera ero in chiesa con tutta la banda. A Santa Liberata. Ho dovuto andarci per forza, non c'è stato assolutamente modo, quelli sanno che sono un debole e se ne approfittano, mi fanno fare tutto quello che vogliono.

La Pietrobono, cui il debole s'era rivolto fiduciosamente, si tolse la biro di bocca per sorridergli comprensiva.

— E in un certo senso è stata una fortuna, perché è proprio lì che ho... visto, cioè io sapevo già tutto, ero già passato e ripassato sull'indizio cinquanta volte, ma non avevo mai collegato, mai capito il vero significato della cosa, finché per pura combinazione, mentre stavo a guardare quella barba, lì in chiesa... Tac!

Tac, fece la biro della Pietrobono cadendole dalle labbra. Santamaria si accarezzò il mento.

— Lei guardava, immagino, — disse, — la barba del suo editore.

— Sì, e lo strano è, — ridacchiò su se stesso il Monguzzi, — che la guardavo tutti i giorni, ce l'avevo sotto gli occhi dalla mattina alla sera, eppure soltanto in chiesa m'è venuto il collegamento con l'attentato e ho capito che il quinto doveva per forza essere lui.

La pioggia, obliqua contro i vetri, sottolineò il silenzio col suo strascico frusciante.

— Il quinto cosa?

— Il quinto uomo della banda. Quello della terza bomba.

— Della *terza* bomba?

Il Monguzzi sembrò per un attimo sconcertato, ma subito cominciò a ricapitolare contando sulle dita.

— Sì, certo, in tutto erano cinque bombe, ma solo tre sono scoppiate. Una è stata trovata inesplosa sul marciapiede, un'altra l'aveva in tasca il...

S'interruppe, consapevole che nella stanza il tasso di compassione era improvvisamente salito.

— Perché, cosa c'è che non quadra?

Debole, candido, mite, pietoso, raffreddato, e completamente folle.

— E lei personalmente, — lo tranquillizzò De Palma, — quante ne ha viste scoppiare?

— Io? — disse il demente. — E come potrei averle viste scoppiare?

— Lei non era in chiesa, non ci ha detto che era a Santa Liberata venerdì sera?

— Sì che c'ero, e lì appunto ho capito che l'alibi della barba non reggeva più, ve l'ho detto.

— E che cosa ha fatto quando è scoppiata la *prima* bomba?

Il mentecatto (a meno che non fosse imbottito di droga) guardò De Palma come se il mentecatto fosse lui. Era tipico.

— Non capisco, — disse. — Le bombe sono state tre, non una. E io non ho fatto niente, cosa diavolo potevo fare, per la miseria?

— Lei stesso ci ha detto che ha lasciato la chiesa, che ha tagliato la corda per non farsi incastrare dopo l'attentato.

— Ma quale attentato, com'è possibile! — s'infuriò pericolosamente il paranoico. — Io non ero mica lì, cosa mi state a dire, cosa mi stanno a dire, signorina?

La Pietrobono gli parlò come accarezzandogli la testa.

— Lei era o non era in chiesa quando c'è stato l'attentato e il parroco è saltato in aria?

Il pazzo prese un'aria definitivamente stralunata.

— Il parroco! Hanno fatto saltare in aria il parroco! Ma quando? Ma dove? A Santa Liberata?

— Sì, venerdì sera, mentre predicava dalla torre.

— Ella... — fece Monguzzi, afflosciandosi sulla sedia.

— Lei non lo sapeva?

— Io no, io me la sono filata prima, io sono andato...

— Ma non ha letto i giornali, guardato la televisione?

— Ma se non sono uscito di casa per... Io non sento nemmeno la radio, figuriamoci la televisione, non ce l'ho nemmeno... ellatr...

Cadde in ginocchio e cominciò febbrilmente ad armeggiare con le cerniere di una sacca.

— Tabrium — balbettava, — il tabrium... il parroco... ellama...

— Ma lei, — disse De Palma, che gli stava sopra, — ci ha parlato finora di un attentato. Che attentato? Contro chi? Quando?

Il Monguzzi rovistava caninamente tra capi di biancheria, scatole, sacchetti, libri. Estrasse un calzino di lana, lo considerò, lo ributtò dentro.

— Nel 1858, a Parigi, — disse senza alzare la testa, — contro Napoleone III.

E al posto della sperata semplificazione, entrò in questura la voluminosa complicazione del carteggio Crispi-Oderici.

7.

La sera del 14 gennaio 1858, come a tutti era noto (cominciò il narratore nel tono franco e disteso di chi ha appena ingerito una capsula di tabrium), mentre l'imperatore Napoleone III si recava al teatro dell'Opera di Parigi (la vecchia sede, in rue Le Peletier), tre bombe furono lanciate contro la sua carrozza provocando un gran numero di morti e feriti ma lasciando incolumi, com'era noto a tutti, il sovrano e sua moglie.

Mezz'ora prima dell'attentato la polizia parigina aveva avuto un incredibile colpo di fortuna, grazie al quale si sarebbe facilmente potuto, e dovuto, evitare la strage. Ma per l'incredibile insipienza dei poliziotti... (Il poliziotto De Palma, e poi tutti gli altri poliziotti, tossicchiarono guardandosi tra loro. Ma forse, chiese il narratore, lui li stava annoiando con tutti quei particolari? Erano cose notissime e lui non voleva abusare della... No, no, al contrario, era un vero piacere per il poliziotto De Palma e per i suoi colleghi, sentire questa storia dell'insipienza.) Bene. Un commissario che quel giorno era in permesso e che aveva deciso di godersi la serata all'Opera con un biglietto omaggio (corsero altri colpi di tosse tra il commissario De Palma e il commissario Santamaria), aveva riconosciuto e fermato mezz'ora prima dello spettacolo un terrorista italiano mentre si aggirava furtivamente nei pressi del teatro con una bomba in tasca, tale Pieri, noto a tutte le questure (pardon, le polizie) d'Europa. Ma oltre a perquisire e interrogare senza risultato il Pieri, nulla era stato intuito, dedotto, segnalato, fatto. (Palme sbatterono sulle fronti, pugni sul tavolo. Erano cose inaudite, mai viste, erano cose dell'altro mondo.)

Vero? L'attentato dunque ci fu, ci furono i morti e i feriti. Ma nel corso della stessa notte, seguendo vistose tracce, la polizia poté risalire fino agli attentatori e arrestarli uno dopo l'altro. Si trattava, com'era a tutti noto, di quattro terroristi italiani: Felice Orsini, capo del gruppo, e i suoi complici Gomez e Rudio, oltre al già fermato Pieri. I quattro confessarono quasi subito, ma a questo punto si pose l'enigma delle cinque bombe. Una era in tasca al Pieri, una venne trovata inesplosa sul marciapiede della vicina rue Laffitte, e Orsini dichiarò che era la sua, non l'aveva gettata perché ferito e frastornato dalle tre altre esplosioni. Di queste, una l'aveva provocata il Gomez, l'altra il Rudio. E la terza? (Già, e la terza?) C'era forse, si chiese la polizia parigina, un quinto uomo? (La polizia torinese aspettava la risposta col fiato sospeso.)

Altro se c'era, confermò l'Orsini. Ma soltanto lui ne conosceva l'identità, e salì alla ghigliottina insieme al Pieri senza aver rivelato il nome del misterioso complice. Gomez e Rudio furono condannati al bagno penale della Cajenna, a perpetuità, ma dopo un anno il Rudio riuscì a fuggire negli Stati Uniti, combatté coi nordisti durante la guerra civile, si stabilì poi in California, prese moglie, e non si sentì più parlare di lui fino al 1908, quando in una lettera a un giornale di Bologna raccontò un episodio che a suo dire faceva piena luce su quel mistero vecchio ormai di quarant'anni.

(Il narratore sternutì ripetutamente. Forse un'aspirina? No, la signorina non doveva disturbarsi, l'aspirina dava al narratore forti bruciori di stomaco, e comunque contro il freddo-umido... Ma allora si poteva forse chiudere la porta sul corridoio, c'era forse un po' di corrente? Ecco, sì, magari era meglio, grazie.)

Un'ora prima dell'attentato, scriveva l'ex terrorista nella sua lettera dall'America, mentre lui e Orsini facevano un'ultima ricognizione in rue Le Peletier, avevano incrociato un uomo alto, robusto, con una grande barba, e l'Orsini s'era fermato a scambiare con lui, in italiano, poche frasi significative, tipo "Come va la faccenda?" "Bene, tutto è pronto". Ma quello, aveva osservato il Rudio riavviandosi con Orsini, è Francesco Crispi! E l'Orsini, con fare estremamente contrariato, aveva risposto: "Credevo tu non lo conoscessi".

La rivelazione di Rudio destò grande scalpore. Crispi era morto nel 1901 e non poteva difendersi, ma i suoi amici e parenti provvidero a sottolineare due punti fondamentali. Vero che il Crispi era in quegli anni esule a Parigi, vero che frequentava gli ambienti più o meno equivoci degli emigrati, vero che per le ore dell'attentato non aveva un vero alibi, era rimasto solo, a leggere e scrivere, fino a dopo mezzanotte, nelle stanze della rue Pigalle che divideva con suo nipote.

Ma, primo: a quell'epoca Crispi era ancora un ardente mazziniano, mentre l'Orsini odiava ormai il Profeta di Londra e ne rifiutava la guida politica. Secondo: sempre in quel periodo, Crispi portava i baffi, non la barba, che s'era lasciato crescere solo molto più tardi.

La lettera di Rudio, dunque, fu giudicata una mera calunnia, dettata da desiderio di notorietà, gratuita malevolenza, marasma senile. Quel fango non poteva certo imbrattare la figura di Francesco Crispi, il patriota sbarcato in Sicilia con Garibaldi, lo statista ricevuto con rispetto da Bismarck, il politico sagace diventato, dopo i giovanili trascorsi repubblicani, più volte ministro di S.M. il Re, e presidente di gabinetti assai poco teneri verso i facinorosi e gli estremisti.

Ma ecco che cinque anni fa, nell'archivio di casa Terzi, a Cernobbio, il professor Garbarino che stava...

— Ah, — disse il vicequestore Picco aprendo la porta e salutando con la mano all'ingiro, — il mio illustre amico Garbarino. Come sta come sta? Lei è un suo collaboratore?

Si avvicinò ufficioso e cordiale, ma ricevette una scura occhiata e una ostile serie di sternuti.

— Stiamo lavorando, — disse De Palma, — su nuovi elementi che il ...professor Monguzzi, qui...

— Bene, bene, Garbarino è una mente di un'acutezza, di una lucidità... Sono certo che un suo contributo... contribuirà a gettare nuova luce... Che cosa ha scoperto di bello?

Ma quale luce! Ma quale scoperta, per la miseria!

Nessuno era preparato a vedere il mite studioso trasformarsi in una leonessa. Monguzzi raccolse da terra la sacca che conteneva la sua creatura, la issò sul tavolo della Pietrobono spingendo da parte le carabattole del caso Pezza, e ne trasse con dita delicate ed esperte, da levatrice, i due enormi fascicoli annodati con lo spago del carteggio Crispi-Oderici.

Ma si rendeva conto la gente di che cosa fosse un carteggio? Credevano davvero che bastasse trovarlo per puro caso nell'archivio di villa Terzi, mentre si faceva una ricerca sul Cicognara? Che fosse poi solo questione di ricostruirne la fonte, di risalire alla marchesa Bracci, non Eleonora ma Giulietta Bracci, l'amica del Pelloux, che doveva averlo avuto attraverso il fondo in gran parte disperso dell'abate Molincri? E che a questo punto non restasse altro da fare che metterlo in mano a due assistenti imbecilli per un corredo di note tirato via con vergognosa superficialità, con criminale inettitudine? E che allora il carteggio, cioè la fotocopia di tutto quanto, fatta fare da lui stesso e mai rimborsata, era pronto per la pubblicazione? Ma avevano un'idea, questi amici dell'illustre Garbarino, della complessità dei problemi, dei mille enigmi irrisolti, dell'intrico di date, nomi, riferimenti, allusioni, contenuti in un carteggio come il carteggio Crispi-Oderici? Per non parlare delle parole indecifrabili o cancellate, degli errori d'ortografia, delle lettere senza risposta, delle minute mancanti? Perché era stato l'Oderici a conservare le lettere del Crispi insieme a quasi tutte le proprie minute; mentre le lettere dell'Oderici al Crispi erano andate smarrite, forse distrutte, bruciate dal destinatario o dai suoi eredi ed esecutori.

— Perbacco, — disse il vicequestore Picco, — siamo in presenza di un carteggio segreto, Garbarino ha portato alla luce nientemeno che un carteggio segreto!

Sì, nel senso editoriale, nel senso di assolutamente inedito, lo si poteva chiamare così. Ma anche forse in senso politico, perché le posizioni dei due erano molto lontane, per non dire agli antipodi, il Crispi, ex cospiratore mazziniano e repubblicano essendo con gli anni diventato uomo della destra conservatrice, reazionaria, mentre l'Oderici, ex prete, ex segretario del sanguinario monsignor Piastri, il boja di Frosinone, e in seguito ex sostenitore, per non dire informatore, del governo austriaco a Milano, s'era via via avvicinato sempre più alla sinistra estrema, baloccandosi pèrfino, negli ultimi anni della sua vita, con le ideologie degli anarchici regicidi.

— Nihil, — osservò il vicequestore Picco, — sub sole novi.

Ma nel corso della loro evoluzione i due uomini s'erano incrociati, come due treni lanciati su binari paralleli verso mete opposte, e in quel periodo appunto, 1873-1881, s'erano scambiati 227 lettere, 106 dell'Oderici al Crispi, 121 del Crispi all'Oderici.

— E cosa ne dicè Garbarino, cosa ne dice? Un epistolario del genere non può non portare nuova luce su tutta la...

E dàlli con la luce. Ma bisognava accendere lampadine e candele e riflettori, per avere la luce! Bisognava saper metter su un intero impianto, con tanto di fili e prese di corrente e interruttori, per vederci chiaro in quelle antiche cantine, in quei cunicoli sepolti! Se lui non avesse già penetrato certi meccanismi del carteggio, e se poco prima, per esempio, non avesse risolto un altro mistero come quello di Asti, l'illuminazione finale non ci sarebbe stata: l'indizio del "padre-zio" non gli si sarebbe imposto, la lettera n. 125 del Crispi non gli avrebbe rivelato il suo segreto...

(*Dal diario della Pietrobono
e dal carteggio Crispi-Oderici*)

Indizio padre-zio connesso con enigma 3ª bomba et 5° uomo? — Deposizione teste Monguzzi non chiarissima. — Teste dilungasi su lettere nn. 123-124 relative a politica "trasformista" governo Depretis (1883-1887). — Che c. c'entra?

Teste esibisce ora lettera n. 125 ma esita esporne contenuto. — Trattasi, spiega, antico episodio vita Crispi a Parigi. — Beniss., dicono presenti, sentiamo. — Episodio, scusasi teste con s.scritta, forse offensivo orecchie femm. (!!!...) — S.scritta abbassa occhi preda imbar. et viva commoz. (delicat. altri tempi! sento amarlo?), ma Picco incoraggia citando massima lat.: *veritas non erubescit* (non arrossisce? guarderò su diz.).

Nonostante incoraggiam., teste sforzasi riferire epis. in termini non offens. orecchie femm. — Sforzomi verbalizzare in termini corr.

Siamo dunque Parigi anno non precisato (ma precisabile, dice teste). — Cr. conosce casa amici 2 giovani sorelle simpatizzanti causa indipend. ital., Pépette et Louise, et scopasi entrambe. — Benché ormai *pressoché 40enne* (dice lettera) Cr. est infatti gran mandr., gran scop. — Ma certo punto accorgesi sue pur brillanti prestaz. non soddisfare interam. 2 giovani. — Stupore et rammarico futuro uomo stato, che (dice lett.) *sempre fatto onore sua isola natale con sig.re et sig.ne continente, sia Italia che estero* (Cr. originario prov. Agrigento, precisa teste). — Cosa est che non va? — Verità viene galla durante passeggiata Bd. des Capucines, ove sorelle improvvisam. ricordansi essere state sedotte teneriss. età da padre cappuccino. — Benché (spiega teste) Freud appena neonato, Cr. intuisce inconscia inclinaz. 2 giovani et provvede contentarle come può. — *Repugnavami assumere figura padre* (dice lett.) *ma permisi mi chiamassero zio, et notte stessa fui ripagato con trasporti non dirsi. Nepotine infatti...*

OMISSIS

(Richiesto dettagli trasp. nep., teste rifiuta categoricam. — Presenti guardano ostilm. s.scritta. — Ma mica colpa mia?)

Visto il buon successo (conclude testualm. lett.) *insistei nella cappuccinata. Talché in quell'inizio di Carnovale fui zio doppiamente: zio di nome e di fatto, per dirla col padre Dante e col... Depretis. Intendi il trasformistico apologo? Inutile aggiungere che le nepotine, così vellicate, misero a rude prova... l'isola del foco.*
Tuo aff.mo   Crispi

Mancando lett. seg. ignorasi cosa capisse l'Od., ma voi cosa capito? chiede teste a presenti. — Presenti (1 viceq., 6 commiss. et s.scritta) capito niente ma rifiutano ammettere. — Momento, pensiamo momento, dice viceq. — Teste sorride fanciullescam. mentre silenzio prolungasi. — Sento amarlo ogni mom. di +.

— Immagino, — azzardò alla fine il vicequestore, — che il Crispi fosse nato nel 1818?
— Esatto. Il 4 ottobre 1818, — approvò Monguzzi.

— Per cui, se allora era "quasi quarantenne", l'episodio sarebbe dello stesso anno dell'attentato?

— Degli stessi giorni, — disse De Palma. — L'attentato è del 14 gennaio, e la faccenda del doppio zio si situa all'inizio del carnevale. Ma che c... scusi professor Monguzzi, scusi signorina Pietrobono, volevo dire che diamine...

— Già, — disse Cuoco, — tutto il punto dev'essere lì. Cosa significa che fu "doppiamente zio"?

— Zio di nome e di fatto, — precisò il vicequestore con una profonda ruga sulla fronte. — Ma un momento... Lei, professore, non ci ha detto che il Crispi divideva il suo alloggio della rue Pigalle con un suo nipote? Questo significherebbe...

Monguzzi scosse la testa.

— È quello che avevo pensato anch'io: zio di nome per le due scostumate, e di fatto per il vero nipote. Ma a parte che come freddura sarebbe d'una scemenza inaudita, e che il solo fatto di farsi chiamare "zio" non giustificherebbe le continue allusioni al trasformismo... No, — scoppiò a ridere non contenendosi più, — zio di nome e di fatto significa semplicemente che l'uomo della terza bomba, il misterioso quinto uomo, l'uomo barbuto salutato dall'Orsini e riconosciuto dal Rudio, era effettivamente Francesco Crispi. Teniamo presente...

— Lo zio! — gridò la Pietrobono con voce acutissima.

Monguzzi le sorrise.

— Lo zio, — confermò.

Picco aprì la bocca per protestare, poi la richiuse. La ragazza riconsultò febbrilmente i suoi appunti.

— Il fatto di Dante, — disse perplessa, — non lo capisco. Ma il Depretis di dov'era?

Il sorriso di Monguzzi s'allargò fino alle orecchie.

— Di Pavia. Lei di dov'è, signorina Pietrobono?

— Di Torino, — disse la signorina Pietrobono. — E lei?

— Di Valenza Po, — disse Monguzzi. — Ma il fatto di Dante non l'avevo capito nemmeno io, perché a Firenze... Loro, — chiese candidamente agli altri, — di dove sono?

— Non di Firenze, — disse un po' secco il vicequestore, che come abruzzese era il meno meridionale del gruppo. — Ma a questo punto, se lei ha veramente le prove di quanto afferma, sarebbe forse opportuno...

Monguzzi s'alzò.

— Nell'ultima parte della lettera, — disse con fermezza, — non c'è una sola frase che si spieghi interamente senza la mia ipotesi. La quale è che il Crispi, per compiacere ulteriormente le due viziose, acquistò e si mise una barba finta. Così si spiegano le parole "insistei nella cappuccinata" e l'accenno, altrimenti immotivato, all'inizio del carnevale. Così si giustificano le allusioni al trasformismo del Depretis. Così si capisce, anche, perché le pseudo nipoti si sentissero "vellicate". Ma, — alzò una mano, — questi non sono ancora che indizi. Le frasi incriminate potrebbero consentire qualche altra, seppure insoddisfacente, interpretazione.

— Però! — disse Santamaria, che s'era andato a mettere dietro la Pietrobono e controllava sul quaderno. — Già niente male, come indizi.

— Vero? — disse entusiasta la Pietrobono.

— Sfido invece chiunque, — riprese Monguzzi, — a darmi un'altra spiegazione della frase "per dirla col padre Dante e col Depretis". Che vuol dire? Che c'entra con lo zio?

La Pietrobono fece udire una gorgogliante risatina.

— La signorina ha visto subito il punto, — disse Monguzzi strizzandole l'occhio. — Ma io all'idea della barba ci sono arrivato solo in chiesa, dopo aver visto quel gran fuoco. Perché l'indizio fondamentale è quello! Il Crispi l'ha messo lì apposta!

De Palma si passò una mano sulla fronte.

— Il fuoco del Pezza?

— La Sicilia, — disse Santamaria. — L'isola del fuoco. Ma... — si voltò a Monguzzi, — non è il padre Dante a chiamarla così? Mi ricordo che a scuola, a Catania...

— Federico II! — gridò Picco fuori di sé. — Il guardiano dell'isola del fuoco!... Canto XVIII... no... XIX... aspettate un momento!...

Si precipitò fuori lasciando tutti a bocca aperta tranne Monguzzi, che ne profittò per riordinare il suo carteggio e sedersi accanto alla Pietrobono. — È andato a prendere Dante? — le chiese sottovoce.

— Col commento dello Scartazzini, — disse la Pietrobono, sottovoce anche lei. — Lo tiene sempre sul tavolino coi suoi libri di massime. .

— Il guardiano, eh? — mormorò De Palma. — Menomale che non è della notte.

— Veramente dice "colui che guarda", ma il senso è lo stesso, — disse Monguzzi. — Si riferisce a...

— "Colui che guarda l'isola del fuoco", Paradiso, XIX, 131! — annunciò trionfalmente il vicequestore, rientrando col libro aperto. — Trattasi effettivamente di Federico II, re di Sicilia, di cui Dante condanna l'avarizia e la viltà. Ma... — si accigliò, — non vedo la barba né lo zio. Come c'entra con...

— Legga più avanti, al verso 137, dove condanna anche le opere malvagie... di chi?

— Del... barba... e del fratel... — compitò Picco con voce tremante per l'emozione. — *Del barba e del fratel!*... Vale a dire...

— Appunto. Legga la nota dello Scartazzini.

— 137: DEL BARBA: cioè dello zio di Federico. *Barba* (dal basso latino *barbas*, *barbanus*) per "zio", sopravvive in molti dialetti dell'Italia settentrionale.

— Da cui si capisce come il Crispi, per dirla con Dante e col Depretis che era di Pavia, fosse in quei giorni zio di nome (barba) e di fatto (aveva la barba, era il 5° uomo), — spiegò Monguzzi.

Tutti attaccarono a parlare simultaneamente.

— Straordinario, trattasi di un vero... (Picco) — Assolutam. fant... (P.bono) — Dopo l'*Elisir*, il miglior libretto che io abbia mai... (Celebre DP) — *Meglio* dell'*Elisir!*... (P.bono) — Lei dovrebbe entrare nella Digos, professore... (Cuoco, Fiora) — Vero? Sarebbe meraviglioso averla con... (P.bono) — Sul serio, professore, se lei decidesse... (Picco) — Forse potrebbe aiutarci per il Topos... (S.maria) — Ma certo! sono sicurissima che... (P.bono) — Ma il prof. Garbarino... (Picco) — Davvero complimenti, professore. Io dico che se da noi... (Fiora, Guadagni, Rappa) — Vero?... (P.bono) — Ma il prof. Garbarino? Lei l'ha già informato della sua eccezionale... (Picco) — Ma io me ne sbatto del... (Monguzzi).

Del prof. Garbarino, spiegò Monguzzi, a lui non importava più nulla, se ne sbatteva altamente, la signorina scusasse l'espressione. Ora invece si riprendeva il suo carteggio, se lo rimetteva nella sua sacca, saliva sul suo treno (no, veramente avrebbe dovuto attendere quello delle 14,08, oramai) per Valenza Po, e lì, in santa pace, avrebbe finalmente portato a termine il lavoro. Poi si sarebbe visto. Ma non si sarebbe mai più fatto incastrare da "quelli", non intendeva a nessun costo rientrare nel giro. E anzi, se qualcuno qui della questura avesse avuto la gentilezza di accompagnarlo a Porta Nuova, per il caso che "quelli"...

— Vengo io, — disse la Pietrobono, — se lei mi restituisce il mio quaderno...

— Ah, mi scusi signo... che cosa dia... eilama... io mi...

Confusissimo, scarlatto, riaprì la sacca e tirò fuori il quaderno che c'era finito dentro insieme al carteggio.

— Avrebbe dovuto sudare, per decifrarmi, — disse la Pietrobono.

— Mi scusi, mi scusi tanto, io alle volte, sa... nella fretta, il freddo-umido... Non ho mica preso altro, per caso?

Scrutò dentro la sacca, guardò le cose che ingombravano il tavolo accanto, vide le azzurre cassette dei nastri.

— Ma quelli non sono...?

Si chinò senza toccare.

— Questi sono i nastri di... Sono i polidialoghi!

— Infatti.

Sulla faccia mal rasata di Monguzzi passò un'ombra di cupe memorie, poi cancellata da un sorriso d'uomo libero, ormai affrancato dai nastri dell'esistenza.

— E come mai sono finiti qui?

Glielo dissero. E lui a sua volta disse del Pezza, di Rossignolo, di Calamassi, dell'ingegnere, della "magra" dell'editore. Chiocciolava divertito, non si sentiva più prigioniero del "giro", e aggiunse che quelli facevano i furbi con lui, era vero, lo fregavano e incastravano regolarmente, anche quei maledetti nastri li avevano rifilati da ascoltare a lui; ma lui, che di autori dilettanti se ne era sorbiti a centinaia, aveva capito che quel Vicini non era affatto venuto per la pubblicazione, non ci teneva affatto, e così non...

Di nuovo ci fu nella stanza un generale, impercettibile irrigidimento, un improvviso risucchio di silenzio.

— Perché? — si stupì Monguzzi. — Cosa ho detto?

De Palma parlò come maneggiando fragilissimi cristalli.

— E allora secondo lei perché era venuto?

— Per riprendersi i nastri. Io come dico non li ho poi sentiti, il vecchio Monga non è mica fesso, ma ho ben visto che la storia della pubblicazione era solo una scusa, l'aspirante autore ha tutto un altro modo di rompere l'anima, fa molte più citazioni, sparla di altri libri... No, quello voleva indietro i suoi nastri, il resto era fumo.

— Ma perché?

— Non lo so, non ho idea. Forse c'è sopra qualcosa che lo incastra, una barba finta anche lì. Bisognerebbe mettersi con calma a...

— Sì, ci dica...

Ma Monguzzi non disse. Li guardò coi suoi occhi umidi e diffidenti, scosse il capo.

— Eh, no, cari. Io adesso sono fuori dal giro, adesso non vorrete incastrarmi proprio voi, eh?

— Non è questione d'incastrare nessuno, — disse De Palma, soave come un vampiro. — Ma dal momento che lei...

— Capo, — mormorò la Pietrobono, — non possiamo farlo, sarebbe una carognata.

— Non abbiamo scelta, Pietrobono.

E così il vecchio Monga chinò la testa, si lasciò togliere l'eskimo, offrire un caffè, si lasciò stringere la mano da Picco (tanti cari saluti al professor Garbarino!), da Rappa, da Fiora (che andava a piazza Carlina), si lasciò rimettere a fianco della Pietrobono che batteva a macchina, con calma, tutti i polidialoghi dal principio (era l'unico modo), mentre lui l'aiutava maneggiando avanti e indietro le registrazioni, fermandosi sulle parti dubbie, confuse, interpretando, suggerendo, disponendo l'impaginazione, le maiuscole, le didascalie.

E fu in definitiva per merito suo, per quel suo paziente, tenace, indefesso andirivieni, che la semplificazione (a volerla chiamare così) venne fuori. Fu in definitiva per il continuo assillo di quel mugolìo, di quel modulato sottofondo che riemergeva in tut-

te le pause, in tutti i silenzi, che Monguzzi dopo una ventina di
minuti si ribellò.

— Ellamiseria, ma non si può lavorare con questo schifo di rumore!

— È il registratore. Era quello della parrocchia e noi...

— Va bene, ma... Ah, era quello del Pezza?

Fu in definitiva lui, associando, benché erroneamente, quel lugubre commento con la chiesa, con l'impressione di buio e di
freddo e d'ansia e di pericolo che gli era rimasta della chiesa, con
l'ombra repentina del Pezza quando gli era apparsa per la prima
volta sulla torre in costruzione, fu in definitiva il vecchio Monga
a isolare il suono da tutto il resto, a volerlo ascoltare di per sé, in
quanto suono.

E sulle prime Santamaria di nuovo tese l'orecchio a treni, a
porti lontani, di nuovo De Palma maledisse la musica d'oggi,
sia concreta che fabbricata con gli elettroni, alla Stockhausen. Ma
via via che Monguzzi tornava ostinato su quelle emergenze del
suono e ne alzava di volta in volta il volume, via via che il lamento si amplificava e s'imponeva, un'aura luttuosa si diffuse nella stanza.

Un funereo, monotono coro a bocca chiusa, pensò De Palma,
un imbavagliato soffrire di ergastolo, di lager. E Santamaria pensò agli eoni e agli arconti che dall'alto del "luogo" innomina-
bile guardavano questo povero mondo precipitare verso chissà
quale notte, pensò alla fosca, paurosa musica delle sfere gnostiche, a una lancinante...

— Ma poi sta' a vedere che... — brontolò Monguzzi tutt'a un
tratto.

Fece scorrere il nastro fin quasi in fondo, lo fermò, lo fece ripartire.

Una voce disse: "... stato mio fratello a portarmi sul marcia..."

Monguzzi staccò, andò più avanti.

Un'altra voce disse: "... quando lo sfruttamento dei padroni
sarà..."

Monguzzi staccò, andò avanti, e finalmente il suono riemerse
dopo la fine del polidialogo, fortissimo, libero, assoluto.

— Ecco, — disse Monguzzi, — volevo ben dire. E magari è proprio per questo che li rivoleva indietro.

Fu lui, in definitiva, a intuire che non era stato il compositore Pezza, né la sua assemblea, né il suo scassato registratore, a produrre quell'assillante e arcano segnale. Il suono era già lì, inciso nel nastro, prima del polidialogo.

Per la conferma fecero venire dal centro comunicazioni, non Angelini coi suoi stiracchiati doppisensi, ma Taddei, piccolo, brutto, ragnesco, incessante masticatore di gomma, il che dava a tutte le sue parole un tono falsamente svogliato.

Taddei ascoltò, trafficò, finì per confermare. Cioè. Nel registratore, che era effettivamente un ferrovecchio, c'era effettivamente un difetto, cioè la testina cancellatrice non funzionava. Cioè. Se uno, in un registratore funzionante, incideva mettiamo un discorso del papa, e poi però in un domani voleva riutilizzare il nastro per incidere mettiamo un concerto pop, aveva solo da reinserirlo tale e quale nell'apparecchio, premere questo tasto qui, e mentre da una parte entrava il pop dall'altra usciva il papa, cioè la testina lo cancellava simultaneamente. Ma se la testina era guasta, se funzionava male, allora le due registrazioni restavano sovrapposte, cioè sotto il pop si continuava poi a sentire in sottofondo il papa.

— Cioè, — disse Monguzzi, contagiato, — come nei palinsesti, è la versione moderna dei... Perché, che c'è?

Niente, niente, solo che in questura non avevano le idee del tutto chiare, sui palinsesti.

Ah, be', ma era lo stesso identico principio. Palinsesti (dal greco *palin* = "di nuovo", e *psao* = "raschio") si chiamavano quei codici membranacei dove i monaci del medioevo scrivevano le preghiere alla Vergine o le regole del loro ordine, dopo aver raschiato quello che c'era scritto prima. Ma se uno metteva il foglio davanti a una candela, per esempio, riusciva ancora a decifrare il vecchio testo, che magari era Tucidide, era il *De republica* di Cicerone...

Già.

— È così che molti autori classici sono arrivati fino a noi, altrimenti, con tutte le distruzioni che...

Già. Latini e greci, eh?

Taddei ruminava in silenzio, come se stesse pensando con le mascelle.

— Sicché insomma, — disse De Palma, — questo rumore avrebbe un senso per conto suo, sarebbe una specie di Cicerone?

— C'è anche sugli altri nastri? — chiese Taddei.

— Sì, — disse la Pietrobono. — Cioè: su tutti quelli che ho provato, o almeno mi pare. Prima non ci facevo caso.

Provarono anche gli altri. Il lamento, greco o latino che fosse, c'era su tutti.

— Ma non potrebbe essere una partita di nastri difettosi? — disse Guadagni.

Le mandibole di Taddei macinavano riflessive.

— Dei segnali? — disse la Pietrobono. — Dei messaggi in codice?

— Per l'amor di Dio, Pietrobono. Qui ci mancano solo la Cia e il Kgb.

— Io pensavo piuttosto, — disse lei, — a esseri provenienti da un'altra galassia, infinitamente superiori all'uomo.

— Mah! — fece Taddei, lavorando di molari. — Io telefono ai Vigili, cioè...

Istintivamente l'occhio di Santamaria andò al fascicolo Pezza, che conteneva il rapporto dei Vigili Urbani della Sezione Garibaldi sull'aggressione al parroco, dieci giorni fa.

— Perché, cosa ne sanno i Vigili?

— No, è per via della loro attrezzatura elettronica, — masticò amaramente Taddei, il dito sul telefono. — Cioè. Loro, per via del loro registro automobilistico, sono molto più attrezzati di noi. È solo un'idea così... provare non costa niente.

Costò invece molti minuti d'attesa, molte spiegazioni, molti stupori e perplessità e dubbiose resistenze, perché essendo domenica l'uomo che Taddei conosceva — Valle — non c'era, e alla fine dovette intervenire De Palma a smuovere un po' le acque, a far opera di seduzione. Ogni setta burocratica aveva qualcosa di femminile, non ottenevi niente con le minacce e la voce grossa, dovevi farle sentire che era la donna più importante, più indispensabile del mondo, per convincerla a darti quello che ti serviva.

— Vi mando io una macchina, vi mando il commissario Guadagni, – disse De Palma come offrendo mazzi di orchidee, gioielli di Cartier. – Lo so, capisco, è una cosa fuori dell'ordinario, ma noi qui d'altra parte... No, dico, le indagini sono un po' ferme, e se con questo piccolo esperimento... Ecco, perché potrebbe essere un elemento nuovo, un fatto... e se col vostro aiuto...

Guadagni s'infilava l'impermeabile, s'imbacuccava con una sciarpa, un berrettone.

– Uuuuh, – fece De Palma mettendo giù il ricevitore, – ma quanto devi strisciare per poter fare il tuo lavoro!

Durante il quarto d'ora che seguì parlarono della tragica carenza di mezzi – dei più elementari mezzi – di cui soffriva la polizia in Italia. Mentre in Germania... se uno pensava che in Francia, a Parigi... ma tu lo sai che a Londra, per ogni mille abitanti, c'è una...

Guadagni tornò facendo strada a un giovanotto paffuto, in borghese, che strinse a tutti la mano con deferenza ripetendo il suo cognome e nome, Poma Attilio. Nell'altra mano reggeva anche lui una capace, pesante sacca di tela.

Si vedeva che, qualsiasi cosa ne pensassero i suoi superiori o colleghi, Poma Attilio non considerava quell'esperimento un'inutile scocciatura, che partecipare di persona alle indagini della polizia non lo deprimeva affatto.

Tirò fuori il suo grosso e lustro apparecchio dalla borsa, lo parcheggiò accanto a quello del Pezza. Sembrava una Cadillac vicino al carretto di un netturbino.

– Come cassetta già registrata, – disse cavando di tasca una cassetta identica a quelle dei polidialoghi, ma nera, – ho portato questa. Sono dei rilevamenti sul traffico del '75. Andrà bene?

– Benissimo, qualsiasi va bene... – masticò negligente Taddei. – Dammi.

Poma Attilio gli dette la cassetta.

– Però... – disse come un bambino ammesso a un raduno di maghi, streghe e folletti, – che idea. È vero che sono uguali, che si possono usare anche così. Ma chi ci pensava?

– È solo un controllo, – disse De Palma. – Tanto per vedere cosa dà.

– E magari non dà niente, – disse Taddei infilando la cassetta nera nel registratore del Pezza, — t'abbiamo fatto correre per niente, ci siamo sbagliati.

Ma non si erano sbagliati. Quando il nastro partì, subito il modulato disturbo proruppe nella stanza, qui non più in sottofondo, e forse con differenze infinitesime nel suo scendere e salire, scendere e salire, ma con quella stessa sinistra connotazione gnostica o galattica.

— È lui, — disse con rispetto De Palma, — è Cicerone.

L'elegante apparecchio portato da Poma Attilio non era un registratore, era il terminale video di un calcolatore elettronico. E la cassetta nera coi rilevamenti sul traffico del '75 era stata usata come nastro di calcolatore. E tutti i nastri riutilizzati dal Pezza per i polidialoghi erano stati usati, in origine, come nastri di calcolatore. E il lamento che avevano ascoltato per tutta la mattina era un testo scritto non in greco o in latino, ma nella lingua dei calcolatori.

Taddei trasferì senza fretta il suo chewing-gum da una guancia all'altra.

— E adesso facciamo la prova al contrario, con queste qui della chiesa. Ce ne vorrebbe una registrata solo in parte, la più pulita possibile.

— Una di quelle trovate in canonica, — disse la Pietrobono, — oppure questa qui coi Nostri Fratelli Spastici. È registrata per neanche un quarto d'ora, dopo è tutta pulita.

Porse la cassetta azzurra a Taddei, che tirò indietro la mano.

— Tocca a te, — disse a Poma Attilio, — facci vedere, a noialtri primitivi.

Poma Attilio arrossì, ma di piacere, non d'imbranamento. Si chinò reggendo per un capo il suo bel filo candido, inserì la spina in una presa vicino alla finestra, poi aprì uno sportellino del terminale e c'infilò la cassetta dei Fratelli Spastici.

Tutti gli occhi erano fissi sul piccolo schermo, che brillava come un diamante nero.

— Vediamo cosa dice la veggente, — disse Cuoco per rompere la tensione.

Apparve una sigla in alto a sinistra, poi una pennellata di numeri, un'altra, un'altra ancora.

— Cosa sono, le elezioni amministrative?

Scattarono silenziosamente altre lunghissime serie di cifre, spezzate ogni tanto da un punto, una lettera o una coppia di lettere.

— Dati, — constatò Poma Attilio.

— Ma di cosa?

— Dio solo sa.

Lattee colonne di numeri continuavano a irrompere sullo schermo da un loro segreto universo, con strabocchevole, elusiva precisione.

— Sarà la contabilità delle confessioni, — disse De Palma, — il computo dei peccati di tutti i parrocchiani di Santa Liberata.

Il Grande Mafioso, pensò Santamaria, mostrava su quest'occhio di seta nera il suo volto ironicamente semplificato, vertiginosamente illeggibile.

— Ma questa è roba che non c'entra niente con Santa Liberata, — disse Cuoco. — Altrimenti avremmo dovuto trovare una qualche specie di computer nella cripta o nella canonica, no?

— Sì, certo, — disse Poma Attilio. — Sono nastri scartati, che non servivano più. Solo che invece di azzerarli, come si fa di solito, hanno pensato di riutilizzarli come normali nastri per registratore... Che idea, però.

— E come ce li aveva, il Pezza?

— L'ingegnere, — disse la Pietrobono guardando Monguzzi. — È ovvio.

Monguzzi annuì vigorosamente.

— Io non ci sono cascato, li conosco bene gli autori. Quello non è venuto a rompere le scatole per la pubblicazione, era solo un pretesto. Voleva i suoi nastri, sono sicuro.

— La barba finta, — disse De Palma.

— E lui come li ha avuti?

Le dita della Pietrobono ruotarono nell'universale simbolo del furto.

— Ma ci teneva tanto a ricuperarli perché li aveva fregati, perché era materiale non suo, — disse Cuoco, — oppure perché su questi nastri...?

S'interruppe, vedendo dove stava per mettere il piede.

— Noooo... — mugolò lamentoso De Palma.

Anche Santamaria rabbrividì all'idea della direzione che minacciava di prendere l'inchiesta. Non bastavano le difficoltà con la Curia, adesso ci voleva anche...? Ma i disegni del Grande Boss erano imperscrutabili.

— Fiat, — disse rassegnato, guardando i colleghi, — voluntas.

Ci fu un silenzio schiacciante, vasto come la cattedrale di automobili, di camion, di trattori, di scavatrici, di motori aerei e navali, di giornali, di acciaierie, di tutto, che ora si profilava davanti a loro.

— E io, — disse Cuoco, — che non so neanche bene che cosa sia una holding.

— Ma se per ipotesi fossero della Fiat, — chiese De Palma fissando il terminale, — che cosa potrebbero essere?

Sigle e schiere di numeri si affacciavano con nuova urgenza, con sterminata potenza, alla finestrella nera. Poma Attilio aprì le braccia.

— Qualsiasi cosa... Le prime cifre a sinistra indicano la data, di solito, si riferiscono a rilevamenti o controlli mensili, settimanali, o anche giornalieri. COD vuol dire codice, e CAUS vuol dire causale... Le altre sigle non le posso capire, ci vorrebbe uno della Fiat. Possono essere schede del personale, gli stipendi, previsioni di mercato, operazioni contabili, inventari di magazzino, qualsiasi cosa. Ci vorrebbe uno pratico, uno...

— Uno della Fiat, già. Sempre che questa sia roba Fiat...

— Be', non è detto, — protestò debolmente Cuoco.

— Non è detto, non lo dico e non voglio dirlo, — disse De Palma. — Aspettiamo che ce lo dica l'ingegnere.

— Un criptonormale, — fece Santamaria. — Tzè.

8.

Uno storico dell'arte che si fosse trovato a visitare la Questura di Torino un po' dopo il mezzogiorno di quell'ultima domenica di febbraio, non avrebbe tardato a identificare nei tre personaggi, due in piedi e uno seduto, dimessamente incorniciati nel paesaggio di un ufficio statale, i modelli di un quadro famoso. La postura nobilmente assorta, il gesto misurato, il ciglio immerso in una luce di superiore sagacia, lo sguardo spirante avvedutezza, prudenza, ponderata lungimiranza, tutto in quelle figure contribuiva a facilitare l'attribuzione. Si trattava, non poteva trattarsi che dei cosiddetti "Tre filosofi" dipinti da Zorzi (o Giorgio) di Castelfranco, detto Giorgione.

Nulla infatti come l'eventualità di tirar dentro a un'inchiesta la Fiat aveva il potere di trasformare in giganti del pensiero dei semplici funzionari di polizia. Nessun ragionamento, argomentazione, ipotesi, nessuna forma di sillogismo, nessuna analitica o sintetica sottigliezza poteva essere trascurata per accertare se fosse veramente il caso di andare a rompere i coglioni alla Fabbrica Italiana Automobili Torino.

L'ingegner Sergio Vicini, *executive* della medesima, avrebbe senza dubbio fornito una spiegazione perfettamente innocente e plausibile circa i nastri magnetici in suo possesso. Guadagni era stato spedito a prelevarlo a casa (senza disturbarlo previamente per telefono) e da un momento all'altro sarebbe tornato col probo tecnico, con l'onesto criptonormale; forse a tutta prima un po' stupito, seccato, ma poi volenteroso, franco, esauriente.

Ah, ecco la ragion sufficiente, avrebbero esclamato con sollievo i tre filosofi, ecco chiarito il piccolo equivoco, il semplice mistero. I nastri non erano affatto di provenienza Fiat, per esempio. Il Pezza li aveva avuti in dono da qualche altra industria o banca o ufficio regionale o studio professionale, da qualche magazzino del Vaticano, da un qualsiasi ente di beneficenza, magari addirittura straniero. Per esempio.

O (per esempio) la Fiat regalava ai suoi funzionari, a Natale, pacchi di nastri resi ormai obsoleti da nuove tecnologie, e ne facessero ciò che volevano. O anche ammettendo (se proprio uno si voleva immedesimare nei filosofi di scuola cinica, di scuola scettica, di altre scuole propense al pessimismo), anche supponendo che i nastri se li fosse fregati l'ingegnere, si trattava però di una lieve indiscrezione, di una veniale indelicatezza, era una cosa che facevano un po' tutti in qualsiasi posto, era come portarsi a casa due o tre biro, una manciata di puntine da disegno, di elastici. Per esempio.

No?

C'era nel quadro una gran quantità di silenzio. De Palma, Santamaria e Cuoco si guardavano, guardavano il poco giorgionesco sfondo di corso Vinzaglio sotto la pioggia, guardavano i muri dell'ufficio di Santamaria, nel quale si erano ritirati in meditazione, guardavano la porta, il tappeto, il telefono. Non avevano ancora detto niente a nessuno, essendo palesemente poco filosofico precipitarsi ad avvertire Picco, a chiamare il questore, il sostituto procuratore...

— E poi comunque, — disse De Palma, influenzato dalla scuola dell'angoscia, della disperazione, del morboso casino, — bisognerebbe sentire cosa ne dice quel loro ufficio comesichiama.

— L'hanno riorganizzato un'altra volta, — disse Cuoco, — adesso si chiama UIO.

L'eufemistico Ufficio Interdipendenze Organiche (ex Ufficio Relazioni Speciali, ex Centro Studi Analisi, ex Sezione Sviluppo Apparati), era l'ufficio che si occupava in via il più possibile riservata di tutte le faccende insolite, delicate, discutibili, perfino talvolta scandalose, per non dire vergognose, che potevano verificarsi, l'uomo essendo quello che è, in una grande azienda come la Fiat.

— C'è sempre quell'avvocato Torre?

— No, Torre l'hanno mandato in Messico, adesso c'è un certo Sulis.

— Com'è?

— Abbastanza ragionevole, l'ho visto la settimana scorsa per la faccenda delle scorte.

La questione di chi dovesse proteggere i massimi, medî e minimi capi dell'azienda dagli attentati terroristici e dai sequestri di persona, si trascinava da anni. La questura non era materialmente in grado di assicurare una scorta permanente a centinaia (nemmeno a una decina, in realtà) di persone, e il servizio veniva così "randomizzato" secondo il sistema italiano, ossia realizzato mediante laboriosissimi tira e molla, aggiustamenti, palleggiamenti e pasticci. Un po' ci pensava l'azienda stessa ricorrendo a varie polizie private, un po' ci pensava Cuoco, a seconda delle sue sempre erratiche disponibilità.

— Speriamo bene.

Ma il telefono suonò, Guadagni chiamava da una cabina di corso Rosselli, non aveva trovato l'ingegnere, nessuno rispondeva alla porta né al telefono, la portinaia non sapeva niente. Doveva essere uscito.

— Va be', — decise De Palma dopo un istante, — resta sotto il portone, ti mando qualcuno.

Una prevedibile complicazione. Nessuno aveva intimato all'ingegnere di restare a disposizione, gli avevano solo detto di farsi rivedere lunedì, e quello adesso sarebbe rientrato chissà a che ora. Chiamò la Pietrobono, le fece cercare qualcuno che fosse di servizio ("Dalmasso, va bene, mandamelo su"), le disse di trattenere ancora un momento Poma Attilio con la sua attrezzatura, mentre il prof. Monguzzi avrebbe potuto essere riaccompagnato col suo carteggio alla stazione.

— Lo accompagno io? — disse la Pietrobono cospargendosi, all'altro capo del filo, di onesto rossore.

— E va bene, — grugnì De Palma l'epicureo. — Ma poi torna subito qui.

Mise giù, scrutò i volti chiusi degli altri due filosofi.

— Allora ci buttiamo? — disse con rapido passaggio alla scuola stoica.

— E buttiamoci.

Passarono così dal mondo fisico a un modello puramente ipotetico, metafisico, dell'universo. Cominciò una serie di non-fatti: Cuoco (l'ombra di se stesso) fece una non-telefonata da un ufficio fantasma, e all'altro capo della non-linea gli rispose la non-voce dell'incorporeo Sulis. Le due larve si non-dissero alcune frasi prive di qualsiasi significato e negabili in qualsiasi momento, alla fine delle quali lo pseudo-Sulis prese la non-decisione di fare una visita immediata nell'immaginaria Questura in compagnia di un'altra creatura di fantasia, l'ingegner Carlevero, che era competente in merito al falso problema ipoteticamente sopravvenuto.

Il mondo reale, il mondo dell'essere, si riaffermò brevemente sotto forma di Dalmasso (che venne incaricato di sorvegliare il portone di corso Rosselli fino alle 14). Dopodiché, riannullatasi la trama del tempo-spazio, due indescrivibili, inidentificabili abitatori del non-essere penetrarono nell'ufficio attraverso i muri.

"Naturalmente," dicevano gli occhi dell'inesistente Sulis, "noi non siamo qui."

"Naturalmente," rispondeva lo sguardo dell'immateriale Cuoco, "noi non vi abbiamo chiamati."

Il greve Poma Attilio venne allontanato da Taddei per permettere a tutte quelle ombre di trasferirsi attorno al terminale video, e in un silenzio di sepolcro l'illusorio ingegner Carlevero fece scorrere per un minuto i nastri sospetti.

Non una parola del dialogo che seguì venne veramente pronunciata né veramente udita.

— Sì, è roba nostra... Sono entrate e uscite di magazzino. Carichi e scarichi.

— È normale che si trovino in giro?

— No. Se non va in archivio, il materiale viene smagnetizzato o distrutto.

— Non viene mai gettato, regalato, dato via come carta straccia?

— Non mi risulta.

— Dove lavora questo Vicini?

— Al Coordinamento Stoccaggi.

— È in una posizione di dove potrebbe... manipolare dei dati di questo genere?

— Direi di sì, proprio questo è il punto. Bisognerebbe vedere più da vicino, dare anche un'occhiata nel suo ufficio. Chi è il suo capo diretto?

— Biffignandi. Ma forse sarebbe il caso di avvertire anche...

— Ah.

L'universo metafisico vacillò per un istante, si riprese.

— No, Musumanno per ora lasciamolo in pace, facciamo prima noi un controllino informale.

Al controllino informale fu invitato ad assistere, in rappresentanza di un'immaginaria Questura, quel funzionario fatto d'aria, di gas, di nulla, che rispondeva al nome fittizio di Santamaria. Davanti, Sulis guidava con due dita la grossa berlina blu di una marca ultraterrena; sul sedile posteriore, il simulacro di Santamaria e il simulacro di Carlevero si scambiavano impeccabili condizionali.

— Sono molte le persone che potrebbero... mettere le mani in un centro di elaboratori?

— In primo luogo i tecnici, i programmatori, gli addetti al centro stesso, naturalmente.

— Ma sarebbe indispensabile passare attraverso questi addetti?

— No... A condizione beninteso di avere, come loro, la chiave magnetica d'identificazione personale che permette il... colloquio tra uomo e macchina.

— Difficile da ottenere, questa chiave?

— Dipenderebbe dalla funzione, dal settore, dal livello gerarchico...

— Ma con questa chiave una persona potrebbe servirsi degli elaboratori a suo piacere e in qualunque momento?

— Sì e no. In teoria dovrebbe aspettare il suo turno, il tempo-macchina è molto parcellizzato, pre-distribuito secondo le varie esigenze...

— E in pratica?

— Per... scavalcare le altre priorità bisognerebbe poter far valere una priorità più alta, oppure...

— Non si potrebbe usare la macchina in ore... insolite, fuori dell'orario d'ufficio, per esempio?

— Forse, ma non necessariamente. Dipenderebbe in parte dal grado di complessità delle operazioni da eseguire, dalle possibili interferenze con altre operazioni... D'altra parte la macchina è un... registro neutrale, muto, e un eventuale... manipolatore potrebbe agire alla luce del sole, per così dire. Sul momento, al momento dell'immissione di dati eventualmente... irregolari, la macchina non reagirebbe.

— Che genere di operazioni... irregolari si potrebbero prospettare in... determinati casi?

— Per esempio la... pura e semplice asportazione di certi ordini, che quindi la macchina non trasmetterebbe più. Oppure la loro sostituzione con ordini... diversi.

— Come la pagina di un registro contabile, strappata e sostituita con dati falsificati?

— Escluderei però una pagina di un solo registro. Bisognerebbe piuttosto immaginare un programma di interventi, di sostituzioni, molto più sofisticato, che richiederebbe diversi passaggi, controlli periodici da superare, l'inventario generale, il bilancio consolidato... Tutta una serie di problemi... verticali e orizzontali.

– E una persona sola potrebbe far tutto da sé?

– Per quanto riguarda la pura e semplice manipolazione degli elaboratori, la cosa sarebbe teoricamente possibile, senza dubbio... Ma allora la cosa si fermerebbe lì, resterebbe un... puro e semplice gioco, un'astrazione gratuita. Mentre trattandosi di magazzino, di... stoccaggi, sarebbe ovviamente più... logico immaginare una serie di interventi connessi col movimento in entrata e in uscita di... di...

– Materiali? – suggerì Santamaria.

L'altro fece un gesto vago senza rispondere, e nel silenzio i tergicristalli protestarono striduli. La pioggia era quasi cessata, come se si fosse ormai convinta che non restavano più colori da togliere alla città, alberi da annerire, uomini e donne così ingenui da lasciarsi attirare sui marciapiedi. La macchina di scorta, con i due "gorilla" incaricati di proteggere Sulis (o Carlevero?), li tallonava a pochissimi metri, con uno zelo non giustificato dal lucido deserto domenicale. Infilarono corso Marconi sollevando spume grige, svoltarono tra i due palazzi gemelli, entrarono dopo una breve sosta nel cortile sul retro del numero 10, mentre la scorta, forse per far colpo su Santamaria, balzava teatralmente a terra impugnando il mitra corto israeliano sognato da tutti i poliziotti d'Italia.

Sulis fece strada oltre un primo e un secondo filtro di guardie private, armate a quell'ora di panini al prosciutto, poi lungo un corridoio, giù per una breve rampa di scale, un altro corridoio, e si fermò davanti a una porta la cui metà superiore era di vetro: dentro si vedeva una stanza tappezzata di armadi metallici bianchi. Carlevero venne avanti con la sua chiave magnetica, un rettangolino di plastica, e prima di entrare Sulis lanciò a Santamaria un ultimo messaggio telepatico: "Lei non è qui, noi non l'abbiamo fatta entrare, lei non ha visto niente".

Nell'archivio, o sezione di archivio, o resto d'archivio, Santamaria vuotò su un bancone la borsa con le cassette di Santa

Liberata e Carlevero andò dritto a uno degli armadi, lo aprì, fece scorrere l'arcuata salsiccia del suo indice lungo file di identiche cassette azzurre. Ne estrasse infine quattro e prese posto davanti alla tastiera di un terminale video, diverso da quello di Poma Attilio, e più grande.

Lo schermo s'illuminò, di nuovo apparvero colonne di numeri e sigle. Carlevero si spostò a un secondo terminale, infilò il polidialogo degli Spastici, accese lo schermo, cominciò a prendere appunti su un foglio tenendo d'occhio contemporaneamente lo scorrere delle due serie di dati.

Nessuno parlava. Nessuno fumava.

Carlevero cambiò i nastri sulle due macchine, riprese il confronto, la sua testa spelacchiata scattava di qua e di là, la sua penna allineava numeri. Fece alla fine una lenta piroetta sul seggiolino girevole e fronteggiò gli altri due con uno sguardo appesantito, piegato verso terra da quelle correnti cifrate.

— Allora, — disse dopo un po' Santamaria, — cosa dice la macchina?

Ma l'altro, levando gli occhi su di lui, sembrò stupito di trovarlo lì o forse di sentirlo fuori dal condizionale.

— Potrebbe naturalmente trattarsi di un... disguido, — sospirò tirando indietro la grossa testa come una chiocciola, — di un... impazzimento, una disfunzione elettronica dovuta a un... piccolo errore commesso a monte, dalla macchina o dall'uomo. Non sarebbe la prima volta... a volte un minimo sbaglio nell'*input* si ripercuote poi come è ovvio su una gran quantità di dati... ha conseguenze che vanno molto al di là del...

La sua voce era quella di un malato di cancro che rassicura se stesso. O quella, ben nota al funzionario Santamaria, di un funzionario che tenta in tutti i modi di esorcizzare una "grana" incombente.

— Per essere sicuri dovremmo fare tutta una serie di verifiche, di controlli orizzontali e verticali... prima di escludere che certe... ricorrenze siano frutto di un involontario errore iniziale, non dovute a una deliberata... — fece una pausa lunghissima, ci volle quasi un taglio cesareo per fare uscire l'ultima parola, — ...sistematicità.

— E questa... sistematicità, che cosa riguarderebbe?

Carlevero spostò dolorosamente il grasso sedere sul seggiolino arancione.

— In parte... vale a dire, nella piccola parte finora... considerata — disse girandosi di pochi gradi verso i due schermi —
...la cosa riguarderebbe... ma tra l'altro sono dati che risalgono
a più di due anni fa, e questo è importante, molto importante, —
si accalorò all'improvviso, rivolgendosi a Sulis, — perché coin-
cide col periodo in cui l'azienda stava ristrutturando il sotto-
settore decentrato, per cui si potrebbe anche pensare a una...

Il commissario lo ripescò prima che s'immergesse nell'oceano
burocratico.

— Ma a che cos'altro si potrebbe pensare?

— A... a... — boccheggiò Carlevero, — aaa...

Sulis guardò il commissario e poi disse:

— Dica pure, ingegnere, siamo tra amici.

Carlevero non perse per questo il suo stile asmatico.

— Ripeto: potrebbe sempre trattarsi di... pure e semplici coincidenze non funzionali, e prima di muovere un dito sarebbe bene
esplorare a fondo questa... eventualità.

— È chiaro.

— Che allora riporterebbe le discrepanze tra le due serie di
dati a livello di... errore umano.

— Dati su che cosa?

Carlevero prese uno dei polidialoghi, ma doveva avere le mani
sudate perché se lo lasciò sfuggire, e la cassetta cadde con uno
schianto fesso. Non si chinò a raccoglierla.

— Dati su certe... percentuali di scarto che risulterebbero...
molto più alte nella memoria di quanto...

Il commissario si chinò a prendere la cassetta.

— Vale a dire che questi, cioè i nastri che abbiamo trovato
a Santa Liberata, sono gli originali, coi dati autentici?

— Sembrerebbe.

— E la memoria ne contiene altri, con dati... diversi?

— Sì, con l'indice di scarto molto più alto. Ma ripeto, limi-
tatamente alle...

— Scarti di che cosa? — disse il commissario. E aggiunse
— Di spinterogeni, per caso?

— No... qui la cosa sembrerebbe riguardare scatole del cambio apparentemente difettose, con discrepanze inspiegabili tra...

Santamaria si fece saltare in mano la cassetta azzurra, la riprese a volo.

— Inspiegabili? — disse. — O fraudolente?

Carlevero si girò bruscamente verso i due schermi, come sperando che nel frattempo quei numeri si fossero trasformati in cowboys, in donne nude. Ma le "discrepanze" erano sempre lì, inesorabili. Forse quelle cifre astruse, pensò il commissario fissandole anche lui, rappresentavano i puri e semplici soldi che finora non s'erano visti nel caso Pezza.

Spirava nell'ufficio dell'ingegner Sergio Vicini un'aria di incrostata, irrimediabile normalità. Le sedie, la decaduta tinta dei muri, la scrivania, gli armadi metallici, il cestino della carta straccia, il terminale video posato su un traballante tavolino a lato della finestra, ogni oggetto riempiva al millimetro il proprio spazio, senza rimanenze né eccedenze, come in un ufficio della questura. Tutto qui era (era stato) leggermente più "moderno", di qualità originariamente migliore, ma l'effetto generale restava lo stesso.

— Senti, — disse Santamaria quando ebbe De Palma al telefono, — qui le cose si stanno un po' complicando, avrebbero bisogno di un certo tempo per certe... verifiche. E per ora sarebbe bene che... la persona interessata non ne sapesse niente.

— Ho capito, — disse De Palma. — Gli tolgo Dalmasso o lo lascio lì, tanto per tener d'occhio?

— Facciamo sorvegliare l'alloggio? — chiese sottovoce il commissario a Sulis.

L'altro annuì.

— Va bene, per il momento fagli dire che resti lì, a vedere un po' se quello rientra o riesce eccetera.

— D'accordo, mando Cottino ad avvertirlo. Tu torni?

— Non so, ora vedo. Di' comunque a Cottino che dopo passi di qui, mi aspetti di sotto.

— D'accordo.

Santamaria mise giù.

— Grazie, — disse Sulis.

– Non c'è di che.

I due uomini della Fiat ripresero subito a muoversi agitati e increduli per la stanza, aprendo cassetti, sfogliando qua e là nei fascicoli, sempre meno aggrappandosi al loro condizionale. Non che saltasse fuori niente, da quella pasticciata perquisizione; ma bastava la frode, l'idea della frode, a trasformare l'ufficio di Vicini, innocua scatola d'uso comune, in un nido di ragno, nel vaso di Pandora. Così, il più frusto e anonimo dei bar, poteva condensare imperiture vibrazioni per due innamorati, un terrorista, un bandito in fuga.

Criptonormale, pensò il commissario.

Perduti nelle tortuose eventualità che suggeriva la "grana", Sulis e Carlevero erano lontani anni-luce dalla decisiva semplificazione sulla quale lui stava rimuginando. La sola cosa di cui si preoccupavano era che l'ingegnere fraudolento (o presunto tale) non venisse messo in allarme, non sospettasse che gli Dei aziendali apprestavano le loro folgori per incenerirlo. Biffignandi, il dio immediatamente superiore, era già stato convocato, sarebbe calato qui da un momento all'altro. Altre divinità collaterali convergevano su corso Marconi. E presto o tardi, entro stasera, anche il dio Musumanno, eccelso e tonante e inappellabile, avrebbe dovuto essere informato della trasgressione sacrilega. A nient'altro pensavano i due tormentati funzionari.

E la polizia? Ah, già, la polizia. Bravi ragazzi, solerti amici, disposti naturalmente a cooperare secondo le loro modeste possibilità. Vigile riserbo. Sorveglianza discreta. Acqua in bocca. Finché poi, secondo gli... eventuali sviluppi, le cose sarebbero state sistemate a più alti livelli, al massimo livello... Questo innalzamento dei livelli era la cosa che sembrava sgomentarli di più, come un'acqua torbida che salisse di minuto in minuto dal fondo dell'immensa nave.

Santamaria sorrise alle loro schiene curve e atterrite. E sorrise a se stesso riconoscendo finalmente, nel cestino della carta straccia, il piccolo e comunissimo "scarto" che gli era capitato sotto gli occhi già una dozzina di volte nei suoi silenziosi andirivieni per l'ufficio. Uno scarto comunissimo e tuttavia singolare, diverso: la sola cosa "diversa" che sembrasse esserci in quella stanza. Come compiendo un rito un po' comico, finse di chinarsi per allacciarsi una scarpa e intascò sempre sorridendo quell'eventuale, inverosimile indizio.

Spettatore di un'indagine che non lo riguardava, insensibile alla profanazione, all'infamia aziendale, andava pian piano accumulando e ordinando altri dati nel suo privato elaboratore. Normale l'ufficio. Normale il dirigente disonesto. Normale la frode, che risaliva almeno a due anni fa e che consisteva (salvo eventuali complicazioni) nel far apparire contabilmente come difettosi dei "pezzi" appena usciti di fabbrica in perfetto stato, per poi manovrarne la cessione a prezzo di rottami. La cessione a chi? Ah, la raccolta degli scarti, dei rottami, faceva proliferare intorno alle grandi industrie una fauna di ditte infime e spesso effimere, le cui tracce sui registri non sarebbero state facili da seguire; come non sarebbe stato semplice accertare le eventuali complicità e responsabilità indirette, trascuratezze, inefficienze, nonché il danno che l'azienda ne aveva patito...

— Ma di quanto può essere questo danno? — chiese Santamaria, raffrontandolo mentalmente alla scialba figura del ladro, al suo scialbo appartamento di corso Rosselli.

Impossibile dirlo, per ora; com'era malgrado tutto impossibile dire se l'indiziato fosse veramente colpevole, perché l'idea che un funzionario del livello dell'ingegner Vicini si riducesse sul piano morale a commettere un'enormità di quel genere...

Si continuava ad andare su e giù, da piano a livello, da livello a piano.

— Ma ammettiamo che sia lui, — insistette il commissario. — Quanto potrebbe aver rubato, a occhio e croce? Come ordine di grandezza, voglio dire.

Be', l'ordine di grandezza era necessariamente relativo, in queste cose, non si poteva comunque...

— Ma relativamente alla Fiat?

Be', giocando su "pezzi" diversi, in periodi diversi, per quantità non troppo... cospicue di materiali, e rivendendoli con profitti relativamente modesti a ricettatori sparsi, era difficile che il... giro d'affari fosse stato... clamoroso, niente che potesse impensierire l'azienda, ovviamente, la quale purtroppo, proprio a causa delle sue macrodimensioni...

— Insomma, — disse indulgente il commissario, — s'è portato via qualche mattone del Colosseo.

Ma se sul piano meramente... economico il danno poteva essere irrilevante, purtroppo sul piano della struttura organizzativa la cosa era ben più seria, una spia del livello di vulnerabilità dell'azienda, il segno che certe misure erano ormai improrogabili, che certi ritardi e certe carenze, da tempo segnalate...

Gli occhi fissi sul sismografo aziendale, i due vedevano venire il terremoto, cercavano di capire se avrebbe travolto anche loro. Santamaria sedette davanti al terminale, accese una sigaretta, sfiorò negligente qualche tasto. Lo schermo s'illuminò, nero e scintillante di potenziali cataclismi.

— E lui è collegato direttamente col centro?

— Sì, certo, col monitor centrale e con le unità periferiche.

— Anche con l'archivio?

Carlevero lo guardò con sufficienza.

— No, che c'entra, l'archivio è l'archivio.

La presenza della polizia, comprese il commissario, cominciava a non essere più strettamente necessaria, particolarmente gradita. Tra poco sarebbero discesi gli Dei, per riunirsi attorno a un lungo, sacro tavolo, dove non c'erano sedie per gli estranei. Il Colosseo era un circolo chiuso, un monumento orgogliosamente solitario, e aveva abbastanza leoni privati per sistemare a modo suo i ladri di mattoni. Nessuno avrebbe denunciato Vicini, nessuno gli avrebbe chiesto di restituire una lira. Lo avrebbero solo pregato di dimettersi, di sparire con in tasca la regolare liquidazione prevista dagli accordi sindacali. Niente processo. Niente condanna. Niente chiasso. Così si faceva, al Colosseo.

Senza nemmeno dargli, pensò Santamaria, la soddisfazione dello scandalo, del castigo esemplare, della cacciata dal tempio sotto gli occhi della folla. Perché, quale che fosse l'entità della frode, il movente partiva senza dubbio di qui, da questo ufficio così normale, così impersonale. Il primo anello della catena era stato senza dubbio una rivolta, una rivincita sogghignante e salivosa contro questa vita, un tentativo (come la gnosi, probabilmente, come la Frusta, come l'inutile bastone, come chissà quante altre infantilistiche bizzarrie) per non lasciarsi ridurre giorno dopo giorno all'oggettività di un tavolo, di un terminale.

L'infame Vicini.

La scritta balenò netta sul terminale interiore del commissario. Sì, poteva essere andata così, l'"eventualità" stava in piedi. Al principio, un atto di rivalsa, una beffa all'azienda, una vendetta dell'anonimo dirigente in cerca d'identità. Più per sfida, forse, che per denaro. Per disperato gioco. Per qualche morbosa forma di gratificazione.

E dopo, in qualche modo (forse nel confessionale? o anche lui attraverso i nastri?), il Pezza era venuto a sapere tutto, aveva minacciato, magari ricattato. E l'infame ingegnere l'aveva ripagato col sarcastico cero esplosivo, nel mezzo della notte. Era lui il leone nero, l'arconte delle tenebre. E quanto gli doveva essere piaciuto, quell'occulto ruolo, e tutta l'assurda simbologia religiosa.

Sì, pensò il commissario guardando il calendario Fiat, la finestra Fiat, il portapenne Fiat, l'attaccapanni Fiat; sì, questa poteva essere la semplificazione, a questo si riduceva il topos, grigia stanza di un grigio servo infedele.

Restavano varie "discrepanze" da chiarire, verifiche orizzontali e verticali da portare a termine. Il maresciallo Genovese poteva aver visto Vicini che trafficava col cero, in chiesa; e in chiesa era probabilmente rimasto fino allo scoppio, collegandolo subito con le manovre sospette dell'ingegnere ai piedi della torre; e aveva poi seguìto o ritrovato da qualche parte il suo uomo, facendolo salire sulla Volkswagen, accusandolo apertamente o lasciandogli capire la gravità della sua "posizione"; e l'altro, il criptonormale, il pazzo, l'aveva sopraffatto con la forza della disperazione (Genovese era più anziano, ma ben più robusto ed esperto di lui), o più probabilmente con qualche viscido trucco, o approfittando di un incidente connesso con la neve, la Volkswagen che slittava, usciva di strada in un remoto angolo di periferia, Genovese che scendeva, si chinava, l'altro che col suo bastone, a tradimento... E il topos, la parola greca *topos*, veniva forse da Vicini stesso, dalle sue fumose e compiaciute frequentazioni gnostiche, era stato lui a biascicarla nell'orecchio di Genovese, condita da chissà quali deliranti sproloqui e intime confessioni... Poi la lunga marcia notturna, la Stura, il caravan sadomasochista, la mancata "punizione", e l'indomani quel fiotto reticente di mezze parole, allusioni, circonlocuzioni, spinte e controspinte verso lo sfogo liberatorio, che lui, Santamaria, aveva ignorato per fastidio, epidermica ripugnanza, stupida impazienza... Sì, non poteva essere che questa, la semplificazione. Bastava capovolgere i termini del problema: un folle che si credeva normale, non un normale che si pretendeva folle.

— Ormai dovrebbero essere qui, — disse Sulis guardando l'orologio.

Carlevero alzò il testone, sempre più appesantito dai numeri che andava leggendo in un dossier.

— Eh?... Come?... Ah, sì.

Consultò l'ora anche lui, guardò anche lui il superfluo commissario.

Santamaria rispose con un'occhiata remissiva, ma pensava alle loro facce quando avrebbero saputo, di lì a poche ore, della sconvolgente "eventualità". Perché adesso era solo questione di mettere le mani su Vicini, che sul piano della tenuta nervosa, a livello d'interrogatorio, avrebbe offerto ben scarsa resistenza. Anzi, non aspettava altro fin da ieri. La confessione sarebbe stata completa e immediata, con un tipo del genere.

— Ma cosa diavolo fa? — disse Carlevero.

Il commissario, che non stava facendo niente, si guardò in giro meravigliato.

Sul notturno rettangolo del terminale si stavano sgranando sigle, numeri, parole.

— Ma è il suo numero d'identificazione! — gridò Carlevero.
— Ma allora è qui, è giù al centro!

COD V12.MB057... COD V12.MB057...; ripeteva lo schermo, in alto. Carlevero e Sulis erano scattati in piedi, protesi verso il terminale.

CAUS. AUTOAZZERAMENTO FINALE REPEAT V12.MB 057 SELF EFFACING FINAL NEGATIVE 001000001 PREVIOUS OPERATIONS V12.MB057 PHASE ONE ELIMINAZIONE INTERF. + PHASE TWO ELIMINAZIONE INTERF. CC. CAUS. DANGER 0111000100110.

— Ma che cri... — disse Carlevero con la schiuma alla bocca.
— Cosa cristo pasticcia?

FINAL NEGATIVE V12.MB057 PROCEEDS AUTOAZZE-
RAMENTO REPEAT FINAL SELF.

— Ma che vuol dire, ma quello è impazzito, adesso lo voglio...

Il messaggio (la confessione?) di V12.MB057 brillò ancora per
qualche secondo, e il commissario disse:

— Sarebbe meglio andar giù, e un po' alla svelta.

Il messaggio scomparve di colpo, un'altra scritta tagliò lo
schermo con urgenza silenziosa.

PRIORITÀ PRIORITÀ SISTEMA CONTROLLO AMBIENTE
SEGNALA SCOMPENSO CENTRO A 1. REPEAT CENTRO
A. 1. 250 DECIBEL REPEAT SCOMPENSO 250 DECIBEL.

Si precipitarono giù, scesero in un ascensore di snervante lentezza, corsero per un lungo corridoio due piani sottoterra, e una
luce rossa già segnalava lo "scompenso" ambientale su una porta lontana, già Carlevero stringeva in pugno la sua chiave magnetica. Anche questa porta aveva la parte superiore di vetro e
il commissario sbirciò dentro, senza vedere altro che spigolose
sagome metalliche in penombra.

— Non ha acceso la luce, — disse Sulis. — O è saltata?

I battenti si spalancarono, ma Carlevero s'irrigidì dopo il
primo passo, guardandosi in giro, ascoltando, annusando. Il silenzio era assoluto, e tutto intorno gli occhi innumerevoli degli
elaboratori apparivano spenti, nessuna irregolarità — fiamme,
fumo, gelo, calore — era percettibile. Salvo un certo odore un
po' acre, che non sembrava però quello di un corto circuito.

— Cos'avrà combinato quel... — mormorò Carlevero tra i denti.

Accese la luce, e allora si vide cos'avesse combinato l'ingegner Vicini, accasciato davanti all'altare elettronico da cui era
partito il suo estremo messaggio, la testa riversa sulla tastiera,
il braccio destro che sfiorava il pavimento, la mano decontratta
che s'era lasciata sfuggire un oggetto d'uso comune per il commissario ma non per Carlevero, non per Sulis: una grossa rivoltella nera, senza condizionali.

XI

UN COLPO DI PISTOLA ALLA FIAT

1.

Un colpo di pistola alla Fiat, al di là di ogni considerazione acustica, non poteva avere come effetto immediato che un vasto, che un persistente silenzio. Non sepolcrale, pensò Santamaria rientrando per la terza o quarta volta nel locale sotterraneo della tragedia. Rarefatto, semmai. Interstellare.

In silenzio si muovevano gli uomini della Scientifica, a prendere impronte, misure, fotografie; in silenzio il medico legale aveva terminato le sue constatazioni; in silenzio e in disparte se ne stava il sostituto procuratore, l'unico che si fosse tolto l'impermeabile; praticamente in silenzio erano raggruppati laggiù, con De Palma, gli alti dirigenti giunti alla spicciolata per giudicare di una malversazione eventuale e costretti a prendere atto di un suicidio certo. E c'era poi naturalmente la scenografia astronautica, cosmica, dei computers coi loro mille tasti e pulsanti e occhi di robot.

Il cadavere, rimosso dal seggiolino girevole, giaceva sotto un telo di amianto con la scritta frammentaria: LYE DI MONTECA. A pochi palmi giaceva il bastone di Vicini, e per qualche ragione evocava la morte più sinistramente del sangue che s'andava rapprendendo sul pavimento, sulla tastiera dove il suicida s'era ingegnato a comporre la sua "confessione" con le frasi e le parole standard del limitato linguaggio-macchina.

La pallottola era entrata dalla tempia destra, classicamente, fuoriuscendo appena sopra l'orecchio sinistro con forza sufficiente a perforare l'unità periferica n° 7, quattro metri a sinistra. Carlevero e un altro tecnico ne stavano ora smontando in silenzio i pannelli per consentire alla Scientifica di ricuperare il proiettile perduto in quelle cibernetiche viscere.

L'arma, una Beretta cal. 9 corto, dopo i rilievi era stata provvisoriamente posata su uno stretto tavolo bianco, fra un telefono e gli altri oggetti tolti dalle tasche del morto. Nera, metallica, funzionale, non contrastava affatto col paesaggio asettico del centro elaboratori, occupava anche lei il suo esatto spazio aziendale.

E in un certo senso era proprio così, pensò Santamaria. In un certo senso quel nero strumento veniva, con drammatico, perfetto tempismo, a chiudere l'incidente. Già dal linguaggio umano usato da Sulis per interrogare i guardiani s'indovinava lo "scenario" che andava prendendo forma al Colosseo. Niente rimproveri, nessuna strapazzata. Qualcuno aveva visto entrare l'ingegner Vicini? Io no, io no, io no. E come mai? Ah, la rete di sorveglianza era severa, strettissima, i controllori numerosi e occhiuti. Ma come in tutte le cose perfettamente organizzate (troppo perfettamente organizzate) c'erano poi sempre dei piccoli buchi, dei fatali attimi di sfasatura. Certi urgenti lavori di manutenzione, per esempio, un va e vieni di piastrellisti che sistemavano una serie di gabinetti. Due ascensori guasti, mettiamo, che richiedevano l'intervento improrogabile di specialisti. O gli uomini della Comec, che rifornivano i bar a gettone, o ne riparavano i meccanismi. Tra questi umili visitatori della domenica, tra questa conosciuta e fidata gente di servizio, doveva essersi intrufolato l'ingegnere, approfittando di un momento (pochi secondi!) in cui Walter era andato alla tualèt, Beppe discuteva con Raffaele della grande partita di oggi allo stadio, Gerolamo stava cercando Nino che gli aveva fregato quelle forbici che gli servivano per...

Le braccia si allargavano, le spalle si stringevano in linguaggio umano, italiano. Sulis annuiva gravemente, senza neppure darsi la pena di fingere una collera che non provava. Così era andata. Domani si sarebbero beninteso interrogati i piastrellisti, gli ascensoristi, quelli della Comec, sempre che fosse possibile ripescarli uno per uno. Ma così era andata. L'ingegnere squilibrato, il dirigente maniaco (gli aggettivi non furono detti, ma si leggevano tra rughe riflessive) s'era introdotto nell'azienda già deciso a porre in atto il suo folle piano. Domani si sarebbero trovati colleghi e segretarie pronti a testimoniare che sì, negli ultimi tempi Vicini era apparso nervoso, depresso, stranamente cupo e taciturno, visibilmente ossessionato da qualche oscuro rovello interiore. Sarebbe forse spuntato uno psichiatra, un analista presso cui era in cura. O un precedente tentativo di suicidio. Più d'uno, forse. E la polizia poteva cooperare utilmente fin d'ora, andando a perquisire l'appartamento del povero esaltato, dove senza dubbio si sarebbe rinvenuta una lettera d'addio alla famiglia, a una fidanzata, contenente gl'insani motivi dell'insano gesto.

Ma il messaggio (Santamaria non lo chiamò mai "confessione" durante i conciliaboli nei corridoi, nei vari uffici adiacenti e sovrastanti) il messaggio che di nuovo splendeva silenzioso sulla notte del terminale video, e che Sulis e Carlevero avrebbero tanto volentieri spento, cancellato, azzerato? (De Palma, ad ogni buon conto, l'aveva fatto fotografare dalla Scientifica.)

Parole senza senso, segnali deliranti, di una persona ormai giunta al culmine della crisi d'autoazzeramento. Anche l'ingegner Biffignandi, anche gli altri dirigenti sopravvenuti, erano stati dello stesso parere scuotendo la testa. Un vaniloquio che muoveva a pietà, che la polizia e la magistratura avevano certo ogni diritto di allegare al loro rapporto finale, e che certo sarebbe stato menzionato nel primo rapporto (ora in corso di stesura, di là) ad uso del dottor Musumanno (inutile disturbarlo con informazioni incomplete nella sua villa di Santena, nel suo sacro riposo domenicale). Ma non sembrava necessario, né caritatevole, che la cosa andasse più in là, arrivasse per modo di dire ai giornali.

Della frode non s'era parlato più. La morte emarginava ogni infedeltà. Il suicidio riscattava ogni trasgressione. Quella nera Beretta cal. 9 era provvidenzialmente venuta a sciogliere in perdono ogni meschina, terrena revisione di bucce. Quella Beretta cal. 9...

Santamaria aspettava in silenzio vicino alla porta. Là in fondo, nell'aria supercondizionata del locale, De Palma e il gruppetto dei dirigenti bisbigliavano per non urtare l'estrema sensibilità dei congegni d'allarme acustici.

Vicini, sagoma argentata, non poteva più difendersi da accuse, sospetti, calunnie. Non poteva più spiegare connessioni e moventi e responsabilità. Era decente, era giusto, mettergli in conto due altri cadaveri? Colpire un uomo a terra che domani, anzi, sarebbe stato sottoterra?

Santamaria pensò a tutti quei piani, quei livelli sopra la sua testa. Pensò ai sette piani della torre del Pezza. Agli infiniti piani delle gerarchie gnostiche. Quegli accaniti compilatori di organigrammi erano magari degli infami e degli eretici, ma come idea generale non sembrava poi tanto sballata, a pensarci bene. C'era sempre un piano superiore al tuo, un Dio più in alto che ti stava guardando...

È tutta una storia di verticali, in fondo, pensò Santamaria fissando il rigido, orizzontale bastone del suicida. Una storia di gerarchie. Il cardinale e monsignor Ceci e il Pezza, la Caldani, e poi giù fino a Priotti, ai Bortolon, all'erborista e al materassaio. E Vicini, Carlevero, Biffignandi, su, su, di gradino in gradino fino all'inaccessibile Musumanno e oltre. E la sfuggente gerarchia di Graziano e dei suoi amici e clienti della cintura torinese. La sfumata gerarchia dei Garbarino, dei Rossignolo, dell'editore, da cui i Monguzzi fuggivano coi loro carteggi. E la gerarchia elementare del maresciallo Genovese, del suo tenente, del capitano Scarampi, del colonnello, del generale...

De Palma si volse a mezzo, gli dedicò un occhio solo, interrogativo. Santamaria rispose con una piatta occhiata di assenso. Tra orizzontali ci s'intendeva a volo. Sì, la verifica orizzontale (una telefonata alla Pietrobono) era stata fatta. La Pietrobono aveva appena richiamato per confermare. Sì, l'arma da guerra non in commercio e teoricamente destinata alle sole forze dell'ordine, la Beretta cal. 9 corto con la quale l'ingegner Vicini s'era ucciso, aveva lo stesso numero di matricola della Beretta cal. 9 corto scomparsa dalla fondina del maresciallo Genovese.

2.

– Qui, – mormorò pessimisticamente De Palma nel corridoio, – un altro vertice non ce lo leva nessuno.

— No, io no, — disse Santamaria. — Io me la squaglio, io piuttosto me ne vado alla partita.

— Se non te ne è mai fregato niente.

— Almeno prendo un po' d'aria.

Biffignandi sbucò fuori anche lui, la pelle tesa, sottile, congestionata sulla faccia rubiconda.

— Novità? — disse sospettoso.

— No, no, stavamo solo parlando della partita.

L'altro andò via come per vincere la tentazione di licenziare in tronco quei due fatui.

— Prima lo racconto al sostituto, visto che è qui.

— E l'Arma?

— Anche a loro. Piomberanno come falchi.

— Questore?

— Per forza. Così se la vedrà lui ai massimi livelli. Con quel famoso Musumanno.

— Che dici, metteranno il coperchio?

De Palma si studiava le punte delle scarpe, reggendo la sigaretta verticalmente, per non far cadere il cono di cenere. Non si vedeva un portacenere per tutto il lungo corridoio.

— Lo metterebbero senza pensarci due volte. Solo che c'è Genovese. Del prete non gliene frega niente a nessuno, ma Genovese era un sottufficiale dell'Arma.

— Ma Vicini è morto anche lui.

— Infatti, è la carta che giocheranno questi qua. Il presunto responsabile si è tolto di mezzo da solo, le prove sono puramente congetturali, mettiamoci una pietra sopra.

— E noi?

— Noi ce ne laviamo le mani, decidano loro. Noi passiamo la palla, andiamo alla partita, hai ragione tu.

Si guardarono, orizzontali e scontenti.

— La Beretta, — disse Santamaria, — lasciamola pure ai carabinieri. Ma il Pezza, Santa Liberata, il topos...

— Vuoi dire il cero.

— Eh, già. Quello è scoppiato in mano a noi, dobbiamo continuare a occuparcene noi. Dove l'ha fabbricato? Con che cosa? Forse a casa sua...

— E tu vai a dare un'occhiata, se proprio ti rode.

Cadde un diverso silenzio.

— Mannò, c'è già Guadagni con Dalmasso e altri due, chi se
ne frega, io me ne vado allo stadio.

Era lo strascicato, frastagliato, irto silenzio delle cose abbandonate a metà, e a malincuore.

— Ma congettura per congettura, — disse straccamente Santamaria.

— Sì.

— Assurdo per assurdo.

— Vai.

— Il suicidio non può essere che un suicidio?

— Ennò, scusa, — disse De Palma, — che mi stai a fare, il delitto della camera chiusa?

— No, dicevo: se nessuno ha visto entrare Vicini...

— Primo: lui stesso non poteva sapere in anticipo se l'avrebbero visto o no. Gli è andata bene, cioè male, ma non poteva
contarci a priori. D'accordo?

— Lo so, lo so, d'accordo.

— Secondo: se con lui c'era qualcun altro, correva lo stesso
rischio, più il rischio di essere visto mentre usciva, anzi la certezza assoluta di essere visto perché qui ci si arriva da quell'unica
scala laggiù e da quell'unico ascensore, e al momento dello sparo...

— Lo so, lo so, nessuno avrebbe fatto in tempo a sparire.

— In più c'è quella specie di confessione. In più c'è il colpo
alla tempia. In più troveremo le sue impronte sulla Beretta, questo è sicuro. In più c'è la... personalità del suicida, chiaramente
uno squilibrato, da quello che mi hai raccontato tu stesso.

— Be'... — fece Santamaria.

— Masochista.

— Sì, ma all'atto pratico...

— Bavoso. Gnostico.

— Sì, — ammise Santamaria, — sì, è vero.

— E allora vai, vai tranquillo a vederti la partita. Io qui mi
gioco la mia, gli faccio vedere io, come si passa la palla.

— Mi prendo Cottino, tzè, — disse mogio Santamaria.

Ma il silenzio di Cottino non era più così granitico, oggi. Rientrando dopotutto in questura, ma poi svoltando dopotutto verso corso Rosselli, s'erano trovati in un fiume di macchine dirette allo stadio con bandiere e striscioni e scalmanati grappoli traboccanti dai finestrini, e quello strepito entusiasta sembrava aver toccato nell'animo indifferente dell'appuntato un'ultima corda stizzosa, per non dire iraconda.

— Ma guarda i pagliacci, — ripeteva, — ma guarda i disgraziati.

Agli urli più selvaggi rifaceva il verso.

— Forza Juve, — grugniva sarcastico, — vi venisse un colpo a tutti quanti, pecoroni.

Specialmente le donne, alcune vestite con la maglia bianconera della squadra locale, stimolavano il suo risentimento.

— Ma andate a prendervela in quel posto, la Juve...

— E pensare, — osservò a un tratto con rammarico, — che stamattina pioveva, ancora due ore fa veniva giù che era una bellezza.

Scrutò l'imbottitura di nubi, ormai squarciata d'azzurro in più punti.

— Una bella bagnata, una bella doccia generale ci vorrebbe per questa marmaglia.

Non si capiva perché, se tutto gli appariva comunque dissennato, queste particolari dissennatezze lo disturbassero tanto. Forse la festosa colonna di macchine gli dava la misura della sua estraneità, o gli ricordava i tempi felici quando lui stesso... Santamaria cercò d'immaginare un Cottino vociante, sventolante, paonazzo sotto un berrettino bianconero al posto del copricapo militare. Assurdo.

Ma non più assurdo che pretendere coerenza dagli uomini, a cominciare dall'uomo Santamaria, labilmente incerto tra la partita (di cui nulla gl'importava, l'aveva detto tanto per dire), tra la visita in casa di Vicini (dove Guadagni non aveva ancora trovato niente), tra una telefonata alla Guidi (tanto per sapere che fine avesse fatto la figlia col suo mafioso), e il ri-ritorno in questura a riprendere i fili (quali fili? a che scopo?) dell'indagine.

Anche l'auto sbandava contraddittoriamente tra i guizzi spericolati, bramosi, delle altre macchine che guadagnavano due, tre posizioni, riperdendole dopo pochi metri nel gioco peristaltico del traffico. Cottino frenava, ripartiva, rifrenava, maledicendo. Santamaria puntava i piedi per non sbattere la testa nel parabrezza, e taceva, passivo e tetro passeggero. Era lui, stavolta, a fare la parte di Cottino, a rivoltolarsi vacuamente nell'assurdità e vanità di ogni cosa. Gli schiamazzavano nella testa, insieme ai claxon e alle trombe dei tifosi, uno pseudo-passaggio segreto in una chiesa pseudo-barocca, un carabiniere in agonia che scriveva col dito una parola greca, Francesco Crispi che si metteva una barba finta per gettare una bomba contro l'imperatore dei Francesi, un dirigente Fiat che preparava un cero alla dinamite, un prete che risuscitava un'antica eresia e veniva bastonato sette giorni prima di saltare in aria, un caravan sadomasochista in riva alla Stura, gli occhi e la fronte purissima di una ragazza per bene che sulla Porsche di un purissimo malvivente guizzava su e giù per la cintura di Torino, un cardinale in incognito che...

Lo scatto repentino di una Dyane arancione attraverso una pozzanghera proiettò su di loro un ventaglio d'acqua e fango.

— Brutta befana, — ringhiò Cottino azionando il tergicristallo.

Dal tetto aperto dell'utilitaria si spencolava con altri una donna matura, corpacciuta, scarmigliata, reggendo un'enorme bandiera bianconera cosparsa di schizzi.

— Pazzi maledetti.

Eh, sì, un mondo di pazzi, ormai, una notte insensata e torbida come questa fanghiglia che inzaccherava capricciosamente i rossi, i verdi, gli azzurri, i gialli orgogliosamente partoriti dal Colosseo, da tutti i Colossei del mondo, e ridimensionati da un po' di neve e di pioggia alla loro primigenia condizione di ferraglia dipinta, ferraglia Citroën, ferraglia Fiat, ferraglia Volkswagen, ferraglia Ford, ferraglia Porsche, ferraglia Toyota, ferraglia piena di spinterogeni e scatole del cambio e carburatori e pistoni e cinghie, tubi, tubetti, tubicini... Un insensato, un assurdo ammasso: dove però un bravo meccanico sapeva mettere le mani, avvitare, congiungere, rimontare, collegare.

Santamaria guardava tutti quei meccanismi in frenetica funzione sul largo viale, a destra, a sinistra, davanti a lui, e la sua depressione usciva a poco a poco dal generico.

La notte, certo, l'incasinata notte su cui un povero commissario non poteva essere tenuto a emettere oracoli.

Dove andiamo a finire? E che ne so, non sono mica un profeta con la barba di Crispi, dell'editore. Non sono il guardiano, io, sono un puro e semplice meccanico, della notte.

Ma proprio come meccanico si sentiva deluso, defraudato. Poco gl'importava del probabile insabbiamento; ci mettessero pure sopra tutte le pietre del Colosseo. Poco gl'importava che i clienti fossero contenti lo stesso del suo lavoro: dirigente squilibrato e ladro uccide prete gnostico e ricattatore, uccide poi carabiniere curioso, e infine si sopprime confessando le sue colpe su un elaboratore elettronico, in linguaggio-macchina.

Stava in piedi?

Per stare in piedi stava in piedi; come un libretto d'opera di De Palma, come tutti i nodi della vita, se li riducevi all'essenziale. Per funzionare funzionava. Bastava.

Ma non a me, pensò il meccanico Santamaria.

Restava fuori una quantità inesplicabile di viti, dadi, morsetti, guarnizioni. Perché Vicini si fosse ucciso, per esempio, quando ancora non sapeva che i nastri erano stati "decifrati". Se davvero il Pezza l'avesse minacciato, ricattato. In che misura c'entrasse la gnosi, l'infame Basilide. Se un carabiniere, un militare, sentendosi prossimo a morte, potesse concepibilmente lasciare ai colleghi una traccia, un indizio in greco. E le ambiguità, le omissioni dell'editore. E la presenza, casuale, puramente casuale, della mafia, di un "contabile" della mafia, che proprio venerdì pomeriggio, incrociando coincidentalmente...

— Arrrgh! — ruggì Cottino con un disperato colpo di freni.

Scaraventato in avanti il commissario piantò d'istinto le palme contro il parabrezza, rimbalzò indietro col cuore in gola.

E il cuore gli restò lì.

Davanti c'era sempre la Dyane, sempre la donna corpacciuta e fanatica, sempre la grande bandiera schizzata di fango. E su quello sfondo sempre insensato il commissario vide in controluce l'impronta delle proprie dita. E vide anche, come sullo schermo del terminale, vide in tutta la sua elementare, sacra semplicità, vide esplosivamente il topos, ciò che c'era dietro il topos, il filo cibernetico da seguire nel labirinto dove si occultava il topos.

Signore, pensò snebbiato, umiliato, non sono degno.

Col cuore che rifiutava di ridiscendere al suo posto, desiderò un'altra violenta frenata, desiderò di sbattere la testa contro qualcosa di duro, di corporalmente punitivo. Se lo sarebbe meritato.

Invece, aggredì Cottino.

— Via, via, torniamo indietro!

— Dove?

— Gira, gira, muoviti, leviamoci da questo casino!

— E come faccio, dottore, siamo sulla sinistra, siamo incas...

— E tu svolta a sinistra, no!

— Ma c'è il divieto!

— E non fare il coglione, metti la sirena, fai qualcosa, non siamo mica alla scuola guida, dài!

— Va bene, dottore, — disse amaramente Cottino.

Il commissario ebbe immediata vergogna di quello scatto che faceva pagare a Cottino la stupidità sua, il peccato d'orgoglio suo e soltanto suo. Perché sapeva, avrebbe dovuto ricordare, che sfingi, sibille, dei, arconti, eoni, proponevano sempre indovinelli crudelmente puerili. Era il loro *modus operandi* per umiliare i poveri mortali, gli sciocchi e presuntuosi infanti che si ponevano a sproposito solenni quesiti sulla notte, sulla vita, sulla morte, sulle trame del destino.

Mezzo cieco, pensò. Non ho visto che la metà dell'enigma, sono un mezzo Edipo.

— E adesso, dottore? — disse mortificato Cottino, che era riuscito perigliosamente a passare sul controviale.

— Andiamo al comando dei Vigili.

— Signorsì.

— Per un controllo.

— Signorsì.

— Dài, Cottino, non te la prendere, non ce l'ho con te, siamo a una svolta nelle indagini.

— Bene, dottore.

— Dài, che ci siamo arrivati per merito tuo.

— Tzè, — fece Cottino, alzando le spalle.

Era già ripiombato nel suo stile di guida non competitivo, ma il commissario non osò più fargli fretta.

— Cottino, tu lo sai l'indovinello di quella cosa che al mattino cammina su quattro gambe, a mezzogiorno su due e alla sera su tre?

Cottino aggrottò la fronte senza curiosità.

— No, dottore. Devono avermela raccontata, ma non me la ricordo più, non mi ricordo mai le barzellette. Questa è vecchia, no?

— Sì, — disse Santamaria, — è vecchissima.

Poma Attilio venne incontro al commissario con quello che c'era di meglio nel linguaggio-faccia, ossia un ampio sorriso.

— Tutto bene? — s'informò con rispetto. — Ci sono novità?

— Un piccolo problema.

Glielo spiegò.

— Nessun problema, — disse squillante Poma Attilio.

Mentre andavano di là a risolverlo, il commissario invidiò lui e tutti quelli come lui — commessi di negozio o funzionari di banca, assicuratori, camerieri, teleriparatori — che ti chiedevano allegramente "qual è il suo problema?" e ti rispondevano baldanzosamente "nessun problema!". Gente pratica, sicura di sé, che già dall'asciutto lessico mostrava di guardare il mondo dall'angolo giusto. Anche alla Sfinge gliel'avrebbero messa giù così, senza tanti tremori. Qual è il suo problema, signora?

— Sarà anche un po' questione di fortuna, — disse tanto per tenere un piede nella sua piccola area di moderato scetticismo, di probabilismo alla Carneade. — Le possibilità...

— ... sono esattamente mille, — disse Poma Attilio mettendosi al lavoro, — non ci vorrà più di un quarto d'ora, vedrà.

In realtà ci volle meno. Dopo neanche dieci minuti che guardavano sfilare le esattamente mille piste, quella giusta, il topos, balzò fuori come un pugno sotto il mento.

— Eccola qui, — disse il commissario, — è questa.

— Vede? — disse Poma Attilio. — Nessun problema.

3.

(Dal diario della Pietrobono)

Primo tempo.

Capo S.maria rientrato ciclonico, frenetico, napoleonico: — Chiama DP!... Chiama Biazzi!... Richiama Pastorello!... Fai presto!...

Lui intanto chiama questo et chiama quello, manda prendere quello da quell'altro, dice tutti qui vivi aut morti, richiama armi intero eserc. ital., dice...

Driiiiin. Gli passo DP.

S.maria (a DP): — Molla tutto, trovato topos.

Secondo tempo.

Capo DP tornato volo scatenasi sua volta turpiloquialm.: — Che c. fa Guad., dove cr. est Biazzi, zitta tu P.bono, dove c. d'un cr. sono la 17 e la 22, pullmino, anche autocivette, Dalm., fattore sorpresa, zitta tu P.bono, il sost. proc., ci serve il sost., chi se ne frega del sost. (S.scritta: cerco aut non cerco il sost.?), zitta tu P.bono, arrivano, non arrivano, dormono tutti, sono giù, sono su, chi c'è c'è, perché c. non si vede... Andiamo, muoversi muoversi, tu cosa fai lì, via via andiamo chi non c'è non c'è.

Terzo tempo.

Senza chiedere un c. di niente a nessuno, s.scritta P.bono approfitta casino per intrufol. volante 22. — Stav. non mi freg.

4.

Era sempre più raro che in questo mestiere, alla fine, bastasse suonare un campanello senza nemmeno appostarsi ai due lati della porta, senza nemmeno tenere la mano sul calcio della Beretta o del mitra. Ma per pensare al peggio ci voleva sempre un certo sforzo.

Il brigadiere Pastorello schiacciò ancora l'indice con forza e a lungo, e si tirò da parte.

Dopo un momento, anche Santamaria fece un passo di lato, la

spalla contro la cornice di legno chiaro. Oltre la porta persisteva il più minuzioso silenzio. Il topos poteva essere in giro, ma bisognava prima di tutto vedere qui.

— Sfondiamo? — disse Pastorello.

— E prova.

Ma non ce ne fu bisogno, la porta era chiusa col solo scatto e si lasciò aprire da una lamina di plastica. Le pistole uscirono per tre quarti dalle tasche, ma neppure di questo ci fu bisogno: tutte le stanze erano vuote.

In cucina, sul bordo del tavolo, una tazzina era piena a metà di caffè. Santamaria andò a toccare la caffettiera sopra il fornello: ancora tiepida.

L'uscita recente e la porta non chiusa a chiave potevano far pensare a un'assenza breve, a un rientro tra poco. Ma chi sarebbe stato a rientrare? Santamaria calcolò che conveniva lasciare sul posto poche forze e proseguire col grosso verso un'altra, già prevista destinazione.

La colonna di due volanti, un'autocivetta e un pullmino, si rimise in moto appesantita dai soliti dubbi operativi, rassegnata all'errore di valutazione. Sempre più di rado, in questo mestiere, sapevi se stavi andando verso il castello della strega o la casetta dei nani, senza contare che due volte su cinque i nani ti accoglievano a raffiche di mitra e la strega era una casalinga con le forcine in bocca.

Il gelo aveva fatto scoppiare in più punti l'asfalto e la strada era una collana di laghi e laghetti schiumosi che il sole tentava saltuariamente d'inargentare. Incrociarono due ragazzi sopra una scheletrica moto da cross, un cane con le orecchie basse e il trotto trasversale, una macchina con a bordo una famigliola, un vecchio che li guardò passare dalla feritoia impenetrabile dei suoi anni.

Santamaria, che era in testa sull'autocivetta (aveva tolto il volante a Cottino), fece fermare la colonna lungo un alto muro che poteva nascondere un cantiere, un campo di baseball, o niente. Gli uomini saltarono giù incerti, come quasi sempre in questo mestiere. Troppi? Troppo pochi?

L'eterna preoccupazione del vicequestore Picco non riguardava soltanto il prestigio, la paura delle critiche, la "faccia" da salvare. Toccava un punto essenziale di questo mestiere, dove, quasi sempre troppo tardi, potevi accorgerti che l'ultimo scalino era ancora a dieci, venti metri da terra.

Decisero per una perlustrazione che solo a posteriori avrebbe potuto dimostrarsi goffa o micidiale, mandarono avanti Pastorello in borghese con la Pietrobono, lui con una radiolina incollata all'orecchio, un tifoso che seguiva morbosamente la cronaca della partita camminando piano piano, incurante della fidanzata appesa al suo braccio.

I due girarono l'angolo del muro, sparirono.

O non sarebbe stato meglio pensare al peggio, andar sotto tutti insieme a sirene spiegate, armi spianate?

La gente poi rideva o piangeva, a seconda di com'era andata. Ma non capivano, non si rendevano conto, che in questo mestiere tu non sapevi quasi mai la tua parte, entravi vestito da Pulcinella e ti toccava fare l'intrepido eroe; irrompevi mulinando uno spadone da Nibelunghi e ti ritrovavi in pieno *Elisir d'amore*.

Il ciglio della strada si riempì di mozziconi di sigarette. De Palma salì sul tetto del pullmino a guardare oltre il muro: circondava un quadrilatero di fango, erbacce e solette di cemento destinate a reggere chissà che cosa.

Gl'innamorati ricomparvero, riferirono che c'erano parecchi automezzi parcheggiati sullo spiazzo, ma che non si vedeva nessuno. Pastorello disegnò su un pezzo di carta una sommaria piantina con le possibili vie d'avvicinamento dai quattro punti cardinali, le possibili protezioni: carcassa d'autobus, muricciolo in parte crollato, ripido pendìo, alto mucchio di ghiaia con bidoni di catrame, un cartellone pubblicitario, un traliccio dell'alta tensione col suo zoccolo di calcestruzzo. Ma per disporre un accerchiamento invisibile bisognava tornare indietro, cercare lunghe deviazioni in terra incognita, e forse non ne valeva la pena perché poi l'ultimo tratto, una trentina di metri, era comunque scoperto da tre lati.

Decisero di sfruttare il cosiddetto "fattore sorpresa" con una convergenza che sarebbe poi stata definita "silenziosa e fulminea" oppure "improvvisata e approssimativa", e che tradotta in linguaggio-polizia si concretava nell'ordine: "Non fate casino, non fate gli stronzi".

Dettero cinque minuti a Dalmasso, che doveva retrocedere lungo il muro, costeggiarlo per il lato maggiore, scendere per il pendìo e piombare sull'obbiettivo da sinistra e da tergo, scaglionando opportunamente (cioè, come veniva) i suoi otto rangers imberbi.

Poi partì Santamaria con la civetta, passò abbastanza silenzioso ma poco fulmineo (Cottino aveva ripreso il volante) davanti allo spiazzo, si fermò di traverso accanto al traliccio e tre dei suoi uomini corsero curvi a chiudere quel lato e a ricongiungersi con Dalmasso, mentre le due volanti si piazzavano dietro il cartellone pubblicitario (un vermouth mai sentito) e gli uomini di De Palma si disponevano a ventaglio davanti allo spiazzo sfruttando ripari di fortuna; il pullmino, con autista e Pietrobono, restò più indietro, di traverso, per bloccare la strada.

Poi veniva quella brevissima pausa in cui tutto era ancora correggibile, revocabile.

Poi l'ultimo balzo, in realtà un balzo in un tempo diverso, compresso, sincronico, che più tardi nei rapporti scritti e nelle conferenze stampa e in tribunale, si dilatava con mostruosi effetti d'implausibilità.

Santamaria, correndo, assorbì simultaneamente e poi via via, in rapidissima sequenza:

il topos, parzialmente occultato ma sicuramente lui

tante, troppe finestre

una panca appoggiata al muro vicino alla porta

laggiù Dalmasso dietro il mucchio di ghiaia che faceva uscire pistola in pugno da una Porsche

un'ombra a una finestra d'angolo al primo piano (mi sparano?)

Thea e sua madre e Graziano (un'allucinazione?) che uscivano dalla Porsche mentre un cane bianco e nero

Pastorello che stramazzava a terra (ferito? morto? ma i colpi?) cinque metri alla sua destra

il topos ora chiarissimo, lui, lui

lo spigolo del muro, una nicchia con un rubinetto che

Pastorello che si rialzava (solo scivolato) e correva sporco di
fango verso la porta

Thea che cominciava a correre verso di lui con disperati
gesti delle braccia e Dalmasso che la riagguantava, la stratto-
nava

la porta

Pastorello ansimante che si passava la canna della pistola
sui pantaloni, per pulirla

la porta, il calcio a gamba tesa.

Ma la porta era appena accostata e al di là Graziano (allucinazione?), le mani alzate con calibratissima negligenza, immobile sotto la mira delle tre pistole (da dove era sbucato Guadagni?) la faccia accuratamente preparata, disse in tono accuratamente neutrale:

— Non c'è nessuno.

Col mento, fece segno.

Dietro la porta a vetri spalancata alla sua sinistra, il "nessuno" corrispondeva a quattro uomini seduti su sedie sparse, lo
sguardo deliberatamente fiacco, disattento, le mani in deliberata
evidenza tra le ginocchia.

— Amici miei, — presentò Graziano, inchiodato dov'era.

Preciso alla frazione di secondo, lasciò che l'esplosiva rigidi-
tà della scena si allentasse prima di spiegare:

— Vi abbiamo visti venire. Siamo appena arrivati anche noi.
C'è solo quella.

Dal fondo del basso stanzone, coi gomiti fermamente puntati
sul banco, li fissava la padrona della Penna Nera.

5.

Quando era stato spinto in fretta e furia dentro un automezzo,
l'agente Tropeano aveva ancora sperato per un momento che la
destinazione fosse il servizio d'ordine allo stadio comunale, dove
la Juventus disputava una partita cruciale per le sue sorti. Ma
poi gli avevano dato il giubbotto antiproiettile, e dalle avare parole degli altri (tutti immersi in una disputa sul campionato o
nella lettura di giornalini più o meno porno) gli era sembrato di

capire che l'obbiettivo fosse invece un non meglio precisato "covo".

L'assalto a questo covo c'era in effetti stato: gran corsa su per il pendìo scivoloso dietro al brigadiere della Mobile, gran paura di far partire accidentalmente una raffica, nessuna paura (inaspettatamente) di essere preso di mira da una delle tante finestre del vecchio cascinale.

Tropeano Michele, di anni 20, arrivato fresco fresco a Torino dalla scuola allievi P.S. di Padova, era alla sua prima operazione di polizia e riteneva di essersi comportato bene, fin qui. Ma quella sua condizione di "fresco fresco" lo preoccupava più di ogni altra cosa, e gl'impediva di scocciare i suoi più esperti colleghi con domande idiote. Chi erano le due donne e l'uomo arrestati dal brigadiere nella Porsche? E che specie di covo era questo? Di ladri, terroristi, contrabbandieri, banditi? Sarebbe stato bello sapere.

Intanto gli altri correvano di qua e di là, gli gridavano passando di togliersi dai piedi, di rimettere la sicura al mitra (come se lui non l'avesse già fatto), e parlavano di rinforzi, della richiesta urgente di rinforzi alla Centrale. Ma a che scopo, se l'assalto si era concluso nel modo migliore, senza spargimento di sangue? Allora voleva dire che l'operazione non era terminata, che il covo non era questo. Sarebbe stato bello capire.

Tropeano, che si guardava in giro nell'aia interna del cascinale con aria (sperava) scattante e intelligente, si scansò appena in tempo quando la prima volante, seguita da tutti gli altri automezzi della colonna, schizzò rombando nel quadrilatero di fango.

— Via, via, tutti dentro, tutti dentro! — gridava sbracciandosi il brigadiere della Mobile.

Ma allora adesso erano loro che avrebbero subìto un assalto? Dovevano assumere una posizione difensiva? Tropeano esaminò il cascinale da questo nuovo punto di vista. Era molto diverso dalle masserie del suo paese in provincia di Catanzaro, ma si trattava senza dubbio di un edificio semiabbandonato. Il fienile era vuoto. Nella stalla non si vedevano animali. Il portico non ospitava attrezzi o macchine agricole. Il pozzo era una rovina.

— Cosa fai, t'hanno messo a contare le finestre? — gli disse rudemente uno della Mobile.

Tropeano scattò.

— No, — rispose con aria il più possibile intelligente.

— E allora resta qua, contale.

Corse via senza spiegare. Forse sfotteva, ma Tropeano si andò a mettere in posizione centrale, vicino al pozzo, e restò lì filosoficamente, col suo mitra in spalla. Non poteva pretendere che alla sua prima domenica torinese lo mandassero a vedere la Juventus. Non poteva pretendere di capire cosa stava succedendo. Fresco fresco, cominciò a studiare le finestre del corpo principale e delle due ali diroccate dell'edificio.

C'erano molte finestre, molti punti di vista.

— Graziano non sapeva cosa avrebbe trovato qui dentro, — disse Thea massaggiandosi lentamente il braccio, — e così mi ha lasciato fuori in macchina con quell'altra e con quel suo amico, era più prudente. Solo che quel vostro armigero là fuori...

Dalla finestrella a pianterreno, sbarrata da una croce di ferro, si vedeva Dalmasso dirigere vivacemente il traffico nell'aia interna: gli ordini erano che tutta la colonna doveva occultarsi d'urgenza, bisognava fare il vuoto attorno alla Penna Nera in modo che qualche eventuale nuovo "cliente" non potesse scorgere da fuori il minimo segno sospetto. Un'idea di Graziano, che ci sapeva fare, in queste cose. E per fortuna la polizia gli aveva dato retta senza farselo dire due volte.

— Fa male? — disse la Pietrobono.

— No, non è niente, mi ha solo stretta un po'... Dal suo punto di vista non poteva fare diversamente, nemmeno lui sapeva cosa c'era qui dentro. O voi lo sapevate?

— No, non proprio.

— Certo che quando ho visto tutte quelle pistole e quei mitra mi sono spaventata, ho pensato che poteva succedere uno di quegli errori pazzeschi, una di quelle sparatorie assolutamente...

— Brava, e così per poco non la fai succedere davvero.

— Ma capisci, quello è lo stesso che mi aveva già arrestata venerdì a Santa Liberata, dopo l'attentato. E allora appunto ho calcolato che dal suo punto di vista, collegando due situazioni identiche, poteva arrivare alla conclusione che noi, voglio dire io e Graziano...

— Dal mio punto di vista, — disse la Pietrobono, — le ragazze farebbero bene a passare la domenica con la mamma, in certi casi.

— Povera mamma, — disse Thea guardando il telefono dietro il banco, — adesso magari le telefono, non sa più niente di me da ieri sera, non ha la più pallida idea di dove sono.

Si alzò, ma tornò docilmente a sedersi vedendo la Pietrobono che scuoteva la testa.

— Già. Se si mette in testa di venire qui, cosa le dico, dove siamo esattamente? Non ha mai avuto il senso dell'orientamento.

— Ma voi come ci siete arrivati? — disse la Pietrobono.

— Ah, — disse Thea. — Era semplice.

Dall'alto, da una finestrella del solaio priva di vetri e d'intelaiatura, De Palma e Graziano guardavano "giù".

"Giù", aveva detto la donna a Graziano. "Sono andati tutti giù a..."

E qui s'era interrotta, mettendo a fuoco gli occhiali, rendendosi conto che quel giovanotto apparso sulla soglia della cucina era un estraneo, che il suo tono amichevole era una trappola. E non c'era stato più modo di cavarle una parola di bocca.

— E poi vi abbiamo visti arrivare... — disse Graziano.

Aggiunse un sorrisetto virtuoso che significava: "E così c'è mancato il tempo di torcerle un braccio, di metterle un coltello alla gola".

Forse sarebbe bastato, per "persuaderla" a parlare, ma adesso erano tutti nella stessa barca legalitaria, la donna aveva avuto fortuna, poteva restarsene raggomitolata nel suo silenzio fino al giorno del giudizio, avevi voglia di minacciarla con discorsi di favoreggiamento, reticenza, complicità, eccetera. Viva la legalità.

— E la bionda, — disse De Palma, — l'avete prelevata con le buone o con le cattive?

— Con le buone, con le buone, s'è offerta lei di accompagnarci qui, dice che tanto non aveva niente da fare. Le abbiamo detto che era per motivi di lavoro, è venuta subito. Solo che non sa niente, non sa dov'è la fabbrica, ce la dobbiamo trovare da noi.

De Palma grugnì. Dalla Centrale avevano promesso di racimolargli tutti gli uomini ancora disponibili. Scarampi, avvertito ufficiosamente, era stato autorizzato a portarsi dietro qualcuno dei suoi ("Ma non più di una squadra, d'accordo? Questa è un'operazione di P.S."). E già prima Graziano aveva telefonato alla *sua* centrale, per farsi mandare i *suoi* rinforzi. E quel "noi" buttato lì così innocentemente, virtuosamente, conteneva un'implicita proposta di collaborazione sul campo. Viva la legalità. Viva l'alleanza.

— Mah, — disse De Palma, — vediamo se Santamaria riesce a tirar fuori qualcosa lui, da quelle due donne.

Trasferita nella cucina della Penna Nera, la donna s'era subito andata a sedere su una sedia di paglia vicino alla finestra d'angolo. Sul davanzale c'era un fotoromanzo aperto, con sopra un paio di occhiali, e una scatola di latta piena di bottoni di ogni forma e colore. Doveva essere il posto dove si metteva abitualmente quando non aveva altro da fare.

Ma con tutta quella sua aria dimessa, inoffensiva, non parlava, non rispondeva a nessuna domanda, tenendo la testa caparbiamente girata verso uno scabroso ciliegio, ancora nero di pioggia, che si diramava al di là dei vetri.

— Di chi sono le auto là fuori? Quelle moto? Quel camion? — ripeté ancora una volta Santamaria.

Silenzio.

— Dove sono i proprietari?

Silenzio.

— Quanti sono? Da quanto sono usciti?

Silenzio.

— Sono andati a piedi?

La donna affondò nella scatola le dita rosse e screpolate, facendo scrosciare i bottoni. Un muro.

Con un cenno, Santamaria lasciò a Pastorello l'incarico di continuare l'interrogatorio, passò nella dispensa e di lì nel minuscolo atrio da dove una scala stretta e ripidissima saliva ai piani superiori. Dall'alto, piovve giù un tremendo boato.

Dopo l'assalto al covo c'era sempre la perquisizione del covo stesso. E nei covi, di qualunque tipo fossero, non si poteva mai escludere l'esistenza di una camera nascosta dietro un falso muro. Per questo lui, Tropeano, doveva star lì vicino al pozzo e alzare il pollice ogni volta che un collega si affacciava a una finestra. Non l'avevano per niente sfottuto, il suo compito era veramente importante.

Un urlo immenso venne da una delle finestre che Tropeano aveva già contato, e uno della Mobile si affacciò con una radiolina in mano. Un altro apparve a un'altra finestra, già controllata anche questa. Tropeano, un po' confuso ma pronto, alzò il pollice verso tutti e due. Il primo gli fece con le dita unite il gesto di "ma che vuoi?", e gridò all'altro:

— Che succede?
— Ha sbagliato un rigore!
— Chi?
— La Juventus!

Quello senza radiolina sparì scuotendo la testa. Tropeano abbassò il dito. Sarebbe stato bello essere allo stadio.

La bionda, al contrario parlava anche troppo, ma non aveva niente da dire, non sapeva niente. Quando Santamaria mise dentro la testa dalla porta del salottino, lei gli fece un bel sorriso, ma Guadagni, che l'aveva presa in mano dieci minuti fa, alzò gli occhi al cielo. Come molte donne di criminali, anche questa doveva aver imparato a vivere sapendo e non sapendo. Ha un lavoro, dicevano, un'attività, un commercio, degli affari. La loro curiosità si arrestava con infallibile intuito davanti a certi confini.

Ma le donne di Sulis, di Carlevero, di Musumanno, si chiese Santamaria, gli avrebbero voluto o saputo dare risposte più esaurienti sui loro uomini? E pensò, richiudendo la porta, che una ragazza come Thea non avrebbe mai potuto adattarsi a quelle zone d'ombra, né al di qua né al di là della legge.

— Cottino è proprio simpatico, — disse Thea tornando al tavolo di fòrmica rossa. — È veramente adorabile.

L'aveva visto in una delle macchine parcheggiate in cortile e ad ogni costo era voluta andare a fargli festa.

— Sicché insomma voi, — ricominciò paziente la Pietrobono, — non è che avete avuto un'informazione, nessuno ve l'ha detto?

— No, gli amici di Graziano non sanno chi è questa gente. E non si capisce dove siano spariti.

Guardò il lungo stanzone che somigliava a un nervoso, mormorante corpo di guardia, affollato di armigeri regolari e irregolari, visibilmente e invisibilmente armati, e disse fiduciosa:

— Fa niente, li troveremo.

La Penna Nera sorgeva sul margine di un falsopiano, oltre il quale il terreno precipitava più o meno bruscamente di una decina di metri, riassestandosi poi in una piatta distesa limitata all'orizzonte da basse colline moreniche e, più in là, dal candido, abrupto muro delle Alpi. Ma lo sfondo spettacolare sembrava sprecato per la platea dei sobborghi, quel "giù" meschino e raccogliticcio che De Palma e Graziano dominavano dalla loro finestra: tetti di fabbriche, capannoni, piccole officine, depositi, silos di cemento, sparsi villini, lontani falansteri, gobbe di tennis coperti, come balene arenate.

Quelli della Penna Nera s'erano infilati là dentro a piedi, e quindi non potevano essere lontani, un chilometro al massimo. Solo che rastrellare un labirinto di un chilometro di lato non era uno scherzo. In quella geometria raffazzonata, tra sentieri, stradette, tratturi, vicoli ciechi, un'intera compagnia di P.S. sarebbe appena bastata. Rinforzi di "irregolari" potevano effettivamente servire.

— È vero che si può sempre restare qui ad aspettarli, — disse De Palma. — Prima o poi dovranno rientrare.

— Ma sono capaci di non rientrare fino a stanotte, — disse Graziano. — E c'è sempre il rischio che qualcuno in qualche modo li avverta.

Dal suo punto di vista aveva ragione: trovare la "fabbrica" subito e in piena attività, sorprendere la banda con le mani nel sacco, sarebbe stato il modo più sicuro per scagionare se stesso e i suoi "amici"; a parte la smania di prendere finalmente per il collo questi misteriosi concorrenti, queste carogne che avevano cercato di incastrarli con lo scherzo del Brussone.

Ma dal punto di vista di De Palma, era proprio questa smania che avrebbe potuto creare dei problemi.

— È solo questione d'individuare il posto, — insisté Graziano, — di avere un po' di gente che passeggia con gli occhi bene aperti e se nota qualcosa segnala quello che ha visto.

Ecco. Una passeggiata. Un po' di poliziotti e un po' di mafiosi che per caso, una bella domenica, s'incontravano durante lo "struscio" nella cintura torinese e si scambiavano le loro impressioni sul paesaggio.

— L'importante, — disse De Palma, — è che nessuno prenda delle iniziative.

A pensarci bene, era piuttosto dai suoi che poteva aspettarsi quel tipo di "iniziative" che davano luogo a inutili e disastrose battaglie. Gli amici di Graziano erano, o avrebbero dovuto essere, dei professionisti freddi e disciplinati.

— È naturale, — disse Graziano. — Qui servono solo degli osservatori.

— Anche se si presentasse una situazione... un po' difficile, se ci fossero segni di resistenza, nessuno dovrebbe reagire. In nessun modo.

— Naturale. Nessuna reazione.

Pastorello entrò, attraversò sonoramente il camerone pavimentato a mattoni sconnessi dove pochi sacchi marciti e una rugginosa trappola per topi giacevano nella polvere.

— Non c'è niente, — riferì. — Abbiamo guardato dappertutto, ma questo dev'essere solo il posto dove s'incontrano. La fabbrica della droga chissà dov'è.

— Da' un'occhiata anche tu, — disse De Palma facendogli posto alla finestra. — Dobbiamo organizzarci per trovarla là in mezzo, questa fabbrica o che altro sia.

— Ma che altro potrebbe essere? — disse Pastorello.

— Questo, — disse De Palma, — solo il Topos lo sa.

Con l'indice, Santamaria tracciò due curve sulla fòrmica lustra del tavolo.

— E allora non era greco? — disse Thea con un minuscolo broncio. — Tutta quella gnosi, quella bella eresia... niente?

— Niente, — disse Santamaria, cancellando le curve con brevi segni irritati.

— E cos'era, allora?

Santamaria sospirò.

— Mi devi ancora dire come ci siete arrivati voi.

La ragazza tornò a portarsi le mani alle tempie, di taglio, come due paraocchi.

— Appunto, dicevo: non era questione di logica, era questione di visuale, di cos'aveva visto esattamente quel maresciallo. Continuavamo a dirci sempre la stessa cosa, tornavamo sempre lì, ma dall'angolo sbagliato. Mi segue per dei chilometri, diceva Graziano, mi sta dietro per tre ore, non mi molla nemmeno in chiesa, e poi lascia perdere tutto e si mette su un'altra pista. Ma chi gliel'ha fatto fare, se fino a quel momento ce l'aveva esclusivamente con me? Che cosa avrà visto? La cosa logica era che avesse visto per caso qualcuno che trafficava col cero, notato qualcuno, e ne seguiva logicamente che allora era rimasto in chiesa fino al momento dello scoppio, e a sua volta, con la sua logica, aveva collegato le due cose, aveva capito, aveva ritrovato l'uomo o la donna del cero, l'aveva seguito eccetera. Poi io ieri ho fatto il primo passo nella direzione giusta, ma senza volerlo, così per caso, quando ho visto Graziano che abbracciava e baciava quel suo amico, e Graziano ha pensato: sta' a vedere che quel carabiniere, vedendo in chiesa quello zoppo che mi salutava in quel modo, ha pensato... Ma questo lei lo sa già, è per questo che ieri sera ci siamo ritrovati tutti in corso Rosselli!

— Già, ma adesso vorrei sapere perché ci ritroviamo qui.

— Appunto. Ci sto arrivando. Dunque stamattina, siccome eravamo in quello stesso motel dove...

— Le Betulle?

— Sì, sa com'è... sono posti che sentimentalmente...

— Andiamo avanti, — risospirò Santamaria.

— Dunque Graziano, svegliandosi, stava per telefonare che

ci mandassero il caffè. Poi ha pensato: chissà che schifezza ci manderanno. E così finalmente gli è tornato in mente il sacchetto!

Si fermò trionfante.

— Quale sacchetto? — disse il commissario.

— Ma perché venerdì sera avevamo preso un po' di roba in quello stesso motel, non c'era tempo di cenare se volevamo essere in chiesa puntuali, e così abbiamo comprato biscotti, noccioline, cioccolato, e la donna ci ha messo tutto quanto in un sacchetto, un sacchetto marrone, di carta da pane. Graziano l'aveva ancora in mano quando siamo entrati in chiesa, perché pensava che magari mi veniva fame, come effettivamente poi...

Sorrise e precisò, nostalgica, pignola:

— C'era anche del torrone stantio, abominevole. Ma comunque, quando è successa la scena del bacio di pace Graziano ha regalato tutto quanto a quei due tizi che non avevano cenato neanche loro, anzi no, esattamente, ricostruendo esattamente la scena dal suo punto di vista, dal punto di vista del maresciallo...

Si riportò le mani alle tempie.

Sì, pensò Santamaria, era questo allora che aveva visto effettivamente Genovese: lo sconosciuto, l'uomo presente alla riunione mafiosa della Mezzaluna, che entrava in una chiesa semibuia e piena di gente, scambiava il bacio mafioso con uno zoppo, e consegnava un sacchetto a due altri individui che erano con lui. Una scena brevissima e chiarissima, dal suo punto di vista. Automaticamente, aveva fatto la connessione con le altre chiese che sorvegliava, con la chiesa del Brussone, con la misteriosa "fabbrica" che andava cercando nella periferia della città. Automaticamente, aveva dedotto un incontro prestabilito, un appuntamento fra grossi trafficanti. Aveva visto un passaggio di droga, un "campione" che cambiava di mano, o forse un pagamento. Aveva visto ciò che la sua retina era preparata da giorni e giorni a vedere: il "contatto".

Sì, così aveva certamente ragionato il sottufficiale dell'Arma, spiando la scena nella luce tremula e ambigua delle candele di Santa Liberata, stanco per gl'interminabili appostamenti, per le ore di attesa lungo l'arco desolato e gelido della cintura torinese, la gola scorticata dalle sigarette, condizionato, ossessionato da quella sua idea della fabbrica, la sua visuale limitata dalla cornice del parabrezza, l'occhio troppo concentrato su quel ristretto schermo deformante. Sì, i fatti, così come s'imprimevano sulla sua retina, gli davano infine ragione. Il suo cuore tenace e scrupoloso di militare aveva avuto in quell'attimo un sussulto di umano trionfo. La sua giornata si concludeva bene. Il suo fiuto e la sua perseveranza erano state premiate. Non aveva sentito più il freddo, vedendo il troppo innocente sacchetto marrone cambiare di mano. Non aveva sentito più il mal di schiena o di testa. E s'era scrupolosamente rimesso in caccia, l'occhio di nuovo vigile, la retina pronta. Così gli era caduta addosso la notte: per del torrone stantio.

— Graziano stavolta era sicurissimo, e così siamo tornati in corso Rosselli, ma l'ingegnere non c'era, e allora siamo passati in chiesa a vedere se qualcuno ci poteva dire qualcosa, è stato un po' complicato ma alla fine abbiamo trovato quella signorina Caldani, povera diavola era lì tutta sola che beveva del vino, e così finalmente abbiamo avuto l'indirizzo e il nome, abbiamo trovato la casa, e quella biondina ci ha accompagnati qui lei, era lì tutta sola che si beveva un caffè.

— Povera diavola, — finì il commissario.

— Perché? No? Non lo è? C'entra? Graziano dice...

— Sì, sì, ci siamo passati anche noi, il caffè era ancora tiepido.

— Ma Graziano pensava che ci fosse passato anche il maresciallo, prima di...

— Forse. Non credo.

— O allora qui? È qui che l'hanno... attirato?

Thea guardava incredula lo stanzone pieno di armigeri che s'ignoravano a vicenda, il caminetto pieno di cenere.

— Forse, — disse Santamaria.

Forse qui. O forse fuori, sotto la legnaia, mentre spiava da questa finestrella sbarrata da una croce di ruggine, fiutato magari dal cane bianconero che s'era messo ad abbaiare. O più probabilmente giù nel labirinto, mentre si aggirava nella neve intorno alla sua finalmente scoperta "fabbrica". Gli erano saltati addosso in due, in quattro, l'avevano massacrato e più tardi (a che punto della notte?) trasportato al Brussone e lasciato per morto dentro la sua vecchia Volkswagen color crema, in mezzo ai suoi scatoloni vuoti. Ma in quel sepolcro di cartone e di neve il cuore, a un certo punto della notte, s'era rimesso a battere, il sangue a circolare vischiosamente, una mano, il dito, a eseguire i fiochi comandi del cervello. E il sottufficiale dell'Arma aveva scritto sul vetro ciò che aveva visto inquadrato nel vetro partendo da Santa Liberata, ciò di cui la sua retina scrupolosa aveva preso nota durante l'ultimo pedinamento per le strade imbiancate del centro e della periferia.

— Ma se il topos non è qui? Cioè, se non è un posto, se non era greco?

— No, — disse Santamaria, — il topos è qui.

Di nuovo tracciò un segno sul piano scarlatto del tavolo; poi lo completò lentamente.

— Non era una lettera, era un numero.

Si girò verso la finestrella.

— Eccolo lì, il topos.

Fuori, sotto gli archi precari e il tetto afflosciato della legnaia, accanto a una catasta di rami, ceppi e fascine, era parcheggiato il Lupetto dei vetrai Bortolon, con la sua targa fatale:

TOP08266

— Non è riuscito a scrivere tutto. Ha scritto TO, poi P, poi lo zero; poi ha cominciato l'8 e ha scritto S, ma non ce l'ha fatta a risalire, il dito gli è scivolato giù.

— Una targa, — mormorò Thea, gli occhi spalancati su quel rettangolo nero. — Eh, già, una targa.

La sua voce era quella di un astronomo che riconosce nei corpi celesti inesplicabilmente apparsi in fondo alla notte cosmica nient'altro che la punta rossastra di una sigaretta accesa, il riverbero di una capocchia di spillo; una voce disorientata, reverente, di fronte alla colossale beffa telescopica.

— Un sacchetto di carta e una targa, — disse Santamaria. — È questo che ha visto. Ha seguito i Bortolon quando hanno lasciato la chiesa col sacchetto in mano, sul loro camioncino. E ha cercato di dircelo.

Si portò anche lui le mani alle tempie, come paraocchi.

— Bastava pensare al torrone, — disse Thea.

— Bastava rivolgersi all'ufficio motorizzazione dei Vigili e controllare le targhe comprese tra TOP08000 e TOP08999, vedere a chi erano intestate. Mille nomi. Dieci minuti. Nessun problema.

— E lei quando ci ha pensato?

— Un'ora fa, mentre andavo verso lo stadio. Una targa quasi uguale, con un 8 mezzo cancellato dal fango. Ho dovuto praticamente sbatterci la faccia, prima di capirlo.

— Ma non è colpa sua, non era logico: nessuna targa può avere cinque lettere di fila.

Ah, ma era logico, pensò senza indulgenza Santamaria, era professionalmente accettabile lasciarsi accecare al primo sguardo da un'impossibilità burocratica, e poi lasciarsi fuorviare sempre, a ogni biforcazione, a ogni crocicchio, da miraggi di volta in volta più tangenziali, volatili, astrusi? Lasciarsi attirare, risucchiare verso l'errore, verso l'eresia?

— E sono stati quei due a... uccidere il maresciallo?

— Non sappiamo ancora cos'è successo, quella notte. Non sappiamo cosa sia questa pretesa fabbrica. Dovremo ancora fare molte domande. O rifarle.

La donna della Penna Nera taceva. Romilda Bortolon, dondolando i suoi tacchi a spillo, parlava e parlava senza dir niente, ripetendo di non saper niente, di aver dormito sola tutta la notte di venerdì, con la porta della sua camera chiusa a chiave, di non aver sentito rientrare i cognati, dei quali sapeva e aveva sempre solo saputo ciò che si degnavano di raccontarle, e cioè che facevano i vetrai, che andavano spesso a Santa Liberata, che venivano spesso alla Penna Nera. E la donna taceva, guardava il ciliegio o forse invece vedeva, occultato laggiù fra i mille tetti della periferia, il tetto del "luogo", del topos.

— No, — disse il commissario, — in fondo non era solo una targa, non era solo un numero.

L'agente Tropeano stava imparando in fretta.

Dopo l'assalto al covo, poteva accadere che la perquisizione del covo stesso si rivelasse infruttuosa. In tal caso, tutti venivano riuniti in uno stanzone che aveva l'aria di un'osteria di

paese, in fondo al quale la collega della polizia femminile sedeva chiacchierando sottovoce con una ragazza, nella quale Tropeano riconobbe con stupore una delle due donne tratte poco
prima in arresto dal brigadiere. Come mai durante l'assalto (di
qui lo stupore) lui non s'era accorto che la ragazza era bellissima?
E come mai quella chiacchierata amichevole, intima? Poteva
trattarsi di un interrogatorio. Ma nemmeno si poteva escludere
che la ragazza (Tropeano lo sperò ardentemente) appartenesse
anche lei al Corpo in qualità di infiltrata e informatrice.

C'erano inoltre alcuni uomini dall'aria superiore e taciturna,
che non familiarizzavano con nessuno e dovevano essere carabinieri della zona, in borghese.

Dopodiché iniziava l'attesa dei rinforzi.

La Juventus perdeva sempre per 2 a 1.

Uno della Mobile spiegò che il rigore mancato influiva sul
morale della squadra.

La collega era veramente stupenda, un sogno, ma non guardava mai dalla parte di Tropeano.

All'arrivo dei rinforzi, che erano in parte di P.S. e in parte
di quei carabinieri in borghese, tutti venivano di nuovo fatti
uscire nell'aia del cascinale, caricati sugli automezzi e trasportati di qua e di là, secondo un piano prestabilito. Le ragazze
del Corpo restavano nell'osteria, cosa che da un lato dispiacque
a Tropeano, dall'altro però era meglio, inquantoché la nuova fase dell'operazione poteva rivelarsi pericolosa.

Il mezzo infilò sobbalzando una stretta e tortuosa strada asfaltata, superò un cavalcavia sotto il quale passavano delle rotaie
di uno scalo ferroviario in disuso, scese serpeggiando tra piccoli orti e capanne di lamiera, percorse un lungo tratto fra muri,
cancellate, fabbricati e prefabbricati di vario genere, e andò a
fermarsi nei pressi di un cantiere, quasi ai piedi di un'altissima
gru gialla.

Doveva trattarsi di un punto di riferimento prestabilito, che
avrebbe funzionato da posto di comando intermedio. Uno dei
mezzi si piazzò di traverso e tre uomini si disposero opportunamente, imbracciando le armi. Dunque si trattava anche di un
posto di blocco. Allora tutta l'operazione, con altri punti di

riferimento e posti di comando opportunamente dislocati all'ingiro, doveva per forza consistere nella messa a punto di un dispositivo di accerchiamento, o cordone.

Invece no.

Si trattava di una perlustrazione convergente.

Ma verso che cosa? In cerca di che cosa?

Sarebbe stato bello sapere, ma nessuno sembrava saperlo esattamente. C'era, a quanto pareva, un secondo "covo", questa volta però ignoto, da scoprire.

Occorreva dunque procedere nel massimo silenzio, tenendo gli occhi bene aperti per segnalare il minimo movimento sospetto. Anzi, il minimo movimento di qualsiasi genere. L'uso delle armi era tassativamente vietato, così com'era vietata qualsiasi iniziativa personale. E siccome non c'erano ricetrasmittenti portatili a disposizione (cosa di cui Tropeano si rallegrò, perché non avrebbe saputo servirsene), ogni segnalazione doveva essere trasmessa al posto di comando mediante veloce corsa a piedi. Capito?

Sarebbe stato bello capire, pensò Tropeano avviandosi per il viottolo assegnato a lui e a due dei carabinieri in borghese, arrivati di rinforzo su auto civili.

Questi carabinieri non gli davano nessuna confidenza, non lo guardavano nemmeno, forse per il suo aspetto "fresco fresco", così contrastante con le loro facce decise, dure, esperte. Dovevano far parte di qualche nucleo speciale addetto alla scoperta dei covi e non avevano armi in vista; ma era chiaro che l'arsenale lo portavano in tasca e sotto l'ascella.

Tropeano si lasciò distanziare a poco a poco, per vedere come facevano e imparare la tecnica della perlustrazione. Ma non vide niente che non avesse fatto anche lui da ragazzino.

I due si arrampicavano sui muri e sbirciavano dentro i cortili. Se c'era un fabbricato con una finestra alta, s'ingegnavano per arrivare fino all'orlo del davanzale. Se c'era una cancellata, si mettevano a spiare nascosti dietro i pilastri. Se c'era una villetta recintata, ne facevano il giro completo, uno da una parte e l'altro dall'altra.

La zona appariva completamente deserta, trattandosi di zona suburbana industriale e trattandosi di giorno festivo. Ma laggiù, sulla sinistra, oltre la baracca sprangata di un demolitore d'auto, oltre il groviglio di carcasse multicolori e bruciacchiate e le pile di pneumatici frusti, si distingueva, minuscola e immobile, una figura umana.

Uno spaventapasseri?

No, un uomo.

Un uomo con le mani appoggiate alla zappa.

E che ora riprendeva a lavorare, levando alto il suo attrezzo contro il sole.

Si trattava di un movimento sospetto?

Presumibilmente sì, perché senza fare a Tropeano il più piccolo segnale d'intesa, i due carabinieri scavalcarono il recinto del demolitore e sparirono tra le carcasse.

Tropeano decise di non seguirli e di proseguire per conto proprio. Se là c'era il "covo", quei due boriosi non avrebbero desiderato tra i piedi uno fresco fresco come lui. Se invece si trattava di un cittadino qualsiasi, operaio o altro, che la domenica veniva a coltivarsi il suo pezzetto di terra, non valeva la pena di convergere su di lui in tre.

Il viottolo aveva il fondo irregolare e fangoso, e dopo poche decine di metri si biforcava. Tropeano prese a destra, lungo un vecchio muro di pietra coperto d'edera e sormontato da cocci di bottiglia. Dove il muro finiva, ecco riapparire le rotaie arrugginite della ferrovia, qui non più infossate in una trincea ma a livello del terreno. C'erano binari incrociati, scambi, diramazioni che si perdevano tra le erbacce. Uno scalo abbandonato.

Più lontano, fra due tettoie di eternit ondulato, s'intravedeva il cavalcavia, con sopra una volante ferma, e dalla parte opposta la gru gialla svettava sopra una fila di tetti a forma di sega. Rassicurato da quei punti di riferimento prestabiliti, Tropeano prese a seguire uno dei binari senza attendere i compagni di perlustrazione. La sua non si poteva chiamare "iniziativa personale", e quanto al procedere, avveniva nel massimo silenzio. Anche gli occhi erano ben spalancati, e ruotavano in ogni direzione senza perdere un particolare.

Di traversina in traversina, il binario portava a un cancello scorrevole di lamiera, anch'esso arrugginito e visibilmente in disuso. A destra e a sinistra, un muro.

Tropeano prese a sinistra, verso una casetta d'angolo costruita a filo del muro stesso e con gli stessi mattoni bruni. Qui c'era solo un sentiero, o meglio la traccia di un sentiero non più percorso da chissà quanto tempo e disseminato di lattine di birra e Coca-Cola.

La casupola, a un solo piano, aveva una finestra coi vetri neri di polvere, contro i quali era inutile schiacciare il naso. Abbandonata.

Tropeano ne girò l'angolo, e si trovò davanti una specie di stretto camminamento fra due muri, uno di blocchi di cemento nuovi, l'altro sempre di quei mattoni bruni, uguali a quelli del cascinale. Qui non c'era mai passato nessuno, il terreno era tutto un saliscendi di gobbe e incavature fangose, ortiche secche, cespugli grondanti.

Dall'urlo esultante, delirante, che tutto a un tratto esplose nel budello, Tropeano capì che la Juventus doveva aver pareggiato. Ma un istante dopo capì anche che qualcuno non procedeva nel massimo silenzio, secondo gli ordini. Chi? Dove?

Tropeano corse indietro, ma non vide i due carabinieri. Poi corse avanti, rendendosi conto che adesso il suo dovere consisteva nel tenere bene aperte le orecchie.

L'assordante ovazione continuava, appena attenuata, e veniva dall'altra parte del vecchio muro. Doveva trattarsi di qualche collega incosciente, che nel corso della convergenza... ma poteva anche trattarsi di...

Il muro era alto, ben rifinito, orlato da resti di filo spinato. Ma dopo una cinquantina di metri aveva una breccia malamente rappezzata da qualche asse in croce. Tropeano guardò, e quello che vide gli sembrò del tutto degno di essere riferito al comando mediante velocissima corsa a piedi.

XII
GUARDARE NON SIGNIFICAVA VEDERE

1.

Guardare non significava vedere, vedere non significava capire.
La lezione ancora bruciava a Santamaria, fermo dietro uno steccato a chiedersi se magari di qui, da questa larga fessura, Genovese avesse spiato l'attività dell'Intercargo S.R.L. Bisognava tener conto dell'effetto notturno, della neve. Perché oggi, alla luce
sia pure intermittente del sole, che cosa si presentava all'occhio
di un osservatore senza pregiudizi?

Niente di inespugnabile. Niente di tenebroso.

Con la sua frastagliata negligenza, la stessa cinta perimetrale
non dava l'idea di proteggere loschi segreti, sembrava essere venuta su per aggiunte successive, con materiali eterogenei e rab-
berciamenti spiccioli, attorno a un'area di vasta e casuale irregolarità, dove da troppi spiragli si vedevano due edifici di grama
imponenza industriale, addossati l'uno all'altro e invecchiati insieme per mezzo secolo almeno. A una settantina di metri si vedeva spiccare per conto proprio un chiaro, cartaceo capannone
moderno. E si vedevano rimesse e casotti di lamiera sparsi qua
e là, tettoie con i ganci per appendere le biciclette, un rimorchio
di camion, un autotreno articolato accostato a un piano di carico
in cemento. La modesta insegna accanto al cancello d'ingresso
(chiuso), diceva: "INTERCARGO S.R.L., Spedizioni, Imballaggi, Magazzinaggio".

Una ditta di trasporti (ecco cosa si vedeva) installata in quello
che un tempo doveva essere stato un laminatoio, una fonderia,
uno stabilimento di qualche specie. Solo che, in tutta la zona,
quello era l'unico luogo dove ci fosse del movimento. Parecchio
movimento.

I due fabbricati più antichi erano collegati da un'aerea pro-

liferazione di tubature, e più in basso, da un breve corridoio sospeso, in leggera pendenza, con la parte inferiore di lamiera e
la superiore a riquadri di vetro: di lì passavano e ripassavano
nei due sensi dei mezzi busti di uomini, le braccia tese in avanti
a spingere faticosamente invisibili carrelli. Ecco cosa si vedeva,
in quell'infilata: dei lavoratori che lavoravano.

— Se è droga, — disse De Palma, togliendo l'occhio dalla sua
fessura, — allora questa è la fabbrica che rifornisce tutto il sistema solare.

Il capitano Scarampi ridacchiò, approvando.

— Per un laboratorio chimico basta uno scantinato, un garage.

— E allora cosa fanno?

— Non sappiamo nemmeno se sono loro.

Da questa distanza, le sagome in movimento oltre i vetri ci-
nerei della galleria non si potevano riconoscere. Ma dalla Penna
Nera s'erano mosse, di domenica, per fare qualcosa in qualche
posto, venti o venticinque persone.

— Sono loro. Per forza.

— Se è una ditta di trasporti, — disse Scarampi, — staranno
facendo degli straordinari. Una spedizione urgente.

— Se fosse solo una ditta di trasporti, — disse Santamaria, — la
donna ce l'avrebbe detto.

Difficile tuttavia ignorare la prospettiva di operosa innocenza,
di ordinata e sudata routine: quei due in tuta blu che poco prima
erano usciti da una baracca con la radiolina al massimo, un altro
che era passato con un secchio, e quel viavai di carrellisti là sopra... Una facciata? Ma di che cosa, allora?

— E va bene, andiamo a fare questa sorpresa, — disse De Palma.

Tornarono per i viscidi sentieri a un varco individuato da
Graziano: un tratto di rete metallica sorretta malamente da pali
marciti, dietro una tettoia di zinco. Tutto attorno al perimetro,
ogni cinquanta metri, era piazzato un uomo; spiegamento che a
Santamaria appariva ora eccessivo.

Non lui soltanto, del resto, ma anche gli altri s'erano come
scaricati nella mancata "battaglia" della Penna Nera, e sebbene
la situazione fosse la stessa, la febbre dell'azione stentava a risalire, nervi, muscoli, occhi, tendini rispondevano pigramente al-
l'appello, l'adrenalina era finita. Ma soprattutto, pensò Santa-

maria scavalcando (terzo o quarto) la rete, ci sta disarmando (fregando?) il pregiudizio, il cliché della mano callosa, della schiena curva, della tuta. Il lavoro è, di per sé, onesto. Il lavoratore buono. Questi sgobboni domenicali non possono essere pericolosi, non ci fanno paura. Ecco perché l'irruzione sta venendo così riluttante, strascicata...

Al piccolo trotto, senza particolari precauzioni, gli armati si sparpagliarono tra gli edifici dell'Intercargo. Tutto alla luce del sole. Loro fanno il loro lavoro, noi il nostro. Tutti lavoratori.

Sì, ci voleva un bello sforzo d'immaginazione per raffigurarsi quello stesso percorso di notte, sotto la neve, come doveva averlo fatto Genovese, seguendo a passi di lupo i due uomini del sacchetto. Forse anche lui era stato attratto dagli attutiti clangori, dalle martellate provenienti da uno degli edifici gemelli, uno smorzato chiasso da polidialoghi. Forse s'era avvicinato a questo stesso portale scorrevole, alla porticina ritagliata a sinistra per il passaggio degli operai, e il cui battente rosso di minio si...

Il lavoratore in tuta uscì, fece ancora due passi prima di capire, e quando capì era già nelle braccia di Dalmasso.

Nessuna resistenza. Non un grido.

E quando Santamaria varcò (quarto o quinto) la porta, si trovò in una cattedrale silenziosa, popolata di statue:

statua di uomo con tenaglie divaricate
statua di uomo con martello in bilico
statua di uomo reggente scatolone
statua di uomo inginocchiato a infilare gancio
statua di donna con mano stringente fogli
statua di...

— Fermi tutti! — urlò incongruamente Dalmasso, frantumando il museo.

La statua pallidissima di Priotti riprese colore. Le statue dei fratelli Bortolon scattarono su per una scaletta in un tuono di scarponi su ferro. Dalmasso si precipitò a inseguirli lungo una passerella tesa tra pilastri laterali, Scarampi sparò (incongruamente?) un colpo di rivoltella al remoto soffitto. Da ogni recesso della cattedrale scrosciarono echi insopportabili, travolgendo i disperati "No, no!" di Priotti e di un uomo lassù, sporto a braccia spalancate dalla cabina di una gru zoppa, terrorizzato. Urlava anche Dalmasso, avvinghiato a uno dei Bortolon sull'orlo del camminamento, mentre l'altro lo colpiva con una sbarra di ferro, una volta, due volte, e poi tutto si coagulava in una massa di braccia, gambe, uniformi, bandoliere bianche, visiere, calci di mitra, stivali neri, pugni.

— No, no, cosa fate! — urlava Priotti correndo. Ma invertiva la corsa còme un insetto impazzito, tornava verso Santamaria. Pastorello lo fermò brutalmente, pistola in piena pancia, manette. Correvano i carabinieri, correvano i poliziotti, correvano gli amici di Graziano, in cieca confusione. Ma poi a un tratto, come se tutto fosse in realtà avvenuto secondo precise regole su un campo di gioco, ogni movimento cessò e ognuno degli uomini in tuta, immobile al proprio posto, aveva ora accanto un guardiano, tutte le statue s'erano duplicate.

La mischia sulla passerella si sciolse con qualche ultimo scossone, Dalmasso era in piedi, appoggiato alla ringhiera, sorretto da un carabiniere. La sbarra di ferro rotolò tintinnando e cadde di sotto con uno schianto quasi d'orchestra, da finale alla Berlioz. Pastorello perse il lume degli occhi.

Corse ad agguantare la sbarra e si avventò sui due Bortolon che scendevano dalla scaletta ammanettati, ansimanti. Tutti e due sanguinavano dalla fronte e dal naso, e avevano le maglie strappate, le facce gonfie di ecchimosi.

— Carogne! — ruggì Pastorello, balzando su. — Bastardi!

Una belva, capace di tutto.

Con un attimo di ritardo De Palma si slanciò per fermarlo, tentò di abbrancarlo per la vita, mentre i due prigionieri s'insaccavano, riparandosi la testa coi polsi uniti.

— L'hanno ammazzato loro! — urlava Pastorello con la bava alla bocca.

Calò un terribile fendente, che colpì la ringhiera.

— Sta' fermo!

— Io li ammazzo, io li sfondo, carogne!

I Bortolon si afflosciarono, gli occhi avvitati dalla paura. La belva incombeva su di loro con la spranga stretta nel pugno paonazzo. Tutti premevano in quel breve spazio, formando un grappolo precario e rantolante. Ma di là sotto restavano udibili le voci, le implorazioni dei due, le rauche proteste che era stato uno sbaglio, che loro non sapevano, che non lo volevano ammazzare, chi lo sapeva che era un carabiniere, loro l'avevano preso per un ladro, credevano di aver preso un ladro, l'avevano solo fermato, l'avevano solo...

Si accorsero improvvisamente di trovarsi in fondo a un pozzo di silenzio. Lassù si affacciava un cerchio di facce non più feroci, non più stravolte. Solo attente.

— Ah, — constatò Pastorello, ridiventato magicamente umano, — siete stati voi.

Si asciugò con calma la fronte e poi gli mise la spranga sotto il naso.

— Con questa?

— No, — disse uno dei fratelli, — lui con una chiave inglese, io avevo il battoir di bronzo.

Venne giù Dalmasso, tenuto per un'ascella, la faccia raggrinzita dal dolore. S'era preso le sprangate su una scapola e all'attaccatura del collo, ma non pareva che ci fossero fratture.

— Bravo, — gli disse De Palma.

— Se no ci scappavano, dottore, — fece Dalmasso.

Sembrò lui stesso stupito di avere quella voce da moribondo.

— Li hai bloccati bene, bravo.

— Fa un male della madonna.

— Ti portiamo in infermeria.

Dalmasso barcollò avanti, si arrestò a un passo da Priotti, se lo contemplò per bene.

— Guardalo qui, quello della chiave, — borbottò in dialetto. — Guardalo qui, il sacrista.

Era la sua rivincita. Alla fine, aveva avuto ragione lui.

2.

Non certo barocca, e neppure gotica o romanica, la cattedrale era dominata dall'angolo retto. Una cattedrale cubista, l'avrebbe forse definita l'editore. Navate di casse e cassoni, torri di contenitori, corridoi di scatole, precipitose scalinate di gabbie metalliche e lignee, spigoli sovrapposti e rigidi profili a perdita d'occhio. Da ponti mobili seccamente trasversali pendevano catene gigantesche, ganci titanici.

Non certo queste linee, non certo queste strutture e questi arredi potevano richiamare Santa Liberata. Ma le ombre sì, pensò il commissario, le ombre permettevano la trasposizione. Le ombre (aveva finalmente il diritto di pensarlo) erano le stesse. Una Santa Liberata moltiplicata per cento, per mille.

Sulla lontana parete di fondo era incollata a mezz'aria una garitta di vetro, ufficio o cabina di controllo; e altre due simili cabine si fronteggiavano a piano terra, trasparenti e fragili in mezzo a quelle masse di solidi. In una di queste, munita di scrivanie, sedie, telefono, macchine da scrivere, armadietti, e di due donne che vennero estromesse, s'installarono i carabinieri a interrogare i Bortolon.

Gli assassini del maresciallo Genovese erano stati trovati; ora si trattava di ricostruire minuto per minuto, gesto per gesto, il quando e il come di quel circoscritto mistero. Il perché (la sinuosa catena di "perché", partita da un più remoto punto e conclusa qui, in questo topos ancora indecifrato) toccava agli uomini che fin dall'inizio avevano a tratti intuito, confusamente sospettato, accanitamente cercato i veri contorni dell'intera notte.

De Palma, con diversi sottufficiali e Graziano, si avviò a esplorare l'edificio adiacente. Guadagni e Pastorello uscirono con altri a ispezionare il capannone nuovo e le baracche sparse nel cortile. E Santamaria restò a considerare intorno a sé quella che poteva essere: o ancora e soltanto una facciata, una copertura di altre misteriose attività; o la realtà, l'essenza stessa del "luogo" chiamato INTERCARGO, Società a Responsabilità Limitata, Spedizioni, Imballaggi, Magazzinaggio.

Spalancato il cancello, il cortile si andava organizzando in autoparco, un agente a gambe larghe dirottava le Volanti biancocelesti e le Gazzelle blu dei carabinieri verso i rispettivi raggruppamenti. L'autista del pullmino si sporse a sfottere il collega.

— Ti manca solo la paletta.
— Vai, vai, infermiere.

Gl'indicò col pollice una macchina dove Dalmasso giaceva se-misdraiato, senza giubba, i piedi fuori dallo sportello.

La Pietrobono e Thea scesero, si chinarono su di lui.

— Bisogna portarlo al CTO, — disse la Pietrobono.

Dalmasso aprì gli occhi, scosse la testa, ma gli venne una contrazione orribile di tutta la faccia.

— Fa solo male, datemi un...

La smorfia finì in un grugnito. La Pietrobono lo fece trasportare sul pullmino, stendere su uno dei sedili. La valigetta del pronto soccorso era già aperta.

— Ora ti faccio una puntura, ma dopo devi andare al CTO, sennò ti viene una gobba come un cammello, ti sei presa una botta tremenda.

— Due, — disse fioco Dalmasso, cercando di slacciarsi i pantaloni. Thea lo aiutò, mentre la Pietrobono trafficava con la siringa.

— Ha preso due colpi?

— Li ho presi tutti e due, — esalò Dalmasso. — Hanno confessato.

— Quelli del sacchetto? — disse Thea. — Quei due della chiesa?

— Non so. Erano due grossi.

— Bravo, — disse Thea.

La Pietrobono piantò l'ago con decisione.

— Ahi, — fece Dalmasso con la sua voce normale.

Thea gli carezzò la faccia.

— Anestesia, — rise la Pietrobono. — Doppia.

Gli fece una carezza anche lei.

— Adesso stai qui tranquillo un momento, dopo ti portiamo al...

— No, no, non ho niente, resto a disposizione, voglio...

— Va bene, va bene, stattene giù tranquillo, fra un po' ti veniamo a vedere.

Le ragazze scesero, chiusero delicatamente lo sportello del pullmino, e senza nemmeno un'occhiata d'intesa marciarono verso la cattedrale. Di guardia alla porticina c'era Tropeano Michele, che le fece entrare con un sorriso largo come uno stadio e poi, abbandonando il suo maldefinito incarico, saltellò dentro anche lui, orgoglioso e giulivo.

3.

Il magazzinaggio era reale e di proporzioni imponenti, aveva potuto constatare Santamaria in un rapido giro, reali gli imballaggi e disimballaggi, etichettaggi, carichi e scarichi interrotti bruscamente all'arrivo della polizia. Anche la natura delle merci era chiara; e la loro destinazione (sulla provenienza non c'erano dubbi) non sarebbe stata difficile da accertare, per sibilline che apparissero le indicazioni stampate o incollate sulle casse e gli scatoloni, sui contenitori a strisce di metallo o di plastica... No, l'irrealtà dell'Intercargo non stava nelle sue operazioni, ma nell'Intercargo stessa. Da chi dipendevano i suoi laboriosi dipendenti?

— Da nessuno... Non lo so... È una cooperativa... — furono le sole risposte che il commissario riuscì a ottenere dagli "operai".

— È lavoro nero, non siamo sindacati, — dissero le due "impiegate" del gabbiotto, con l'aria di confessare un'enormità che escludeva ogni altra precisazione.

E quanto al nome Intercargo, tranne che sul cartello all'ingresso, non ne risultava altra traccia da nessuna parte. Una società a responsabilità inesistente, più che limitata.

Santamaria tornò da Priotti, che se ne stava lì ammanettato ed esibiva la mutria scura, chiusa, di uno che avrebbe ammesso con difficoltà anche solo di aver mai respirato. Ma come ogni bugia, ogni verità se ne portava poi appresso molte altre. Il problema era di arrivare alla prima ammissione. E per questo, pensò il commissario, bisognava fargli balenare una scappatoia di apparenza plausibile, suggerirgli un atteggiamento perlomeno articolato. Si poteva, rifletté, tentare con la "bagna".

— Lei, Priotti, — lasciò cadere con un mezzo sorriso, scuotendo comprensivo la testa, — mi sembra che sia un po' nella bagna.

"Bagna" (sugo, salsa) era il termine che nella parlata locale serviva per sdrammatizzare, per ridurre a proporzioni casalinghe, anche gli eventi più complessi e catastrofici, dalla cacciata dall'Eden alla caduta dell'Impero romano. Ma conteneva inoltre una netta sfumatura assolutoria: chi stava nella "bagna" c'era finito in genere per colpa degli altri, era implicitamente una vittima.

Priotti rispose con un grugnito, ma il sollievo fu subito evidente. Santamaria fece segno alla guardia di togliergli le manette.

— Su, coraggio, — propose bonario, — venga a fare un giro anche lei.

S'avviò, senza fretta, mentre Priotti gettava un'ultima occhiata apprensiva verso i Bortolon, seduti nella gabbia di vetro in mezzo a quattro o cinque carabinieri che gli giravano intorno come pescicani. Quei due, alla prima ammissione, c'erano già arrivati.

S'erano accorti di essere seguiti? diceva il capitano dei carabinieri.

Nossignore. Quando Priotti li aveva mandati via dalla chiesa, erano saliti sul "Lupetto", sul camioncino, ed erano andati dritti a quella pizzeria di via Tunisi.

Quanto c'erano rimasti?

Mah. Mezz'ora. Un'ora.

E non avevano notato niente in quel frattempo?

Frattempo?

Nella pizzeria. Non era entrato qualcuno, poco dopo di loro? Dopo avere ammazzato il maresciallo, non gli era parso di averlo già visto prima?

No. E poi loro non lo sapevano che era un maresciallo, loro credevano in buona fede, prima di trovargli in tasca la tessera...

Sì, d'accordo, e dopo la pizzeria?

Erano venuti qui al magazzino.

A che ora?

Forse mezzanotte. Forse più verso le undici.

A far cosa?

Solite cose, due parole con Oreste, una fumatina, un bicchiere. Delle volte una partita a carte. Solite cose.

Chi era Oreste? diceva il tenente dei carabinieri.

Quello là coi capelli bianchi, che incollava le etichette.

Era il guardiano notturno?

Sissignore, una specie. Ma altre volte erano altri, un po' a turno.

E venerdì c'era solo Oreste?

C'era anche Saracco, ma poi se n'era andato.

Chi era Saracco? Dov'era?

Di qua non si vedeva, doveva essere nel capannone nuovo, dove c'era la tipografia. Era un ex tipografo.

E cosa era venuto a fare venerdì notte?

Era venuto anche lui a chiacchierare con Oreste, giocare a dama, passare il tempo.

E poi se n'era andato?

Sì, quasi subito. Abitava qui vicino.

E dalla pizzeria a qui, loro non avevano notato una macchina, dei fari che gli stavano dietro?

Nossignore, loro guardavano solo la strada, le ruote slittavano, non avevano le catene.

E dove avevano parcheggiato il camioncino?

Qui, nel cortile.

E poi avevano richiuso il cancello?

Sissignore. Priotti diceva di stare sempre attenti, non si sapeva mai.

E dove s'erano messi, con Oreste?

Nella baracca di Oreste, là fuori, che era l'unica scaldata, oltre a quella di Priotti.

Priotti aveva una sua baracca?

Sì, con le sue cose, i suoi attrezzi, e la sua stufetta. Anche una brandina, per il caso.

Allora dunque: loro stavano tutti e tre nella baracca di Oreste. Chi s'era accorto del maresciallo Genovese?

Degli altri due morti non si parlava, ma tutta la reticenza, tutta l'elusività sembrava venire dal commissario Santamaria. Il suo sguardo errava distratto tra i massicci parallelepipedi, il suo passo era incerto, il suo percorso sbadato, capriccioso. E le sue domande sembravano motivate da una superficiale curiosità di profano.

— E questo cos'è? — disse fermandosi a considerare un lungo bancone d'acciaio sormontato da una fila di artigli.

— È un nastro convogliatore, — spiegò Priotti. — Per portare i pezzi.

— I carichi?

— No, proprio i pezzi lavorati, quando qui c'era la fonderia.

— E non l'hanno smantellato, ricuperato?

— Cosa vuole, è un impianto vecchio. Gli costava di più levarlo che lasciarlo. Questi sistemi qui cambiano in fretta, cinque o sei anni e sono già superati.

— E non è un ingombro per il lavoro di spedizione?

— Uno si arrangia, di spazio ce n'è lo stesso, — disse Priotti con un ampio gesto circolare.

S'era via via rimesso a gesticolare liberamente, rinfrancato da quelle domande tecniche.

— E lei quando ha cominciato a lavorare qui?

— È poco. Neanche un anno.

— E prima?

— Prima cosa?

Santamaria s'interruppe, indicò uno dei "lavoratori", fermo, col suo carabiniere accanto, davanti a una catasta di cartone in fogli.

— Chi è?

— È Ajmo. Prepara gli scatoloni di cartone, sa quegli scatoloni che...

— Ho capito. E anche lui è qui da poco.

— Sì.

— Ma lei lo conosceva da prima?

— Da prima?

— Lo conosceva o non lo conosceva?

— Lo conoscevo, sì.

— E gli ha trovato lei questo... lavoro?

— Mah, sa com'è, così parlando, dato che tutti abbiamo bisogno di arrotondare, con quello che costa la vita oggi...

— Parlando dove?

— Non so, magari mentre si fa una partita a bocce o si beve un bicchiere insieme...

— Alla Penna Nera, per esempio.

— Sì, appunto.

Santamaria si guardò intorno come un turista smarrito, svoltò a sinistra lungo una fila di carrelli arancione. E per la prima volta mise la punta del piede dentro la "bagna".

— O in chiesa, per esempio.

— In chiesa?

— A Santa Liberata. Ci veniva anche Ajmo, a Santa Liberata?

— Forse qualche volta sarà magari venuto.

— Quando c'erano quei famosi concerti, — suggerì sorridendo Santamaria, — quella cappella operativa, quei polidialoghi?

— Sì, più o meno a quell'epoca.

— E quei due laggiù?

— Quei... Ah, quelli là. Quelli là sono Beccuti e Caudano.

— Anche loro giocatori di bocce?

— Eh?... Ah, sì, Caudano specialmente.

— E una volta venivano a Santa Liberata.

— Mi pare bene.

— Ci venivano tutti?

— Tutti chi?

— Quelli che lavorano qui.

Priotti sospirò. Sospirava spesso, paziente, rassegnato, filosofico, come si conveniva a un piemontese nella "bagna".

— No, magari. Chi non s'è più fatto vivo, chi è tornato al paese, qualcuno è morto, cosa vuole. Se ci fa caso, hanno tutti i capelli bianchi, non per dire.

— Ci ho fatto caso. Tutti pensionati?

— Più o meno. Tutta gente che ha bisogno di arrotondare, con l'inflazione che c'è. È dura la vita per uno che non ha più...

— Ma vi pagano regolarmente?

— Ah, per questo sì, tutto a posto, tutto regolare.

— Chi fa le paghe?

— Le due impiegate, due donne che già prima...

— Prima quando?

— Prima di andare in pensione facevano già lo stesso lavoro.

— Fanno anche loro parte della banda?

— Che banda?

Santamaria ritrasse il piede.

— Volevo dire il gruppo, mi scusi. Gli anziani di Santa Liberata. Anche le due donne ci venivano?

— Non mi ricordo ma è possibile, dato che una è la cognata di Masoero e l'altra...

— Masoero? Altro piemontese. Tutti piemontesi qui?

— Già... ma è solo una combinazione, e poi per esempio i Bortolon sono veneti e Lorenzoni viene da...

— E la signorina Caldani li conosce tutti.

— Be', lei, nel periodo quando loro venivano in chiesa...

— E la Caldani qui non è mai venuta?

— No, a far cosa? Lei stava solo in chiesa. E poi, non per dire, ma col fatto della bottiglia...

— Comunque ci potrà raccontare qualcosa, su questi anziani. L'abbiamo mandata a prendere, sarà qui a momenti.

— Ah, — fece Priotti.

Sembrò rigirare nella testa l'informazione, poi si strinse nelle spalle.

— E l'ingegner Vicini ci viene anche lui, qui all'Intercargo?

— Oh, quello...

— Quello cosa?

— Sa, lui è ingegnere e qui dentro...

— Ma ci viene o non ci viene?

— Ci sarà magari anche venuto, qualche volta, — disse Priotti lasciandosi aperte tutte le possibilità.

— No, perché mi chiedo anche se i Bortolon non l'abbiano data a lui, quella pistola.

— Che pistola?

— Quella del maresciallo Genovese. I Bortolon non gliene hanno parlato?

— No, m'hanno detto della disgrazia, la mattina, ma se hanno dato una pistola a Vicini io non lo so. Non so nemmeno se Vicini è venuto qui, ma può anche essere. Perché io ero in questura, no?

E la pistola del maresciallo? diceva il capitano dei carabinieri. Dov'era finita?

Mah. Loro non l'avevano presa. Non sapevano.

L'avevano nascosta? Buttata via? L'aveva presa Oreste?

Loro non sapevano, non ci avevano più pensato.

Chi aveva perquisito il maresciallo, dopo l'aggressione?

Non se ne ricordavano, si ricordavano solo che a un certo punto tutta la roba che il morto aveva in tasca era lì per terra, sigarette, pistola, carte, le chiavi.

C'erano anche le chiavi della macchina?

Sì, con il contrassegno VW, e così quando erano andati fuori a cercarla, sapevano già che era una Volkswagen. L'avevano trovata al cavalcavia.

E come era entrato il maresciallo?

Mah. Nevicava, il punto preciso non l'avevano trovato. Ma la cinta era piena di buchi.

Allora dunque: loro stavano nella baracca di Oreste a parlare e bere con la radio accesa. Poi Paolo Bortolon era uscito, era andato al camioncino per prendere due bottiglie comprate alla pizzeria, e guardando verso il magazzino aveva visto una luce in movimento.

Sì, e aveva chiamato Pietro, come già detto. E tutti e due si erano levate le scarpe, prima di entrare.

E Oreste era rimasto nella baracca.

Sissignore, era un pauroso.

Ma come guardiano, non aveva una pistola? Non c'erano armi in tutto l'Intercargo?

Nossignore, loro non erano delinquenti, niente armi. Una volta tenevano un canelupo, ma poi era morto schiacciato.

Bene. Dunque: loro due erano entrati scalzi nel magazzino e avevano seguìto per un po' Genovese che teneva la pila nella sinistra e la pistola nella destra.

Ma in tasca. La mano era dentro la tasca, altrimenti loro...

Com'era avvenuta l'aggressione, esattamente?

Senza farsi sentire, loro avevano fatto un giro per passargli avanti e aspettarlo quando veniva fuori da quei gabbioni. S'era infilato in un corridoio di crinetti.

Crinetti?

Qui li chiamavano così, crinetti, maialini. Erano i coperchi delle scatole del cambio. Ce n'era un grosso carico.

C'era stata colluttazione?

Colluttazione?

Genovese si era difeso, aveva reagito?

Ostia. Era un tipo robusto. Loro volevano solo bloccarlo, chiedergli solo chi era, cosa ci faceva qui dentro a quest'ora, ma lui aveva subito cominciato a picchiare, pugni, calci, ginocchiate nelle...

Non si era qualificato?

Come?

Non aveva detto di essere un carabiniere in servizio?

Gridare gridava, ma gridavano anche loro, in quel casotto non si capiva più niente, e non si vedeva neanche più niente perché la pila era caduta in terra. Ecco perché era successa la disgrazia, per colpa del buio.

Ma come avevano fatto a colpirlo, se non lo vedevano?

Loro cercavano di tenerlo giù in terra, e intanto...

No, bisognava precisare meglio la meccanica dell'aggressione. C'era stata intimazione da parte loro?

Prego?

Gli avevano gridato di fermarsi, o gli erano saltati addosso senza preavviso?

Senza preavviso, ma lui aveva tirato fuori la pistola e loro perciò...

No, qui bisognava trasferirsi sul luogo dell'aggressione, bisognava ricostruire esattamente le rispettive posizioni e i rispettivi movimenti. Bisognava ripetere la scena sul posto, nei minimi particolari.

— Ma come dico, qui è tutto un giro, tutto un traffico, — ripeteva Priotti. — Camion che arrivano, camion che partono, a momenti non c'è neanche il tempo di andare in quel posto, non le dico le grane che un tappabuchi come me...

S'interruppe per tirare una boccata dalla sigaretta.

Sedevano sul bordo di una specie di piscina, una vasta area rettangolare incassata di mezzo metro nell'impiantito, dove ancora si vedevano gli zoccoli di ghisa e le piastre circolari d'acciaio che un tempo avevano retto i macchinari della fonderia. Da tre lati, intorno a loro, scendevano cascate di gabbie tralicciate, e altre casse giacevano attorno alla piscina, alcune vuote, alcune piene di confusi rottami d'alluminio, legno, ferro, plastica.

— Priotti, — disse il commissario, — lei mi prende per un cretino.

— Io? — protestò Priotti addolorato, allarmato.

— Lei sarà solo un tappabuchi, ma non mi dica che non sa cosa succede qui dentro.

— Ma a me l'ingegnere non mi ha mai spiegato niente, non è stato mai a dirmi il perché e il percome...

La bocca gli si piegava in una curva lagnosa, le spalle si stringevano in una dimostrazione anche fisica di piccolezza, d'insignificanza. S'era perfettamente immedesimato nella parte suggeritagli dal commissario: la vittima ignara. Troppo ignara.

— E lei non gli ha mai chiesto niente, all'ingegnere.

— Io no.

— Non le è mai venuta la curiosità di sapere se...

— Io no, io non sono mai stato un tipo curioso. Mi danno del lavoro, e io lo prendo. Mi danno degli ordini, e io li eseguisco meglio che posso, — disse Priotti con una certa fierezza proletaria. — Mi dicono che arriva del materiale e io lo ritiro. Mi dicono di immagazzinare o di imballare, di rispedire, e io...

— Senza mai fare domande. Senza mai chiedersi niente.

— Io no, io per me...

— Don Pezza salta in aria, e lei non si chiede niente.

Priotti aspirò a lungo dalla sigaretta.

— Un povero balengo, che corre dalla chiesa al magazzino, dall'Intercargo a Santa Liberata, senza mai vedere e sospettare niente. È questo che vorrebbe farmi credere?

Priotti taceva sempre.

— Come vuole, Priotti. Ma poi non venga a chiedere a me di tirarla fuori dalla bagna. Noi adesso vedremo cos'è esattamente questo traffico, e poi decideremo da noi quello che lei faceva o non faceva, sapeva o non sapeva.

Priotti fumava accigliato.

— Perché, invece, non mi racconta lei una storia che stia in piedi?

Priotti buttò via la sigaretta, restò a guardare i propri piedi come se fossero veramente imprigionati in un vischioso intruglio.

— Don Pezza... — incominciò.

— Ecco, — l'incoraggiò il commissario. — Cominciamo da don Pezza.

— E l'ingegner Vicini...

— Don Pezza e l'ingegner Vicini. Bravo. Erano loro, l'Intercargo?

Lentamente, con uno sforzo, Priotti annuì. Accettò e accese

un'altra sigaretta. Ma la sua aria si rifece chiusa quando vide avvicinarsi De Palma.

Santamaria dovette incoraggiarlo di nuovo.

Niente paura, gli sorrise rassicurante, confidenziale. Il dottor De Palma era un amico.

4.

Nell'animo dell'agente Tropeano si agitavano sentimenti contrastanti: la fiera contentezza di scortare le due colleghe (in special modo quella che, ora lo sapeva, si chiamava Thea), l'ansia di non apparire inesperto, provinciale, impressionato da quel luogo stupefacente, e la stupefazione che in realtà provava addentrandosi sempre più nel "covo".

— È come andare a spasso per una città, — disse Thea, col naso in aria.

Era proprio vero. Sotto il tetto sconfinato, altissimo, s'intersecavano vie, sopravie, ponti, vialoni, vicoli, si aprivano piazze, crocicchi, slarghi, immersi in una penombra ora più fitta ora più rada, interrotta da sfere, coni, rettangoli di luce violenta.

Tropeano ebbe per un istante l'idea di approfittare di quell'accenno al passeggio per prendere sottobraccio le sue compagne. Così, come una cosa naturale. Invece si limitò a osservare con strascicata competenza.

— Si tratta di un magazzino.

Ma un magazzino del genere non l'aveva mai visto, dalle sue parti, nel Sud, i magazzini erano tutt'altra cosa, avevano perfino un altro odore. Qui dentro stagnava come una nebbietta invisibile, composita, pungente, straniera. L'odore dell'industria.

— Ma di che cosa, cos'è tutta questa roba?

I blocchi, i caseggiati, o corrugati grattacieli di casse e cassoni sembravano tutti contenere inesplicabili oggetti di metallo.

— Produzione, — affermò Tropeano con sicurezza. E precisò: — Produzione industriale.

A un incrocio videro più avanti, sulla destra, un gruppo di carabinieri in divisa. C'era anche un capitano.

— Eccoli là, sono loro, — sussurrò Thea, fermandosi.

– Chi? – disse la Pietrobono.

– I Bortolon, quelli con le manette.

– Quelli del sacchetto?

– Sì, li riconosco benissimo.

– Stanno facendo la ricostruzione.

Quale sacchetto? Quale ricostruzione? Tropeano non osò chiedere, e mentre le ragazze bisbigliavano eccitate tra loro, gli occhi fissi sul gruppo che recitava laggiù il suo dramma silenzioso, si appoggiò a una catasta di gabbie d'alluminio e accese una sigaretta. Si sentiva escluso, disperatamente fresco fresco.

Sul bordo della gabbia, a un palmo dal suo naso, era stampigliata in nero la parola Fiat. Oziosamente, Tropeano notò che tutte le altre gabbie, sopra, sotto, a destra, a sinistra, avevano la stessa stampigliatura nell'identico punto. Si staccò di lì, fece qualche passo. Ancora Fiat. Fece dieci metri, venti. Sempre Fiat. Tornò indietro lungo l'altro lato del corridoio, dove le gabbie erano di abete. E su ciascuna c'era la stessa stampigliatura nera: Fiat.

Quando le ragazze si decisero a riprendere la passeggiata, svoltando a sinistra per non disturbare i carabinieri, Tropeano vide che anche qui tutti i contenitori recavano la stessa scritta.

– È tutto materiale Fiat, – disse dopo un po', con un largo gesto di esibizione e noncuranza, da proprietario.

Ma le ragazze non gli davano retta, correvano avanti tutte emozionate, verso un gruppo di uomini fermi a parlare in mezzo a un ampio spiazzo tra le casse.

Era proprio come al paese, ci s'incontrava tutti in piazza. Tropeano riconobbe i commissari De Palma e Santamaria, poi c'era un giovanotto bruno, che doveva essere uno dei carabinieri del nucleo-anticovi, e poi un operaio tarchiato e mezzo pelato, altri uomini della Mobile intravisti durante l'assalto all'osteria.

Rallentò il passo, si fermò intimidito a una decina di metri.

Il commissario De Palma gli piantò gli occhi addosso.

– Tu!

– Io? – balbettò Tropeano.

– Vieni qui.

Gli consegnarono il pelato, con l'ordine di sorvegliarlo strettamente, e lo piantarono in asso. Thea aveva preso sottobraccio quel maledetto carabiniere in borghese e si allontanava da una parte, la Pietrobono s'infilava da un'altra; quelli della Mobile sparivano chi di qua chi di là. La piazza era vuota.

— Hai una sigaretta? — gli chiese il prigioniero.

— Non fumo, — mentì Tropeano, rudemente.

5.

Nel gabbiotto della contabilità, evacuato dai carabinieri per la ricostruzione, erano adesso i due commissari a tirare le loro scarse somme. Ma i conti erano ancora lontani dal tornare. Priotti non s'era sbilanciato troppo, con le sue "ammissioni".

A Santa Liberata, aveva cominciato, al tempo dei polidialoghi e delle messe per i fratelli dimenticati, si faceva anche la raccolta della carta straccia e dei rottami metallici per il Terzo Mondo.

E dei falsi rottami per *questo* mondo! l'aveva aggredito De Palma. Cioè dei pretesi scarti, dei ricambi in perfetto stato che l'ingegner Vicini, falsificando...

No, scusa, De Palma, era intervenuto Santamaria. Non si poteva approfittare della collaborazione, della buona volontà del signor Priotti, per fargli ammettere anche quello che... Cioè: che Vicini falsificasse i nastri, magari il signor Priotti nemmeno lo sapeva. Potevano avergli detto che alla Fiat si facevano degli errori di... stoccaggio, e che c'era solo da sfruttarli.

Appunto, era proprio questo che don Pezza gli aveva raccontato per convincerlo. E così alla raccolta e rivendita di vera carta straccia, di veri rottami per la parrocchia, s'era aggiunto quell'altro traffico.

Una copertura perfetta! Complimenti.

Ma lui, s'era difeso Priotti, tutto quello che aveva fatto era stato di organizzare un po' il movimento, col "Lupetto" dei Bortolon e l'aiuto di altri pensionati come lui, gente del ramo come lui, che s'intendeva di ricambi e...

E di garagisti, chiaro. Ma non doveva essere stato un gran guadagno, dopotutto? A De Palma risultava che il mercato, in quel campo, s'era molto ristretto negli ultimi tempi: ladri d'auto disoccupati, macchine rubate che si rivendevano per una miseria o non si rivendevano affatto...

Eh, già, proprio così. Per questo don Pezza e l'ingegnere avevano cambiato sistema, dopo che don Pezza aveva avuto la visione. Adesso il "giro" era tutto diverso, l'Intercargo lavorava soprattutto con l'estero, per quello che ne sapeva Priotti. E questo era tutto quello che...

No, un momento. Che c'entrava la visione? Quale visione?

Ah, be', la stessa della torre: il logo, la scintilla, i leoni, quella roba lì. Era stato il pneuma a dargli l'idea.

A chi?

Al Pezza.

Ma quale idea?

Quella dell'Intercargo. Perché don Pezza aveva in canonica quei vecchi libri sul pneuma e s'era messo a studiarli, prima da solo, poi anche con Vicini. E Vicini (l'aveva sentito lui con le proprie orecchie) aveva detto che si poteva fare. Era l'idea del secolo, aveva detto.

Come?...

L'idea del secolo. Ma questo era tutto quello che lui sapeva, perché lui in quelle storie del pneuma...

De Palma s'era fatto minaccioso, lo stesso Santamaria aveva alzato la voce, ma Priotti aveva continuato a giurare di non sapere altro. I locali e l'attrezzatura dell'Intercargo? Li aveva procurati l'ingegnere. Le istruzioni per il lavoro? Le dava l'Ingegnere. Ma se lui aveva detto che l'ingegnere, qui, non ci veniva mai? Infatti, i tabulati li portava in chiesa. Che tabulati, cos'erano i tabulati? Un lungo foglio scritto a macchina, dove c'era segnato il materiale in arrivo e quello da rispedire, e i tipi di imballaggio, le etichette, i bolli, le bolle di spedizione e accompagnamento che si dovevano usare. L'ingegnere lo portava in chiesa ogni venerdì. E poi qualcuno lo portava qui? Sì, o lui stesso, Priotti, o i Bortolon, che lo davano a Saracco, che poi lo restituiva a lui, che poi lo passava alla Masoero in contabilità. Per cui adesso era in contabilità? Sì ma neanche lì, secondo Priotti, ci avevano mai capito molto. Per spiegare veramente ci sarebbe voluto l'ingegnere.

O il Pezza? tornò a chiedersi Santamaria, mentre consultava gl'incomprensibili "tabulati".

Gli accenni al pneuma, ai "vecchi libri della canonica", Priotti li aveva certo buttati lì come fumo negli occhi, come sostegno stravagante e del tutto inverosimile alle sue proteste di ignoranza. Ma al commissario, proprio per questo, era parso che qualche cosa di vero ci dovesse essere. Anche le date corrispondevano: il passaggio dal Pezza "prima fase" al Pezza "seconda fase", dai polidialoghi alla gnosi, coincideva curiosamente con l'altro passaggio: quello dalla raccolta dei "rottami" all'operazione Intercargo. L'ombra dell'infame Basilide si profilava di nuovo, in qualche modo. Il topos, in qualche modo, non era stato ancora esorcizzato... Santamaria ripensò alla "ghematrìa", o magia delle lettere e dei numeri, di cui gli aveva parlato Sua Eminenza, e per un assurdo momento fu tentato di telefonare in Curia.

Meno assurdamente De Palma, accanto a lui nel gabbiotto a vetri, aveva già chiamato Corso Marconi e stava ora parlando con Sulis. Ma all'altro capo del filo, Sulis resisteva, faceva lo scettico:

— Roba nostra? Che genere di roba?

— Pezzi, motori, ricambi, che ne so, — disse De Palma. — Ce ne sono dei magazzini pieni. Roba che viene dall'estero o è destinata all'estero, non si capisce bene, ma tutta vostra fino all'ultima vite.

— Ma noi abbiamo degli spedizionieri che appunto... Come si chiama questa ditta?

— Intercargo.

— Non la conosco... Ma potrebbe lavorare per un'impresa più grossa.

De Palma non si seccò. Al posto di Sulis, forse, avrebbe tentato anche lui di non vedere, non sapere, non credere.

— Può darsi, — disse conciliante. — Ma c'è il fatto che la gente che lavora qui è collegata al vostro ingegnere.

— Quale ingegnere?

— Quello col bastone. Quello che riposa in pace.

Sulis non fece obbiezioni.

— E noi abbiamo il sospetto, — continuò De Palma, — che qui sia stata montata un'operazione dello stesso tipo di quella che aveva organizzato lui, mi spiego? Ma molto molto più in grande.

— Il sospetto? — disse Sulis.

— Il ragionevole sospetto. Sembrano molto bene organizzati, qua dentro: hanno manovali, magazzinieri, carrellisti, contabilità, non gli manca niente. E hanno perfino una piccola tipografia.

— Ah, sì?

— Piena di moduli, etichette, bolli, stampigliature... Tutti contraffatti.

Sulis tacque per mezzo minuto.

— Dov'è questo Intercargo?

Dalla sua voce era scomparsa quasi ogni traccia di scetticismo.

— È un po' complicato da trovare, vi mando una macchina. E voi vedete di venire con qualche esperto del ramo, non so. Perché noi non è che...

— D'accordo. Se a voi sembra una cosa così grossa.

— A occhio e croce, — disse De Palma malignamente, — non è grossa, è colossale.

— E un'altra cosa... — aggiunse Sulis.

Ma si capiva dal tono che stava per dire la cosa per lui cruciale.

— Dovrò... penso sia necessario informare il... massimo livello del settore, a questo punto.

Musumanno? Così pareva, a giudicare dalla tombale gravità della voce. Ma De Palma non raccolse quell'estrema sfumatura interrogativa.

— Quindi sarebbe bene che per ora, fino cioè al momento in cui la cosa non sarà... presa in esame al massimo livello, io riterrei opportuno...

— Massima discrezione, — lo aiutò De Palma, questa volta generoso, — massima riservatezza, ovviamente. Vi mando la macchina.

— Non era droga, — disse Thea camminando nella città di casse. — Non è una fabbrica di droga.

— No, — disse Graziano, tutto pensoso.

— E che cos'è, allora? Cosa ci fa qui dentro tutta questa gente?

Graziano si stupì.

— Ma sono ladri, — disse. — È tutta roba rubata.

Thea si fermò a bocca aperta.

— Mannò! E rubano alla Fiat? Queste sono tutte casse della Fiat.

— Infatti.

— Fantastico, — fischiò Thea. — E come fanno?

Graziano alzò le spalle.

— Rubare è il meno. Basta avere degli amici nei posti giusti, falsificare le bolle di entrata e uscita, mettersi d'accordo con un po' di gente... Questi fanno le cose per bene, tutto il traffico funziona come un orologio, da quello che ho visto...

Thea si girò a leggere etichette e stampigliature qua e là. C'erano casse con l'indicazione Rivalta, Mirafiori, Lingotto, ma molte altre portavano scritte straniere o addirittura in caratteri esotici: СГРЧ (Fiat?) si leggeva su una montagna di contenitori, come se l'intera montagna fosse stata fabbricata in Russia.

— Ma sono furti enormi. Un traffico enorme.

— Rubare, — ripeté perplesso Graziano, — è il meno. Il vero problema non è quello.

— E allora qual è?

Graziano accennò all'ufficio a vetri, da cui De Palma e Santamaria stavano uscendo.

— Vieni, andiamo a dare un'occhiata in contabilità. Forse riuscirò a capirci qualche cosa.

Sorrise a Thea, che lo guardava senza riuscire ad afferrare un punto così ovvio.

— Il vero mistero, — disse mentre entravano nel gabbiotto, — è a chi diavolo le rivendono, queste montagne di roba. Chi è il ricettatore?

Nello stesso momento, di ritorno dal pullmino e con l'idea di trovare una toilette, la Pietrobono tentava la porta di una delle baracche in cortile. La baracca era un po' in disparte rispetto alle altre, defilata dietro il vecchio posteggio delle biciclette. La porta non era chiusa. La Pietrobono entrò.

6.

Per una cosa che era durata sì e no due minuti, sembrava impossibile ai Bortolon che si potessero fare tante domande. Non finiva mai. Avevano anche ripetuto la ricostruzione chissà quante volte, saltando addosso e sbattendo a terra un giovane carabiniere che faceva la parte di quell'altro. E già sapevano, l'aveva detto il capitano Scarampi, che si sarebbe dovuto ripetere tutto da capo all'arrivo del sostituto procuratore.

Ora arrivavano i due commissari della Mobile, senza Priotti, e il capitano se ne andava a parlottare con loro più in là. Un'altra ricostruzione? Neanche il carabiniere giovane sembrava molto entusiasta all'idea.

Ma la cosa preoccupante non era tanto la Mobile, non erano tanto i carabinieri. Loro due avevano detto la verità, sul fatto dell'aggressione, e non pareva che il capitano ce l'avesse più tanto con loro. Anche quel brigadiere che voleva ammazzarli con la sbarra, era stato un po' a vedere la ricostruzione e poi se n'era andato. Chi erano invece quegli altri in borghese, che non avevano smesso un minuto di girare lì intorno? Erano passati e ripassati facendo finta di interessarsi alle casse dei crinetti, ma intanto, i Bortolon se n'erano accorti benissimo, non perdevano una parola dell'interrogatorio. Diverse volte s'erano girati a guardare loro due, a fissarli, di nascosto dai carabinieri, con un'aria da mettergli i brividi nella schiena.

No, quella non era polizia, avevano finito per capire i Bortolon. E, a un certo punto, avevano anche cominciato a capire che cos'era.

— Ma al Brussone, — chiese De Palma, — chi ce l'ha portato? Scarampi fece una smorfia.

— Non lo so. Loro giurano di averlo riportato col camioncino fino al cavalcavia, rimesso nella Volkswagen, e lasciato lì.

— A duecento metri da qui? No. Per abbrutiti che siano, è impossibile che non abbiano pensato a spostare la Volkswagen da qualche altra parte.

— D'accordo. Ma dal momento che ammettono l'omicidio, che

interesse avrebbero a negare? Brussone più, Brussone meno...
— E quelli là dove li metti? — si mise a ridere Santamaria, accennando a due amici di Graziano che fumavano con aria distratta, negligentemente appoggiati a un carrello, non lontano dai Bortolon. — Però, effettivamente, è difficile che l'idea del Brussone l'abbiano avuta loro: cercare nel copialettere di Genovese, trovare gli indirizzi dei sorvegliati... Non mi sembrano i tipi. E il guardiano, quell'Oreste, meno ancora.
— E allora?
— Allora qualcuno venuto più tardi. Mettiamo Vicini. Loro gli telefonano a casa, l'avvertono di quello che è successo, e lui...
— Ma la Frusta? — disse De Palma.
— Dalla Frusta c'è andato dopo, apposta per farsi un alibi... Oppure Priotti.
— Ma questo Priotti non l'avevate fermato? — disse Scarampi.
— L'abbiamo rilasciato verso l'una o l'una e mezzo, prima di sapere del cero, e quando poi gli abbiamo telefonato era a casa. Possono avergli telefonato anche i Bortolon.
Scarampi annuì.
— Già, — disse poi, guardandosi annoiato una manica dell'impeccabile uniforme, e spolverandola con secchi colpetti, — c'è anche la storia dell'attentato.
— Eh, già, — confermò De Palma, ma senza calcare troppo sul sarcasmo.
Per Scarampi, dopotutto, la confessione dei Bortolon doveva essere stata una delusione. Niente feroce agguato. Niente omicidio con premeditazione. E anzi, magari, l'attenuante della difesa, anche se l'attività di quest'Intercargo era già criminosa in se stessa. Era comprensibile che solo adesso Scarampi cominciasse a interessarsi di Santa Liberata.
— Tutta questa roba... — disse con un gesto circolare, — ne avete accertato la provenienza? C'entra col suicidio di quel tizio alla Fiat?
Santamaria si strinse nelle spalle.
— Adesso arrivano due da Corso Marconi e speriamo che... Vieni, vieni, Pietrobono, — disse alla Pietrobono, che era sbucata da un passaggio tra le casse, ma pareva esitasse a venire avanti.
— Scarampi, conosci la nostra assistente Luigina Pietrobono?

– Ho avuto il piacere telefonico, – disse galante Scarampi.

La ragazza s'avvicinò, dette la mano a Scarampi, restò a guardare impalata i suoi superiori.

– Ohè, ma che c'è, che t'è successo? – disse De Palma. – Stai male?

– No, no, anzi... È che ho accertato... cioè credo di avere accertato... – balbettò la Pietrobono, – cioè sono venuta a riferire... – gettò un'occhiata all'ufficiale dell'Arma, – determinati accertamenti.

– Ah, – disse discreto Scarampi, ritirandosi di qualche passo, – se si tratta di una comunicazione riservata...

La Pietrobono sussurrò qualcosa a Santamaria, che guardò De Palma, che alzò le sopracciglia.

– Dove?

– In una baracca. In cortile.

– Va bene, andiamo a vedere, – disse De Palma. – Scarampi, se vuoi venire anche tu...

La Pietrobono li guidò in cortile fino alla baracca, davanti alla quale c'era adesso un agente di guardia.

– L'ho messo io, perché nessuno toccasse niente.

– Bene.

Nella baracca c'erano una brandina, una stufetta elettrica, e poi un bancone con arnesi da lavoro: pinze, martelli, seghe e seghetti, tenaglie, un trapano sul suo supporto, due morse... Dietro il banco c'era uno scaffale con scatole di chiodi, viti, bulloni... E in un angolo una vecchia cassa piena di spazzatura e trucioli.

– La baracca del guardiano? – chiese Scarampi accennando alla brandina.

– No, – disse la Pietrobono, – gliel'ho chiesto ma dice di no, la sua è dall'altra parte. Questa qui è di Priotti.

De Palma s'era accostato al bancone e ne esaminava il rozzo piano di legno, fitto di ammaccature e di tagli. Si chinò a scrutare una fessura e ne estrasse con l'unghia un minuto frammento.

– Sembrerebbe, – disse mostrandolo a Santamaria.

– Ma anche qui... e qui... e qui... – disse la Pietrobono, indicando successivamente altri punti. – E poi, – prese dallo scaffale una piatta scatola di cartone, – ci sono queste.

I due commissari esaminarono, annuirono, passarono la scatola a Scarampi.

— Sembra proprio, — disse Scarampi.

Ma la Pietrobono non aveva ancora finito. Puntò l'indice contro un pentolino di latta, posato sulla stufetta, e infine contro la cassa della spazzatura.

— Ho pensato, — disse con un sorrisetto, — di guardare anche lì.

Si tirò compunta da una parte, mentre gli altri guardavano a loro volta.

— E brava Pietrobono, ti faremo ispettrice, — disse De Palma quando furono usciti. — Visto, — disse a Scarampi, spettinandola con una zampata, — che ragazze abbiamo in Questura?

Mentre tornavano verso il fabbricato, una volante in arrivo dal cavalcavia varcò a piccoli sobbalzi il cancello, venne a fermarsi in mezzo al cortile.

— Sono quelli della Fiat? — chiese Scarampi. — Hanno mandato anche una donna?

— No, è Mattei con una della parrocchia, — disse Santamaria.

La Caldani scendeva nel suo soprabito scuro e si guardava intorno, incerta, ma salda sulle gambe. Mattei chiudeva lo sportello e si girava subito, premuroso, protettivo.

De Palma si voltò alla Pietrobono.

— Per il momento occupatene tu, falle fare un giro, vedi cosa ne sa lei, di questo Intercargo.

— Ma c'entra anche lei?

— Devi scoprirlo tu, ispettrice, datti da fare. Noi andiamo a chiacchierare con Priotti.

Ma a Scarampi premeva di concludere la faccenda del Brussone.

— Io me ne torno dai Bortolon, — disse mentre rientravano, — ma anche voi, con Priotti, non potreste cominciare di lì? Se no rischiamo che quello...

— D'accordo, — disse De Palma, — meglio prenderla alla lontana. E poi sul fatto del Brussone, — ghignò girandosi a Santamaria, — potremmo scuoterlo un po' con lo Scalisi. Dov'è finito?

— In giro con la ragazza, vado a cercarlo.

– Bene, ci vediamo in contabilità, direi di lavorarlo in gabbia, il nostro sagrestano. Così intanto può vedere i due fratelli sotto il torchio e loro possono vedere lui.

– Bene.

Ma nella gabbia di vetro di fronte all'identica gabbia di vetro dove i carabinieri s'erano rimessi a interrogare i Bortolon, c'erano già Thea e lo Scalisi, e lo Scalisi era chino su una pila di "tabulati" tolti dai cassetti.

– E allora, hai capito come funziona? – chiese De Palma.

– Ci sta arrivando, – disse Thea emozionata. – Forse ha già... Graziano scosse la testa.

– No, non può essere, m'era venuta un'idea ma non può essere... Per quanto, se uno guarda qui... – disse confrontando due dei lunghi fogli.

– Guarderai dopo. Adesso ci serve l'ufficio e ci servi tu: come presenza, – disse De Palma. Si voltò alla ragazza: – Invece tu, cocca, scusami ma devo mandarti fuori, vai a fare un giro, torna dalla mamma, abbi pazienza.

– Buona idea, – disse lei alzandosi.

– Non che tu non abbia presenza, – disse De Palma, con un sospiro.

7.

Gli avevano portato via il prigioniero senza però dirgli cosa dovesse fare, dove dovesse mettersi, e in mancanza di ordini l'agente Tropeano se n'era tornato piano piano e un po' a muso lungo verso il suo vecchio posto di guardia, alla porticina del "covo".

Strada facendo s'era imbattuto nella collega Pietrobono, che se ne andava in giro con una donna anziana, dall'aria scura e severa; lui aveva capito a volo, anche prima del cenno della Pietrobono, che non era il caso di fermarsi e attaccare discorso, la signora doveva essere un'ispettrice-capo, forse venuta da Roma per quelle complesse indagini.

E ecco che adesso, mentre se ne stava lì piuttosto annoiato a guardare quel poco che succedeva nel vasto cortile, sentì la porticina stridere alle sue spalle e una voce festosa che diceva:

— Oh, ciao, eri qui?

Tropeano si riempì di miele istantaneo. Si trattava della collega Thea, che l'aveva cercato per un incarico urgente. Di che cosa si trattava? Si trattava di rintracciare l'appuntato Cottino e di mandarlo a prendere una persona in città, e portarla qui al più presto. Di che persona si trattava? Di una testimone, la signora Guidi, la cui presenza era ritenuta preziosa per gli sviluppi dell'inchiesta, l'ordine veniva direttamente dal commissario De Palma. A quale indirizzo? Nessuna difficoltà, Cottino lo conosceva, come del resto conosceva la signora in questione. Non c'era tempo da perdere.

Tropeano non osò obbiettare che una difficoltà c'era, e consisteva nel fatto che lui, fresco fresco, non conosceva l'appuntato Cottino, né l'aveva mai sentito nominare.

— Senz'altro, — disse gonfiando leggermente il torace, — senz'altro.

Si avviò verso le macchine parcheggiate nel cortile, ben deciso a trovare questo Cottino, vivo o morto.

L'"interrogatorio" della Caldani veniva male, anzi non veniva affatto.

La Pietrobono pensò di avere poca esperienza delle persone anziane; poi di avere poca esperienza delle persone anziane, sole e infelici; poi di non avere nessuna esperienza delle persone anziane, sole, infelici e alcolizzate.

— Era mai stata qui? Sapeva di questo posto?
— No.
— Sapeva che Priotti e i Bortolon ci lavoravano?
— No.

Le domande stentavano quasi quanto le risposte.

— Don Pezza non gliene aveva mai parlato?
— No.

Finalmente la Pietrobono intuì ciò che la inquietava e paralizzava a quel modo. Non ho esperienza della vita, si disse con stupore, non ne so un cavolo di niente.

Questa zitella che le camminava a fianco, questa vecchia signorina chiusa nel giro di uno spelacchiato colletto di pelliccia

bruna, nel giro di chiesa-casa-scuola, si portava dietro uno strascico di vita ignoto a una ragazza come lei, che pure credeva di
averne già viste di tutti i colori. Ma alle indiziate di reati comuni
e non comuni, a puttane, uxoricide, infanticide, truffatrici, drogate, ladre, aveva sempre saputo che cosa chiedere, che cosa
dire. A questa donna, inesplicabilmente, no.

La Caldani mandava avanti le sue scarpe sdrucite, le sue calze
grige, come incontrando resistenza, come se camminasse in venti
centimetri d'acqua. Teneva lo sguardo dritto davanti a sé, come
una riga. Ogni tanto si fermava e puntava di lontano la riga su
uno degli uomini in tuta blu.

— Lo conosce? — le chiese una volta la Pietrobono.

— Sì, è Gilardi. Veniva in chiesa.

— Quando?

La Caldani alzò le spalle e riprese la sua marcia strascicata,
ma lineare, sicura, lungo l'invisibile spiaggia.

— Già allora, — disse a un certo punto.

La Pietrobono si persuase che era più professionale non sollecitare la donna, lasciare che parlasse da sé, seguendo i suoi
oscuri pensieri. Ma la donna disse soltanto:

— Signore.

Più tardi disse altre due parole:

— Sono stanca.

Arrivarono al vasto spazio rettangolare incassato nell'impiantito, sul cui bordo s'erano seduti Santamaria e Priotti.

— Mettiamoci là un momento, — disse la Pietrobono.

Sedettero vicine, in silenzio, sulla riva estrema della vita.

Ma è così? pensò la Pietrobono con sgomento improvviso. Sarà
così anche per me, alla fine?

Guardò le scarpe della donna, a un palmo dalle sue, e si disse,
ma cosa fai Luigina, cosa cristo ti succede, il groppo in gola
adesso? ma siamo impazzite?

8.

Finora tanto quanto si era barcamenato, pensò Priotti asciugandosi la fronte, ma adesso diventava dura.

Già mentre lo portava nel gabbiotto, il commissario Santamaria aveva buttato lì una domandina innocente sulla sua baracca. Era proprio sua? Con venti persone che glielo potevano dire, e anzi gliel'avevano già bell'e detto, era da stupidi rispondere di no, e così aveva risposto di sì.

Il commissario aveva subito cambiato discorso, ma da quel momento lui s'era messo a sudare.

E qua nel gabbiotto, a parte che era chiuso e pieno di fumo (avevano gentilmente offerto una sigaretta anche a lui) c'era da sudare ancora di più.

Il commissario De Palma aveva buttato lì un'altra domandina sulla "disgrazia" del povero maresciallo. Quando gliene avevano parlato, i Bortolon? La mattina?... Sì, certo. La mattina.

Una bella pausa, e poi giù un'altra domandina di Santamaria, che riattaccava con la pistola. I Bortolon non gli avevano proprio detto niente?... No, no. O forse gli avevano detto di averla data all'ingegnere. Ma lui non si ricordava bene.

Un'altra pausa.

Lo facevano apposta, per dargli giusto giusto il tempo di ripensare a quello che aveva appena detto. Che aveva detto? Una sciocchezza, una balla che non stava in piedi?

Poi c'erano i Bortolon nell'altro gabbiotto di vetro, in mezzo ai carabinieri: vedere quei testoni che si muovevano, quelle bocche che si aprivano, e non sapere cosa ne veniva fuori. Un faccia a faccia studiato apposta per innervosirlo, era chiaro. Ma una volta che l'avevi capito, restavi lo stesso col nervoso addosso.

E a fare il quarto a scopa c'era questo "commercialista", questo giovanotto che se ne stava appoggiato a uno schedario, fermo e zitto come a una messa presente cadavere. E il cadavere era lui, Priotti. Perché il tizio tutto poteva essere tranne che un commercialista. Uno della Finanza? Della Digos? O magari della Fiat? Comunque non era qui per caso o per aspettare il tram, era un altro messo apposta per farlo sudare. E Priotti sudava. Era dura, era tutta in salita.

Insomma, ricominciava De Palma, questi Bortolon erano due cagnacci, due bestioni violenti e ignoranti, lui li aveva cacciati per quello, venerdì sera?

Facevano anche finta di dimenticarsi.

— Sì, l'ho già detto. Erano nervosi per via dell'altro venerdì, potevano provocare dei guai...

— Già, — disse Santamaria. — Il nostro amico commercialista, qui, ne sa qualcosa anche lui.

Ecco chi era: un testimone, uno che era stato in chiesa, aveva visto qualcosa, sapeva qualcosa. Priotti si voltò verso di lui, tutto addolorato.

— È stato malmenato?

L'altro lo guardò senza rispondere.

— Un piccolo incidente, — disse De Palma.

Glielo ricordarono, e Priotti effettivamente se lo ricordava. Non l'uomo o la ragazza o il sacchetto. Non le facce. Ma la scena sì. Cominciò a scusarsi, ma quelli cambiarono discorso un'altra volta.

— Comunque per lei dev'essere stato un brutto colpo.

— Cioè?

— Quando ha saputo del maresciallo Genovese. Lei l'ha saputo solo il mattino dopo, ci diceva.

Priotti agitò la mano, in segno di costernazione.

— È strano, — disse Santamaria, — che non abbiano cercato di avvertirla prima, per telefono.

— Ma io ero in questura, ho passato quasi tutta la notte in...

— Sì, ma dopo, quando è tornato a casa. Chissà perché non le hanno telefonato.

— Per telefono era difficile... non si fidavano a parlare.

— Giusto. E così hanno fatto tutto da soli.

— Per due cagnacci, per due bestioni di quel genere, — osservò De Palma, — bisogna dire che non era mica studiato male, come depistaggio. Trovano la tessera di Genovese, trovano il copiacommissioni, si rendono conto che gli appunti riguardano un elenco di sorvegliati, ricuperano la Volkswagen e vanno a scaricare il morto sulla porta del primo nome. È andata così, no?

— Così me l'hanno raccontata loro, — disse Priotti.

— E a lei è sembrata una trovata intelligente?

— Mah, lei capisce commissario, data la situazione...

Riportò gli occhi sui Bortolon, che sembravano due scimmioni da circo sempre più intronati in mezzo ai domatori. Sentì una mano che gli stringeva la spalla. La mano di De Palma.

— Solo che la situazione era più complicata, signor Priotti.
— Come?

L'altro lo fissava, voleva fargli capire qualcosa.

— Perché quel particolare sorvegliato ha degli amici... e questi amici si sono un po' innervositi, hanno pensato a un brutto scherzo, a uno sgarro. Lei sa cos'è uno sgarro, signor Priotti?

— Sì, — balbettò Priotti, passandosi il fazzoletto su tutta la faccia, — sì che lo so.

— Ecco. Ora lei sa che questa gente uno sgarro non se lo lascia fare, senza... vendicarsi. È gente pericolosa, e quando ci sono queste vendette ci andiamo poi sempre di mezzo anche noi. Sparatorie, regolamenti di conti, incendi, tritolo, tutto un casino che ci fa fare una gran brutta figura, a noi della Mobile. Perché noi non li possiamo controllare, sa com'è.

De Palma era sempre chino su di lui, nella stessa posizione, ma gli occhi sembravano indicare, indicavano impercettibilmente il "commercialista" immobile.

— Capisco, — disse Priotti.

— Se per caso questa gente si mette in testa che c'è qualcuno che li ha voluti incastrare, o peggio ancora, che questo qualcuno lavora mettiamo per un'altra... organizzazione concorrente, allora non li ferma più nessuno, sono capaci di arrivare dove vogliono, magari anche alle Nuove, per fargliela pagare a questo qualcuno. Capisce signor Priotti?

— Sì.

— Mentre invece, se una persona responsabile, una persona... credibile, con la testa sul collo, gli spiega come sono andate veramente le cose, chiarisce in modo... convincente l'equivoco, lo sbaglio, anche magari ammettendo la sua partecipazione diretta alla... trovata...

Gli strinse forte la spalla, poi staccò la mano.

Priotti dette una sbirciata al "commercialista", distaccato, indifferente come una tigre allo zoo. Ma dentro alla gabbia c'era anche lui, Priotti. Tutto quel gran caldo se ne andò di colpo, il sudore gli si ghiacciò addosso. Ah, era quella la situazione? Be', se la situazione era quella, la salita finiva qui. Era la discesa, che doveva prendere, adesso. E pedalare alla svelta.

— Va bene, — sospirò.

Si buttò giù per la verità, sollevato, quasi esilarato.

— Mi hanno chiamato, sono venuto, e l'idea del Brussone l'ho avuta io, ho combinato tutto io.

Si girò verso il "commercialista".

— Ma non volevo incastrare nessuno, non volevo fare uno sgarro a nessuno. Parola d'onore.

L'uomo abbassò le palpebre di tre millimetri.

— Bravo Priotti, — disse Santamaria, compiaciuto. — Per noi è sempre importante che non ci siano contraddizioni tra le varie versioni. Adesso vado dai Bortolon a dirgli che lei conferma.

— Ve l'avevano già detto loro?

La discesa era finita.

— Sì, hanno dato subito tutta la colpa a lei, sa com'è. Sono due poveri cagnacci.

Priotti guardò i fratelli che aprivano e chiudevano le labbra nella gabbia di fronte, e ricominciò a sudare.

Le teste dei Bortolon, adesso, si voltavano ritmicamente dal commissario Santamaria al capitano Scarampi, dal capitano Scarampi al commissario Santamaria, che parlavano tra loro sulla porta del gabbiotto.

— Insomma, — diceva il capitano, — hanno fatto tutto questi due?

— Sì, Priotti non c'entra per niente, lo scherzo del Brussone l'hanno fatto loro, — diceva il commissario. — Per cui sono anche responsabili di occultamento di cadavere.

Già. Senza contare lo sgarro fatto a... quegli altri. Ma di questo, diceva il capitano, i CC se ne lavavano le mani.

Ah, ma naturale, e anche la Polizia e anche i Vigili, si metteva a ridere il commissario.

Perché i Vigili? I fratelli avevano fatto qualche scherzo anche a loro?

Altroché. L'altro venerdì gli avevano raccontato tutta una storia, dicendo che il parroco era stato aggredito da sconosciuti, estranei alla parrocchia.

E invece non era vero?

Era vero dell'aggressione, ma gli aggressori erano stati proprio

loro! E adesso Priotti, che era una persona per bene, aveva raccontato tutta la verità.

Ma prima li aveva aiutati?

No, anzi, era intervenuto per fermarli, sennò anche il parroco
avrebbe fatto la fine del povero Genovese.

Le due teste, che s'erano andate lentamente arroventando, si
fermarono.

Priotti era un bastardo, ringhiarono insieme. L'idea del Brussone era stata sua, la Volkswagen laggiù ce l'aveva portata lui,
loro l'avevano solo riportato indietro con l'Upetto.

E l'aggressione al parroco? Anche quella era stata un'idea sua?
N... no... Priotti sognava, Priotti dava i numeri... che ragione
avrebbero avuto, loro, per aggredire don Pezza?

Per una questione di soldi. Per dei soldi che don Pezza doveva
dargli e non gli dava.

E a Priotti non glieli doveva?

Priotti diceva di no, che lui personalmente non aveva niente
contro il parroco, e anzi era intervenuto a metter pace e s'era
preso delle botte anche lui.

Da chi?

Da loro due.

Priotti era un bugiardo, un vigliacco e un traditore schifoso,
era un giuda di un serpente di una carogna bastarda. Era stato
lui a dirgli di picchiare il parroco, altro che mettere pace.

E le botte da chi se l'era prese, allora?

Da don Pezza, che s'era rivoltato come un diavolo, e anche
se erano tre contro uno ne aveva date a tutti, perfino a loro.

Ma perché Priotti li aveva messi contro il parroco?

Perché i soldi li teneva don Pezza, il giro dei soldi passava
da lui.

E pagava poco?

Per quel lavoro da bestie? Pagava una miseria, parlava sempre del grosso che doveva venire, ma questo grosso non si vedeva mai, restava tutto nelle sue tasche.

Quale grosso?

Il guadagno grosso. Il ricavato di tutto il traffico. Loro non
erano mica scemi, mica ciechi, le vedevano bene le casse che
partivano e arrivavano nei capannoni. Tonnellate di roba nuova

di fabbrica, mica rottami, mica carta straccia. Roba che doveva rendere miliardi.

E i miliardi se li teneva don Pezza?

E chi, sennò?

Per esempio Vicini.

Priotti diceva che le parti le faceva il parroco.

Anche Vicini prendeva la sua parte?

Loro non ne sapevano niente, della parte di Vicini. Ma la parte che gli toccava a loro era una miseria, don Pezza li sfruttava, su questo Priotti aveva ragione.

E così avevano deciso tutti e tre di dare una lezione allo sfruttatore.

L'aveva deciso Priotti. Era un po' che c'erano delle discussioni e quella sera lì avevano di nuovo parlato di brutto al parroco, e lui li aveva mandati di nuovo a fare in... li aveva mandati all'inferno, e allora Priotti gli aveva detto di stare attento, perché se uno mangiava il pane a tradimento a un certo punto ai veri lavoratori gli giravano le... scatole e ormai potevano anche andare avanti senza di lui, c'era poco da scherzare.

Senza di lui? diceva il commissario. Ma non era don Pezza, da Santa Liberata, che mandava avanti tutto?

In principio sì, quando facevano le raccolte per il Terzo Mondo. Ma poi le cose erano cambiate. Adesso che c'era l'Intercargo, Santa Liberata non serviva più.

Quando il commissario Santamaria ritornò dall'altro gabbiotto, Priotti capì immediatamente che gli sarebbe servita una terza mano. Con la prima, gli pareva di essere riuscito, bene o male, a tenere lontano da sé tutto il traffico dell'Intercargo, diretto da Vicini.

Con l'altra aveva tenuto lontano, a parte la storia del Brussone, l'assassinio del maresciallo.

Ma gli mancava la terza per tenere lontano il fantasma che dal fondo della "bagna" aveva visto sparire e riapparire per brevi istanti tra le torri e le piramidi e le colonne del capannone, qui un nero lembo della veste, là un pugno proteso, e che ora finalmente incombeva in tutta la sua minacciosa e inevitabile statura alle spalle del commissario.

Il fantasma del Pezza.

Induriti, senza dirgli una parola, lo fecero alzare, lo presero in mezzo, lo portarono fuori quasi di peso, stringendogli le braccia in una morsa cattiva.

Come in un film grigio e screpolato, Priotti vide sfilare (ma era lui che si muoveva) i carabinieri attorno ai Bortolon, e più avanti Saracco, e più avanti Beppe, e più avanti una ragazza e un poliziotto, e più avanti, uscendo nel cortile, uomini sparsi, automobili sparse, e tutto era molto confuso, nebbioso, sul vecchio schermo.

Solo la sua baracca spiccava nitida e vicina, e sul tetto si drizzava il fantasma del Pezza, le mani sui fianchi, la grinta maligna, vendicativa.

Lo spinsero dentro, accesero il neon, gli misero il naso sul suo bancone da lavoro, accesero anche la lampada portatile, sciogliendo le spire nere della prolunga.

— Lo vedi questo? — disse brusco De Palma. — E questo? E questo?

Gl'indicava con l'unghia dei frammenti biancastri.

— Cosa sono? Non lo sai, sagrestano?

— No, — disse Priotti, scollando a fatica le labbra.

— Non è cera?

— Già, — disse Priotti. — Sembra.

— Sembra o è? — fece l'altro, scuotendolo per il collo.

— È, è.

Tutto attorno al supporto del trapano erano sparsi frammenti di cera, e lì accanto, nella scatola di cartone grigio, le frese, varie misure di frese, avevano residui di cera nelle scanalature.

— Cosa ci fa, qui, tutta questa cera?

— Non lo so.

— Non è la tua baracca? Non ci vieni a fare i tuoi lavoretti speciali, qui dentro?

— Sì, ma io...

— E cos'era questo lavoretto con la cera?

— Non lo so, io non ho mica...

De Palma colpì con un violento calcio una cassa che stava di sghimbescio sotto il bancone.

— Tirala fuori! — ordinò.

Priotti si chinò a obbedire ansimando, facendo stridere chiodi rugginosi.

— Guardaci dentro! — fece De Palma, piegandogli la testa ancora di più. — Cosa vedi?

Priotti vedeva una cassa quasi piena di trucioli, segatura, limatura, ritagli di lamiera e di legno, cartacce, plastiche, barattoli vuoti. Ma tra tutti quegli scarti c'erano anche gli scarti di un grosso cero spezzato.

— Cosa vedi?

— È... è un cero, — balbettò Priotti.

Il sudore gli sgocciolava dentro la cassa come se fosse diventato lui stesso una candela accesa.

Santamaria tirò su due frammenti col fazzoletto. Uno, il più corto, era intatto. Nell'altro, rotto di sbieco, si vedeva una grossa scanalatura longitudinale.

— Questo l'hai sbagliato, t'è venuto storto il foro, t'è scappata la mano con la fresa.

— No, parola, io qui...

— Quanti te n'eri portati dalla chiesa? Due? Tre?

— Non, non sono stato...

— Ma il secondo non l'hai sbagliato, eh? Guarda lì dentro.

Lo spinse fino alla stufa, gli cacciò il naso nel pentolino di latta che recava tracce di cera rappresa.

— Hai infilato il candelotto, hai rimesso lo stoppino, e poi hai fatto fondere altra cera per pareggiare il buco. Il candelotto dove l'hai preso?

— Io no, io no!

— Chi te l'ha dato?

— Nessuno, io non l'ho fatto, io non so niente!

De Palma lo scrollava.

— La baracca è tua, il trapano è tuo, sei tu che hai fatto saltare il prete!

— Ma qui non c'è neanche la chiave! — implorò Priotti. — Qui vanno e vengono!

— Chi?

— Tutti! E io sarà una settimana che non ci metto piede!

— Piantala. Sei stato tu a farlo fuori, e basta.

Aprì la porta con una pedata, chiamò l'agente che stava fuori di guardia.

— Questo è arrestato anche per omicidio, rimettigli le manette.

— Non sono stato io, lo giuro su...

— E piantala, sagrestano.

— Perché dovevo farlo fuori? Cosa mi aveva fatto? — gridò Priotti, mentre porgeva i polsi quasi distrattamente, come se non fossero suoi.

— È tutta una lunga storia, — disse Santamaria. — Me l'hanno raccontata i Bortolon.

— E allora io vi racconto che sono loro che ce l'avevano col prete, sono stati loro a pestarlo l'altro venerdì!

— Ce l'hanno già detto.

— Il cero l'hanno fatto loro! — gridò Priotti. — Anche quei due bastardi sanno usare un trapano!

— E allora vieni a dirglielo in faccia, — disse De Palma, — ti va bene?

Priotti restò un momento a guardarsi i polsi.

— O quei due bastardi, — grugnì, — o quel bastardo di Vicini.

— Giusto. T'eri dimenticato di quell'altro bastardo, — annuì Santamaria.

9.

La signora Guidi scese dalla volante, dette un'occhiata alla scena, e disse con una tolleranza che non provava:

— Io non so, ma quella ragazza va sempre a finire nei posti più strani.

L'altro passeggero, che era già nell'auto quando Cottino era passato a prenderla, si guardò intorno a sua volta e sorrise. Ma più a se stesso che a lei, come in tutto il tragitto, durante il quale non aveva detto una parola. E Cottino, che in mezz'ora non aveva saputo spiegarle se si trattasse di una fabbrica, di un magazzino o di un'azienda agricola, non fece commenti. Non c'era da aspettarsi conforto o speranza, da lui.

— Ma è pieno di gente, ci sono anche i carabinieri, — osservò la signora Guidi come a un ricevimento.

Disinvoltura inutile, autocontrollo sprecato. Gli altri due nemmeno si accorgevano che lei era piuttosto "genata", in realtà. Per non dire agitata. Per non dire sperduta.

Da un'incombente facciata di mattoni, cui un crepuscolo inaspettatamente chiaro e sgombro da nuvole prestava qualcosa di monumentale, di archeologico, si staccò di corsa la figura di Thea.

— Ciao, mamma! Menomale, avevo paura che Cottino si fosse...

La signora Guidi si strappò dal suo stato ansioso mediante l'irritazione.

— Ma dove diavolo sei venuta a finire? E noi, — accennò al suo compagno di viaggio, di cui gli era parso di capire che fosse un testimone anche lui, — su cos'è che dovremmo testimoniare?

Thea la prese sottobraccio, eccitata e cospiratoria. E irritantissima.

— Niente, — disse, mentre gli altri le precedevano in una stretta porticina, — è stato un mio ignobile trucco, volevo farti vedere il topos, cioè, questo non è il vero topos, quello te lo spiego dopo, ma comunque qui è il posto dove succedeva tutto, e ho pensato che tu, dopo le...

— Succedeva cosa?

— Tutta una macchinazione gigantesca, che adesso Graziano sta cercando di...

— Ah, c'entra anche Graziano.

— No, no, anzi lui è stato utilissimo per tutta l'operazione, e adesso l'hanno rimesso a studiare certi fogli della Fiat, sta cercando di capire a chi...

— La Fiat? Come, la Fiat? Perché...

— Ah, ma per via dell'ingegnere, dell'angelo. Era lui, capisci?

— Chi? Cosa?

— Il cervello della banda. O lui, o il parroco, tu pensa. Vieni, vieni, ti faccio vedere.

L'imberbe agente presso la porticina tenne aperto il battente per far passare anche loro.

— Grazie, — gli sorrise Thea.

— Si tratta della teste in questione? — chiese lui.

— Si tratta, si tratta, — lo rassicurò Thea gravemente.

Una folla s'andava ammassando in questa specie di arida chiesa, dove nude lampade e tubi al neon s'erano accesi via via a contrastare il crepuscolo. Non c'erano candele né fuochi, qui. Eppure in qualche modo angoscioso, come in una scena familiare sinistramente deformata dal sogno, pareva alla signorina Caldani di ritrovarsi a un qualsiasi venerdì di Santa Liberata.

Passavano i Bortolon, ammanettati. Arrivava Priotti, con le manette ai polsi anche lui. C'erano qua e là altre facce note, gruppi raccolti dietro lo zoccolo di cemento dove lei era seduta, gente appoggiata qua e là, altri che si disponevano a destra e a sinistra del nastro convogliatore, come ai due lati di un lunghissimo tavolo da sagrestia... Ma sembrava che tutti, come in un incubo, fossero lì apposta per lei, per dirle qualcosa di vergognoso o di atroce che lei, a Santa Liberata, non aveva mai saputo o mai capito.

Ecco i Bortolon che scuotevano i pugni uniti, sputando bestemmie e maledizioni.

Ecco Priotti che rispondeva, strozzato e truculento.

Grida feroci, accuse e dinieghi scagliati bestialmente.

Sei stato tu!

Siete stati voi!

Oscenità da cloaca, allucinanti impasti di parole.

Qualcuno venne a chiamare la ragazza che era con lei, e la ragazza la salutò gentilmente, la pregò di aspettare lì che il brigadiere venisse a riprenderla.

Ma le urla immonde non cessavano, e dalle crepe dell'incubo fluivano ora altre parole, altre immagini mal ricordate, incomprese, dimenticate, sepolte. Discorsi interrotti a mezzo. Sogghigni d'intesa. Allusioni accigliate. Strani andirivieni di furgoni, carretti, oggetti, nel cortile di Santa Liberata, su e giù per le scale della cripta.

Cose di due, di tre anni fa, che ora riemergevano con un significato stravolto. Le facce dei raccoglitori e donatori e compratori di rottami per il Terzo Mondo diventavano musi volpini. Quei rottami non erano più così rotti. La cripta si dilatava in un deposito di materiale di provenienza sospetta. Lontani episodi, piccole coincidenze, si collegavano loscamente. Gli anni scricchiolavano, questi ultimi anni che lei, ora che quasi non inse-

gnava più, aveva dedicato alla parrocchia, tra orrende cadute e
ricadute nel suo pozzo di intossicata, aggrappandosi con le sue
forze intermittenti ai compiti burocratici che don Pezza le gettava come una fune.

Anni di dedizione, di accettazione, vissuti senza fare troppe
domande agli altri e a se stessa. Le messe per i travestiti e le
donnacce. Le attività "progressive" di don Pezza. La nuova fase,
la nuova dottrina, gli uomini pneumatici e carnali. La scintilla.
Gli eletti che potevano peccare liberamente. La torre. L'ingegnere nell'oratorio. Le candele, i ceri...

Ora, in questa violenta illuminazione elettrica, ogni cosa prendeva altri e precisi, disumani contorni. Si gridava di esplosivo,
di un cero preparato qui, di un trapano, di una baracca...

Siete stati voi!

Sei stato tu, là dentro ci andavi solo tu!

È stato Vicini! Anche lui voleva più soldi!

Ma lui qui non ci veniva mai!

E voi cosa ne sapete?

Ira. Odio. Cupidigia. Violenza. Una brutalità che ora, nell'incubo, sembrava essere stata sempre presente sotto il velo sottile
della vita parrocchiale. Nell'incubo erano stati questi uomini
sconosciuti a uccidere un prete sconosciuto. Nell'incubo la chiesa stessa, la parrocchia, l'isola della salvezza, si tramutava in
una grotta di ladroni e assassini.

Ma non c'era da aspettarsi, questa volta, che l'incubo si can-
cellasse. Non si poteva sperare che passasse, come tanti altri.

L'anziana signorina chinò la testa e si guardò le mani, che teneva strette in grembo e che non tremavano. Ma le tremavano le
labbra. Aprì la borsa per cercare il fazzoletto.

— Mi scusi, — disse al brigadiere Mattei, che era tornato a
prenderla.

Il brigadiere le sedette accanto, le posò piano una mano sul
braccio, senza dire niente.

Non potevano inchiodarlo, non c'erano prove, pensò Priotti
con la gola che gli doleva per la furibonda autodifesa. Potevano
essere stati quei due bestioni. Poteva essere stato Vicini. Meglio

Vicini. Certamente Vicini, l'uomo della Fiat, l'ingegnere, la mente. Ma il confronto era andato bene, per Priotti, nessuno poteva dire di aver visto niente, e se anche c'erano impronte su quei pezzi di cero, e se anche risultavano poi uguali alle sue, neanche questa era una prova sicura, dato che lui i ceri di Santa Liberata li maneggiava un po' tutti, e fra perizie e controperizie le cose, come si leggeva continuamente sui giornali, finivano sempre per confondersi e aggiustarsi.

L'importante era che l'attentato non potevano metterlo sul gobbo a lui, nessuno l'aveva visto, martedì scorso, mentre andava giù sparato con la fresa da mezzo pollice (troppo grossa) e quel vigliacco d'un cero si spaccava (troppo a sinistra era andata la mano) e lui buttava i pezzi nel cassone (troppa fretta di finire) e prendeva il secondo cero, quello buono, quello che era scoppiato come un bijou, senza lasciare neanche un pezzo, neanche una briciola...

Si asciugò la faccia e cacciò fuori un sospirone vittorioso. Questa era andata. Su tutto il resto, l'interrogassero quanto volevano, dicessero e facessero quello che volevano, non avrebbe più risposto una parola.

10.

– Ma questo testimone insomma chi sarebbe? dov'è? – chiese impaziente la Pietrobono, seguendo l'appuntato negli stretti corridoi tra le casse.

Ma Cottino non si lasciava mettere fretta da nessuno neanche qui, rispettava le precedenze, cedeva il passo, non ci teneva a scontrarsi malamente con altri agenti e carabinieri, a ogni incrocio, in quel generale andirivieni di forze dell'ordine.

Lui non aveva idea di chi fosse il testimone, spiegò. Sapeva solo che s'era presentato in questura poco fa, per comunicazioni urgenti sul caso Pezza-Genovese, per cui il maresciallo Biazzi gliel'aveva dato a lui da portarlo qui insieme alla signora.

– Quale signora?

– Quella signora, – spiegò allusivo Cottino. – Tzè.

Si fermò e si tirò prudentemente indietro, per far passare un gruppo di ammanettati con la loro scorta.

— Il testimone eccolo là, — disse quando il gruppo fu passato, alzando il braccio a indicare una figura incappottata e imberrettata che camminava su e giù presso l'ingresso.

La Pietrobono corse avanti con un piccolo strillo.

— Professor Monguzzi!

— Signorina, — disse Monguzzi raccogliendo la sua sacca e venendole incontro, mentre Cottino si allontanava scuotendo la testa.

Risultò che Monguzzi, applicando al *topos* gli stessi criteri di decifrazione del carteggio, aveva risolto l'enigma, aveva capito cioè che doveva trattarsi di una targa incompleta, nello stesso momento in cui il suo treno arrivava a Valenza Po. S'era quindi affrettato a tornare indietro, per...

— Avrei potuto telefonare, — ridacchiò, mentre con le mani guantate di lana marrone stiracchiava e torceva in tutti i sensi il suo logoro basco, — ma ci tenevo a rivederla personalmente perché... cioè in quanto... indipendentemente dal topos, voglio dire...

— Anche io... Del tutto indipendentemente... — mormorò rapita la Pietrobono.

— Luigina! — disse Thea sopraggiungendo in gran fretta, — vieni a...

S'interruppe imbarazzata e sorrise, si scusò. Ma Graziano, disse, aveva capito il mistero dell'Intercargo e stava spiegando tutto, anche Luigina doveva venire a sentirlo! Luigina e...

— Il professor Monguzzi, — disse Luigina. — La mia amica Thea.

— Piacere!... Ma venite, fate presto... — disse Thea.

I due commissari con Pastorello e il redivivo Dalmasso, Scarampi e un suo tenente, Graziano coi suoi tabulati, s'erano trasferiti dai gabbiotti di vetro al nastro convogliatore; che adesso, sparso di documenti e attorniato da casse, scatoloni, altri sedili di fortuna, dava l'impressione di un interminabile tavolo da riunioni manageriali. La Pietrobono, appena seduta, tirò automaticamente fuori il suo diario e lo squadernò davanti a sé preparandosi a scrivere. Monguzzi e Thea si sistemarono più in là con la signora Guidi.

— ...una cosa pazzesca, non ci potevo credere, mi sono detto che mi sbagliavo, — stava dicendo Graziano, — e nemmeno adesso sono sicuro di come facevano. Ma quello che facevano ormai lo so. L'idea l'ho capita.

— Noi non ancora, — disse brusco il tenente dell'Arma, attirandosi una risatina della Pietrobono e un'occhiata scoraggiata dal suo superiore.

Ci fu una pausa d'imbarazzo.

— Secondo Priotti, — disse Santamaria, — l'idea l'avrebbe avuta il parroco più o meno per caso, leggendo dei vecchi libri. Ma l'ingegnere avrebbe detto che era l'idea del secolo.

— Altroché! — disse Graziano con una specie di sbigottita ammirazione. — Era l'unico modo per far tornare dei conti come questi.

Alzò gli occhi sulle tonnellate di materiali che incombevano ai lati del convogliatore come le pareti di un canyon, poi li riportò sui rotoli di tabulati che aveva davanti.

— Ecco, prendiamo per esempio questo qui, — disse prendendone uno e srotolandolo adagio, delicatamente, come un sacro testo tracciato su seta o papiro. — Bene. Soltanto questo qui, se lo confrontate con quelle bolle di consegna e ritiro lì, corrisponde a un fatturato di miliardi.

Scarampi fischiò, ma non azzardò commenti. La Pietrobono restò con la biro sospesa sul suo quaderno.

De Palma si lisciò i capelli.

— Non capisco che c'entra il fatturato. Questa è tutta roba rubata, no?

— Sì, è produzione Fiat che doveva essere stoccata e mandata all'estero, oppure proveniente dall'estero e che doveva essere stoccata in Italia. Ma che invece usciva dal giro e finiva qui.

— Una specie di disguido organizzato?

— Computerizzato. Programmato all'interno della Fiat, — Graziano fece penzolare tra le dita come un serpente il lungo e arricciato foglio del tabulato, — da qualcuno che aveva accesso all'ordinatore centrale. Vi risulta che quel Vicini ce l'avesse?

— Ci risulta, — disse De Palma.

— Allora bisognerà vedere lì. Ma il sistema, già così a occhio e croce, sembrerebbe quello delle giacenze morte e delle scorte a stoccaggio aleatorio. Dev'essere così che facevano uscire il materiale. E ogni volta erano miliardi di produzione che...

— D'accordo, ma poi, — l'interruppe Santamaria, — cosa se ne facevano di tutta questa roba? Chi gliela poteva ricomprare? Tu dicevi di aver capito come...

S'interruppe a sua volta sbalordito, intravedendo lui stesso la gnostica Verità. La Scintilla, capì finalmente. La Visione, il Pleroma, l'apocrifa Rivelazione del Pezza.

— Tutto il punto effettivamente era quello, — disse Graziano. — Perché lasciamo stare che era roba rubata, per cui non sarebbero bastati i ricettatori di tutta Italia...

Santamaria si distrasse a guardare gli alti lucernari, dietro i quali il crepuscolo stava cedendo alla notte. (Gli eoni, — capì, — gli arconti, il ciclo, i pneumatici... Il furto nobilitato da antichissime radici, esaltato a sfere teologiche... Il parroco dei polidialoghi che prendeva statura da eresiarca, il dirigente di mezza tacca che incarnava l'Eone Nascosto, influiva sull'Ordinatore... E Tu, — pensò avviando un suo monodialogo con lo stesso Guardiano della Notte, — degradato da Supremo Boss a colpevole pasticcione, a nefando produttore di cose nefande.)

— Ma una produzione così importante, — continuava a spiegare Graziano, in tono misurato da consiglio di amministrazione, — lo stesso mercato regolare avrebbe avuto difficoltà ad assorbirla. E quanto alle spedizioni all'estero, a parte che per inserirsi nel giro dei TIR... — esitò un istante.

— ...avrebbero dovuto passare da voi, — l'aiutò Scarampi.

— Diciamo che avrebbero dovuto consultarci, — ammise Graziano.

(Costui non è un mafioso terrestre, dialogava Santamaria col Grande Boss. Costui è un Tuo emissario, un Tuo interprete, mandato da Te, a questo nostro brancicante Concilio, per illuminarci. L'hai messo Tu, sulla nostra strada!)

— Ma a parte questo, — continuò Graziano, — non ci sarebbe stato uno sbocco sufficiente neanche all'estero. In termini di mercato non c'erano soluzioni possibili. Solo che...

Le parole del vescovo Scalisi, smascheratore di eresiarchi, cadevano su un pubblico reverente. Thea, abbandonata sua madre, gli si andava avvicinando a piccoli passi estatici.

— Solo che l'operazione non era stata concepita in quei termini. La produzione che facevano uscire dalla Fiat non era destinata al mercato, o perlomeno non direttamente. Era lo stesso produttore a riassorbirla.

— Ma... — articolò Scarampi dopo tre secondi di silenzio.

— Dio mio! — gridò strozzata la Pietrobono, alzandosi quasi in piedi. — Il...

— Non vorrai dire che era... — disse De Palma.

— Ma certo, — disse Graziano, — era la stessa Fiat a ricomprargli tutto, e con tanto di fatture. L'avevano programmata anche per quello, no? Era questa l'idea del secolo.

La Pietrobono ricadde a sedere.

— Il Serpente degli Ofiti! Il Ciclo di Riassorbimento! E dire, — disse sfogliando febbrilmente il suo quaderno, — che l'avevo addirittura scritto qui... copiato dal Leisegang... dove dice...

— Ma che Leisegang? Quale serpente? — chiese imbambolato il tenente dell'Arma. — Io non...

— Legga, legga, signorina, — disse Scarampi.

— Ecco, sì, pagina 66, la dottrina circolare degli Ofiti, — lesse la Pietrobono con voce strangolata dall'emozione: — "La Creazione, la produzione della materia e del mondo, è dunque un male perché svuota, indebolisce la Pienezza divina. Perciò l'Eone Nascosto, con l'aiuto del Massimo Ordinatore, provvede a 'far rientrare' la materia. E il Ciclo si chiude col riassorbimento totale della produzione nel Pleroma".

— Dunque il Pleroma... — cominciarono gli altri tutti insieme, — dunque l'Ordinatore... dunque l'Eone Nascosto...

— Io, — disse il tenente dell'Arma, — ci rinuncio.

XIII

L'EONE NASCOSTO, ALLA FINE

1.

L'Eone Nascosto, alla fine era venuto fuori. Tutto era chiarito. Anche se, come lo stesso Scalisi si affannava modestamente a ripetere al suo assillante pubblico, molto restava ancora da accertare e da scoprire. Solo a grandissime linee si poteva per ora ricostruire l'intero "ciclo": un ciclo che nella sua fase di andata comportava lo svuotamento, a beneficio dell'Intercargo, di stoccaggi reali ma "dimenticati", cancellati dalla memoria dell'ordinatore di Corso Marconi, e che nella fase di ritorno, con opportuna contraffazione delle bolle, degli imballaggi, delle stampigliature, dei codici di identificazione e immatricolazione, simulava un flusso di vendite o rivendite alla Fiat da parte di affiliate e consociate in tutto il mondo: Jugoslavia, Polonia, Spagna, Francia, Argentina, Brasile, Turchia...

Al limite lo stesso materiale poteva rifluire più volte dall'Intercargo, bastava ricontraffare ogni volta la provenienza, mentre in altri casi, forse, gli spostamenti non si facevano nemmeno: nella memoria dell'ordinatore il materiale risultava entrato, o rientrato, prima ancora di uscire. E i pagamenti ai "fornitori", che non avendo fornito nulla non s'aspettavano nulla, venivano finalmente deviati in conti *off shore*, in Svizzera o più probabilmente in Olanda, da dove...

"Loro comprendono..." pareva di riudire nel tono, se non nelle parole, del vescovo Scalisi. E Santamaria, allontanandosi dalla scena, se ne andò fuori a riprendere in pace il suo solitario colloquio ad Altissimo Livello.

Quid noctis? Le ultime e simboliche nubi si andavano sfrangiando, sconfitte da superiori venti, e il cielo non proprio ancora notturno mostrava un promettente numero di stelle.

Tutto chiarito, dunque, tutto in orbita. Il Vecchio Campione, il Grande Boss, l'Ultimo Eone, il Creatore e Signore di questo mondo discutibile aveva vinto di nuovo, alla fine. La "produzione" sarebbe continuata come al solito, dai più lontani astri all'ultima vite dell'ultima utilitaria.

Sono contento per Te, per la Tua barba bianca – pensò Santamaria guardando lassù – anche se qua sotto abbiamo dovuto sudare sette camicie, in mezzo ai Tuoi labirinti. Spero che avrai apprezzato il nostro agnostico lavoro. Spero, prima o poi, in un Tuo cenno di ringraziamento.

Fu centrato in pieno, e abbagliato dai fari di una macchina in sfrenato arrivo. Era questo il segno?

Si coprì gli occhi con la mano mentre l'auto girava, si fermava a pochi metri da lui: era una volante, ne scaturivano Sulis, Biffignandi, Carlevero, gli venivano incontro a passo di corsa.

– Sta arrivando, sta arrivando!

– Chi?

– Il dottor Musumanno! Vuole rendersi conto di persona!

Terrori gerarchici, inchinevolezze aziendali che lasciarono indifferente il commissario, abituato da tre giorni a ben altre Frequentazioni.

– Ci sono giornalisti? – voleva sapere Sulis.

– No.

– Nessuno è stato informato?

– Be', è una faccenda un po' grossa, c'è di mezzo parecchia gente, sarà difficile evitare una certa...

– Eeeeh, purtroppo, purtroppo... Dove li avete messi?

– Sono tutti là dentro, stavamo cercando di fare un primo... bilancio, aspettando voi per i chiarimenti tecnici, – disse Santamaria, sorridendo a quei tre volti afflitti. – Ma la roba è tutta vostra, su questo non ci sono dubbi.

Sulis ebbe un gemito viscerale.

– Una cosa terribile... E il peggio è, – disse rauco, – che a quanto sembra, anche questa baracca fa parte... è nostra.

– L'Intercargo? È una società della Fiat?

– No, no, ma l'area, i magazzini, i muri. È una nostra vecchia fonderia che nello scorporo parziale del '68 doveva passare sotto Rivalta, solo che poi, quando a sua volta Rivalta, nel primo decentramento del '71, è passata a...

– E in questi passaggi, – disse Santamaria, – la fabbrica è sparita?

– Amministrativamente, per così dire. Solo amministrativamente. Nel senso che oggi abbiamo cinque diverse divisioni dell'azienda che sarebbero teoricamente responsabili di questi edifici, anche se...

Una grossa berlina scura entrò arrotando fanghiglia tra gli edifici fantasma.

Però ammetterai, pensò Santamaria alzando gli occhi alle stelle, che anche questi Tuoi nemici non erano male.

Musumanno emergeva, enorme, dal suo cocchio.

– Dottore, dottore! – si precipitava Sulis, srotolando un virtuale tappeto rosso.

Il personaggio guardava le stelle anche lui, sfilandosi i guanti.

Venne a grandi, lunghe falcate, avvolto in un conico pastrano di montone, russo o canadese, che gli fluttuava attorno alle caviglie, la testa nuda, eretta, il profilo siliceo.

Gli presentarono Santamaria (ma definendolo "dottore", non "commissario") e l'omone lasciò cadere dal suo metro e novanta uno sguardo di cieco.

C'erano, nell'esperienza di Santamaria, tre categorie di potenti.

Ouelli che ostentavano la loro potenza per schiacciarti.

Quelli che la nascondevano, per schiacciarti con la loro affabilità.

Quelli che non ti schiacciavano perché, dall'alto della loro potenza, nemmeno ti vedevano.

A quest'ultima razza apparteneva Musumanno, che s'infilò di sbieco nella porticina (un arco, un arco trionfale, ci sarebbe voluto per lui!), seguito da Biffignandi, Carlevero e in ultimo da Sulis, che rivolse di sfuggita al commissario un breve gesto apologetico, un "cosa vuole, è fatto così".

Ma che poteva anche voler dire, rifletté Santamaria mentre si accingeva a seguirli, "cosa vuole, questo è il suo settore, è nei guai, sta rischiando la testa".

Si volse a guardare un'altra macchina in arrivo. Il giudice? Il questore?

L'agente che non aveva osato fermare Musumanno alzò la mano, si chinò a parlare col guidatore, lo indirizzò verso le auto della Mobile, parcheggiate sulla destra. Era una macchina civile, che andò a sistemarsi davanti a una delle volanti e spense il motore. Subito un altro agente (come Dalmasso venerdì sera, quando la Volkswagen gli aveva bloccato la visuale e la manovra nel vicolo di Santa Liberata) uscì protestando a far spostare gl'intrusi. Erano due e dovevano essere la scorta, le guardie del corpo di Musumanno. Rimisero in moto con stizza rumorosa e si trovarono un altro posto vicino alla baracca di Priotti.

Chissà, si chiese il commissario, se domani il grand'uomo sarà ancora degno di averla, la sua scorta.

2.

Musumanno era passato come uno zar nella sala del trono. S'era fermato un attimo a considerare l'insieme di quelle teste girate verso di lui, ammutolite di colpo al suo arrivo imperioso, e poi, liberandosi con un gesto del suo seguito, s'era addentrato fra le casse, aggrottato e solo.

Qualcuno aveva acceso altri tubi al neon, i vari gruppi s'erano rimessi a parlare animatamente. De Palma e Scarampi parlavano ora con Sulis; Graziano parlava con Carlevero e Biffignandi, sotto gli occhi rapiti di Thea; la Pietrobono parlava con Monguzzi; il tenente dell'Arma parlava con un brigadiere dell'Arma; Pastorello parlava con Tropeano Michele; Mattei parlava alla Caldani, seduto accanto a lei. Soltanto la signora Guidi se ne stava per conto suo, reggendosi per il gomito il braccio sinistro, in cima al quale s'inceneriva una sigaretta.

Santamaria andò dritto da quella mesta figura.

— Dovrei scusarmi perché l'ho un po' trascurata?

— È vero, — sorrise lei, guardandosi in giro, — mancano solo i martini e i manhattan. E un po' di mogli Fiat.

— E non vedo... — disse il commissario fingendo di cercarli, — Genovese... Pezza... Vicini...

La Guidi tornò alla sua espressione pensosa, lo scrutò.

— Ma lei almeno non è contento? Non ha risolto i suoi problemi, il topos e tutto il resto?

Il commissario si rese conto di non essere affatto contento. Le donne, pensò.

— E lei è contenta?

— Figuriamoci. Qui la sola contenta è Thea, quel suo amico s'è fatto onore, sembrava un professore di Harvard. Ne voglio parlare a Musumanno, è un giovane che promette.

— Lo conosce?

— No, non bene, in realtà. Sono stata un paio di volte in quella loro villa a Santena, ma lui è un orso terribile. Vedo abbastanza la moglie, Clara Musumanno, una bellissima donna, molto più giovane di lui. E non antipatica. Voglio raccomandarle questo ragazzo così bravo in contabilità.

— Ottima idea, — disse Santamaria, — tanto più che si tratta sempre di multinazionali, in fondo.

Stettero a guardarsi serissimi.

— Oh, insomma! — sbottò la Guidi.

Poi si mise a ridere, mimò l'offerta di un bicchiere.

— Champagne, commissario?

— Grazie, preferirei una vodka.

— Eccole la vodka, — fece lei, porgendogli l'inesistente bicchiere. — No, ma c'è un fatto, una cosa terribile che ho pensato... Se Thea avesse sposato l'ingegnere, quel Vicini, che tra parentesi è quello che mi fa più pena di tutti, Dio sa perché...

— Per i suoi tormenti di criptonormale?

— Sì, forse, ma comunque, mettiamo che avesse voluto sposarlo, lo so, è inconcepibile, ma supponiamo. Io come avrei reagito, cosa le avrei detto?

— Con quella faccia...

— Lo so, e con quella voce belante, lei non l'ha sentito recitare, quando faceva il Fanciullo, l'Angelo...

— Ma lo era! Era l'Angelo del Male, era l'Eone Nascosto, cosa si può volere di...

— D'accordo, sarà. Ma voglio dire: dirigente Fiat, una carriera sicura, famiglia probabilmente presentabile, tutto a posto, tutto regolare. Se Thea s'incaponiva a volerlo sposare, non avrei avuto nessuna obbiezione *seria*, capisce? E in teoria, da un punto di vista statistico, sociale, c'erano molte più probabilità che Thea incontrasse, si mettesse con un ingegnere della Fiat che con un... con quel suo amico laggiù. È questo che trovo terribile, lei capisce cosa voglio dire.

— Insomma, — sospirò il commissario, — non c'è più religione.

La Guidi rise, scuotendo la cenere della sigaretta.

— A che punto è la notte, insomma, — disse.

Ma per qualche misteriosa ragione, fu quella mano dalle unghie laccate, furono quei riflessi di madreperla a colpire Santamaria come la cosa più dissonante, più "notturna" di tutte le altre. Fu di lì che ricominciò a dubitare, a estraniarsi da quell'assurdo cocktail-party nella fabbrica fantasma della Fiat. O forse perché il silenzio improvviso fece tacere anche lui.

Musumanno era tornato.

I tecnici (e De Palma) si fecero attorno al gigante. La riunione manageriale, al lungo tavolo del convogliatore, riprese sotto la massima presidenza. Termini noti e ignoti cominciarono a volare come panni sporchi.

— È inutile, finché il bilancio consolidato non sarà...

— Ha giocato sui verbali di uscita della...

— Gli preparava un vero e proprio programma, ogni venerdì gli consegnava un aggregato situazionale che...

— Se siamo a un livello mensile, diciamo, di...

— A livello molto molto sofisticato, perché sceglieva materiale a immatricolazione provvisoria e poi qui...

— Le giacenze extra inventario ruotavano sul kick-back delle licenziatarie che purtroppo...

Musumanno ascoltava, chiuso in una sua rocciosa tristezza di generale battuto.

— Nel movimento *out* è lo stesso meccanismo dell'operazione precedente, ma su scala gigantesca; e poi una simulazione di movimenti *in*, programmati dall'elaboratore centrale, con un margine di...

— I dati naturalmente erano in codice, e lui stesso li traduceva in linguaggio umano, c'è qui il macrodettaglio settimana per settimana, fino a...

— I blocchi-perdite li trasferiva evidentemente in conto...

— Col fatto che la ZCZ e la FSM sono comunque strutturate a tridente, e le controllate sudamericane scalano di norma un semestre per i loro...

— Il solo modo perché la cosa risultasse, si scoprisse prima che passassero anni, sarebbe stato il bilancio consolidato! Ma se il bilancio consolidato non...

— Miliardi? Altro che miliardi! Quello là si stava succhiando... Musumanno alzò la mano.

La sua voce, bassa, profonda, naturale come il vento nella foresta, non deluse nessuno.

— Posso sapere, — pronunciò, — di chi state parlando?

Sulis fu svelto (ma lo sarebbe stato altrettanto domani?) a placare il sublime distratto.

— L'ingegner Vicini, della sezione C.

Musumanno spalancò lentamente il suo vasto mantello impellicciato.

— Della *mia* sezione C?

— Sì, dottore.

— Era quello col bastone, — intervenne Carlevero, — quello che teneva lontano i piccioni mentre lei...

Fece qualche passo su e giù, fingendo di agitare un bastone, e andò a fermarsi davanti a Santamaria.

— Il dottore ha una grande passione per l'ecologia, per gli uccellini, — rivelò come se avesse in bocca una caramella all'ambrosia — e ogni venerdì mattina sale sul tetto di Corso Marconi a dargli personalmente da mangiare, gli getta le briciole di persona...

Sulis si frugava in tutte le tasche, frenetico. Il protettore di uccellini, sempre col suo pacato gestire, aveva estratto da un astuccio una sigaretta dal lungo bocchino di cartone e se l'era portata alle labbra.

Biffignandi fece scattare un accendino d'oro. La fiamma tremolò. Un filo di fumo s'inanellò e si perse nelle tenebrose altezze del capannone.

— Non vedo... — disse Musumanno socchiudendo le palpebre. — Non lo vedo, questo Vicini...

Sulis cominciò a descriverglielo fisicamente e aziendalmente,

e mentre l'altro ascoltava assorto, gli occhi semichiusi, la lunghissima sigaretta all'angolo della bocca, Santamaria riprese a dubitare, a sentire la forza della notte.

Mah, pensò sbirciando verso il soffitto, non so se hai vinto
Tu, in fin dei conti. Non so se sei riuscito a non farTi riassorbire nel bordello generale.

Questa piaggeria gassosa, cangiante, già pronta, se lo zar fosse
caduto, a condensarsi domani attorno al suo successore. Questa
fabbrica che "non esisteva". Quel cero che non era un cero, ma
un ordigno di morte. Quel barocco che non era barocco. Quel
passaggio segreto illusorio, che portava angeli illusoriamente dipinti, mentre l'angelo vero, l'Angelo delle Tenebre, il 14° Eone,
era un belante funzionario che temeva di essere normale, e perciò percorreva tutti i sentieri dell'anormalità, e perciò faceva
pena a...

Sentì un tocco leggero sul braccio, un profumato sussurro
all'orecchio.

— Non ha una sigaretta? Ho finito le mie.

Santamaria ricordò di aver fumato l'ultima del pacchetto poco
fa, nel cortile sotto le stelle.

— Le ho finite anch'io.

— Pazienza. Meglio.

Queste unghie laccate, pensò il commissario frugandosi nondimeno nelle tasche, questi gioielli fantasia, questo profumo tra
le casse di refurtiva, di produzione riassorbita. Che senso aveva,
qui dentro, la bella signora? Che senso aveva più una signora?
L'abbaglio di Dalmasso, che l'aveva scambiata per una puttana,
era coerente con la notte. E coerente era stato il "fermo" dell'Arcivescovo; coerente l'equivoco dei nastri, che attraverso una
barba posticcia aveva portato fino ai posticci calcoli di un ordinatore elettronico onnipotente; coerente era stata la ricerca del
topos, falso enigma greco che si riduceva a una banale targa
di camion per poi riespandersi nel lungo, autofago serpente
gnostico...

Le sue dita incontrarono un duro rotolino in fondo alla tasca
interna. Una sigaretta, l'ultima. Come mai qui, in questa tasca?

Ah, ma non era proprio una sigaretta. Era il piccolo "scarto" raccolto stamattina nell'ufficio di Vicini, in Corso Marconi, prima del suicidio.

Ah, rimuginò Santamaria, ancora sordo, ancora scoraggiato. Povero, miserabile, bavoso Eone Nascosto, povero, dissonante suicida...

La sola coerenza visibile, in tutta questa storia, stava nelle incoerenze, negli errori, nei travisamenti, nelle dissonanze.

Qui Ti hanno messo fuori gioco, pensò, qui Tu non controlli più niente, non c'è più una sola cosa che suoni giusta.

Guardò la Caldani, nero fagotto di pena.

Guardò, più lontano, i Bortolon, bluastri per le botte, portatori di uno pseudo sacchetto di droga.

Guardò i lavoratori dell'Intercargo, ammanettati nelle loro tute bisunte, probabilmente mal pagati, sfruttati all'osso dal perfetto meccanismo ofitico, e che forse s'erano ribellati sindacalmente, avevano spinto Priotti o Vicini a eliminare il "padrone" Pezza, il prete eretico e megalomane in cima alla sua torre.

Guardò il mafioso Scalisi, che dava preziosi suggerimenti alla Fiat.

Guardò i suoi colleghi, volenterosi e assurdi anche loro. Guardò la Pietrobono, attentissima con la sua penna tra i denti. Guardò Musumanno, l'amico dei passeri, che fumava cieco.

Solo lui, allora, udì un alito nel buio, un sogghigno segreto, la soffiata del Grande Boss.

Non scoppiò. Stette dov'era, fuso al pavimento, a riordinare l'universo per un intero minuto. Non si tradì in nessun modo. Soltanto la Guidi si accorse del suo primo mezzo passo all'indietro, del secondo, e lo interrogò con lo sguardo.

— Niente, — le sussurrò Santamaria, stringendole la spalla, — vengo subito.

Si allontanò lentissimamente, non cominciò a correre se non quando fu uscito dal canyon di gabbie e contenitori.

Fuori, vide che c'era stato un notevole incremento nella produzione di stelle; e vide subito i puntini rossi delle sigarette nell'auto in attesa.

— Avreste una sigaretta? — chiese per prima cosa.

Uno dei due uomini tese il pacchetto senza parlare.

Santamaria gli fece le altre domande.

Sì, la soffiata era stata buona.

Quando ebbe finito, e preparato il rientro, si avviò leggero verso il capannone, ma prima di passare la porticina stridente si girò ancora a guardare il cielo.

Grazie, pensò, Ti sei sbrigato, a pagare il Tuo debito.

Soltanto lui udì la beffarda risatina.

Nessuno fece caso a lui quando rientrò. Nessuno lo vide chinarsi a raccogliere il lungo mozzicone della sigaretta russa. Lo zar aveva finito di fumare. Lo zar aveva ascoltato, capito, deciso. Lo zar stava per andarsene.

Santamaria prese da parte De Palma e Pastorello, parlò con loro per qualche istante, e poi, mentre movimenti diversi, spostamenti prudenti e discreti, si producevano ai due lati del convogliatore, prese posto al consiglio che stava per sciogliersi. Alzò una mano.

— Un momento, — disse, — dottor Musumanno.

3.

Lo zar finì di abbottonarsi il quarto bottone, e senza staccare gli occhi dal disturbatore inclinò leggermente la testa verso sinistra, alla maniera dei sordi. Sulis era lì pronto sulla punta dei piedi.

— Commissario Santamaria, — suggerì a mezza voce.

Musumanno prese atto con le palpebre, le sue labbra si dischiusero.

— Sì?

— Vorrei pregarla di osservare bene, — disse il commissario posando davanti a sé, parallelamente, lo "scarto" trovato nell'ufficio di Vicini e quello raccolto poco prima, — questi due piccoli tubi di cartone. Sono mozziconi di sigaretta, mi sembra.

Un nembo di stupefazione, gravido d'indignate saette, si addensò sul ciglio dei collaboratori di Musumanno. Ma prima che potessero intervenire, il miracolo avvenne.

Il gigante si piegò verso l'increscioso postulante e disse simpaticamente:

— Devo scegliere il più corto?

I tre ministri scoppiarono in una complessa risata. Di sollievo, di approvazione, di ammirazione; e di gioia genuina, di orgoglio anticipato, di gratitudine. A pochi, a pochissimi era stato dato di essere presenti nelle rare, rarissime occasioni in cui lo zar si abbandonava a una spiritosaggine.

— Non c'è scelta, — disse Santamaria senza sorridere. — A me sembrano della stessa misura.

Carlevero prese un'aria di ironica ingenuità.

— E forse sono anche della stessa marca? — suggerì. — Dello stesso pacchetto?

Rise, ma stavolta da solo, e brevemente. Santamaria si voltò a lui.

— Era appunto quello che cercavo di chiarire. Che lei sappia, ci sono altri che fumano queste sigarette?

— Sì, in Russia, — rise ancora Carlevero.

— Io dicevo lì da voi, in Corso Marconi. Lei ne ha mai viste nell'ufficio di qualcun altro?

— No... non credo... — disse Carlevero, guardando il suo capo.

La risposta tardava a venire, gli spettatori non amavano sentirsi trattare da testimoni, non gradivano che quell'insulso quiz prendesse le inaccettabili cadenze di un interrogatorio.

— No, non direi, — disse Sulis, recuperando il condizionale.

— Non mi pare proprio, — disse brusco Biffignandi, — ma non vedo che cosa...

Dove poteva portare questa sciocchezza, questo balordo giochino di società? Santamaria lesse la stessa perplessità, sebbene di segno opposto, negli occhi del collega Scarampi. Che gli stai a fare, il colpo del mozzicone? ma ti sei impazzito?

— E il dottor Musumanno offre volentieri le sue sigarette?

Gli rispose un mutismo complesso. Arduo spiegare all'estraneo che Musumanno non offriva *mai* sigarette a *nessuno*, ma non già per, dioneguardi, *tirchieria*, sebbene per una sua personale, legittima e perfino divertente impossibilità di *concepire* l'esistenza nell'universo conosciuto di altre creature dedite al fumo.

— Non credo di avere questa abitudine, — disse imperturbabile l'interessato.

Riaprì un paio di bottoni, accennò a infilarsi una mano nella tasca interna.

— Ma se vuole provarne una, gliela offro vol...

Lo scatto dei brigadieri Pastorello e Dalmasso, che afferrarono il gigante ciascuno per un braccio, non risultò giustificato dalla circostanza. La mano estratta dalla tasca interna impugnava solo il lungo astuccio delle sigarette russe, che andò a finire sul convogliatore.

— Spiacente, — disse il commissario raccogliendolo, — ma lei capisce. Dobbiamo prendere le nostre precauzioni.

Per un lungo momento, in un silenzio siderale, i soli moti nell'universo furono quelli del commissario che estraeva dall'astuccio di pelle una delle sigarette, la confrontava con i due "reperti", richiudeva e posava l'astuccio. Poi niente si mosse più, mentre il lievissimo ronzìo dei tubi al neon, divenuto d'un tratto percepibile, pareva rapidamente intensificarsi e salire a cosmiche soglie di scoppio.

Ma non ci furono esplosioni. Tutto si ridusse a un breve cenno del commissario ai due sottufficiali, perché lasciassero le braccia di Musumanno, e all'impersonale richiesta che quest'ultimo diresse al proprio cronometro digitale da polso, considerando l'elettronico flusso dei secondi:

— Vorrei una spiegazione piuttosto alla svelta.

Santamaria non rispose subito. Nessuno azzardava ancora un movimento né una parola. Ma già in qualche modo la scena era cambiata, la tensione vertiginosa era caduta. Nell'alta cattedrale della notte, sul covo dell'infame Basilide, tra le risucchiate, allucinanti spire del serpente gnostico, non regnava adesso che un prosaico silenzio da commissariato.

— Ci vorrà, — disse il commissario in questo silenzio, — un po' di tempo. Lei non preferisce sedersi?

— No, ma insomma!... — scattarono insieme Biffignandi e Carlevero, congestionati e fuori di sé, mentre la paralisi generale si scioglieva in un confuso incrociarsi di sguardi, mezzi gesti, esclamazioni incerte e frammentarie. — Se questo è uno scherzo, — riprese Carlevero a voce altissima, — lei Santamaria... e lei dottor De Palma... e anche lei, — puntò il dito contro l'ufficiale dei carabinieri, — capitano Scarampi...

Il dottor Musumanno lo fermò.

— Lasci, — disse. — Io non so di che manovra si tratti e chi ci sia dietro, ma lo scherzo mi sembra escluso. Qui, — fece piovere un'occhiata sprezzante sui due brigadieri alle sue costole, guardò Santamaria, — siamo al sequestro di persona, direi.

— Al fermo di polizia, — precisò il commissario. — E, — si rivolse apologetico a Sulis, come a una specie di rappresentante legale del fermato, — non possiamo rischiare gesti inconsulti, in questa storia abbiamo già avuto un suicidio... per cui, dati i rapporti del dottor Musumanno con l'ingegner Vicini...

— Ma io le ho già detto... — gridò Musumanno perdendo per la prima volta la calma. Ma si riprese e alzò le spalle. Poi si voltò a Sulis anche lui, gli indicò il commissario come per dire: "veda lei", e si sedette con l'aria di disinteressarsi completamente. Anche le assurdità avevano un limite.

— Senta, commissario... — disse Sulis. Esitò un momento sul tono da prendere, ripartì conciliante: — Senta, Santamaria: quando lei parla di "rapporti" con Vicini, non so se si rende conto dell'*enorme* distanza gerarchica? In realtà il dottor Musumanno non aveva nessun rapporto, nessun diretto contatto con Vicini.

— Il dottore ha già spiegato chiaramente che non ricorda neppure la persona, — disse Carlevero.

— L'ho sentito, — disse Santamaria. — Ma ci sono particolari che non quadrano. E per cominciare, appunto, — riprese in mano i due bianchi tubetti dall'estremità bruciacchiata, — questi due piccoli particolari qui.

L'ingegner Biffignandi batté le mani.

— Ma per favore, — soffiò, — ma qui stiamo...

— Uno, — continuò il commissario rivolgendosi a Musumanno, — l'ho raccolto qui adesso, è della sigaretta che lei stava fumando. L'altro l'ho trovato stamattina nell'ufficio di Vicini, poco prima che si suicidasse. Ora, se lei non aveva nessun contatto con Vicini, come mai questo...

— Guardi, è impossibile, — intervenne Carlevero, — tra l'altro mi sembra di ricordare che Vicini non fumava nemmeno.

— Tanto più, — sorrise il commissario.

— Va bene, va bene, d'accordo, — disse in fretta Sulis. — Ma in ogni caso non vedo... cioè, lei non può fondarsi su un simile... insomma possono esserci mille spiegazioni.

— Me ne basterebbe una. Lei ha un'idea, dottor Musumanno? Forse, non so, un pacchetto lasciato in giro, — insisté il commissario benché l'altro continuasse a ignorarlo completamente, — e Vicini potrebbe essersi... servito, diciamo così, entrando da lei in sua assenza?

Biffignandi s'incaricò di spiegare come stavano le cose all'ottavo piano di Corso Marconi.

— Non si entra così... di passaggio... dal dottor Musumanno. Ci sono anticamere, c'è una segreteria, bisogna farsi...

— Ah, sul tetto! — gridò trionfante Carlevero. — È lì che ha raccolto il mozzicone, l'ho visto io diverse volte! Agitava quel suo bastone contro i piccioni e poi, quando il dottore se ne andava, lui si chinava a raccattare...

— E perché?

— Ma per... ma non so, per lasciare in ordine, per non... si vede che a lui pareva...

— E questo succedeva ogni venerdì.

— Sì, certo, dalle undici e trenta alle undici e quaranta precise, più o meno il tempo di fumare una sigaretta, e poi...

— Ho capito, — disse il commissario, — ma vediamo di ricapitolare un momento la scena... Ogni venerdì il dottor Musumanno sale sulla terrazza di Corso Marconi e getta le briciole ai passeri fumando una di queste sigarette russe, dal lungo bocchino di cartone. Giusto?

— Esatto, — disse Carlevero.

— Intanto Vicini gli gira attorno col bastone per scacciare i colombi, e dopo che il dottor Musumanno ha gettato il mozzicone va a raccoglierlo, lo spegne e se lo mette in tasca. È così?

— Esatto.

— La cosa si ripete ogni venerdì, e per tutti questi venerdì il dottor Musumanno non si accorge del suo dipendente, non lo nota, non lo vede, e oggi, adesso, non si ricorda addirittura di lui. È così?

— Esatto.

— A me, — disse Santamaria stringendosi nelle spalle, — sembra un po' forte.

E il lento sguardo dubitativo che girò sui presenti, più che da funzionario di polizia in una stanza di questura o commissariato, fu da pubblico ministero in un'aula di tribunale. La scena era cambiata di nuovo. Il giudice Scarampi, finora perplesso, dava segni di vivo interessamento e così pure i giurati, da Graziano a Monguzzi e alla stessa professoressa Caldani più in fondo, e così anche, dall'altra parte, l'oscuro e ammanettato pubblico, mentre il cancelliere Pietrobono scriveva furiosamente e il collegio di difesa cominciava a scambiarsi qualche occhiata incerta evitando di guardare l'imputato.

— Senta, guardi, — finì per rinfrancarsi Biffignandi, — lei deve rendersi conto che una persona al vertice di una grande azienda, una persona con responsabilità im-men-se, a un certo punto deve avere la capacità *mentale* di isolarsi, di staccarsi da tutto, di chiudersi completamente a qualsiasi...

— Lo so, lo so, — disse il commissario, — è una dote indispensabile, a certi livelli. E anzi mi sto chiedendo se il dottor Musumanno mi vede, in questo momento.

Lo sbirciò, gettò ancora un'occhiata ai giurati e al giudice, poi si voltò con un largo gesto circolare:

— O se vede tutti questi altri... fantasmi, chissà? C'è nessun altro qui che lei non conosce, non ricorda, non vede, dottor Musumanno?

Girò attorno all'estremità del convogliatore e in tre passi fu da Priotti, lo prese per le manette, lo portò avanti come al banco dei testimoni:

— Lei conosce, ricorda, *vede* questa persona?

Il dottor Musumanno non raccolse. Santamaria continuò:

— Lei ha mai visto, incontrato, conosciuto, il parroco don Alfonso Pezza?

L'altro non batté ciglio, ma fece udire un leggero sospiro e allungò una mano, riprese il suo astuccio, si mise una sigaretta tra le labbra. Fra i tre accendini che gli scattarono davanti scelse quello di Sulis. Ci fu uno scambio di parole a voce bassa.

— Commissario Santamaria, — sorrise Sulis alla fine, — mettiamo bene in chiaro che il dottor Musumanno non si rifiuta affatto di rispondere. Si rifiuta semplicemente di starla a sentire.

— Capisco, — disse Santamaria, — ma allora forse può rispondermi lei. Sa dirmi...

— Ah, no, senta! Io le ho già detto che il dottore non aveva rapporti con Vicini. Ma quanto a ipotizzare...

— Non si tratta di ipotizzare. Io chiedevo: lei sa dirmi di dove venisse il dottore quando è arrivato qui?

Sulis sgranò gli occhi.

— Di dove venisse?... Ma dalla sua villa di Santena! Gli ho telefonato lì io stesso per informarlo di tutto.

— Anche di Vicini?

— Certo. Il dottore non s'era mosso dalla sua villa da ieri, e non aveva la minima...

— Gliel'ha detto lui? Che non s'era mosso, voglio dire.

— Sì, ma non vedo assolutamente...

— Un'altra cosa: lei conosce la villa? Le risulta... — s'accostò alla Pietrobono e le tolse imprevedutamente il quaderno di sotto la penna, lo sfogliò. — Le risulta che nel parco ci siano dei salici con una fontana nel mezzo?

Sulis era troppo sbalordito per emettere una sillaba. Fu l'ingegner Biffignandi ad articolare:

— La valletta dei salici... la fontana del...

— È questa? — disse Santamaria mettendogli sotto il naso la fotografia ritagliata dal giornaletto "Appartenere", che la Pietrobono aveva incollato al diario.

Biffignandi inghiottì, annuì.

— Bene. Allora questa è la fontana, questo è don Pezza, questo, — il commissario spostava via via l'indice sulla foto, — è il signor Priotti qui presente. E questa specie di gigante che scruta il cielo col binocolo?... No, — scosse la testa, mentre lo sguardo di Biffignandi, poi anche quello di Carlevero e di Sulis, girava irresistibilmente verso Musumanno, — con quel binocolo agli occhi, non mi sentirei di giurare che si tratti del proprietario della villa in persona. Tutt'al più mi potrei chiedere se quella matita tra i denti... cioè, quello che avevo sempre preso per una matita, non sia invece...

Non ci fu nessun tremito visibile. Fu solo un caso probabilmente che la cenere, dall'estremità della lunghissima sigaretta dal bocchino di cartone, scegliesse quel momento per crollare, disfarsi sul nastro convogliatore in un'incerta macchia grigia.

— Lei dove abita, signor Priotti?

Il cancelliere Pietrobono, dopo che la foto ebbe fatto il giro dal collegio di difesa al presidente Scarampi e ai giurati, recuperò il suo quaderno e si ripreparò a scrivere.

Il P.M. Santamaria aveva ridimensionato lui stesso la portata dell'indizio: quella fotografia vecchia di due anni, quel raduno ecologico, comprovavano un interesse comune per gli uccelli, ma non dimostravano che il dottor Musumanno avesse visto in quell'occasione don Pezza, e tantomeno che l'avesse rivisto in seguito. Mentre per quanto riguardava Priotti... Be', la *presunzione* di un contatto più recente con Priotti forse c'era: specialmente se quest'ultimo, come al P.M. sembrava di ricordare, abitava...

— Le ho chiesto dove abita, signor Priotti.

— Al Nichelino, in frazione La Roggia, — disse Priotti alla fine, come esitando a decidere se la dichiarazione potesse comprometterlo.

— Mi pareva. E mi pare anche, — disse Santamaria, — che lei possieda una motocicletta? Una Gilera 250? Nera con fascia blu?

Il testimone tardava a rispondere. L'imputato era sempre immobile, con la sigaretta mezzo consumata tra le labbra. Il Presidente si distrasse a guardare due uomini che il commissario De Palma, uscito qualche momento fa, introduceva ora nell'aula. Il Pubblico Ministero si strinse nelle spalle.

— Non importa, sono particolari che verificheremo dopo, — disse congedando il teste Priotti e chiamando al banco i due sconosciuti. — Ora parliamo della macelleria equina di via Principe Tommaso.

Si voltò al difensore Sulis, l'unico che avesse dato segno di riconoscere i due nuovi testimoni, e la cui faccia, alla menzione della macelleria, s'era come raggrinzita.

— Lei sa di che si tratta, non è vero?

Costernato, Sulis fece segno di sì.

— Bene, lascerò poi spiegare a lei, — disse Santamaria. — Perché quanto a me, — sorrise a Scarampi e alla stessa Pietrobono, che lo guardava imbambolata, — confesso di provare un certo ritegno a introdurre certi argomenti, a servirmi di certe prove.

Già quei mozziconi, ammise, già quei mozziconi lo infastidivano, avrebbe preferito non trovarli sulla sua strada. Ma chi ce li aveva gettati? Chi, fin dal principio, aveva dato a tutta la storia quel colore altamente melodrammatico? Il defunto Vicini...

No. Il defunto Vicini era una mente malata, d'accordo, ma all'atto pratico era di modestissima levatura sia mentale che patologica. Aveva saputo combinare una truffa mediocre come quella dei falsi scarti, ma c'era voluta la fantasia del Pezza per arrivare all'idea grandiosa dell'Intercargo. Dopodiché, nella fase realizzativa, Vicini aveva dovuto limitarsi a fare da tramite. Qualcuno ben più in alto, un tecnocrate di ben diversa... statura, assegnava il programma all'ordinatore e ne forniva copia all'infimo sottoposto.

— Ma come gliela forniva, questa copia? In che forma? Quella melodrammatica esagerazione che dicevo, — continuò con eloquenza forense, — cominciamo a trovarla già qui. Perché è vero che i contatti con Vicini dovevano essere segreti, limitati al minimo, ma...

S'interruppe per farsi consegnare un "tabulato", lo srotolò, lo esibì ai difensori.

— Questo è uno dei fogli che Vicini portava a Santa Liberata ogni venerdì sera. Si tratta di una fotocopia o dell'originale?

— Di una fotocopia, — disse Sulis.

Carlevero guardò meglio, notò qua e là delle distorsioni, delle sfocature.

— Ottenuta con l'ingranditore, direi.

— Da un originale di minori dimensioni?

— No, da un'altra fotocopia, ma molto ridotta. Da una microfotocopia.

— La quale, che dimensioni può aver avuto?

— Teoricamente un francobollo, — disse Carlevero. — In pratica, con i nostri apparecchi da ufficio...

Santamaria tirò fuori il suo notes e ne strappò un foglietto.

— Più o meno così?

— Sì.

Santamaria arrotolò il foglietto e si chinò verso l'imputaʾo.

— Permette? — disse sfilandogli di tra le dita, delicatamente, la sigaretta ormai spenta.

Musumanno, una statua rigida e cieca, non sembrò nemmeno accorgersene.

Il P.M. infilò il piccolo rotolo nel lungo bocchino di cartone, gettò il bocchino sul convogliatore, lo raccolse.

— Ecco perché Vicini raccoglieva i mozziconi, — disse con una smorfia.

Alzò una mano per frenare i commenti.

— Un po' *tanto* melodrammatico, no? Qui l'altissimo dirigente, il sommo tecnocrate, — strizzò l'occhio a De Palma, — ha ceduto alle tentazioni dell'opera lirica. E su questa strada, — mostrò di nuovo il mozzicone, — ha continuato. Le tracce del suo stile si ritrovano nettissime nel cero esplosivo, che Priotti ha fabbricato materialmente, ma che è chiaramente della stessa mano, è uscito dallo stesso cervello.

Sfilò dal tubetto bruciacchiato il piccolo rotolo e poi lentamente, mostrando bene il dettaglio dell'operazione, lo reinfilò.

— Modus operandi, — disse, — come vedono perfettamente identico.

Uno dei giurati, il Monguzzi, non resistette al suspense creato dal P.M. dopo la spiegazione del m.o.

— E la macelleria equina, — balbettò con la spasmodica curiosità del curatore di carteggi, e avrebbe ingoiato una dose di tabrium se il cancelliere non gliel'avesse impedito, — cos'è la macelleria equina?

— Ah, — disse il P.M., — questo ce lo spiegherà il dottor Sulis. Io posso ricostruire i movimenti che conducono alla macelleria in questione, ma soltanto fino alla sua porta. O meglio, fino al portone accanto.

Guardò l'orologio.

— Circa sei ore fa, all'una e quaranta esattamente di questo pomeriggio, la pistola appartenuta a Genovese uccideva Vicini nel sotterraneo degli ordinatori, in Corso Marconi. Suicidio, – alzò la testa, – o delitto?... Nel primo caso avremmo un Vicini che si sopprime perché terrorizzato, ossessionato dall'idea di essere scoperto. Nel secondo caso, avremmo un Vicini ugualmente terrorizzato, ma che all'atto pratico non pensa affatto a sopprimersi, ma solo a impedire che la faccenda dell'Intercargo continui. Per cui stamattina o già ieri sera telefona, chiede al suo complice di annullare il programma dell'ordinatore. E, siccome non si fida, esige che l'operazione venga compiuta sotto i suoi occhi. Appuntamento sul posto, verso l'una e trenta.

Riprese fiato.

– Nel primo caso c'è la difficoltà della pistola. Come l'ha avuta? Perché Priotti, dopo averla indubbiamente presa lui, gliel'avrebbe data?... Nel secondo caso le difficoltà sono due. Da una parte ci troveremmo di fronte a un impossibile, classico delitto da camera chiusa. E d'altra parte il complice non era a Torino, era fin da ieri a Santena, di dove non si sarebbe mosso che, – riguardò l'orologio, – un'ora fa per venire qui. Esatto? – chiese ai due sconosciuti testimoni.

– Esatto, – disse uno.

– Cioè, – disse l'altro, – esatto che s'è mosso un'ora fa. Ma prima, vale a dire stamattina verso mezzogiorno...

– Più tardi, – disse il primo. – Sarà uscito verso la mezza.

– In macchina?

– Sì, certo. Ha preso l'A 21 al casello di Santena, ma poi è uscito allo snodo con l'A 6.

– Cioè dalle parti della Roggia?

– Sì. S'è fermato a un distributore Chevron che c'è lì.

– Per fare benzina?

– No, il distributore era chiuso, s'è fermato accanto a uno in motocicletta, che gli ha dato un pacchetto.

– Grande come?

– Così.

– Cioè, come una Beretta calibro 9.

– Be', più o meno. Pioveva, e noi eravamo una trentina di metri più indietro.

– Ma il motociclista avete potuto vederlo bene?

— Sì, perché poi ha girato per tornare verso La Roggia. L'abbiamo incrociato mentre ripartiva.

— Era quello lì?

I due si voltarono a guardare Priotti.

— Sembra proprio. La moto era una Gilera 250, nera con fascia blu.

— E l'altro ha continuato verso Torino.

— Sì, è rientrato dallo snodo e ha preso per la sopraelevata di Moncalieri, poi per corso Unità, corso Polonia e corso Massimo d'Azeglio.

— Fino a corso Marconi?

— No, ha svoltato parecchio prima, in via Valperga Caluso, e poi ancora in via Principe Tommaso.

— E poi?

— Niente, s'è fermato lì.

— Dove lì?

— In via Principe Tommaso, davanti al portone d'una casa.

— Ricordate il numero? A che distanza da corso Marconi?

— Quattrocento, cinquecento metri. Ma non c'è numero, è una casa vecchia, di pochi piani. Al pianterreno una volta c'era una macelleria equina, si vede ancora la vecchia insegna, una testa di cavallo.

— E lui è entrato in questa macelleria. Cioè, in questo portone.

— Sì.

— Era aperto?

— No, ha aperto lui. Tutta la casa sembra chiusa, le persiane sono mezze andate.

— Quanto tempo è rimasto dentro?

— Mezz'ora circa. È uscito che sarà stata l'una e tre quarti.

— Grazie. Ora ci dica lei, Sulis. Come responsabile dei servizi di sicurezza di Corso Marconi, lei è certo in grado di illuminarci sui particolari.

Sulis guardò angosciato non Musumanno, di cui non si curava più, ma i suoi colleghi Carlevero e Biffignandi.

— Ma... qui?... Adesso?... — prese tempo. — Si tratta di cosa riservatissima, di un vero e proprio *top secret*, di cui sono a conoscenza soltanto pochi... pochissimi... altissimi...

Rovesciò le palme con l'aria di contare sulle dieci dita, ritirò una mano, restò a considerare le cinque dita che restavano.

— Ma tra questi... altissimi, — disse Santamaria, — c'era naturalmente il dottor Musumanno.

— Sì, naturalmente. Ma come ripeto io non posso... non ho
l'autorità per divulgare...

— Ellaputtana! Ellamadosca! — scoppiò Monguzzi. — Lei adesso ce lo deve dire! Lei non può darci la fregatura di non...

— D'altra parte, — disse incoraggiante Santamaria, — si tratta
solo di una conferma. Da anni a Torino corre la voce che per
il caso di disordini gravi, scioperi con picchettaggio a oltranza,
blocco dei portoni, la direzione dell'Azienda disporrebbe... cioè
che tra i sotterranei di Corso Marconi e un qualche altro punto
nei dintorni, per esempio quella casa, gli scantinati di quella
macelleria, ci sarebbe...

— Un passaggio segreto! Aveva ragione l'editore! — gridò in-
coerentemente la Pietrobono. — Il passaggio segreto c'era!

Santamaria annuì e fece un gesto in direzione di Musumanno,
il Deus ex machina, l'Eone non più nascosto, come per declinare ogni responsabilità.

L'Eone alzò lentamente gli occhi. Guardò Santamaria senza
vederlo.

— Ma noi forse non l'avremmo scoperto, — disse il commissario, — se il dottor Musumanno non avesse questa incapacità
di vedere le persone, accorgersene, prendere atto della loro presenza, almeno da un certo grado in giù... Perché, — spiegò a
Scarampi indicando i due sconosciuti testimoni, — non è neanche che questi due glieli abbiamo messi appresso noi.

— Neanche noi, — disse Scarampi.

— Lo so. Il fatto è che li aveva chiesti lui stesso, erano la sua
scorta personale da anni, lo seguivano in tutti i suoi spostamenti.

— Ma allora?

— Niente, se n'era completamente dimenticato. Non li *vedeva* più.

La grossa mano dell'Eone brancicò verso l'astuccio di pelle,
stentò a trovarlo e ad aprirlo. Gli occhi erano adesso veramente

annebbiati e la mano tremava. Quando la lunga sigaretta penzolò
dalle labbra serrate, nessun accendino le scattò incontro.

— Prego, — disse Santamaria accendendo un fiammifero.

— Grazie.

La voce pareva lontanissima, da dietro il fumo.

— Avete, — disse l'Eone, — rovinato tutto. Non avete capito
niente. E adesso è davvero finita, non ci sarà più nessuno per...
tentare ancora, in qualche modo. Il ciclo è davvero chiuso.

— Già, — non resisté il commissario. — Ma non era a questo
che doveva servire l'Intercargo?

L'Eone storse le labbra in una smorfia di disprezzo.

— Neanche Pezza aveva capito niente. Lui aveva finito per
crederci, alla sua gnosi. Coi capitali Fiat progettava di estendere
la sua setta a tutto il mondo, convertire Roma, diventare magari Papa lui...

Si mise a ridere chioccamente.

— Mentre lei? — chiese il commissario. — Cosa voleva farci,
lei, coi capitali Fiat?

— Ma un'altra Fiat, no?... Non vi guardate intorno?... Non
vedete che qui la stanno distruggendo? annientando?... L'Intercargo doveva servire a ricominciare tutto, ma fuori di qui...
Ricominciare dove c'è vero mercato, vera industria, vera produzione... Ricominciare il ciclo.

— L'Eone Nero! — mormorò sbigottita la Pietrobono. — Aveva ragione il materassaio!

L'Eone la guardò da dietro il fumo.

— Chi?

— Niente, — disse Santamaria, — è un altro di quelli che lei
non ha mai visto.

4.

Nella sua posizione non poteva non assistere alla partenza di
colpevoli e innocenti, che ora uscivano frammischiati dai capannoni per infilarsi negli imbuti luminosi aperti nella notte
dai fari degli automezzi. Non poteva sfuggirgli il minimo particolare.

Vide ogni singola scintilla scoccata sotto gli strati di vernice e acciaio, ogni molecola di benzina risucchiata verso ciascun motore, percepì ogni battito, ogni tremito, ogni infinitesima rotazione. Nella sua posizione, niente poteva sfuggirgli.

Vide le sagome passive o gesticolanti dividersi, raggrupparsi, chiamarsi, cercarsi, correre nel molteplice frastuono dei veicoli. Vide i grigi, curvi manovali, gli sconfitti soldati del serpente, sparire uno dopo l'altro dentro i cellulari, allinearsi spalla a spalla sui lunghi sedili, in silenzio; vide i Bortolon, Pietro e Paolo, separati, incastrati ciascuno fra due carabinieri su due diverse radiomobili; vide la padrona della Penna Nera, portata giù dall'osteria insieme a Romilda Bortolon, dibattersi e scalciare davanti allo sportello del furgone; vide Priotti (e simultaneamente vide la sua convivente, che lo aspettava con una minestra di riso e zucca pronta sui fornelli) scuotere non ancora rassegnato la testa e le manette, incrociare le dita che s'erano affaccendate a preparare il cero esplosivo; vide (il tempo, al suo livello, non era un problema) il cero strenuamente impugnato da Alfonso Pezza, mentre scalava per l'ultima volta la torre, inciampava, bestemmiava, riprendeva la sua ascesa visionaria.

Un uomo di essenza non vile, non turpe, la cui liquidazione gli lasciava qualche rammarico. Ma era stato necessario: non si poteva far torto a "padrini" del calibro di un Ireneo, di un Epifanio, e comunque ogni scioglimento che escludesse la morte del prete avrebbe messo in moto una serie di eventi (li vide, in una delle concatenazioni virtuali che si diramavano da Santa Liberata) addirittura catastrofici per Torino, l'Italia, e a lunghissimo termine per un settore non trascurabile della Galassia. Del resto, quel volo verso il marmo (rivide Simone il Mago precipitare con un grido millenario verso il selciato di Roma) non era stato indegno di un eresiarca.

Vide la grossa berlina di Musumanno avviarsi al cancello a un'andatura quasi briosa. La guidava Cottino, i cui ferali convincimenti mostravano le prime incrinature. Esattamente fra 92 giorni sarebbe guarito dalla sua depressione nervosa, mentre in poche ore Dalmasso, che sedeva accanto a lui ancora un po' indolenzito, si sarebbe rimesso del tutto dai colpi ricevuti.

Sul sedile posteriore, tra Guadagni e Pastorello, si ergeva

come uno scoglio il dottor Musumanno, inscrutabile e cavo. Undici capelli s'erano di colpo imbiancati su quel cranio fiero, ma non mentre l'assassino emergeva dai sotterranei della macelleria equina, non mentre dettava a Vicini, pistola alla tempia, la sua elettronica "confessione", non mentre premeva il grilletto per azzerare l'infelice raccoglitore di mozziconi. Inorridito soltanto dall'ottico errore in cui era incorso, questo eone meramente aziendale, questo creatore meramente secolare non meritava che la mera, superficiale giustizia degli uomini. Il Grande Boss non si curò oltre di lui, lasciando anche Sulis, Carlevero e Biffignandi chiusi nel gabbiotto della contabilità ofitica, a misurare e rimisurare l'entità del danno e a bisbigliare guardinghe ipotesi circa il successore di Musumanno e il nuovo organigramma Fiat.

Coppia dopo rossa coppia vide allontanarsi in colonna le luci posteriori dei mezzi CC e PS, che riportavano in caserma quei bravi ragazzi ignari del vero valore della vittoria, della posta in gioco, del gioco stesso cui avevano partecipato. E il bravo capitano Scarampi, perplesso nella sua Alfa blu notte, sembrava sempre meno aderire a quel che pure aveva udito e visto, e già ricostruiva l'operazione (censurando Basilide, sorvolando sui serpenti) secondo un metro di burocratico buon senso.

Non diverso in ciò da quella ventina di altri "ragazzi" o boys o scuri fuorilegge che s'erano schierati per un giorno nel campo della legge, e che ora si avviavano ai loro sparsi covi con una laconica e rassicurante versione: niente droga, niente rivali, nessuna nuova minaccia per i nostri traffici, avrebbero riferito ai grugnenti boss che li attendevano.

Il Grande Boss grugnì (al suo livello, in senso solo figurato) perché quella gerarchia infima e truce scimmiottava remotamente la sua, e la cosa l'aveva sempre remotamente infastidito. Per una incalcolabile microunità temporale, prese in considerazione un intervento, un "avvertimento" lampante, la prima delle macchine mafiose (una Fiat 131 "familiare") che slittava, sbandava, si rovesciava nella scarpata, s'incendiava orridamente... Ma scelse, come quasi sempre, un tramite ben più interposto e sinuoso, non direttamente riconducibile a lui: accrebbe il tasso di cupidigia, la sbigottita invidia per il furto gnostico, gettando in quei cuori il seme di spropositate ambizioni e cruente disgregazioni. Questo era il suo m.o. prediletto, che lo lasciava libero di negare ogni interferenza nel male come nel bene del creato, e faceva di lui l'Eterno Presunto.

5.

Così, senza precisi stimoli celesti, per spontanea, timida compassione, al brigadiere Mattei tornarono in mente i libri di grammatica francese che aveva notato venerdì notte in casa della professoressa Caldani; e mentre la riaccompagnava, le propose di dare qualche ripetizione a sua figlia, una ragazzina negata per le lingue, incapace di mettere gli accenti al posto giusto. E alla Caldani, sballottata sul sedile vicino a lui, l'offerta bastò per sentirsi subito meno inerte, fragile, labile, per riaprirsi fin d'ora all'istinto di sopravvivenza (da lei, come da molti, scambiato per un ritorno d'orgoglio o un repentino cantico di speranza).

Così, senza particolari sollecitazioni (il giovanotto non ne aveva certo bisogno) si apriva a un istinto affine l'agente Michele Tropeano, "dimenticato" da commilitoni e superiori in mezzo al cortile dell'Intercargo. Nel trambusto generale aveva ricevuto da più parti ordini disordinati, aspetta qui, mettiti là, vai a fermare quelli, tieni d'occhio questi due, sali qua dentro, scendi e va' a sentire cosa stiamo aspettando. Frastornato da luci e motori, correndo da un automezzo all'altro, Tropeano aveva soprattutto badato a mantenere un'aria risoluta e competente, nell'eventualità che le sue due colleghe lo stessero osservando. Intanto le volanti e le auto civili partivano, i cellulari rombavano, i gipponi e i pullmini sparivano a uno a uno nel buio, e Tropeano dominava a fatica il desiderio di mettersi a braccia levate davanti ai fari invocando un passaggio. Qualcuno prima o poi l'avrebbe visto, si sarebbe fermato, gli avrebbe urlato di salire alla svelta...

Invece nessuno si fermò, nessun ordine venne, il piazzale si vuotò inesorabilmente, e Tropeano fu preso da qualcosa di molto simile al panico.

— E io? — gridò quasi, prendendo per il braccio un agente sconosciuto che stava richiudendo il cancello.

— Sei di guardia anche tu?

— No, nessuno me l'ha detto.

L'altro alzò le spalle, non sapeva cosa si potesse fare, a chi bisognasse rivolgersi, la cosa non lo riguardava, non lo interessava. Sparì verso un capannone, e Tropeano si sentiva vicino a lagrime di nerissima impotenza e umiliazione. Ma l'istinto (il vecchio istinto antignostico, riproduttivo) prese il sopravvento non appena udì una voce di donna, decisiva scintilla nel buio.

— Scusi...

Tropeano si girò aguzzando gli occhi verso una chiazza chiara, una testa, a un metro da lui.

— Scusi, lei è... della questura, no?

— Sì, — disse fiero Tropeano, cogliendo la dipendenza, la femminea sottomissione del tono.

— Io ero... mi hanno portata qui, e dopo... sono una testimone.

Anche Romilda Bortolon era stata "dimenticata", in parte per la gran confusione delle partenze, in parte per l'opposizione di Giove e l'influsso negativo di Marte e Urano. Il suo oroscopo radiofonico di stamattina le aveva specificamente annunciato una giornata "ricca di emozioni che potranno turbare la vostra serenità" e nel corso della quale "persone a voi vicine vi appariranno sotto una luce sorprendente". Ma aveva anche parlato senza mezzi termini di "vecchie consuetudini di cui vi dovrete liberare con grande vantaggio per la vostra personalità", nonché di un "inatteso incontro con una persona a voi congeniale", dovuto alla favorevole posizione di Venere.

— Non so, — disse supplichevole, — cosa devo fare...

A una donna (d'incerte fattezze, ma certamente giovane) che chiedeva il suo aiuto, l'agente Tropeano non poteva confidare di essere nella stessa situazione.

— Lei ha un domicilio? — s'informò ufficialmente.

— Sì, ma non so come fare... non mi hanno detto se posso... è a tre o quattro chilometri da qui e io non ho...

— Venga con me.

Se la portò in una delle baracche del cortile, dove c'era una finestrella illuminata. Spiegò il caso a uno sconosciuto collega, che alla fine gli chiese.

— E tu cosa vorresti fare?

— Riaccompagnare la teste al suo domicilio, se mi mettete un mezzo a disposizione.

Il collega si picchiò villanamente la fronte con l'indice, poi li piantò lì; disse che ora aveva da fare, ma sarebbe andato a cercare qualcuno, il brigadiere, un telefono, che si sarebbe informato.

— Vuole sedersi? — disse Tropeano alla teste.

— Però che antipatico, — commentò lei, prendendo una sedia. — Chi si crede di essere, quello lì.

Tropeano passò dal rosso-vergogna al rosso-gratitudine. La teste era un po' secca, per i suoi gusti, ma aveva gambe eccezionali e poi era bionda. Gli sorrideva.

— Eh-eh, — fece, passando al rosso-hardcore viet. 18.

La teste l'aveva preso su con lo sguardo come una zolletta di zucchero in un cucchiaino.

— Scommetto, — gli disse, passando al tu, — che sei un Ariete.

— Ma diamoci del tu, chiamami Pietrobono, tutti mi chiamano Pietrobono.

— Anche a me tutti mi chiamano Monga, chiamami Monga.

La Pietrobono scoppiò in un'altra risata cristallina (la trentunesima in ventisei minuti, secondo il computo del Grande Boss) e le due cospicue stelle che le si erano accese al posto degli occhi, ebbero uno sfavillìo supplementare.

— Sai che non mi piacciono i carciofi? — confidò al suo compagno.

— Davvero? — disse lui, stupefatto.

— Veramente. Figurati che una volta, quando avevo dieci... no, undici anni, mia madre, che è poi mancata quando ne avevo...

— Davvero? — disse Monga, costernato. — E come mai?

— Il cuore, povera mamma.

Cominciò a raccontargli della mamma, poi della casa dove abitava da piccola, poi del suo amatissimo cane Flic, poi della scuola, poi di quella volta che si era messa il rossetto di nasco-

sto. Un impulso misterioso la sollecitava a dire tutto, perché tutto
era egualmente importante, rilevante, memorabile, la sua prefe-
renza per i colori vivaci, la sua paura dei ragni, il guanto smarrito domenica scorsa, i prossimi esami da ispettrice, una buccia
di mandarino vista galleggiare in un canale, a Venezia. Era come
se tutte queste cose cominciassero a diventare reali soltanto ora
che lei le nominava, qui, a questo tavolo di ristorante.

— Allora, avete deciso? — disse l'adiposa cameriera riavvici-
nandosi.

— Ah, è vero! — trillò la Pietrobono, davanti alla quale il
menù giaceva come una lapide negletta.

Ma bastarono le parole "antipasti misti" per farla dilagare in
nuove rievocazioni, rivelazioni, digressioni, proliferazioni asso-
ciative, e la cameriera se ne andò borbottando, e la Pietrobono
parlava e fissava Monguzzi e pensava, ma che perdita di tempo
sono i ristoranti, i menù, questi assurdi elenchi di cibi, queste
vane scelte, io potrei mangiare anche solo del pane, potrei anche
non mangiare affatto. S'interruppe.

— Perché ti dico tutte queste cose? — chiese turbata, prendendo una mano al suo Monga.

— Mah, — fece Monguzzi, turbato anche lui. — Dev'essere
come quando il Crispi, in una lettera all'Oderici del settembre
1874, gli diceva che a suo giudizio...

— No, è vergognoso, ti sto buttando addosso tutto quello che
ho, è una specie di spogliarello.

Monguzzi prese un colorito vivace, e la Pietrobono gli strinse
teneramente anche l'altra mano.

— Non è proprio giusto, dimmi qualcosa di te, dimmi del-
l'Oderici...

— Ah, be', l'Oderici è un grande personaggio, — partì come
un fulmine Monguzzi, — un tipo veramente straordinario, anche se...

Il Grande Boss, che in morte dell'Oderici l'aveva giudicato
meno entusiasticamente, perse interesse. Preferì spostare la sua
attenzione in avanti di qualche ora (ma in senso figurato, non
essendoci al suo livello un avanti e un indietro, un prima e un
dopo) e leggere sopra la spalla della ragazza ciò che la sua mano
andava scarabocchiando nel diario.

(*Dal diario della Pietrobono*)

Non mi ha bac. ma stranam. non fregami un c. nessuna fretta, anzi!!! Indicib. merav. sensaz. quando offertomi rosa ristor. e capsula tabrium (rifiutata – gli farò passare brutta assuefaz.) – Constato Thea aveva perfett. ragione, mio presente stato ebbrezza est indescr., molto superiore sbronza grappa e perfino 3ª sinf. Schumann – unico paragone poss. sentomi illuminata come da rivelaz. mistica aut scintilla gnostica.

(Il Grande Boss alzò figuratamente un sopracciglio.)

Comunque niente ma niente che vedere con miei preced. miserab. incontri sentiment. – vecchio dissidio fisico-spirit. sembrami pazzesco – sono pienam. realizzata in lui, pienam. me stessa – miei gusti e prefer. ogni campo coincidono suoi (affascinante, quell'Oderici!) – mia pers.lità affine e complementare sua – ancora trilioni cose a dirci ma ci rivediamo domani e dp.d. e dopo dp.domani forever and ever. – Sento amarlo.

(Il Grande Boss la vide fermarsi, esitare, cancellare furiosamente le ultime due parole.)

Est uomo mia vita, scrisse la Pietrobono.

6.

Un'amorosa brezza spirava anche nel cuore del celebre dottor De Palma, in apparenza impegnato a riferire ai suoi superiori le movimentate vicende dell'ultimo atto. Questore, vicequestore e magistrato ascoltavano gravemente le sue gravi parole, ma il Grande Boss non perdeva una sillaba del recitativo interiore:

DE PALMA (*a parte, con bramoso rimpianto*) – Non è certo questo il modo per concludere una giornata così, per celebrare il mio trionfo. Dovrei e potrei essere in una poltrona del Regio a sentirmi l'*Elisir* con gli occhi socchiusi e le gambe più o meno allungate. Ecco la giusta mercede, ecco il premio per uno che dopotutto ha schiacciato il serpente. E invece lunedì è giorno di chiusura, mi toccherà aspettare fino a martedì, accidenti al dovere, accidenti agli obblighi professionali e gerarchici, a quest'ora potrei e dovrei essere là con Adina, anche se nella parte di Adina nessuno è paragonabile alla Carteri, e questa Stock-Gibson sarà, sentiremo martedì, ma io ho i miei fieri dubbi...

GRANDE BOSS (*a parte*) — Vediamo di favorire costui, senza beninteso che la cosa si risappia.

PRIMO MACCHINISTA (*dietro le quinte del Regio*) — Ehi, amico!

SECONDO MACCHINISTA (*che sta spingendo una pesante cassa*) — Dici a me?

PRIMO MACCHINISTA — Sì, per l'appunto. Vieni, ho bisogno del tuo aiuto.

SECONDO MACCHINISTA (*lasciando la cassa proprio in mezzo al passaggio*) — Con piacere.

MARIANNE STOCK-GIBSON (*sopravvenendo da destra; canticchia tra sé*) — Oh-oh, ah-ah... (*Sta per inciampare nella cassa.*)

GIOVANE ELETTRICISTA (*precipitandosi giù da una scaletta*) — Attenta signora!

M. STOCK-GIBSON — Ooooh! (*Con forte accento scozzese*) Ma c'è una... cassa! A box!

G. ELETTRICISTA (*mentre tira via a fatica la cassa dal passaggio*) — Ecco fatto, signora... non c'è più... alcun... pericolo... (*Si rialza ansimando.*)

VIRUS DELL'INFLUENZA AFGANA N° 297666/BX/3507/RAC 991 (*tra sé, uscendo dal naso dell'elettricista*) — Ma dove sono? Cosa faccio qui? Questa situazione non mi piace affatto, devo trovarmi al più presto un rifugio, ne va della mia sopravvivenza.

M. STOCK-GIBSON (*m. 1,83, piegandosi languida verso l'elettricista*) — Grazie, mio caro... sei stato molto, molto... carino.

VIRUS DELL'AFGANA (*entrando nella bocca della S.-G.*) — Eccomi in salvo!... E queste nuove vie respiratorie mi sembrano perfino migliori delle precedenti... la faringe è accogliente... e la laringe... perbacco, questa laringe è... (*con forte accento afgano*) wunderbar, se così posso dire.

GRANDE BOSS (*con forte accento soprannaturale*) — Domattina la pur valente Stock-Gibson si sveglierà con la gola in fiamme, e dopo un isterico giro di telefonate la direzione del teatro Regio riuscirà a mettersi in contatto con Rosanna Carteri e a persuaderla a una brevissima rentrée di tre sole sere, a partire da martedì...

7.

Prima che Graziano le superasse con quei suoi lunghi strappi di seta, Thea leggeva le targhe delle altre macchine. TOH TOGO TOR TOA...

— Ecco un TOPO — osservò.

Ma poi veniva un 5.

— Non ci staranno mica seguendo, — brontolò Graziano guardando nello specchietto.

— Chi?

— Quelli là. Sono capacissimi.

Seguiva la Porsche una decrescente fila di luci scaglionate lungo il rettilineo a intervalli irregolari.

— Mannò, figurati, cosa gliene importa più. E poi se anche fosse.

Eppure in quella loro corsa per le strade della cintura, tra spente fabbriche, inalberati casamenti e mobilifici illuminati a giorno, c'era una vibrazione erratica e inquieta, come se temessero a ogni incrocio, a ogni svolta, di annodare senza saperlo il filo della Porsche a un altro oscuro filo, al percorso di un'altra Volkswagen, restando impigliati in un altro pauroso ricamo che non li riguardava.

— Non pensarci più, — disse Thea.

— A cosa?

Thea si mise a ridere.

— Alla Fiat. Tanto non ti prenderebbero.

— E chi ci pensava, io pensavo a te, ma sei matta?

— Peccato, perché saresti bravo. Sono loro a rimetterci.

— Tu sei matta, — disse brusco Graziano. — Oltre al resto ti sparano anche a tradimento... Sentiamoci un po' di musica.

Tutti e tre (loro due con discreta approssimazione, il Grande Boss nei più riposti geroglifici) videro il ricamo alternativo in cui Graziano veniva assunto alla Fiat, andava in ufficio ogni sabato mattina, faceva carriera, giocava a golf, prendeva il tè ogni domenica sul divano Impero della signora Guidi, diventata sua suocera... Tutti e tre rabbrividirono.

Imbevuta di grida e chitarre la Porsche rallentò, scivolò a

destra, andò a fermarsi sul piazzaletto del motel "Le Betulle".
Graziano spense motore e luci.

— Scendiamo?

— Aspetta ancora un momento, — disse Thea.

Graziano spense la radio, si guardò indietro. Gl'inseguitori
passavano senza fermarsi.

— Non ti va? — disse ruvido.

— No, è solo che...

La trasfigurazione era finita, una cinerea bacchetta aveva
espulso dal cerchio magico il motel, la scarna, afflitta padrona,
quel bambino davanti al televisore, quell'armadio cigolante della
camera 27.

— È di uno squallore unico, — disse Thea con dolorosa ob-
biettività, — nemmeno losco o sinistro, solo...

— Io l'avevo detto subito, — si difese Graziano. — Che avevo
detto, venerdì?

— Lo so, è colpa mia, ma venerdì era venerdì, ieri era ieri...
e oggi è oggi.

— E noi andiamocene da qualche altra parte, cerchiamone uno
un po' meglio, andiamo a quel castello sul...

Thea scosse la testa.

— Sono tutti uguali.

— E allora andiamo all'ufficio, no?

— No, non c'entra niente.

Graziano la guardava come se la stesse rincorrendo per una
brughiera sterminata.

— Possiamo sempre andare da me, c'è sempre casa mia...

— No, — disse Thea.

Non poteva, non sapeva spiegargli che a tutti questi posti
mancava qualcosa, un'aura, un'essenza, una proprietà sfuggente,
mercuriale; e cercando pignolescamente, anche per se stessa,
di definirla, le sembrò che ci fosse a portata di mano una parola
vasta e soccorrevole.

— Ecco, ci manca un *topos*, — disse meditativa. — Bisogna
trovare un *topos*.

Graziano non rispose.

Il mondo intero era un topos, a pensarci; o piuttosto un topos
non era mai un luogo preciso, stabilmente, geograficamente col-

locato, ma una specie di volatile qualità simile a un polline, a un raggio di luce, che ora animava una panchina, un cinema, un bar, una piazza, ora invece cancellava un grattacielo, un lungofiume, una metropoli, la stanza di un motel. Il topos era dovunque e in nessun luogo. Moriva e rinasceva continuamente, un po' più in là o a diecimila miglia, arbitro ubiquo e capriccioso della tua vita. E dovevi essere sempre prontissima a individuarlo.

Thea rise e solleticò con l'indice il mento indurito di Graziano.

— Stai tranquillo, non è che faccio i capricci.

— No, perché se adesso la cosa... — cominciò Graziano più stentato che solenne, — se tu pensi che noi due adesso...

Temeva che fosse venuto il momento delle grandi risoluzioni, perché adesso tutto era irreparabilmente chiaro, lei sapeva tutto, non si poteva più far finta di niente, sorvolare, contornare. Che avvenire aveva una storia come la loro? Come sarebbe andata a finire?

— Non lo so e non me ne importa, — disse Thea, accarezzandogli l'orecchio, — perché insomma nessuno ci ha poi saputo dire a che punto è la notte, neanche quel prete. Tutto è terribilmente per aria, e Dio solo sa cosa sta per succedere.

Il Grande Boss che infatti lo sapeva, e anche troppo bene, lasciò che la mano di Thea scendesse dalla guancia al collo di Graziano, s'infilasse piano sotto la camicia.

— Come? — disse Graziano. — Qui?... Ma è... scomodissimo.

— Ah, — disse Thea, con aria ispirata, — ma qui adesso c'è il topos.

La sua mano scese ancora.

Il Grande Boss chiuse un occhio.

8.

Ma dov'era intanto, si stavano chiedendo in parecchi, il commissario Santamaria? Perché tardava? Perché non si faceva trovare? Perplessità d'ogni genere crescevano attorno alla sua inspiegabile assenza.

Il funzionario che più d'ogni altro s'era adoperato per risolvere il caso Pezza-Genovese-Vicini non era qui a ricevere gli

elogi dei suoi superiori. Un atto di sdegnosa noncuranza, forse?
Santamaria non era il tipo. Semmai un supplemento d'indagini,
un qualche marginale accertamento che aveva voluto portare a
termine di persona. Ma perché non ne aveva fatto cenno a nessuno? E poi sapeva bene che a questo punto la cosa più importante, più urgente, era l'assistenza alla magistratura per la
prosecuzione degli interrogatori, nonché la preparazione del rapporto finale; sapeva bene che la sua collaborazione era, in questa fase, indispensabile. E dunque?

   Restava l'ipotesi di un crollo fisico, di una invincibile crisi di
stanchezza. Ma in tal caso sarebbe rientrato al suo domicilio,
avrebbe prima o poi risposto alle periodiche chiamate di Biazzi.
Il quale Biazzi l'aveva cercato inutilmente anche presso il comando CC e in vari uffici della stessa questura, chiedendo inoltre sue notizie a diversi reduci dall'operazione Serpente... Sì,
era stato visto per l'ultima volta nel cortile dell'Intercargo, mentre parlava con lo Scalisi, o vicino a un cellulare, o in atto di
congedarsi dal capitano Scarampi... Poi, più niente. Scomparso.
Volatilizzato. Riassorbito anche lui nel nulla infinito. E malgrado l'alta considerazione in cui era tenuto, malgrado il suo
noto e apprezzato senso del dovere e della responsabilità, cominciava a farsi strada in parecchi il sospetto che il commissario Santamaria si fosse deliberatamente, surrettiziamente eclissato; avesse quatto quatto tagliato la corda. Ma perché mai? E
dove mai, in una sera come questa, s'era andato a occultare?

   Il Grande Boss, che conosceva il suo uomo, non ci mise molto
a localizzarlo, né si stupì di vederlo impegnato in una conversazione di alto tenore intellettuale e morale.

   — Ma è così in tutte le cose, — stava dicendo il disertore con
suadente saggezza. — Niente è più quello che sembra, niente
sembra quello che è... La porta alla fine si apre, ma con una
chiave sbagliata, o magari era una porta già aperta. Oppure la
chiave giusta arruginisce, si spezza dentro la serratura...

   Tentò di chiudere il battente (senza chiave) di un armadio di
pseudo-palissandro, che subito si riaprì cigolando.

   — Sì, è un mondo molto complicato, — riconobbe la signora
Guidi. — E devo dire che a me le cose complicate fanno paura,
non mi sento mai all'altezza.

– E chi lo è? – disse il commissario giocherellando col suo accendino.

La signora Guidi raccolse rumorosamente in un pugno la lunga collana d'oro, smalto e ametiste con cui giocherellava.

– Nel dubbio, semplifica, – disse raddrizzando inconsciamente le spalle. – È sempre stata la mia regola... In fondo, tutta questa faccenda starebbe in tre righe di cronaca: una banda di ladri e malversatori, un grosso ammanco, un regolamento di conti...

– Giustissimo, – disse il filosofo. – Anche l'omicidio non è altro che una semplificazione, in fondo.

– Solo che però, – disse la signora Guidi riabbassando desolata le spalle, – da tutto questo resta fuori Thea. Come la semplifico, la complicazione di Thea?

– Con altre due righe, – disse il commissario giocherellando con un polsino, – dedicate alla diciannovenne T.G., incensurata, coinvolta insieme a Scalisi Graziano, noto alla questura ma risultato peraltro estraneo ai fatti.

– Già, – sospirò la signora Guidi, giocherellando con un fermaglio. – E noi, quante righe ci meritiamo?

– Noi stiamo in una riga saltata, – disse Santamaria, – in una parentesi bianca.

La signora Guidi prese a giocherellare pensierosa con un gancetto.

– Eppure per me è difficile credere a... una sospensione di responsabilità, è difficile non avere scrupoli. Per esempio, non mi sembra di avere nessun diritto di... essere qui.

– Ma non ce l'ho nemmeno io, – la soccorse Santamaria giocherellando con un bottone, – è una vera vergogna che io sia qui, invece che in ufficio a fare il mio dovere.

– Ecco, appunto, non abbiamo diritto a niente, è questo che la vita mi ha...

– Ma possiamo sempre dire che i carcerati hanno diritto all'ora d'aria.

– Ma non è vero, è solo una scusa! Io non sono affatto carcerata, io faccio e decido sempre in piena libertà, e non posso onestamente nascondermi dietro una...

— C'è il carcere delle complicazioni, — suggerì Santamaria.
— Possiamo sempre dire che questa è un'altra piccola semplificazione, no?

Guardò la stanza n°12 del motel "I Pioppi", semplificata fino a sfiorare lo stile penitenziario.

— Poi tanto l'ora finisce e uno se ne torna buono buono in cella.

— No, è troppo comodo, — disse la signora Guidi giocherellando con una cerniera. — E soprattutto non mi va di pensare che quello che faccio non conta, non ha importanza, non ha il minimo senso...

— C'è sempre il nostro amico Carpocrate, — disse il commissario giocherellando con una fibbia. — Lui consigliava di farle apposta, certe cose. Se uno pecca di proposito, tutto ha di nuovo senso, l'importante è di...

— Ma io non sono mica gnostica, non sono mica infame! — si ribellò la signora Guidi giocherellando con un elastico. — Io continuo a trovare che la vecchia dottrina, i vecchi divieti, il vecchio contra sextum...

Ora non aveva più niente addosso. S'infilò per prima sotto le diacce lenzuola della stanza n°12.

— Perché insomma, — disse con un brividino, — il vecchio Dio, con tutti i suoi difetti...

Il Grande Boss chiuse l'altro occhio.

Lo riaprì, col primo, sulle due gemelle del Brussone che dormivano in due lettini gemelli comprati a rate in uno dei tanti mobilifici della cintura torinese. Identici erano anche i due pigiami a disegni di carriole e rastrelli, identici i quattro piedi che ne scaturivano, minuscoli e convessi come conchiglie, identico il perduto abbraccio che soffocava rispettivamente un coniglio rosso e una bambola vestita da regina.

Alla incerta periferia del loro sonno s'indovinavano aeree cupole di zucchero dal profilo di Volkswagen, lustri obelischi di liquirizia appuntiti come matite; e questi dolci aggiustamenti, queste infantili trasposizioni e cancellazioni sembrarono per un momento stingere sui pochi giorni precedenti, come se, di qui partito per il suo periplo micidiale, il mistero di Santa Liberata fosse qui tornato a sciogliersi in un delicato pulviscolo onirico.

Per un momento neppure il Grande Boss sfuggì, o volle sottrarsi, alle spirali di una così languida indeterminatezza. Per un momento la notte non ebbe osservatori, infimi o eccelsi, ma restò non vista o invisibile, non pensata o inconcepibile, ferma nella sua riassorbita pienezza.

INDICE